MARTINA COLE

KU-326-617

Układ

Z angielskiego przełożył
GRZEGORZ KOŁODZIEJCZYK

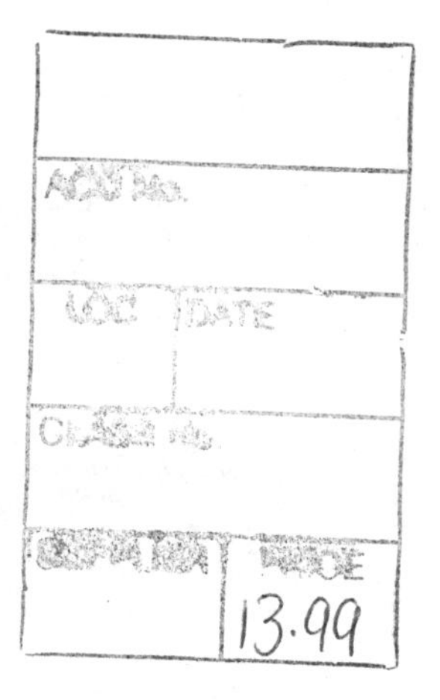

WARSZAWA 2006

Tytuł oryginału:
THE GRAFT

Copyright © Martina Cole 2004
All rights reserved

Copyright © for the Polish edition
by Wydawnictwo Albatros A. Kuryłowicz 2006

Copyright © for the Polish translation by Grzegorz Kołodziejczyk 2006

Redakcja: Jacek Ring

Zdjęcia na okładce: Oredia/BE & W

Projekt graficzny okładki: Andrzej Kuryłowicz

ISBN-13: 978-83-7359-331-2

ISBN-10: 83-7359-331-4

Dystrybucja
Firma Księgarska Jacek Olesiejuk
Kolejowa 15/17, 01-217 Warszawa
t./f. (22)-631-4832, (22)-535-0557/0560
www.olesiejuk.pl

Sprzedaż wysyłkowa – księgarnie internetowe
www.merlin.pl
www.ksiazki.wp.pl
www.empik.com

WYDAWNICTWO ALBATROS
ANDRZEJ KURYŁOWICZ
Wiktorii Wiedeńskiej 7/24, 02-954 Warszawa

Wydanie I
Skład: Laguna
Druk: Łódzkie Zakłady Graficzne, Łódź

Christopherowi Wheatleyowi.
To zaszczyt i przywilej być Twoim przyjacielem.

Ricky'emu i Marii.
Na pamiątkę naszego dzieciństwa.

Tinie Louise Smith.
Spoczywaj w pokoju.

Prolog

W pokoju było gorąco jak w piecu. Poczuł, że pot spływa mu po twarzy, i otarł go niedbałym ruchem. Jaka szkoda, że nie pada, że nie rozpęta się burza i nie zakończy tego wszystkiego.

Ta myśl wywołała uśmiech na przystojnej twarzy Nicka Leary'ego.

Czuł niepokój i zmęczenie, ale o zaśnięciu nie mógł nawet marzyć. Miał zbyt wiele do przemyślenia.

Żona spała spokojnie obok niego; jej delikatne pochrapywanie słychać było wyraźnie w cichym pokoju. Leżała jak zwykle skulona, z niezmarszczonym czołem; zmarszczki powrócą z nowym dniem. Blond włosy wyglądały nieskazitelnie, nawet gdy spała. Tammy nigdy nie wyglądała niechlujnie. Nick był przekonany, że gdyby rozbiła się swoim samochodem terenowym, zginęłaby z nienaganną fryzurą i makijażem, tak jak gwiazdy na filmach. Wypuściła cichutko wiaterek, a Nick uśmiechnął się w ciemności. Spaliłaby się ze wstydu, gdyby jej powiedział. Nie cierpiała wszelkich aluzji do funkcji biologicznych i zadawała sobie wiele trudu, by ukryć fakt, że beka, puszcza bąki i korzysta z ubikacji jak wszyscy. Wsunęła się głębiej pod kołdrę, a Nick znów się uśmiechnął.

Leżał na wznak z ręką niedbale ułożoną na oczach. Nick Leary był potężnym mężczyzną. Rosłym i obdarzonym odpowiednio silną osobowością. Cieszył się opinią sprytnego biznesmena i lojalnego przyjaciela. Starannie pielęgnował ten wizerunek, gdyż był on dla niego ważny.

Rzadko robił coś, co nie przynosiło mu korzyści i właśnie dlatego miał wiejski dom z ośmioma sypialniami, dość pieniędzy, żeby robić to, czego zapragnie, i prowadził życie, którego zazdrościła mu większość jego rówieśników. Lecz słono zapłacił za to wszystko i wywindował siebie oraz swoją rodzinę tak wysoko, jak to tylko możliwe.

Usłyszał odległy grzmot i poczuł, że jego ciało wreszcie się rozluźnia. Kilka sekund później krople deszczu zadudniły jednostajnie o szyby. Omal nie krzyknął z radości. Modlił się o ten deszcz, wiedział, że nadejdzie, i lękał się, iż jednak może nie nadejść. Z napięcia bolała go głowa. Zawsze dręczył go ból głowy, gdy zanosiło się na burzę, lecz tym razem męczyły go także różne troski. Znów poruszył się niespokojnie na łóżku.

— Leż spokojnie, na litość boską.

Głos Tammy był przytłumiony, lecz Nick wyczuł w nim zniecierpliwienie.

— Przepraszam.

Zmusił ciało do bezruchu. Jeszcze tylko tego brakowało, żeby Tammy się obudziła i rozpuściła jęzor.

Tammy Leary lubiła pospać w spokoju i nikt nie ośmielał się jej w tym przeszkadzać, jeśli cenił sobie swoje uszy. Nick znosił jej nosowy zaśpiew w ciągu dnia, bo bardzo ją kochał. Lecz nocą głos Tammy brzmiał niczym wycie strzygi, i to wyjątkowo złośliwej strzygi, którą na dodatek boli ząb. Najlepiej niech śpi, zwłaszcza tej nocy, gdy szaleje nawałnica, a jego szyja i ramiona ciągle są sztywne od bólu. I wciąż dręczą go obawy.

Znów zamknął oczy, choć wiedział, że nie zaśnie.

Nagle to usłyszał.

Otworzył oczy i leżał w bezruchu. Pot wciąż go oblewał, gdy wstrząsnął nim zimny dreszcz. Wytężał słuch, każda cząstka jego ciała została zaalarmowana. Głośno uderzył grom i błyskawica rozświetliła sypialnię. Nick wyślizgnął się cicho z łóżka i na palcach przemknął po drewnianej podłodze. Światło w holu sypialni się paliło, w szparze pod drzwiami błyszczało światło. Było go wystarczająco dużo, by Nick mógł widzieć.

Wszedł cicho na szczyt schodów.

Deszcz padał mocniej; Nick słyszał szum wokół domu.

Znieruchomiał, gdy znów rozległ się stłumiony szmer. Ktoś poruszał się na parterze. Nick usłyszał odgłos otwierania i zamykania szuflad. Serce waliło mu w piersi tak mocno, że zastanawiał się, czy ktoś je usłyszy. Przeszedł obok drzwi sypialni synów i z ulgą zobaczył, że są zamknięte.

Na szczycie schodów znów się zatrzymał i nadstawił uszu; dopiero po chwili ruszył jak najciszej na dół. U podnóża schodów sięgnął ręką do dużego stojaka na parasole i namacał kij baseballowy, który zostawił tam właśnie na taką okazję.

Dom był duży, stał na siedmioarowej działce i nie było łatwo do niego dotrzeć. Wchodziło się przez elektrycznie uruchamianą bramę. Nikt nie zjawiał się u Learych bez uprzedzenia.

Nick rozejrzał się po holu. Były tam trzy podwójne drzwi. Prowadziły do dużego pokoju frontowego, salonu telewizyjnego i jadalni. Druga klatka schodowa wiodła do piwnicy, a dwoje drzwi do kuchni i gabinetu. Przed gabinetem znajdowała się dobrze wyposażona biblioteka. Lecz odgłosy dochodziły z gabinetu.

Właśnie tam Nick trzymał sejf.

Zbliżył się cicho do głównego holu. Serce podchodziło mu niemal do gardła. Z trudem przełknął ślinę. Przed chwilą burza nieco ucichła, lecz teraz znów przybierała na sile. Wiatr świszczał wokół domu, wydając dziwne, przerażające dźwięki, Bóg jeden wie, jak Nick był przerażony, i to bardzo. Bardziej niż kiedykolwiek w życiu.

Pomyślał o Tammy i chłopcach, żeby nie odwrócić się i nie uciec.

Drzwi gabinetu były minimalnie uchylone. Nick zajrzał do środka i otworzył je szerzej. Ktoś stał przy kominku, tyłem do drzwi. Miał na sobie maskę narciarską i był cały ubrany na czarno. W opuszczonej luźno ręce trzymał duży pistolet.

Gdy Nick rzucił się w jego stronę, intruz się odwrócił,

podnosząc rękę z bronią. Nick trafił go kijem i usłyszał trzask pękającej kości. Mężczyzna osunął się na podłogę, a Nick uderzał go raz po raz w głowę i inne części ciała, wkładając w ciosy całą swoją niemałą siłę. Chciał mieć pewność, że ten skurwiel więcej się nie podniesie. Dyszał z wyczerpania, gdy wreszcie przestał.

W półmroku zobaczył, że intruz leży nieruchomo; odetchnął z ulgą. Odwrócił się, żeby zapalić lampę, i zobaczył w drzwiach Tammy i chłopców, z twarzami pobladłymi ze strachu. Nawet w takiej chwili, przerażony tym, co zrobił, zauważył, jacy obaj są przystojni. Podbiegł do całej trójki, upuszczając po drodze zakrwawiony kij, i objął ich.

— Już w porządku. Wszystko będzie dobrze.

Powtarzał to w kółko niczym mantrę, drżącym głosem, mając świadomość gwałtowności swojego ataku. Następnie wyprowadził wszystkich troje na korytarz i dalej do kuchni, po drodze zapalając wszystkie światła. Teraz potrzebne im było światło.

Chłopcy zmrużyli oczy oślepieni blaskiem. Nick obdarzył ich najcieplejszym uśmiechem, na jaki mógł się zdobyć.

— Wszystko w porządku, tatuś jest tutaj. Nic wam już nie grozi.

Przytulił do piersi dwie jasne główki, wyczuł dreszcz strachu wstrząsający ich wąskimi ramionami.

— Co tam się stało, Nick? Co to ma, do cholery, znaczyć?

Tammy odciągnęła od niego chłopców i przygarnęła do siebie, wciąż spoglądając na drzwi. Najwyraźniej bała się, że intruz wstanie i ich zaatakuje. Ze strachu szczękała zębami.

— To był włamywacz, kochanie. Nakryłem go...

Nick przerwał w pół zdania i sięgnął po telefon wiszący na ścianie.

— Co robisz?

— Dzwonię na policję.

Tammy znów spojrzała na drzwi.

— A jeśli on się podniesie...?

W tym momencie chłopcy naprawdę zaczęli płakać.

Nick pokręcił głową, ze wszystkich sił starając się uspokoić rodzinę.

— Nie podniesie się. Wierz mi, że on nigdzie nie pójdzie, kochanie.

Usłyszał sygnał służby ratowniczej i podniósł rękę, żeby Tammy zamilkła.

— Proszę z policją, ktoś włamał się do naszego domu. Nakryłem tego sukinsyna...

Zauważył, że mamrocze niewyraźnie do słuchawki, więc podał ją żonie.

— Opowiedz, co się stało, a ja pójdę zobaczyć, co z nim.

— Nie! — zawołała Tammy, upuszczając słuchawkę na podłogę. Zaczęła wrzeszczeć z przerażenia.

— On miał broń, Nick, widziałam pistolet... Pozabija nas!

Wpadła w histerię. Zanim zdążył ją uspokoić, z daleka dobiegło wycie syreny policyjnego radiowozu.

— Och, Bogu dzięki, Bogu dzięki!

Tammy wybiegła z dziećmi na podjazd naprzeciw policji i karetek pogotowia.

— On ma broń!... on ma broń!... — wykrzykiwała raz po raz.

Policjanci szybko zabrali ją i chłopców sprzed wejścia i próbowali ich uspokoić. Pytali, czy intruz jest wciąż uzbrojony i czy usiłował wydostać się z domu. Chcieli wiedzieć, gdzie jest mąż i czy napastnik wziął go jako zakładnika.

Jednak Tammy nie mogła rozsądnie rozmawiać; policjanci od razu to zauważyli i przekazali ją sanitariuszom.

Starszy z chłopców, Nick junior, powiedział im wszystko, co chcieli wiedzieć.

Tymczasem Nick senior wrócił do gabinetu i wlepił wzrok w ciało rozciągnięte na podłodze. Wokół głowy zebrała się kałuża krwi. Czuł jej lepką słodycz. Wreszcie wyszedł tyłem na korytarz i opadł na małą kanapę w holu, gdy nogi odmówiły mu posłuszeństwa.

Właśnie tam zastali go policjanci. Trzymał głowę w dłoniach i powtarzał w kółko:

— Co ja zrobiłem? Boże drogi, co ja zrobiłem?

KSIĘGA PIERWSZA

Bestia najgorsza zna nieco litości.

William Szekspir
Żywot i śmierć Ryszarda III
(Akt I, scena II)*

Ochrona nie jest zasadą,
lecz środkiem do osiągnięcia celu.

Benjamin Disraeli, 1804—1881

---

* przekład Macieja Słomczyńskiego

Rozdział 1

Tammy wreszcie zasnęła, sanitariusze się o to postarali, a chłopcy byli w bawialni z nianią. Nick czuł ciszę, która zawisła nad domem, i nienawidził jej. Nadszedł świt i minął; dzień też jakoś przeszedł. Policjanci wypytywali go i wypytywali, aż wreszcie lekarz powiedział, żeby dali mu odetchnąć. W końcu był w szoku. Gliniarze jakoś nie brali tego pod uwagę.

Kiedy jednak ustalili tożsamość intruza, złagodzili swoją postawę wobec Nicka. Zmiękli, byli bardziej skłonni uwierzyć w jego lęk o rodzinę. Przez chwilę Nick bał się, że to w nim będą upatrywać złoczyńcy, a nie w chłopaku, który próbował obrabować dom. Świat ostatnio zwariował pod tym względem.

Angela, jego matka, popatrzyła na zmieniający się wyraz twarzy Nicka i oznajmiła:

— Nic ci nie grozi, synku. Nikt zdrowy na umyśle nie aresztuje cię za to. Broniłeś swojego domu.

Powiedziała to szorstkim głosem, jej cockneyowski zaśpiew wydawał się nie na miejscu w tym pałacowym wnętrzu. Przespała całe zdarzenie dzięki temu, że lubiła pociągnąć whisky przed snem.

— Dajmy już temu spokój, mamo, dobrze? Zaparz porządnej herbaty.

Włączyła czajnik, lecz Nick widział po sztywnym ułożeniu ramion i pleców, że jest rozgniewana.

Uśmiechnął się łagodnie.

Twarda sztuka była z tej jego matki, zadziorna. Uwielbiał ją całym sobą. Lecz niewyparzony język często wpędzał ją w kłopoty, nie tylko gdy miała do czynienia z rodziną, ale również z innymi ludźmi, którzy się nawinęli. Angela Leary nigdy nie wiedziała, kiedy odpuścić.

— Ten mały skurwiel musiał kiedyś dostać klapsa.

W podniesionym głosie Angeli pobrzmiewały gniew i wzburzenie z powodu tego, co się stało. Wejść z bronią do domu jej syna! To właśnie pistolet najbardziej ją przeraził oraz fakt, że chłopak okazał się znanym narkomanem i złodziejaszkiem. Kiedy sanitariusze zdjęli maskę z jego twarzy, policjanci momentalnie go zidentyfikowali. W rzeczy samej znali go wszyscy funkcjonariusze w okolicy. Krótko mówiąc, był z niego mały skurwiel i to niebezpieczny.

Angela Leary nie przestawała mówić, ignorując fakt, że jej syn najbardziej potrzebował w tej chwili spokoju.

— Za kogo oni się uważają? Żeby tak włazić do cudzych domów, rabować, krzywdzić. Zakradać się, kiedy porządni ludzie śpią w łóżkach... łóżkach, za które zapłacili ciężką harówką, a nie ukradli. A on miał pistolet! Jezu Chryste, jak pomyślę, co się mogło stać, zimno mi się robi ze strachu. Mógł was zastrzelić w łóżkach, tak po prostu...

Nick miał wrażenie, że głowa mu za chwilę eksploduje.

— Już dobrze, mamo, wszystko jasne.

Prawie krzyknął. Matka podeszła do niego zatroskana. Była taka stara i wątła, nagle zachciało mu się płakać z miłości do niej. Angela Leary musiała walczyć przez całe życie, najpierw, by wydrzeć pieniądze od zapijaczonego gnoja, za którego wyszła, a później, żeby zapewnić rodzinie dach nad głową i coś do jedzenia. Wstawała o czwartej rano, sprzątała domy obcych ludzi, szorowała podłogi. Potem wracała do domu, by wyprawić dzieci do szkoły, a później szła do pracy w wytwórni tworzyw sztucznych w Romford. Nick uwielbiał matkę i nigdy nie podniósł na nią głosu, lecz dzisiaj nerwy mu wysiadły. Nie mógł tego dłużej słuchać.

— Przepraszam, mamo, ale wciąż mam to przed oczami...
Głos mu się załamał.

— Nie, to ja przepraszam, synku, powinnam wiedzieć, kiedy się zamknąć. Ale nie mogę uwierzyć, że ktoś mógł mi to zrobić... albo moim bliskim. Gdyby wpadł w moje ręce... — Wzruszyła ramionami. — Ale miejmy nadzieję, że nie wyzionie ducha. Niech żyje i trafi za kratki. Tylko że oni nie wsadzają ich teraz do więzienia, prawda? Pewnie pojedzie na wakacje do cholernej Afryki albo jeszcze gdzie indziej. Sam wiesz, jakie oni mają czułe serca!

Nick by się roześmiał, gdyby choć trochę chciało mu się śmiać. Angela zaparzyła herbatę i dalej piała i narzekała na świat, lecz Nick się wyłączył.

Chłopak żyje.

Nick mógł myśleć tylko o tym.

Chłopak żyje.

— Pani syn jest bardzo chory, pani Hatcher.

Lekarz powiedział to cicho, a ona spoglądała nieruchomo w jego twarz.

— Jakoś nie jestem za bardzo zaskoczona, a pan? Rozwalono mu głowę kijem baseballowym.

Roześmiała się wysokim, nerwowym głosem. Lekarz okazywał jej współczucie.

— Naprawdę powinna się pani zastanowić nad tym, co powiedziałem. Ludzkie narządy mogą się bardzo przydać krewnym. To tak, jakby część człowieka wciąż żyła...

Popatrzyła na lekarza jasnymi oczami, w jej głosie nabrzmiała emocja.

— Niczego nie pozwolę odłączyć! On dojdzie do siebie. Mój Sonny to wojownik, twardy chłopak. — Po policzkach kobiety płynęły łzy. — Nic mu nie będzie, kocham go. Potrzeba mu tylko trochę snu, to wszystko.

Lekarz pokręcił głową, spoglądając na pielęgniarkę siedzącą obok nieszczęsnej kobiety. Westchnął.

Ona tymczasem znów chwyciła dłoń syna i powiedziała radosnym tonem:

— Mój mały Sonny niedługo się obudzi. Ma dopiero siedemnaście lat. Nastolatki nigdy nie wstają przed piątą po południu, prawda?

Skinęła głową na pielęgniarkę, oczekując potwierdzenia. Wyraz rozpaczy w jej oczach sprawił, że siostrze też chciało się płakać.

— Przyniosę pani jeszcze jedną filiżankę herbaty.

Oboje z lekarzem wyszli z sali. Wiedzieli, że Sonny Hatcher nigdy więcej nie otworzy oczu. Jego mózg był martwy.

Jude zamknęła oczy, usiłując zdławić łzy. Miała zmęczoną twarz, ale ostatnio jej twarz zawsze tak wyglądała. Doprowadziły do tego alkohol i narkotyki. Jasne, przetłuszczone włosy były odgarnięte na bok. Niebieskie oczy pozostawały nieruchome, prawie martwe, tak jak oczy jej syna. Szczupłe z natury ciało było wychudłe od nadmiaru wódki, kokainy i amfetaminy, które Jude z lubością zażywała w weekendy, mimo że jej ulubionym narkotykiem była heroina. Miała się leczyć, ale metadon nie dawał takiego samego kopa, nie odsuwał wszystkich trosk i myśli.

Pochyliła się, otworzyła torebkę i znów wyjęła zdjęcia.

— Spójrz, Sonny, to ty i ja w Yarmouth. Miałeś dopiero dwa latka, pamiętasz?

W jej głosie pobrzmiewała nadzieja, lecz w gruncie rzeczy sama prawie tego nie pamiętała; w tamte wakacje przez większość czasu była pijana i naćpana. Tyrell, ojciec Sonny'ego, wciąż jeszcze się koło nich kręcił. Był wtedy taki przystojny, nadal zresztą jest. Jude popatrzyła smutno na zdjęcie. Sonny wyglądał identycznie, tylko że jego skóra nie była taka ciemna.

Jude zostawiła wiadomość u matki Tyrella i miała nadzieję, że Tyrell przyjdzie zobaczyć Sonny'ego, zanim... Wolała o tym nie myśleć. Niczego nie pozwoli odłączyć, bez względu na to, co powiedzą. W głębi serca pragnęła, by Tyrell przyszedł i podjął tę decyzję za nią. Ale on był na Jamajce z drugą żoną i dwójką dzieci, a to kawał drogi stąd.

Umysł poczciwej matki Tyrella był w dziwnym stanie. Kochała tego chłopca, lecz teraz była skazana na siedzenie w domu, bo za bardzo bała się z niego wychodzić. Jude niedługo do niej zadzwoni, da znać, jak wnuk się czuje. To była zacna kobieta, ta stara Verbena, dobra dusza, prawie jak matka, której Jude nigdy nie miała. I uwielbiała najstarszego wnuczka. Jakżeby inaczej, skoro go praktycznie wychowywała.

Dla jego matki też była dobra. Wciąż pilnowała, żeby Jude jadła i dbała o siebie. Jude nie wiedziała, co by zrobiła przez te wszystkie lata bez jej pomocy.

Zawsze mogła pójść do Verbeny. Bez względu na to, co zrobiła, albo raczej czego nie zrobiła, zawsze mogła na nią liczyć. Jedyny stały punkt w jej stale zmieniającym się życiu. Verbena nigdy nie osądzała matki ukochanego wnuczka, tylko starała się ją zrozumieć.

Co było nie lada osiągnięciem, bo Jude Hatcher nigdy tak naprawdę nie rozumiała samej siebie.

Żałowała, że w tej chwili nie ma przy niej Verbeny ani Tyrella, ani kogokolwiek, kto przyszedłby i zdjął ten ciężar z jej ramion. Nigdy nie była dobra w podejmowaniu decyzji, zawsze podejmowała niewłaściwe.

Jude pparła głowę na poduszce obok głowy Sonny'ego i zapłakała. Nie wiedziała, co może zrobić innego.

— Temu małemu skurczybykowi w końcu musiało się to przytrafić.

W głosie detektywa inspektora Rudde'a brzmiało znudzenie. Gdy tylko policjanci stwierdzili, że na podłodze gabinetu leży zmasakrowany Sonny Hatcher, ich zainteresowanie przygasło. To był znany opryszek z tyloma grzeszkami na koncie, ile miał włosów na głowie. Poza tym był pyskatym gnojkiem bez wykształcenia, który dopuścił się praktycznie wszystkich przestępstw oprócz morderstwa. A wyglądało na to, że gdyby Nick Leary go nie załatwił, szczeniak uzupełniłby i ten brak.

— Mimo to jest człowiekiem i nie można twierdzić z całą pewnością, że zrobiłby komuś krzywdę...

Peter Rudde przewrócił oczami, spoglądając z irytacją w sufit; jego duża twarz wyrażała niedowierzanie, że można powiedzieć coś tak niedorzecznego.

— Z naładowanym gnatem w łapie wlazł do domu, w którym jest więcej antyków niż u Sotheby'ego, a ty myślisz, że zrobił to dla zabawy? Złożę wniosek do prokuratury, żeby nie podejmowano żadnych działań. Sonny Hatcher to była bomba z opóźnionym zapłonem. Niech mnie szlag, jeśli ten cały Leary nie zredukował nam wskaźnika przestępczości o czterdzieści procent. Powinni mu dać pieprzony medal.

Posterunkowy Ibbotson westchnął. Nie było sensu spierać się z szefem na argumenty, bo on nie znał nawet znaczenia tego słowa.

Ibbotson postanowił zmienić taktykę.

— A co, jeśli mogę spytać, mały Sonny wie o antykach?

— Pewnie tyle, że trzeba je wszystkie rozpieprzyć. Znając go, pewnie skubnąłby popielniczki. Ale to nie ma nic do rzeczy. Myślał, że znajdzie tu łup i to mu wystarczyło.

— Może ktoś inny przysłał go do tego domu — nie dawał za wygraną Ibbotson. — Ktoś, kto wiedział, co tam jest?

Rudde wzruszył ogromnymi ramionami.

— Gówno mnie to obchodzi, nie będę ciągnął tej sprawy. Jak na mój gust, to ten facet wyświadczył nam sporą przysługę. Jeśli — a jest to bardzo duże jeśli — ktoś go tutaj nasłał, to nigdy się tego nie dowiemy. Chociaż chciałbym wiedzieć, skąd wziął broń. Tego warto by się dowiedzieć. Ale kiedy poślę sprawę do prokuratury, dam jasno do zrozumienia, że zajmowanie się tym to strata policyjnych środków. Poczekamy i zobaczymy, czy się ze mną zgodzą, choć myślę, że tak. Mały Sonny Hatcher był na drodze do samozagłady, i to raczej szybkiej niż powolnej, niestety. Dzisiaj w nocy trafił na niewłaściwego człowieka.

Rudde skierował palec w stronę młodszego policjanta.

— Powiedz mi, dlaczego przestrzegający prawa obywatel miałby płacić za grzechy tego małego kretyna? Gdyby Hatcher nie włamał się do tego domu z zamiarem obrabowania go, jak zwykle siedziałby teraz w pubie, żłopiąc piwo, a nie leżał w szpitalu z rozwalonym łbem.

Inspektor nie czekał na odpowiedź.

— To jest prawo dżungli, kolego. Przetrwają najsilniejsi. Przypuśćmy, że Leary byłby wątłą starowinką, mieszkającą samotnie. Czy nie byłoby ci wtedy go żal? Nie byłoby zupełnie inaczej? Wówczas włamanie się do chałupy byłoby czymś złym, prawda? No właśnie, wtedy spojrzałbyś na to inaczej, prawda? A to takie samo przestępstwo.

Rudde zaśmiał się sarkastycznie.

— Wtedy ujadałbyś razem z innymi, domagając się krwi Hatchera. Więc do diabła z nim i ze wszystkimi innymi gnojkami, z którymi mamy do czynienia. Osobiście rzygać mi się chce, gdy o nich słyszę.

To była prawdziwa tyrada i Rudde zdawał sobie z tego sprawę, lecz nie mógł przestać. Mówił w imieniu wszystkich, którzy zostali okradnięci, napadnięci lub zabici przez parszywych kryminalistów. Rozkręcił się i sprawiało mu to przyjemność.

— Sonny Hatcher napadł staruszka, kiedy ten odbierał emeryturę. Stanął też przed sądem za nastraszenie sąsiada w starszym wieku. Ten ideał cnoty pobił ciężarną kobietę, więc powiedz mi, dlaczego powinienem się nim przejmować?

Ibbotson milczał, bo nie wiedział, co powiedzieć.

— Znał prawo. Nikt nie znał prawa tak dobrze jak Sonny — perorował Rudde. — Włażąc z bronią do tego domu, wiedział, że ma przesrane. Że jeśli zostanie złapany, dostanie co najmniej osiemnaście lat. Więc do diabła z nim. Trafił na kogoś sprytniejszego od siebie, a jeśli o mnie chodzi, to w samą porę. A teraz napisz wreszcie te raporty i przestań mnie wkurzać, dobrze?

Ibbotson skinął głową.

Rozmowa była zakończona. Ibbotson miał tylko nadzieję, że prokurator spojrzy na tę sprawę inaczej, lecz nie była to wielka nadzieja. Jego przełożony wyraził pogląd, który podzielali wszyscy pracownicy posterunku. Lecz wcześniej w kantynie Ibbotson wyraził wątpliwość, czy życie chłopaka naprawdę powinno być przekreślone tylko dlatego, że dopuszczał się drobnych przestępstw. Najwyraźniej panowało ogólne przekonanie, że tak.

Posterunkowy wyszedł potulnie, świadom, że wszyscy uważają go za frajera jakich mało i po raz pierwszy poczuł, że być może mają rację.

Tammy otworzyła szeroko oczy.

— Nabierasz mnie?

Nick pokręcił głową.

— Naprawdę, chcą mnie zaprosić do porannej telewizji, żebym przedstawił swoją wersję wydarzeń.

Mimo iż była wstrząśnięta, Tammy odruchowo poprawiła włosy.

— O mój Boże! Rozumiem, że tam pójdziesz?

Ton jej głosu świadczył, że nawet nie chce słyszeć o odmowie. Nick znowu westchnął.

— Będziesz mógł opowiedzieć o tym ze swojej strony, prawda? Mogłeś zginąć, Nick. Jeśli oni postawią ci zarzut, najlepiej będzie postarać się, żeby wszyscy poznali sprawę z twojego punktu widzenia.

— Sam nie wiem, Tammy. Nie jestem tego rodzaju człowiekiem, nie znoszę pokazywania się w blasku reflektorów.

— Nie martw się, ja będę przy tobie.

Mimo szoku i przerażenia z powodu tego, co się stało, Tammy już zastanawiała się, co włożyć i czy zdąży się trochę opalić w solarium.

W końcu robiła to dla męża. Chciała, żeby wypadli jako szacowni obywatele, którzy mają trochę grosza, lecz prowadzą normalne życie.

Na swój sposób starała się robić to, co uważała za najlepsze.

Tyrell Hatcher siedział w milczeniu w samolocie. Był przystojnym mężczyzną i wiedział o tym, ignorował rzucane w swoją stronę spojrzenia. Jego aparycja i osobowość zawsze się ze sobą kłóciły. Druga żona Tyrella, Sally, miała świadomość, że mąż podoba się kobietom, lecz ufała mu bez słów. Tyrell zaś nie unikał obcych kobiet, lecz zdarzało się to rzadko, zwykle po kłótni z żoną lub podobnym kryzysie.

Sally była królową o czekoladowej skórze. Tyrell ją ubóstwiał, ale czasem potrzebował anonimowości obcego ciała. Zastanawiał się właśnie, czy ta skaza na jego charakterze przeszła na najstarszego syna. Tyrell omal nie zniszczył sobie życia z powodu szybkiego numerku. Sally nic o tym nie wiedziała. Lecz on to zrobił, sprawił mu przyjemność lęk, że zostanie nakryty, rozkoszował się ryzykiem. Czy jego najstarszy syn odziedziczył to upodobanie do ryzyka?

Dwaj pozostali synowie Tyrella byli grzeczni i pracowici, więc co jest z tym Sonnym? Dlaczego został zbity na krwawą papkę w domu, który najwyraźniej próbował okraść?

Tyrell przesunął dłonią po twarzy. Był zmęczony, lecz wiedział, że jeszcze długo nie zaśnie.

Nie chciał winić byłej żony, Jude, za to, że ich syn żył tak, jak żył, ale nie było to łatwe. Nagle zaczął sobie przypominać, ile razy dzwoniono do niego o każdej porze dnia i nocy, by wpłacił kaucję za Sonny'ego lub matkę, zamkniętych w pobliskim areszcie. I że zdarzało mu się wyciągnąć żonę także z innych tarapatów. Lecz bez względu na wszystko Jude zasługiwała również na litość. Musi o tym pamiętać, nie może jej obwiniać o to, co się stało. Z Sonnym zawsze były kłopoty, zawsze miał coś na sumieniu. A mimo to kochał młodszych przyrodnich braci. Cieszył się, kiedy miał ich spotkać, pytał o nich i był szczęśliwy, kiedy ich widywał.

Teraz Tyrell musiał powiedzieć również im, musiał spojrzeć im w oczy i oznajmić, że jego pierworodny syn, ten, którego kochał najbardziej, był złodziejem i w gruncie rzeczy już jest martwy. Wiedział, że Jude czeka na jego decyzję o odłączeniu aparatury do podtrzymywania życia. Sama nigdy by się na to nie zdobyła. Oczekiwała, że ten ciężar Tyrell także weźmie na swoje barki, a on nie miał innego wyboru.

Najtrudniej jednak będzie powiedzieć wszystkim, w jaki

sposób Sonny zginął, wyznać, że był złodziejem uzbrojonym w pistolet. Największą przeszkodą do pokonania będzie matka Tyrella. Ona praktycznie wychowała chłopca, opiekowała się nim i Jude. Z jakiegoś nieznanego powodu pobożna, regularnie uczęszczająca do kościoła, kochająca Jezusa matka Tyrella polubiła Jude od pierwszego wejrzenia i było to uczucie odwzajemnione. Jude obudziła w niej instynkt macierzyński. Tyrell często myślał, że to dlatego, iż w Jude tkwi jakiś niepokój. Była najbardziej niespokojną osobą, jaką kiedykolwiek spotkał. Verbena pragnęła także, by ktoś jej potrzebował, a na nieszczęście jej dzieci nie potrzebowały już opieki. Wychowała je tak, że umiały dobrze o siebie zadbać, mimo że od ponad dwudziestu lat nie wychodziła z domu.

Tyrell marzył o tym, żeby zamknąć oczy i żeby wszystko było znów tak jak przedtem. Wiedział jednak, że to niemożliwe.

Żałował, że nie zabrał syna na Jamajkę ze swoją rodziną, lecz to nie wchodziło w rachubę. Sally usiłowała zaprzyjaźnić się z Sonnym, ale jej nie wychodziło. Cztery tygodnie razem na Jamajce to byłoby za wiele dla nich obojga.

Tyrell potrząsnął gniewnie głową; jego dredy uderzyły o policzki. Lekkie pieczenie pomogło mu wrócić do rzeczywistości.

Dałby Sonny'emu wszystko, co mieści się w granicach zdrowego rozsądku; wystarczyłoby, żeby chłopak poprosił. Mówił mu to jednak przez całe życie, a on i tak wybrał zbrodnię. Lubił przebywać w towarzystwie ludzi, na których widok inni przechodzą na drugą stronę ulicy. Zdawało się, że rozkoszuje się swoją coraz gorszą sławą. Narkotyki, pijaństwo, bójki. Nic nie było święte dla Sonny'ego. Bluźnił, ilekroć się odezwał, spierał się do upadłego o nic, i niemal bezustannie walczył ze światem, który jego zdaniem go krzywdził.

Jednak przez cały ten czas, mimo spotkań z nauczycielami w szkole, posiedzeń w sądzie i płacenia grzywien Tyrell nigdy nie przestał kochać tego niesfornego chłopaka noszącego jego nazwisko. I mimo wszystkich jego wad nigdy, przenigdy by go nie posądził o napad z bronią w ręku. Bo do tego to się właśnie sprowadzało. Sonny wszedł z pistoletem do czyjegoś domu.

Tyrell wyobraził sobie, jak musiał wyglądać, gdy tak stał z pistoletem w ręku. Jego ciałem znów wstrząsnął dreszcz.

Strach musiał być obezwładniający. Sercem był po stronie mężczyzny, który z taką zaciekłością bronił swojego domu. Tyrell nie miał wątpliwości, że w takiej sytuacji zareagowałby bardzo podobnie.

Lecz dlaczego jego syn to zrobił? Tego właśnie Tyrell chciał się dowiedzieć.

Dlaczego?

Sonny niemało zdążył nabroić, ale to był rozbój na całego; Tyrell postawiłby każde pieniądze, że jego syn nie posunąłby się do czegoś takiego.

Wszystko wskazywało na to, że się mylił.

A jeśli pomylił się co do tego, to gdzie jeszcze popełnił błąd? Jak może dalej ufać swoim przeczuciom, gdy już odłączy aparaturę i pochowa najstarszego syna? Jak sobie z tym wszystkim poradzi, gdy samolot wyląduje, a on znów stanie na twardym gruncie?

Tyrell kwestionował w tej chwili całe swoje życie i znajdował w nim braki.

Bardzo rażące braki.

Verbena Hatcher była zmęczona, lecz wiedziała, że nie zaśnie. Wzięła Biblię, przycisnęła ją mocno do piersi i zaczęła modlić się za wnuka. Na ścianach pokoju wisiały zdjęcia jej najbliższych. Dzieci, rodziców, nawet dziadków. Każdy centymetr kwadratowy ścian i stołu pokrywały uśmiechnięte twarze i pamiątki z ważnych wydarzeń w życiu rodziny. Chrzty, śluby — jej i dzieci — zdjęcia z uroczystości zakończenia szkoły... roześmiane dzieci i uśmiechnięci rodzice. Świadectwa dobrze przeżytego życia.

Wśród tych uśmiechniętych twarzy stało małe zdjęcie w srebrnej ramce. Przedstawiało Verbenę i Jude z maleńkim Sonnym śpiącym na kolanach matki. Patrząc na tę fotografię, Verbena rzadko spoglądała na wnuka — najbardziej zachwycał ją wyraz twarzy Jude. Chociaż raz wyglądała na szczęśliwą, całkowicie i absolutnie szczęśliwą; Verbena wiedziała, że to dlatego, iż Jude wreszcie zyskała w tym malcu własną rodzinę. Verbena trzymała rękę na ramionach synowej. Był to niemal opiekuńczy gest, jakby ochraniała dziewczynę przed światem. Wiedziała, że Jude nosi w portmonetce to samo zdjęcie. Na swój sposób Verbena wciąż starała się ją ochraniać, tak samo jak ochraniała wnuka.

Poruszyła ustami, odmawiając Ojcze nasz; błagała Go, żeby opiekował się jej wnuczkiem. Błagała, by uczynił żal Jude łatwiejszym do zniesienia i ofiarowywała swoje życie w zamian za życie chłopca, którego kochała bardziej niż kogokolwiek innego na świecie.

Weszła Maureen, córka Verbeny, niosąc matce kieliszek ciemnego rumu.

— Wypij, to ci dobrze zrobi.

Verbena pokręciła głową. Rzadko brała alkohol do ust.

— Mamo, proszę.

Wtedy Verbena wiedziała już, że nie usłyszy dobrych wieści; posłusznie wzięła kieliszek i wypiła. Trunek zaskakująco przyjemnie piekł w gardło, jego smak był taki, jak pamiętała. Przywoływał wspomnienie zapachu świeżo skoszonej trawy, woń słońca na wypolerowanych szybach okien i dźwięk odbiorników tranzystorowych grających na całej ulicy. Przynosił wspomnienie odgłosów lata, słuchania wyników meczów krykieta oraz głosy Barringtona Levy'ego. Przynosił smak akee i solonych ryb, śmiech jej ojca, gdy w piątkowy wieczór pozwalał Verbenie wypić łyczek ciemnego rumu z ciężkiej szklanki. Odgłosy cykad i śmiechu, odgłosy szczęścia, ustąpiły miejsca narastającej rozpaczy.

Dobrze było przypomnieć sobie te rzeczy, lecz teraz wszystko na zawsze legło w gruzach, zdruzgotane złą wieścią, która za chwilę zostanie wypowiedziana. Verbena była tego pewna. Z jakiego innego powodu córka chciałaby ją znieczulać?

— Czy Jude dzwoniła?

Młoda kobieta pokręciła głową.

— Nie miałam od niej wiadomości. Za chwilę jadę do szpitala, mamusiu.

Verbena skinęła głową z roztargnieniem.

Wiedziała, że to kłamstwo, litościwe, ale jednak kłamstwo. Wiadomość dotarła za pośrednictwem jednego z tych nowych wynalazków; jakiś czas temu Verbena usłyszała ten dźwięk. Nieustające popiskiwanie sygnalizujące młodym całego świata, że w jakiś sposób są połączeni z resztą swoich rówieśników. Wiedziała, że po rumie będzie miała zgagę, toteż połknęła kilka tabletek. Ciężko jej było na sercu jak nigdy. Jej mały wnuczek, Sonny, umierał i nic nie mogła na to poradzić.

Rozejrzała się po pokoju i wyobraziła sobie, jak chłopiec leży na kanapie i z roześmianymi oczami słucha Beeniego Mana lub Boba Marleya. Jego ciało kwitło dzięki jej miłości i dobrej kuchni. Teraz wszystko stracone. Lecz w duchu wiedziała, że bez względu na to, co myślą wszyscy inni, zajmował niepoślednie miejsce w jej sercu i zawsze będzie zajmował.

Verbena przygotowała się na złe wieści, które na pewno nadejdą. Nie miała co do tego wątpliwości.

Jude Hatcher trzymała się kurczowo Tyrella. Czuła wyraźną mieszaninę zapachów papierosów, trawki i dezodorantu. Wyglądał tak samo dobrze, jak pachniał. Jude drżała, pogrążona w smutku; Tyrell przygarnął ją łagodnie do siebie. Oboje patrzyli na pogrążonego w śpiączce syna.

— Już dobrze, Jude, wszystko będzie dobrze.

To nic nie znaczyło. Oboje wiedzieli, że dla nich już nic nigdy nie będzie dobrze.

Nick Leary spojrzał na twarz policjanta na ekranie monitora i nacisnął guzik otwierający bramę. Wydawało się, że upłynęły całe wieki, zanim mężczyzna dojechał do drzwi. Tammy wstawiła wodę na herbatę i bez przekonania uśmiechnęła się do męża. Po raz pierwszy od bardzo dawna zachowywała się wobec niego opiekuńczo. Zwykle to Nick ją ochraniał. Lecz gdy zobaczyła jego bladą twarz i drżące dłonie, zachciało jej się płakać. W ciągu jednej doby ich życie zostało przewrócone do góry nogami tylko dlatego, że jakiś chłopak postanowił zabrać ich własność. Coś, na co pracowali całe życie.

To niesprawiedliwe, bardzo niesprawiedliwe, że być może będą musieli bronić się w sądzie. Dowiedzieli się tego od adwokata.

Nick nie był święty i Tammy zdawała sobie z tego sprawę. Ale na to nie zasłużył. Kombinował na prawo i lewo, lecz robił to wszystko dla rodziny — żony i dzieci.

Policjant wszedł z Nickiem do kuchni akurat wtedy, gdy Tammy nalewała wody do czajnika. Detektyw inspektor Rudde był w porządku. Tammy wiedziała, że stoi po ich stronie.

— Panie Leary — rzekł, kiwając głową z szacunkiem. — Pani Leary.

Tammy uśmiechnęła się do niego i uniosła nieskazitelnie wydepilowane brwi.

— Mogę panu podać filiżankę herbaty? Szkocką?

— Jedno i drugie, jeśli można.

Wszyscy się uśmiechnęli, lody zostały przełamane, lecz strach wciąż wisiał pomiędzy nimi jak szklana tafla.

— Mam w gabinecie dobrą, dwudziestoletnią.

Nick wypadł z kuchni jak oparzony. Czuł bicie serca, słyszał szum krwi w uszach. Miał nadzieję, że dojdzie do czołowego starcia. Jeśli mają go zamknąć, niech to się stanie jak najprędzej. Był na takim etapie, że właśnie w ten sposób myślał. Wszystko wydawało się lepsze niż ten stan zawieszenia, to niekończące się czekanie.

Tammy spojrzała Rudde'owi w oczy.

— Co się stanie z Nickiem?

Inspektor uśmiechnął się łagodnie.

— Jeśli zostawią to mnie, to jest czysty, ale oczywiście nie mogę mówić w imieniu prokuratora. Wnioskowałem, żeby zamknąć sprawę i o wszystkim zapomnieć.

— A co z chłopakiem?

— Odłączą aparaturę podtrzymującą życie.

Tammy skinęła głową i przełknęła ślinę.

— W takim razie może zostać postawiony zarzut morderstwa?

Rudde skinął głową.

— Ale osobiście w to wątpię. Może oskarżą pani męża o spowodowanie śmierci.

Tammy zajęła się parzeniem herbaty. Znów ogarnął ją przemożny lęk, że utraci Nicka.

— Jeszcze jedno zmarnowane życie.

Inspektor milczał, bo nie wiedział, co powiedzieć. Z racji wykonywanego zawodu widział już niejedno zmarnowane życie i przestał się nimi zamartwiać.

— Ja i Nick wyszliśmy z ludzkiego bagna. Byliśmy dziećmi z domów komunalnych. Ale pracowaliśmy, odbiliśmy się od dna dzięki ciężkiej harówce. I wciąż harujemy. Sami stworzyliśmy sobie to życie, które mamy, i czasem był to straszliwy zapieprz. Ale płacimy nasze rachunki i żyjemy. Czemu ta sprawa ma wisieć nad naszymi głowami tylko dlatego, że jakiś oprych postanowił wśliznąć się do naszego domu i nas okraść?

Tammy Leary spojrzała błagalnie na inspektora, jakby prosiła o odpowiedź.

— Czemu mam uczucie, że zrobiliśmy coś złego? Że to my jesteśmy w tym wszystkim winowajcami? Przecież nie jesteśmy! Jesteśmy porządnymi, szanującymi prawo obywatelami, których życie zostało zrujnowane z powodu tego małego, podłego drania.

Tammy się rozpłakała.

— Po pierwsze, nie powinien się tutaj znaleźć. Nie zapraszaliśmy go, sam się wprosił! To nasz dom, zapłaciliśmy za niego uczciwie, czemu mamy cierpieć dlatego, że on się tutaj włamał? Mój mąż chronił nas, mnie i dzieci. To dobry, przyzwoity człowiek. Może pan spytać każdego, kto nas zna.

Tammy zanosiła się szlochem, dławił ją strach.

Rudde przyglądał jej się długo, nie wiedząc, co powiedzieć. To była nieodłączna część jego pracy. Czasem musiał mówić rodzicom, że ich córka nie wróci do domu, bo została zamordowana. Musiał mówić, że syn zginął w bójce w pubie, która wybuchła z najbłahszego powodu, jaki można sobie wyobrazić. Często zawiadamiał ludzi, że stracili najbliższych w wypadkach samochodowych i kolejowych. Nigdy nie jest ci łatwiej, bez względu na to, ile razy już to robiłeś. A teraz ta rodzina miała ponieść konsekwencje, ponieważ mąż starał się bronić tego, co zgodnie z prawem było jego własnością.

W podobnych okolicznościach Rudde zrobiłby to samo, ale tego rzecz jasna nie powiedział. Sączył herbatę i szkocką i bez słów starał się wyrazić solidarność z tym dwojgiem ludzi.

Lecz herbata smakowała jak siki, a szkocka od razu uderzała do głowy. Na domiar złego uświadomił sobie, że się starzeje.

Sam nie wiedział, co przygnębia go bardziej.

Rozdział 2

Wywiad w porannej telewizji wypadł lepiej, niż ktokolwiek się spodziewał. W studiu Tammy była w swoim żywiole. Kiedy minął pierwszy szok, a bezpośrednia groźba oskarżenia odeszła w cień, status znanych osobistości, którymi się stali, sprawiał jej sporą przyjemność.

A poza tym racja była po stronie jej i męża. Im więcej o tym myślała, tym bardziej utwierdzała się w tym przekonaniu. Chłopak okradał ich dom, był uzbrojony i niebezpieczny. Nick tylko bronił swojej własności. Redakcja telewizji porannej nigdy nie odebrała tylu telefonów i maili. W zgodnej opinii respondentów Nick postąpił tak, jak postąpiłby każdy człowiek w jego położeniu.

Tammy była z niego dumna — dumna, że zachował się tak, jak się zachował, i że wszystko dobrze się ułożyło.

Ponieważ Nick mógł zginąć. Cała rodzina mogła zginąć.

Właśnie ten lęk dręczył ją w środku nocy, gdy znikała powłoka twardości, kiedy znów ogarniał ją szok, który widok pistoletu wywołuje u ludzi z nim nieobytych. Ten chłopak był zbirem, młodym, ale jednak zbirem. Powinien się spodziewać, że w jakiś sposób zapłaci za swoje postępki. Tak się nieszczęśliwie złożyło, że zapłacił najwyższą cenę, ale to nie było zmartwienie Tammy i Nicka.

Po pierwsze, nie powinien był wchodzić do ich domu i gdyby tego nie zrobił, nic by mu się nie stało. Plusem tego wszystkiego było to, że Tammy i Nick otrzymywali zaproszenia zewsząd, z telewizji i prasy. Ich życie stało się znane szerokiej publiczności, a Tammy nie mogła się tym nacieszyć.

Robiąc starannie makijaż, wyobrażała sobie reakcję w klubie, w którym umówiła się na lunch z paroma przyjaciółkami. Miała ochotę samą siebie uściskać. W ciągu czterdziestu ośmiu godzin życie jej rodziny zostało wywrócone do góry nogami, dreszczyk emocji był na porządku dziennym. Przy okazji będzie mogła włożyć nowe ciuchy od Jimmy'ego Choosa. Planowała zachować je na bardziej oficjalną okazję, lecz teraz musiała wyglądać jak najlepiej. Fotoreporterzy są dosłownie wszędzie.

Ale gdzieś w głębi duszy wiedziała, że młody włamywacz kona i jej uniesienie jest nie na miejscu. Lecz Tammy była jedną z tych osób, które każde zdarzenie starają się obrócić na swoją korzyść, nie oglądając się na to, że kogoś mogą przy tym zadeptać. Nie była okrutna ani podła, uważała się za realistkę, która o siebie dba.

Zaś sława jest przyjemna, temu nie mogła zaprzeczyć.

Tyrell spoglądał na twarz syna. Sonny wciąż był przystojnym chłopcem, lecz teraz, z przyczepionymi rurkami i sztucznym płucem, wyglądał żałośnie.

Kiedy był malutki, Tyrell zabierał go na weekendy. Bardzo pragnął być z synem, choć wiedział, że wolne dni dają Jude okazję do szaleństw, tak więc była to dla niego zepsuta radość, podobnie jak wiele innych rzeczy. Jude wykorzystywała każdą możliwość, by spychać teraźniejszość w niebyt i obaj mężczyźni w jej życiu cierpieli z tego powodu. Ale mimo to syn ją kochał, wręcz ubóstwiał. Kiedy kilka lat później Tyrell napomknął Sonny'emu, że teraz może z nim zamieszkać na stałe, chłopiec uśmiechnął się i zapytał: „A co będzie z mamusią?".

Było to bardziej zdanie oznajmujące niż pytanie. Matka wypełniała mu życie. Nikt inny nie umiał radzić sobie z Jude tak jak on, wszyscy inni po pewnym czasie mieli dość. Ludzie uzależnieni od heroiny zamęczą w końcu każdego. Łżą, oszukują, płaczą i walczą zębami i pazurami, żeby dostać to, czego chcą.

Taka jest natura tej bestii.

Jude się starała — Tyrell musiał jej to przyznać — bardzo starała się być lepsza, lecz świat jako całość nigdy nie był dla niej dobry i to widziało się w jej oczach, postawie, we wszystkim. Wyglądała na dziesięć lat starszą, niż była w rzeczywistości, i to wtedy, gdy miała dobry dzień. To właśnie robią z ludźmi narkotyki. Lecz na jej korzyść przemawiała dobroć, którą ludzie rzadko w niej dostrzegali, wielkość jej serca, gdy chodziło o syna.

Starała się dla Sonny'ego, nawet jeśli nie starała się dla siebie, a Tyrell stał obok i próbował jej w tym pomagać.

Teraz jednak należało to do przeszłości.

Sonny zawsze się nią opiekował, starał się być mężczyzną, który się nią zajmuje. Tak samo jak Tyrell przez te wszystkie lata, zanim zdał sobie sprawę, że marnuje czas. Jude była ćpunką. Nawet ją tak nazywano w dzielnicy: Jude Ćpunka. Tak jakby matka wybrała jej zawczasu imię.

Jude Ćpunka. Ćpunka Jude.

Mały Sonny przeżył z tym stygmatem całe życie.

Bądź szczęśliwy dla samego siebie.

Kto to powiedział? Pewnie matka Tyrella. Cóż, Jude nigdy nie była szczęśliwa, to wykraczało poza jej zasięg. Było dla niej równie obce jak głosowanie w wyborach lub życie w realnym świecie. Całe życie spędziła na obrzeżach szczęścia, bojąc się wziąć je w ramiona z obawy, że może ją kopnąć prosto w zęby.

A teraz jej syn umierał po próbie dokonania kradzieży z bronią w ręku.

Sonny miał dopiero siedemnaście lat i chociaż sprawiał kłopoty, i to niemałe, Tyrell wciąż nie potrafił uwierzyć, że jego syn był zdolny do czegoś takiego.

Rozmawiał z policjantami, ale wyglądało na to, że ci nie mają najmniejszych wątpliwości co do zamiarów Sonny'ego.

Pistolet był nabity i jak dotąd nie udało się ustalić, skąd pochodził, mimo że został już wcześniej użyty do rabunku.

A jednak mimo wszystkich wybryków Sonny'ego, a było ich tyle co drzew w lesie, Tyrell nadal za nic w świecie nie umiał sobie wyobrazić syna z pistoletem w dłoni.

Ktoś inny musiał stać za tym włamaniem. Sonny bez kawałka papieru i ołówka nie potrafił obliczyć, jaki jest dzień tygodnia. To śmieszne, jeśli ktoś uważa, że sam obmyślił i zrealizował takie przestępstwo.

Jude wśliznęła się do sali. Wydawało się, że wszędzie się wślizguje, gdziekolwiek pójdzie. Tyrell spojrzał na jej zniszczoną twarz i ogarnęła go litość. Wiedział, że wcześniej poszła się napić albo wzięła coś na wzmocnienie ducha. Albo jedno i drugie. Sonny był wszystkim, co miała. Co kiedykolwiek miała. A on ją ubóstwiał. Właśnie dlatego Tyrell nigdy nie próbował jej odebrać syna. Sonny zawsze na swój sposób starał się nią opiekować. To stało na pierwszym miejscu, bo ona sama nigdy nie umiała się sobą zaopiekować.

— Usiądź, Jude. Będzie ci lżej.

Uśmiechnęła się, jak zawsze szczęśliwa, że słyszy dobre słowo od mężczyzny, który opuścił ją dlatego, iż nie umiała przeżyć godziny bez jakiegoś chemicznego pokrzepienia.

Nie wiedziała już, jak wygląda życie w prawdziwym świecie. Minęły lata od czasu, gdy walczyła z codziennością tak jak zwykli ludzie.

To jednak nie stanowiło kłopotu dla Sonny'ego, który opiekował się nią, jak gdyby to ona była jego dzieckiem. Był zawsze dobrym chłopcem, który kochał swoich przyrodnich braci. Który musiał żyć z matką i znosić jej sposób życia, bo bał się zostawić ją samą. Głównie z tego powodu wagarował: bał się, co może zastać po powrocie, jeśli nie będzie pilnował matki. Jude przez całe lata paliła trawkę, wstrzykiwała sobie kokainę zmieszaną z heroiną bądź amfetaminą albo cokolwiek innego, co jej wpadło w ręce. Waciki walały się po całym domu. Kiedyś wstrzykiwała sobie nawet mogadon. Pragnęła tylko i wyłącznie zapomnienia, a teraz zapragnie go jeszcze bardziej.

Tyrell zamknął oczy, kiedy pomyślał, jakiego szoku dozna Jude po odłączeniu aparatury, które musi kiedyś nastąpić.

Sonny, ich Sonny, już nie żył. Teraz chodzi tylko o to, żeby pozbierać resztki tego, co zostanie, posprzątać bałagan.

Jude spojrzała na Tyrella błędnym wzrokiem. Kiedyś miała oszałamiająco błękitne oczy, lecz teraz wyblakły tak, że stały się niemal bezbarwne.

Naskoczyła na niego niespodziewanie.

— Chcesz to odłączyć, prawda? Pozbyć się go raz na zawsze.

Tyrell nie odpowiedział.

Kiedy Jude wpadała we wrzaskliwy szał, zawsze milczał, mimo że miał ochotę powiedzieć jej, co myśli. Cierpiała. Lepiej niech wyładuje się na nim niż na policjantach lub lekarzach.

Kręciła głową, jakby litowała się nad nim, co oczywiście nie było prawdą. Jude zawsze wykonywała różne gesty, kiedy była na haju. Wymyślne gesty, których następnego dnia nie pamiętała. Tyrell odczuwał jej ból jak własny.

Nagle zobaczył ją taką, jaka była, gdy spotkał ją pierwszy raz — na prywatce. Była naćpana tak jak wszyscy, paliła trawę i słuchała Curtisa Mayfielda. Wciąż miała to samo nieobecne spojrzenie, tylko że teraz to spojrzenie niepokoiło Tyrella. Kiedyś go pociągało, a teraz budziło lęk, bo nie wiedział, co siedzi w głowie Jude. Ona też przeważnie tego nie wiedziała. Tyrell ją przejrzał i to ją zabolało. Oboje zdawali sobie z tego sprawę. Niemal czuł zapach jej lęku.

I zastanawiał się, czy ona czuje jego lęk.

Tammy wkroczyła do klubu niczym gwiazda filmowa. Miała nawet ciemne okulary. Stała przez kilka sekund w drzwiach, żeby każdy ją zobaczył, zanim je zdejmie i wejdzie do restauracji. Wyglądała świetnie i wiedziała o tym. Zawsze prezentowała się nieskazitelnie, a dzisiaj przygotowała się ze szczególną starannością.

Pomachała do znajomych, zmierzając do stolika, przy którym zebrało się grono jej najbliższych kumpelek. Właśnie tak nazywał je Nick, a Tammy zawsze protestowała, lecz nazywanie ich wszystkich przyjaciółkami byłoby przesadą i miała tego świadomość.

Żadna kobieta z tej paczki nie zauważyłaby przyjaciółki, nawet gdyby ta spadła jej z drzewa prosto na głowę. Wszystkie miały ze sobą coś wspólnego: mężów, którzy płacili ich rachunki, duże domy i najdroższe samochody. A Tammy była ich królową, ponieważ jej mąż mógł kupić i sprzedać mężów wszystkich pozostałych koleżanek.

Nosiła dobrze swoją koronę, a one potrafiły to uszanować.

— W porządku, Tams?

Powiedziała to Melanie Darby, która grała w tym towarzystwie drugie skrzypce i w gruncie rzeczy była miłą kobietą. Właśnie ją Tammy nazwałaby swoją najbliższą przyjaciółką. Mąż Melanie, Ray, latał za spódniczkami i nikt nie wspominał o tym ani słowem.

Tammy usiadła i westchnęła dramatycznie.

— Dziewczyny, to był koszmar.

Fiona Thomson wsunęła Tammy do ręki kieliszek szampana. Tammy zauważyła, że jest to bardzo droga marka i przypomniała sobie, iż to ona płaci za lunch. Nick będzie wściekły, ale Tammy wspomni o tym w odpowiednim momencie. Rachunki za niektóre z lunchów, które stawiała, dochodziły do tysiąca funtów i choć byli dobrze ustawieni, doprowadzało to Nicka do szału. W pewnych kwestiach był sknerą.

Nie rozumiał, że Tammy musiała podtrzymywać fasadę, a stawianie drogich lunchów było jej elementem. Zamawianie drogich win sprawiało jej szaloną frajdę, uwielbiała patrzeć na twarze koleżanek, gdy docierało do nich, ile to wszystko kosztuje. Stanowiły elitę swojego kręgu, a Tammy była ich królową. To zaś nie jest tanie, nawet jeśli mąż tego nie rozumie.

Tammy właśnie kończyła relację, gdy Fiona spytała łagodnie:

— Więc nie wsadzą Nicka?

Tammy odstawiła kieliszek na stół i posłała jej spojrzenie,

które zamieniłoby większość kobiet w słup soli. Jednak Fiona była twardsza od większości kobiet.

— Co takiego?

— Chciałam tylko powiedzieć, że zdaniem mojego starego prokurator mógłby oskarżyć Nicka o spowodowanie śmierci...

Tammy była o jeden kieliszek szampana od rzucenia się na Fionę z pazurami i było to widać. Pozostałe kobiety próbowały uciszyć Fionę spojrzeniami i gestami.

— A twój stary dobrze się na tym zna jako ten, który okradał banki, prawda?

Fiona parsknęła śmiechem.

— To żaden sekret, Tams. Odsiedział swoje, kochana, więc wie, o czym mówi. Powiedział, że jeśli Nick ma choć trochę rozumu, powinien wziąć dobrego adwokata.

— Mój Nick ma rozum, skarbie, wie, co trzeba robić. Powiedz swojemu staremu, żeby się nie zamartwiał. Jeśli ma głowę na karku, to powinien martwić się o siebie, kochana, tak w każdym razie mówi Nick.

Ostatnie zdanie było naładowane znaczeniami; Fiona westchnęła.

— Jak sobie życzysz, Tams. Tak tylko powiedziałam.

— No więc nie mów. Nick tylko bronił swojej rodziny. Ten cholerny bandzior miał w ręku nabity pistolet. Będziesz o tym pamiętać w czasie plotkowania, prawda? Nie napadał na sklep Tesco jak niektórzy nasi znajomi.

Przy stoliku zapadła cisza. Tammy posunęła się za daleko i wiedziała o tym. Machnęła na kelnera i zamówiła jeszcze dwie butelki szampana po niemal czterysta funtów. To był jeden z jej najdroższych lunchów. Lecz Tammy, która była o krok od wyjścia z powodu tej sprzeczki, teraz zamierzała siedzieć w restauracji choćby do śmierci.

Jej mąż miał wady, całe mnóstwo, ale niech ją diabli, jeśli pozwoli Fionie się pogrążyć. Albo raczej swego męża.

Uśmiechnęła się zjadliwie.

— Lepiej weź telefon, Fiona, i sprawdź, czy mama może odebrać dzieci. W końcu nie masz niani, a czas płynie, prawda?

Fiona wyszczerzyła zęby w uśmiechu. Nic nie mogło wytrącić jej z równowagi. Tammy doprowadzało to do białej gorączki.

— Teraz są ferie, no nie? Dzieci są z teściową w Hiszpanii.

Szable zostały obnażone na dobre. Koleżanki Tammy i Fiony rozsiadły się wygodnie, żeby podziwiać spektakl.

I nie zawiodły się.

Nick był na posterunku ze swoim kumplem od golfa detektywem inspektorem Rudde'em. Znali się od lat. Teraz byli już bardzo bliskimi kolegami, lecz nie zdradzali tego nikomu. Jeszcze jedno niepisane prawo.

— Jak wygląda ta sprawa, Peter?

Rudde westchnął.

— Jesteś czysty, z grubsza rzecz biorąc. Napisałem, że nie widzę istotnych powodów do ścigania cię z urzędu. Sonny był opryszkiem, małym draniem, i miał przy sobie nabitą broń. Podkreśliłem, że nie mam wątpliwości, że użyłby go w razie potrzeby. Kilka miesięcy temu był podejrzany o zranienie kogoś nożem. Nie sądzę, by prokurator wytoczył ci sprawę.

Nick wyraźnie się rozluźnił.

— Wciąż czuję się podle.

— Wiem, stary, ale to dlatego, że porządny z ciebie gość, czego nie można powiedzieć o tym małym gnojku. Nie miał szans, zgadza się? Matka ćpunka, całe jego życie to jeden wielki ciąg kłopotów i nieszczęść. To musiało się tak kiedyś skończyć i skończyło się dosyć prędko.

Oni wszyscy tu trafiają, Nick, ci przegrani. Niektórych mi żal, ale w końcu każdy z nich to tykająca bomba zegarowa. Moim zdaniem prawo jest po twojej stronie. Zgodnie z nim możesz użyć siły w granicach rozsądku, żeby wyrzucić intruza z domu. A jeśli ten intruz ma broń, to masz prawo go rozbroić, a ty właśnie tak postąpiłeś.

— Ale ja nie tylko go rozbroiłem, ja go okaleczyłem! On umrze, prawda?

Peter Rudde nie odpowiedział.

— Umrze, tak?

Nick prawie krzyczał.

— Muszę to wiedzieć, Peter. Kiedy odłączą aparaturę?

Rudde poklepał Nicka po ramieniu.

— O ile wiem, jego ojciec wrócił z Jamajki i wziął sprawy w swoje ręce. Matka bez zażycia działki nie potrafiłaby się zdecydować, jakie buty włożyć.

Rudde patrzył, jak jego przyjaciel rozluźnia się i odchyla na krześle.

— Chodźmy na piwo, co ty na to?

Nick skinął smutno głową.

— Dasz mi znać, jak tylko...

— Jasne. No chodź, wypijemy po szkockiej i będziesz świeży jak poranek.

To było głupie i obaj o tym wiedzieli.

— Mamo, możemy jutro jechać do szkoły?

Tammy spojrzała na starszego syna, lecz go nie widziała. Wciąż przeżywała obelgi, jakie usłyszała od jednej ze swoich tak zwanych przyjaciółek.

— Słucham, synku?

Nicholas junior westchnął ciężko.

— Pytałem, czy możemy jechać jutro do szkoły.

Tammy skinęła głową z roztargnieniem.

— Poczekaj, aż tata wróci, on postanowi.

— Nudzimy się, mamo, musimy wracać do szkoły...

— Niech tata podejmie decyzję, dobrze?

Nicholas spojrzał jeszcze raz na matkę i odparł bezbarwnym głosem:

— Kiedyś musimy znów zacząć chodzić do szkoły.

— Myślałam, że są ferie.

Otumaniona alkoholem Tammy jak przez mgłę pamiętała słowa Fiony.

— Ale nie w prywatnych szkołach, mamo. Mieliśmy wolne przez cały zeszły tydzień, nie pamiętasz?

Nick powiedział to sarkastycznym tonem, który rozzłościł Tammy. Czego zresztą syn się spodziewał.

— A ty co, jesteś zakichanym Stephenem Hawkingiem? — krzyknęła. — Wszystko wiesz?

Nick znów westchnął.

— Zapomnijmy już o tym!

Jego lekceważenie rozwścieczyło Tammy.

— Twój ojciec może pójść siedzieć za pieprzone morderstwo, ty egoistyczny, mały gnojku!

Nicholas Leary junior miał dwanaście lat i już był liczącą się siłą w domu. Miał cierpkie poczucie humoru matki i charakterystyczną dla ojca całkowitą obojętność wobec uczuć innych ludzi. Matka Tammy go ubóstwiała. Jego matka zaś przez cały dzień lawirowała między pragnieniem pocałowania go i kopnięcia w tyłek.

Dzisiaj była wzburzona, bo dowiedziała się, że jej mąż nadal może zostać oskarżony o spowodowanie śmierci. Przerażało ją to, zwłaszcza że wiedziała, iż nie poradzi sobie bez Nicka. Choć przez cały okres małżeństwa udawała, że jest dla niej jak kula u nogi.

Jednak jej koleżanki sprawiały wrażenie, iż wiedzą, o czym mówią, i nagle Tammy znów opadł strach, że straci męża. Zrobił to, co uważał za słuszne — czy naprawdę mogą go zamknąć za to, że bronił rodziny? Zdaniem koleżanek Tammy, owszem. Właśnie to mogli zrobić.

Po raz pierwszy od lat Tammy zobaczyła swój dom. Był piękny. Nick zapewnił rodzinie wszystko, co najlepsze, a ona do tej pory tego nie doceniała. Nick doprowadzał ją do obłędu. Był flirciarzem, gnojem i pijakiem, lecz był też kanciarzem i kantował dla niej i dla dzieci. Pierwszy raz wyobraziła sobie życie bez niego i był to obraz ponury.

Nicholas junior wyszedł z pokoju i skierował się do swojego brata Jamesa. Niania poszła już do domu. Nick senior nie zgodził się, żeby zamieszkała w domu; powiedział, że wtedy zbyt łatwo byłoby w nim zostawiać chłopców. I okazało się, że miał rację.

Nicholas junior wiedział, że chociaż matka kocha jego i brata, wychodziłaby z domu przy byle okazji. W czasie kłótni ojciec Nicholasa powtarzał, że Tammy wymknęłaby się z domu przez dziurkę od klucza.

Teraz jednak nie był to aż tak wielki problem. W wieku dwunastu lat Nick czuł, że jest wystarczająco dorosły, by zaopiekować się braciszkiem. Tak więc matka wychodziła z domu, nie oglądając się za siebie. Jednak przed laty, kiedy zostawiała ich z babcią, tata wpadał we wściekłość i wybiegał z domu, żeby jej szukać. Jego matka krzyczała za nim, żeby był ostrożny, gdy wyjeżdżał z piskiem opon, wrzeszcząc i klnąc na tę leniwą krowę, swoją żonę.

Nicholas junior westchnął.

Chciał, żeby jego rodzice byli szczęśliwi, żeby doszli do jakiegoś kompromisu. Rozumiał jednak, że bardziej niż cokolwiek innego trzyma ich ze sobą przyzwyczajenie, i czasem go to smuciło.

Wiedział, że bardzo się kochają, lecz rozmawiali ze sobą tak, jak gdyby byli śmiertelnymi wrogami. Okropnie było patrzeć i słuchać, jak nieustannie sobie dogryzają. Czasem prawie czuło się rozpacz matki i całkowitą bezradność ojca, który dawał żonie wszystko oprócz swojego czasu.

Babcia zwierzyła się Nicholasowi juniorowi, co o tym myśli. Wyraziła obawę, że kiedy małżonkowie zaczynają z siebie drwić, w końcu tracą do siebie szacunek. A gdy on znika, trudno go odzyskać. Babcia Leary uważała, że tata i mama tak długo się z siebie naśmiewają, że już się nie traktują poważnie. Ten argument trafiał do Nicholasa juniora. Nick obserwował rodziców, przyglądał im się, wręcz świadomie ich szpiegował. Była tam miłość, wiedział o tym, lecz nie taka, jaką powinni do siebie czuć mąż i żona. Zachowywali się raczej jak brat i siostra.

Babcia powiedziała, że tak dzieje się w wielu małżeństwach. Codzienne życie zabija romantyzm, lecz pewnego dnia dwoje ludzi uświadamia sobie, że rodzina jest wszystkim, co ma się w życiu. Dzieci oraz lata, które się wspólnie przeżyło.

Nick miał nadzieję, że babcia się nie myli.

Łudził się, że ta tragedia pozwoli im dostrzec błędy, które popełniają, docenić to, co mają sobie do ofiarowania. Bo najgorsze w tym wszystkim było to, że uważali się za wyjątkowo szczęśliwych.

Czasem aż bolało patrzeć na to ich szczęście.

Mały James spał; Nick machinalnie przykrył go kocem, mimo że noc była ciepła.

Pomyślał o chłopcu, który zginął, i momentalnie wypchnął tę myśl z głowy. I bez tego cała rodzina miała się z czym borykać.

— Twierdzisz, że właściwie rzecz sprowadza się do tego, że Anglik może czuć się w swoim domu jak w zamku?

Nick skinął smutno głową.

— Chyba tak. To, że chłopak był czarny, nie ma nic do rzeczy. Do tamtej nocy nic o nim nie wiedziałem. Kiedy sanitariusze ściągnęli mu maskę z twarzy...

Nick bał się paranoicznie, że coś w jego relacji może się okazać podejrzane. Dziewczyna kiwała współczująco głową, lecz Nick miał już do czynienia z prasą. To, co się mówiło, czasem bardzo różniło się od tego, co później ukazywało się drukiem.

— Jak pan się teraz czuje po tej historii z chłopcem?

Słowo „chłopiec" wypowiedziała w sposób, który drażnił uszy. Słysząc to, można było pomyśleć, że Sonny Hatcher miał dziesięć lat.

Nick westchnął.

— W głębi serca szczerze żałuję, że znalazł się w takim stanie, ale w końcu on był uzbrojony, a ja nie...

Dziewczyna uśmiechnęła się powątpiewająco i skierowała na niego starannie wymanikiurowany palec.

— Właściwie to pan też był uzbrojony, nieprawdaż? — odparła z bardzo silnym, charakterystycznym akcentem kobiety z klasy wyższej.

Ton jej głosu był teraz ostrzejszy. Rzucała Nickowi wyzwanie.

— Miał pan kij baseballowy.

Nick wpatrywał się w jej ładne niebieskie oczy. Jaka szkoda, że jest wielka jak pół domu, bo mogłaby być ładna. Opanował się i przełknął ripostę cisnącą mu się na usta.

— Mogę tylko powiedzieć, droga pani, że mój kij baseballowy nie był nabity kulami tak jak jego pistolet.

Nick wstał nagle.

— A teraz, jeśli pani pozwoli...

Zirytował dziennikarkę i wiedział o tym, lecz już o to nie dbał. Wszyscy byli ścierwem, tylko on dotąd nie zdawał sobie z tego sprawy.

Siedząc na leżance i oglądając nagranie, zastanawiał się, co, u licha, skłoniło go do udzielenia tych wszystkich wywiadów. Rozmawiając z dziennikarką, czuł, że poczucie winy odbija się na jego twarzy. Kiedy nagranie poszło w wiadomościach, wypadło to zupełnie inaczej. Redaktorzy tak pocięli wywiad, że wyglądał jak porządny, szanujący prawo obywatel, który postąpił tak, jak postąpiłby każdy człowiek w podobnej sytuacji.

Wydawało się, że nawet brukowce są po jego stronie.

Adwokat podpowiedział mu, żeby sam przesłuchał każde nagranie i Nick był zadowolony, iż poszedł za jego radą.

Był zadowolony, bo w wywiadach czasem zdarzało się, że odpowiadał na jakieś pytanie dziennikarza, a później te słowa wykorzystywano jako odpowiedź na zupełnie inne pytanie. Nick się uczył, i to bardzo ważnych rzeczy.

Tammy weszła do pokoju; uśmiechnął się do niej.

— Wszystko w porządku, maleńka?

Tammy usiadła i wsunęła się w jego objęcia.

— Boję się, Nick.

— Nie trzeba.

Pocałował ją w czubek głowy, wyczuł zapach drogiego szamponu i perfum.

— Ale Fiona powiedziała, że mogą cię wsadzić...

— Pieprzyć Fionę. Nie wsadzą mnie. Rozmawiałem z Peterem Rudde'em. Powiedział, że jego zdaniem prokurator nie postawi mi zarzutów.

Zadzwoniła komórka Nicka. Nie odpowiedział, tylko zerknął na wyświetlacz.

— Kto to był?

— Nikt, skarbie.

Tammy westchnęła ciężko, a Nick znów ją pocałował.

— Jakiś kociak?

Nick się roześmiał, ale zabrzmiało to bardziej jak jęk.

— Och, Tammy, mogłabyś mi trochę bardziej wierzyć.

Nie odpowiedziała, lecz dobry nastrój prysł i oboje o tym wiedzieli.

Rozdział 3

— Jude, posłuchaj mnie, co?

Gapiła się na niego i Tyrell wiedział, że jest na haju. Wiedział, że bierze przepisany przez lekarza metadon, lecz miał wrażenie, iż dzisiaj wzięła dawkę prawdziwego narkotyku. Odgadł to z jej spojrzenia. Nie potrafiła skupić wzroku, a jej twarz była pozbawiona wyrazu.

Kiedy tak patrzył, jak Jude trzyma rękę syna, pierwszy raz uzmysłowił sobie, jak bardzo są do siebie podobni.

— Niczego nie odłączę.

Tyrell westchnął.

— Pozwól mu odejść, Jude. To straszne patrzeć na niego w takim stanie...

Wtedy na niego zerknęła. Prawie poczuł jej ból i znów ogarnął go przemożny żal. Ta kobieta urodziła ich syna, a potem zniszczyła jego i siebie.

Sonny urodził się uzależniony od narkotyków. Jude starała się być czysta w czasie ciąży, lecz nie zdobyła się na to, by przeżywać dzień po dniu bez jakiegoś chemicznego znieczulenia. Hipoteza na temat heroinistów mówi, że są to na ogół ludzie z poważnymi problemami psychicznymi, ale niektórzy z nich, tacy jak Jude, uzależniają się od heroiny tym bardziej, im lepiej im się wiedzie. Lekarz wytłumaczył Tyrellowi, że bierze się to z lęku przed utratą wszystkiego. Oni zawsze boją się być szczęśliwi, bo w przeszłości dobra passa nigdy nie trwała długo. W konsekwencji niszczą wszystkich, którzy ich otaczają.

I rzeczywiście, Jude próbowała zniszczyć Tyrella. A on wreszcie się wycofał, bo zmęczyło go ciągłe zbieranie kawałków, na które rozpadło się ich życie.

Teraz znów zasiadł za sterem i próbował zapanować nad sytuacją, lecz tym razem nie można było tego uczynić bezboleśnie.

Gdyby udało się pochować Sonny'ego, być może Jude zdołałaby żyć dalej. Mózg chłopca był martwy, najważniejsze narządy nie funkcjonowały. Przy życiu utrzymywała go tylko aparatura. A teraz ta aparatura jest potrzebna innemu pacjentowi, który ma szansę odzyskać życie. W przeciwieństwie do ich nieszczęsnego syna.

— Jeśli mi go odbiorą, nic mi nie zostanie, Tyrell. Dla ciebie tak jest w porządku, masz inne dzieci, żonę, rodzinę...

— A ty nie masz nic, tak? Daj spokój, Jude, co naprawdę masz? Chłopca, który nigdy się do ciebie nie odezwie, nie obejmie cię, nie pomoże, kiedy wszystko zwali ci się na głowę. Kochałem go, był moim pierworodnym synem i nigdy się od niego nie odwróciłem ani od ciebie, jeśli o to chodzi. Więc mi nie chrzań, proszę cię.

Jude wiedziała, że Tyrell ma rację, ale trudno jej było przyjąć to wszystko do wiadomości. Co się z nią stanie, jeśli Sonny odejdzie? Kto się nią zajmie, przypilnuje, żeby jadła i brała kąpiel? Dopiero teraz dotarło do niej, jak bardzo była od niego uzależniona. Mały Sonny był jej całym światem. Opiekował się nią od chwili, gdy był dość duży, żeby móc przynieść jej zestaw przyborów. Leżała na sofie i dawała sobie w żyłę, zaśmiewając się z jego popisów. Właśnie dlatego nie zgodziła się na przyznanie Tyrellowi opieki nad synem, mimo iż ją o to błagał.

Sonny był dla niej przepustką do pieniędzy Tyrella i jedyną osobą, która ją kochała, naprawdę ją kochała, bez względu na to, co Jude robiła.

Traciła znajomych tak, jak inni tracą pracę, wszyscy po jakimś czasie mieli jej dość. Ale nie mały Sonny. Jak większość uzależnionych, kradła, kłamała i oszukiwała, byle tylko zaspokoić swoje pragnienie, a on był jedynym człowiekiem, który zawsze jej przebaczał, bez względu na to, co zbroiła. Był jedyną stałą w jej zgniłym życiu.

— Powiedziałem lekarzom, że mogą wykorzystać jego narządy. Może wyniknie z tego chociaż tyle dobrego, co ty na to?

— Myślisz, że to była jego wina, prawda, Tyrell? Uważasz, że był podły...

Tyrell pokręcił głową.

— Był dobry, Jude, był najpoczciwszym chłopcem, jakiego znam. Miał serce wielkie jak świat. Ale tego Sonny'ego już nie ma. Umarł. Pozwólmy mu odejść w spokoju.

— A co ze mną? Co mam zrobić, jeśli jego zabraknie?

Tyrell znowu westchnął.

Egoizm uzależnienia był zawsze najważniejszym czynnikiem kierującym życiem Jude. Nic dziwnego, że Sonny'ego spotkał taki los.

— Ale nie chodzi o ciebie, prawda? Tym razem wcale nie chodzi o ciebie, Jude. Teraz chodzi o Sonny'ego i o jego potrzeby. Ja się tobą zajmę. Zawsze to robiłem, przecież nie zaprzeczysz.

Jude spojrzała na niego z namysłem. Tyrell ją zostawił, ale faktycznie nigdy nie przestał się o nią troszczyć. Zawsze był miękki, Sonny musiał to po kimś odziedziczyć.

— Dobrze — wymamrotała. — Więc zrób to. Ale nie myśl, że przy tym będę. On jest moim dzieckiem, nie mogę na to patrzeć.

I zbyt dużo czasu upłynęło od ostatniego strzału w żyłę, Tyrell widział to w jej niespokojnych oczach. Ale przynajmniej się zgodziła. Mały Sonny może odejść w spokoju.

Tammy usłyszała męża, zanim go zobaczyła. Leżała w łóżku, popijając kawę i wertując „Daily Mail", gdy jego kroki zadudniły na schodach. Ryknął coś gromkim głosem. Zrozumiała tylko tyle, że ją zamorduje.

Wpadł do sypialni jak burza, ściskając w dłoni rachunek z klubu.

— Co to jest?

Cisnął jej świstek w twarz.

Tammy odsunęła się bez słowa, ostrożnie stawiając kawę na nocnym stoliku, żeby nie poplamić żakardowej pościeli, za którą zapłaciła fortunę. Uśmiechała się za każdym razem, gdy na nią patrzyła.

— Ja nie żartuję, Tammy. Tym razem naprawdę się pogniewamy.

Nick kipiał z wściekłości. Był tak zły, że aż się trząsł. Ten widok przeraził Tammy bardziej niż kiedykolwiek. Po raz pierwszy mąż wzbudził w niej strach.

Niejeden raz wściekał się na nią z powodu rozrzutności, to stało się już rodzinną anegdotą, ale teraz było inaczej. Nawet ona wiedziała, że tym razem przeholowała. Poczucie winy, które odczuwała w głębi duszy, sprawiło, że rozzłościła się jeszcze bardziej niż mąż.

Przecież jest jego żoną, chyba ma prawo wydawać jego pieniądze? Patrząc na Nicka, ktoś mógłby pomyśleć, że nie mają czego włożyć do ust. Zniesie to tak samo, jak znosiła do tej pory.

— Stać cię na to, o co ci chodzi?!

Tammy krzyczała ze zwykłego przyzwyczajenia. Kiedy Nick się wyprostował i ryknął na nią, przypomniała sobie, jakim jest potężnym mężczyzną.

— Tysiąc osiemset zasranych funtów na sikacza dla bandy pieprzonych pijawek, które nazywasz koleżankami?

Nick zapluł się z wściekłości, był tak blisko, że Tammy czuła jego oddech.

— Trzysta funtów na żarcie dla tej zgrai anorektycznych pind! Żadna z nich nie zjadła posiłku od ostatniej ciąży. Kpisz sobie czy co?!

— Na kogo ty się wydzierasz?! — wrzasnęła Tammy. — Jestem twoją żoną!

Nick przyglądał się jej z niedowierzaniem.

— Czy ja nie mam dosyć na głowie, żebyś jeszcze wpędzała mnie w bankructwo przy każdej okazji? Czy to jest jakaś choroba, nieodparta żądza nadużywania karty kredytowej, której nie możesz się oprzeć ani przez jeden dzień?!

Tammy westchnęła, co rozzłościło Nicka jeszcze bardziej. To było westchnienie znudzenia, które musiało mu dopiec do żywego. Udoskonaliła je przez lata ich związku i wiedziała już, jak dać mu do zrozumienia, że któreś z nich jest głupie, i to na pewno nie ona.

Podziałało. Nick wyłaził ze skóry.

— Dwa kawałki za lunch! Niektórzy płacą tyle za samochód albo zasrany urlop za granicą. Czy do ciebie nie dociera, że istnieje jakiś prawdziwy świat?

Tammy wstydziła się, ale tego nie pokaże. Nie mogła nawet powiedzieć, że lunch okazał się oszałamiającym sukcesem. Właściwie żałowała, że w ogóle na niego poszła. Ale nie powie tego Nickowi. Dałaby mu w ten sposób oręż na przyszłość, gdyby znów zechciała puścić trochę forsy.

— Och, odpieprz się. Stać nas na to, wiesz o tym. Za kogo ja wyszłam, za nagle zubożałego klauna? Wydałam parę funtów. I co z tego? Wielkie halo.

Tammy zeszła z łóżka, odsuwając Nicka z drogi.

— Zachowujesz się tak, że ktoś mógłby pomyśleć, że gonimy resztkami. Pieniądze są po to, żeby je wydawać...

— Wiesz, co by było, gdyby ten świstek wpadł w ręce dziennikarzy? — warknął Nick niskim głosem.

Mało delikatnym ruchem wcisnął jej rachunek w twarz.

— Chłopak kona w szpitalu, jego matka wraca do komunalnej klitki, a ty puszczasz na lunch więcej, niż oni mogą wydać na pogrzeb!

Tammy znieruchomiała. To, co ludzie o niej mówią, było dla niej zawsze na pierwszym miejscu. Nick z satysfakcją obserwował strach stopniowo wpełzający jej na twarz. Teraz żałowała, widział to wyraźnie i jak zawsze czuł się źle po wygraniu z nią starcia. Powiedział to tylko po to, by ją przestraszyć, i dopiął swego.

Jednak nie poprzestał na tym.

— To musi się skończyć, Tammy. Musisz ukrócić wydawanie forsy, skarbie. To nie wygląda dobrze. Bo kiedy zrobisz już sobie włosy i paznokcie, kupisz nowe ubrania i całą resztę... Znalazłem też paragony z Lakeside... Wczoraj przepuściłaś oprócz tego trzy tysiące. W ciągu paru godzin wydałaś więcej, niż wielu ludzi zarabia przez rok.

Wreszcie jego słowa zaczynały do niej docierać i Nick o tym wiedział.

— Przykro mi, ale wiesz, jaka jestem. Nic na to nie poradzę.

Nick westchnął.

— W razie konieczności zablokuję ci kartę kredytową. To twoja ostatnia szansa. Jeszcze jeden taki rajd, Tammy, i unieważnię ci kartę. Słyszysz?

Tammy skinęła potulnie głową.

— Dzisiaj odwożę chłopców do szkoły. Załatwiłem, żeby spali tam przez kilka tygodni, dopóki to wszystko nie rozejdzie się po kościach, zgoda?

Tammy znów skinęła głową, zła na siebie, że cieszy się, iż dzieci nie będzie w domu przez resztę semestru. Kochała chłopców, lecz doprowadzali ją do szału swoimi nieustającymi zachciankami, gdy ona marzyła tylko o odrobinie spokoju.

Wychodząc z sypialni, Nick uśmiechnął się do niej.

— Przykro mi, że na ciebie nakrzyczałem.

— Mnie też. Nick!

Nick się odwrócił.

— Wszystko w porządku?

Tammy wzruszyła ramionami.

— Przeżyję, jak zawsze.

Nick wyszedł, a Tammy położyła się znów do łóżka i po raz pierwszy od lat zapłakała z tęsknoty za matką.

Matka Tammy nie była nieboszczką — mieszkała w Hiszpanii ze swoim chłoptasiem, lecz dla córki zrobiła tak niewiele, że równie dobrze mogłaby nie żyć.

Verbena była zła. Słuchając radia, zaparzyła filiżankę herbaty. Dom pachniał perfumami. Żona Tyrella zawsze za mocno się perfumowała. Poszła z synami na zakupy, a w domu wciąż nią cuchnęło. Verbena ją lubiła, czemu miałaby nie lubić? Była ładna, dobra, kochała swoje dzieci i uwielbiała męża.

Lecz irytowała Verbenę. Jej głos, jej zachowanie. Wszystko, co ta dziewczyna robiła, działało Verbenie na nerwy. A ona wiedziała, że to nie jest wina Sally. Działo się tak dlatego, że ilekroć Verbena na nią spojrzała, widziała Jude.

Obwiniała syna za to, że Jude jest taka, jaka jest. Uważała, że powinien wytrzymać w tym małżeństwie. Bóg jeden wie, jak bardzo walczył o to, żeby ożenić się z tą dziewczyną.

Ojciec Tyrella spojrzał na nią tylko raz i doszedł do wniosku, że to na pewno nie jest kobieta dla jego syna. I głośno to powiedział.

Verbena i Tyrell nie przyjęli tego dobrze.

Verbena polubiła jednak Jude, sama nie wiedziała dlaczego. Ta dziewczyna przez całe życie wpadała z deszczu pod rynnę. Po spotkaniu z jej matką Verbena wiedziała wszystko, co potrzebowała wiedzieć. Ta kobieta albo raczej dziewczyna — wszak miała dopiero siedemnaście lat, kiedy urodziła Jude — była najbardziej samolubną istotą, jaką Verbena kiedykolwiek spotkała. A Jude odziedziczyła po niej tę cechę. To przekonanie, że najpierw trzeba zatroszczyć się o siebie, nawet dzieci odsuwając na drugi plan.

Kiedy Verbena zadzwoniła do matki Jude, aby powiedzieć jej o wnuku, ta odparła, że dostał dokładnie to, o co się prosił. Wydawało się, że wszyscy tak uważają. Nawet sąsiadki i przyjaciółki Verbeny z kościoła sądziły, że mały Sonny wreszcie się doigrał. Verbena to rozumiała. Gdyby to nie jej wnuczek umarł, czułaby to samo co one, pod tym względem była wobec siebie uczciwa.

Wszystko jest łatwiejsze, kiedy innej rodzinie zdarzy się coś takiego, a nie własnej. Łatwo jest osądzać jednoznacznie, gdy sprawa nie dotyka cię osobiście.

Mały Sonny zawsze przyciągał kłopoty i Verbena nic nie mogła na to poradzić. Od dzieciństwa kradł; okradał nawet swoją babcię. Kłamał, oszukiwał, brał to, co chciał. Verbena wiedziała o tym lepiej od innych. Lecz była w nim także dobroć, prawdziwa dobroć.

Jej mąż Solomon twierdził, iż Verbena dała się złapać na wielkie oczy Sonny'ego i minkę niewinnego chłopczyka, ale ona wiedziała, że nawiązała z nim taki kontakt, jakiego nie udało się nawiązać nikomu innemu. Wielki wpływ na niego wywarł styl życia Jude. Czy mogło stać się inaczej? Zawsze popalał trawę, tę współczesną plagę młodych. Widział to przez całe życie u matki. Masz kłopot? Połknij pigułkę, wstrzyknij sobie porcję szczęścia do żył, zapal rozweselającego skręta.

Verbena nienawidziła narkotyków, a mimo to w jakiś sposób rozumiała uzależnienie Jude. Jej synowa używała ich jak kul do podpierania, a Verbena czuła, że gdyby Jude pozwoliła sobie być sobą, zobaczyłaby, iż świat nie jest aż taki straszny. To samo dotyczyło jej syna.

To jednak była już przeszłość, a przeszłość trzeba zostawić w spokoju.

Verbena piła herbatę i czekała na telefon z wiadomością, że jej mały Sonny ostatecznie odszedł. Nie będzie płakać, dopóki nie zostanie całkiem sama.

Była dumna ze swojej siły. Gdyby tylko ludzie potrafili przeżyć właściwie swoje życie, jakże inaczej wyglądałby świat.

James i Nicholas junior zostali w szkole, a Nick wrócił do Essex. Jechał wyboistą, wąską wiejską drogą w Dunton, aż dotarł do placu budowy.

Wysiadł z samochodu i przez chwilę obserwował gorączkową aktywność wokół. To właśnie Nick stał za budową sześciu okazałych, ekskluzywnych budynków mieszkalnych zawierających wszystko — od basenów z podgrzewaną wodą po sale gimnastyczne. Miały stać na prywatnym, ogrodzonym terenie i zostały sprzedane jeszcze przed rozpoczęciem budowy. Do jej ukończenia został przynajmniej rok, lecz budynki już teraz prezentowały się doskonale.

Do Nicka podszedł kierownik budowy Joey Miles.
— Nie spodziewałem się, że cię tu zobaczę.
Nick się uśmiechnął.
— Ale jestem. Musiałem się na chwilę wyrwać...
Dwóch murarzy zauważyło Nicka i zamachało.
— Brawo, brawo, panie Leary! — zawołał jeden. — Ten mały gówniarz dostał to, na co zasłużył.
Nick nie odpowiedział.
Joey zobaczył zatroskanie na twarzy szefa i ogarnął go gniew na chłopaka, który je wywołał.
— Wszyscy są po twojej stronie, Nick. Nie prosiłeś go o to, żeby obrabował twój dom, prawda? Gdybym ja obudził się w nocy i zobaczył, że jakiś skurczybyk mnie okrada, zrobiłbym to samo. Każdy by to zrobił.
Nick spojrzał z góry na krępego, łysiejącego faceta, który pracował u niego od lat.
— Ale ty tego nie zrobiłeś, prawda? A ja tak.
Joey poklepał go po plecach.
— Słuchaj, jemu to było pisane. Pewnego dnia ktoś musiał dać klapsa szczeniakowi. To był włamywacz i oprych. Można o nim przeczytać we wszystkich gazetach. Jego rodzina może sobie mówić, że to był grzeczny chłopak, ale on nie okradał ich domów, zgadza się? Gdyby tak zrobił, to byłaby inna śpiewka, mówię ci. Mały podły złodziejaszek i tyle...
Nick zamknął oczy.
— Zostawmy to już, Joey. Powiedz mi tylko, jak się mają sprawy na budowie i zaraz odjadę.
Joey podszedł z Nickiem do samochodu i przekazał mu wszystkie istotne informacje. Kiedy Nick wsiadał do mercedesa, nadzorca dodał:
— Naprawdę nie powinieneś się obwiniać. Postąpiłeś tak, jak postąpiłby każdy przyzwoity mężczyzna. Broniłeś swojej własności. Nie gryź się już.
Nick skinął głową.
Joey patrzył ze smutkiem za odjeżdżającym szefem. Nick

Leary był porządnym facetem. A teraz przez głupotę tego chłopaka płacił cenę za to, że stanął w obronie swojej rodziny. Świat oszalał.

Jude Hatcher weszła do mieszkania i osunęła się na kanapę w pokoju stołowym. Bez syna w domu było tak cicho.

Zamknęła oczy i stanął jej przed oczami obraz małego Sonny'ego, który umierał w jej ramionach. Trzymałaby go tak przez cały dzień i noc, gdyby nie zawładnęła nią potrzeba. Jude otworzyła torebkę i wyjęła przybory.

Rozłożyła je na kolanach i popatrzyła na małą puszeczkę, w której mieściło się wszystko, co zapewniało zapomnienie. Usłyszała kroki Tyrella właśnie wtedy, gdy podgrzała działkę na łyżce. Stojąc w drzwiach, patrzył, jak powoli wstrzykuje ją sobie w żyłę. Miała zapadnięte żyły, sińce były bardzo wyraźne.

W powietrzu wisiała słodkawa woń narkotyku. Tyrell westchnął, przedarł się przez chaos panujący w kuchni i wstawił wodę w czajniku. Otworzył okno, żeby przewietrzyć mieszkanie, a następnie przeszedł korytarzem do pokoju syna. Ten pokoik zawsze go zadziwiał. Był mały, lecz zazwyczaj nienagannie czysty. Dzisiaj jednak wszystkie szuflady były wysunięte i panował bałagan. Tyrell domyślił się, że Jude musiała tam szukać pieniędzy lub cennych przedmiotów. Posprzątał pokój bez zastanowienia.

Zaglądając do szuflad odrapanej komody, ujrzał całe życie syna i znów zachciało mu się płakać. Bielizna od znanych projektantów, gdy tymczasem w domu rzadko było coś do jedzenia. Drogie koszulki w wąskiej szafie, świadczące o tym, że Jude jeszcze do niej nie zajrzała, bo w przeciwnym razie zostałyby tam tylko druciane wieszaki. Zawsze zdołała przehandlować każdą wartościową rzecz, którą mieli. Sonny'ego bolało to, że nawet jego ubrania nie są bezpieczne z powodu nieustannego poszukiwania pieniędzy przez matkę.

Tyrell zastanawiał się, czego jego syn szukał w tym ogromnym wiejskim domu, dociekał, kiedy Sonny zapragnął dokonać tej kradzieży. Dużo o tym myślał, lecz wciąż nie rozgryzł przyczyny, dla której syn wybrał właśnie ten dom.

Sonny zawsze popełniał drobne przewinienia, coś zwędził, coś przehandlował. Nie porywał się na duże rabunki. Chyba że w ciągu ostatniego roku przekwalifikował się z młodocianego złodziejaszka w zatwardziałego kryminalistę. Miał dopiero siedemnaście lat, do cholery!

Tyrell wrócił do kuchni i zaparzył herbatę, oskrobawszy wcześniej do czysta dwa kubki. Wszystko w mieszkaniu lepiło się od brudu.

Wszedł z herbatą do pokoju stołowego, lecz Jude była już bardzo daleko. Leżała rozparta w fotelu, gapiąc się w przestrzeń.

— Jak za dawnych czasów, co, Jude?

Jego sarkazm trafił w pustkę, lecz Tyrell niczego innego się nie spodziewał.

Tammy kręciła się bez celu po mieszkaniu. Patrzyła na drogie zasłony, ręcznie tkane dywany i pieczołowicie dobrane antyki.

Pamiętała dom, w którym spędziła dzieciństwo. Komunalne mieszkanie z kurtkami leżącymi na łóżku i ojcem, który wrzeszczał na wszystkich po powrocie z pubu. Wciąż to robił, tylko że teraz dzięki Nickowi był właścicielem pubu i zapijał się w nim na śmierć.

Jej matka stale z kimś uciekała, taka już była, lecz tata zawsze chciał, żeby do niego wróciła. Zaliczyła więcej rund niż koń wyścigowy, a on wciąż jej pragnął.

Nick kupił mu pub. Był dla nich wszystkich taki dobry. Wychował się na tej samej ulicy, chodził z Tammy do tej samej szkoły i zaczął się do niej zalecać, kiedy ona miała dwanaście lat, a on trzynaście.

Przez całe życie harował jak wół. Już wtedy roznosił gazety, mleko i pracował w kramach na rynku. To właśnie na targowiskach zarobili pierwsze prawdziwe pieniądze. Nick sprzedałby lodówkę Eskimosowi. Miał fantastyczną gadkę, a Tammy była wniebowzięta, że właśnie ją wybrał.

Teraz, rozglądając się po domu, uświadomiła sobie, jak wiele dla nich wszystkich zrobił. Sama kuchnia kosztowała ponad sześćdziesiąt tysięcy. Było w niej wszystko, co powinno znajdować się w nowoczesnej kuchni. Miała olbrzymie rozmiary. Był w niej rodzinny salonik siedem i pół metra na pięć z ławeczkami wymurowanymi obok kominka. Salonik właściwie nie należał do kuchni, która stanowiła odrębne pomieszczenie.

Mieli dwa baseny, jeden kryty, a drugi na zewnątrz, oraz stajnię na dziesięć koni. Dom był obszerny, gustowny i cały jej. Zdziwiła się, dlaczego nigdy wcześniej nie umiała tego docenić. Matka Nicka wszystkim się zajmowała, a Tammy z radością jej na to pozwalała. Nie chciała się martwić o taki wielki dom i częściej jej w nim nie było, niż była.

Teraz próbowała sobie wyobrazić, jakby to było, gdyby go nie miała; po raz pierwszy zastanowiła się, czy ten chłopak chciał ich okraść z zazdrości, dlatego że oni to wszystko mieli, a on nie.

Nie wiedział jednak, że oni też wyszli z nędzy. Jak trudną drogę przebyli, zanim udało im się wreszcie wybić. A jej Nick, mimo wszystkich swoich wad, pracował dzień i noc, żeby zapewnić rodzinie lepsze życie. Powinna bardziej go doceniać, wiedziała o tym. Chciała, lecz kiedy byli razem, wszystko jakoś tak się psuło, bo nie umieli już ze sobą być. Minęły czasy, gdy niecierpliwie na siebie czekali. Nie znaczyło to, że Nick kiedykolwiek szalał za seksem. Zawsze był zbyt zajęty. Dopiero przy okazji pierwszego romansu Tammy uświadomiła sobie, co traciła.

Uderzyło jej do głowy to, co z nią zrobił tamten facet. To było fantastyczne. Wreszcie zrozumiała, o czym przez te wszystkie lata trajkotały jej koleżanki. Gdyby była ze sobą szczera, przyznałaby, że właśnie wtedy zagnieździło się w jej głowie niezadowolenie ze wszystkiego, co miała w domu. Nagle posiadanie największej chaty i najnowszego samochodu przestało cokolwiek znaczyć, gdyż szybko uzmysłowiła sobie, że taki wspaniały seks trzyma ze sobą ludzi, nawet jeśli się nienawidzą. Próbowała pokazać Nickowi nowe sztuczki, których się nauczyła, a on wkurzył się na całego, chciał wiedzieć, jak je poznała. Powiedziała mu, że z magazynów dla kobiet i takich tam, ale chyba domyślił się prawdy.

Właśnie to bolało. Ale zamiast ją sprać, zaczął ją jeszcze bardziej ignorować.

Może dlatego, że wielki Nick kobieciarz wiedział, że jest do niczego w tych sprawach. Rzecz jasna, Tammy nigdy mu tego nie powiedziała, nie była taka głupia. A mimo to go kochała. Na swój sposób nawet uwielbiała.

Leżał na szezlongu w przebieralni przylegającej do ich sypialni i widać było wyraźnie, że jest po drinku.

— Wszystko w porządku, Nick? Nie słyszałam, jak wchodzisz.

— Odłączyli aparaturę, chłopak nie żyje.

Tammy uklękła obok męża i ujęła jego rękę.

— Nikt nie może cię obwiniać, zrobiłeś tylko to, co zrobiłby każdy mężczyzna. — Ze zdziwieniem zauważyła, że Nick płakał. — Nikt nie może cię winić, kochanie.

Wyczuła w jego oddechu piwo oraz whisky i domyśliła się, że zaczął w pubie, a potem przyszedł do domu, żeby dokończyć dzieła.

Tak dobrze go znała.

Nick odepchnął ją delikatnie i wstał. Oparł głowę na dłoniach i jęknął:

— Ale ja mogę się obwiniać, Tammy. I będę to robił do samej śmierci.

Szlochał, jego szerokie ramiona się trzęsły, gdy dawał upust emocjom. Tammy objęła go, tego wielkiego chłopa łkającego w tej chwili jak niemowlę. Z jakiegoś powodu zaniepokoiło ją to bardziej niż śmierć młodego włamywacza.

Rozdział 4

— Po zbadaniu faktów wiążących się z wydarzeniami tamtej nocy my, członkowie prokuratury koronnej, postanawiamy nie podejmować działań przeciwko panu Nicholasowi Leary'emu. Nie leżą one w publicznym interesie. Uważamy, że padł on ofiarą wypadków będących poza jego kontrolą i wyrażamy nasze współczucie rodzinie Sonny'ego Hatchera. Dziękuję.

Rzeczniczka prokuratury odwróciła się i odeszła od kamery. Było oczywiste, że denerwowała się, wygłaszając oświadczenie. Głos jej drżał, a kostki dłoni trzymającej papier zrobiły się białe. Telewizja Sky News nadała komunikat na żywo, Tammy obejrzała go z ulgą. Sprawa zakończona.

Nagle na ekranie ukazała się twarz Judy Hatcher, rozległ się jej wrzaskliwy głos.

— Mordercy! Wszyscy jesteście mordercami! Jesteś moim dłużnikiem, Leary. Jesteś mi winien życie mojego syna.

Obraz twarzy zrozpaczonej kobiety i jej szarych, krzyczących ust wypełnił cały ekran. Tammy wyprostowała się nagle w wannie, rozlewając wodę na marmurową posadzkę. Mimo że już wczoraj wieczorem Nick i Tammy dowiedzieli się, jaką decyzję podjęła prokuratura, Tammy nie chciała uwierzyć, dopóki nie zobaczyła tego na własne oczy. A teraz ta baba wszystko popsuła.

— Mój syn został zamordowany, nikomu nie zamierżał zrobić krzywdy. Nigdy w życiu nie miał pistoletu.

Choć raz Jude mówiła jasno i wyraźnie. Tylko ci, którzy dobrze ją znali, uświadomili sobie, jaka rozsądna potrafi być, kiedy przyjdzie jej na to ochota. Szkoda, że nigdy nie trwało to długo. Została wyprowadzona z sali przez dwóch policjantów, jak gdyby to na niej ciążyły jakieś zarzuty. Tammy widziała, jaki ślad pozostawiła w tej kobiecie śmierć syna, i z niechęcią zauważyła, że odrobinę jej współczuje.

Szybko się otrząsnęła.

Reporter telewizji Sky mówił właśnie, że Judy Hatcher pozostaje pod opieką psychiatry i gorąco utrzymuje, iż jej syn był niewinny. Powiedział to w taki sposób, że dla każdego widza stało się jasne, że Sonny Hatcher był niebezpiecznym młodym bandytą i tylko jego matka jest tego nieświadoma.

Tammy nie mogła słuchać ani przez sekundę dłużej.

Położyła się w ogromnej wannie i przełączyła telewizor na południową emisję serialu *Emmerdale*. Nie oglądała go, lecz szum głosów działał na nią kojąco. Wypiła duży łyk chardonnay i głęboko zaciągnęła się papierosem.

Szlag by trafił tę babę! Co Nick jest jej winien? Tammy wiedziała, że kobieta jest uzależniona od heroiny, samotnie wychowywała syna i zrobiła z niego złodzieja. Wzrok Tammy powędrował do małego kosmetycznego lusterka z pudełeczkiem pełnym kokainy, które zawsze ze sobą nosiła. Własna hipokryzja wcale jej nie zawstydziła.

Uspokoiła się myślą, że nawet jeśli pozwala sobie na kilka działek w czasie długiego lunchu lub wieczoru z koleżankami, zażywa narkotyk tylko rekreacyjnie. Wcale nie jest uzależniona. Tak się robi w Essex, żeby dobrze się bawić. Tymczasem ta zdzira jest prawdziwą narkomanką, robi sobie zastrzyki. A to zupełnie inna para kaloszy.

Dawanie sobie w żyłę oznacza uzależnienie, wszyscy to wiedzą.

Tammy przypomniała sobie, że na popołudnie jest umówiona na zastrzyk botoksu i Bóg jeden wie, że te zabiegi są jej potrzebne. Troski ostatnich tygodni zaczęły się naprawdę uwidaczniać na twarzy Tammy, a to ją niepokoiło.

To był jej pomysł, żeby postawić w łazience telewizor. Choć rzadko go włączała, ostatnio okazywał się prawdziwym darem niebios.

Aż do dzisiaj.

Tammy znów wypchnęła Hatcherową z myśli. Jeśli się dobrze zastanowić, to jest tylko matką walczącą o swoje. Tammy zachowywałaby się tak samo. Rzecz jasna jej chłopcy nie wpadliby w takie bagno, ale zasada pozostawała ta sama.

Opróżniła duszkiem kieliszek i nalała sobie następny.

Już po wszystkim.

To jest najważniejsze, musi o tym pamiętać.

Nick może wrócić do codziennej harówki i nikt o nim źle nie pomyśli, a Tammy, szczerze mówiąc, z radością przyjmie fakt, że mąż nie plącze jej się po domu.

Najdziwniejsze było to, że wszyscy stali po ich stronie, Nick natomiast zachowywał się tak, jakby wszyscy występowali przeciwko niemu. To jednak musi być dziwne uczucie, taka świadomość, że spowodowało się śmierć jakiegoś człowieka, nawet jeśli był nim mały złodziejaszek, który dostał tylko to, na co zasłużył.

Sonny Hatcher nigdy nie powinien wchodzić do ich domu, to po pierwsze. Tammy przy każdej okazji przypominała o tym mężowi. Bez względu na to, jak bardzo się starała, nie potrafiła obudzić w sobie ani krzty współczucia dla tego chłopaka. Powinien był siedzieć na tyłku w domu, zamiast przewracać do góry nogami świat Learych.

Detektyw inspektor Peter Rudde pił dużą brandy w towarzystwie swojego podwładnego, posterunkowego Franka Ibbotsona. Młodszy stopniem policjant podniósł szklankę i jednym haustem wychylił drinka.

— Więc to koniec, szefie, już po wszystkim?

Rudde skinął głową.

— Lepiej nie mogło się skończyć. Leary nie zrobił niczego, czego ja bym nie zrobił. Widziałeś kartotekę tego chłopaka? Pewnego dnia musiałby coś poważnego zmalować.

Inspektor podsunął szklankę Ibbotsonowi, a ten posłusznie ruszył w stronę baru. Na szerokoekranowym telewizorze pojawiły się wiadomości, znów nadano informację o sprawie Leary'ego. W zatłoczonym barze rozległy się okrzyki aprobaty; Rudde podejrzewał, że tak samo reagowali goście pubów w całym kraju.

Nie było ani jednej gazety, w której ta sprawa nie znalazłaby się na czołowym miejscu. Czy dom Anglika naprawdę jest jego zamkiem? Wydawało się, że tym razem tak i Rudde cieszył się z tego faktu. Sonny Hatcher był groźnym małym draniem. Rudde orientował się, do jakich aktów przemocy potrafi się posunąć. Dziennikarze nie wiedzieli nawet połowy tego, gdyż mały Sonny większość swoich występków popełnił jako nieletni. Dźgnął nożem sąsiada i uszło mu to na sucho ze względu na trudną sytuację w domu. Ale jak długo można zwalać wszystko na środowisko młodego opryszka? Mnóstwo ludzi żyje w okropnych warunkach i jakoś sobie radzą. Rudde też pochodził z jednej z najgorszych dzielnic komunalnych we wschodnim Londynie, a teraz, proszę, jest przedstawicielem prawa.

Nie kradnie, nie kłamie, nie napada obcych ludzi.

Czasem zdarzało mu się łgać, musiał to przyznać. Ale chyba każdy to powie, jeśli jest szczery. Ibbotson wrócił z drinkiem i Rudde ucieszył się, widząc, że porcja brandy jest podwójna. Ten chłopak wreszcie zaczynał się uczyć.

— Grzeczny chłopiec.

Rudde pociągnął mały łyczek, smakując trunek.

— Teraz wszystko przycichnie i wróci do normy. Zmarnowaliśmy na tę sprawę o wiele za dużo czasu.

Ibbotson skinął głową.

Popijał piwo delikatnie, co z jakiegoś powodu uraziło Rudde'a do żywego.

Pub „Lis i Fretka" był zamknięty, mimo iż minęła dopiero trzecia po południu. Nick kupił go przed kilkoma laty, to była jedna z jego wielu drobnych inwestycji. Dzisiaj hałaśliwe okrzyki radości znajomych w lokalu działały nań przygnębiająco.

Jeden z jego robotników, Danny Power, miejscowy wesołek i żartowniś, krzyknął:

— Hej, Nick, słyszałem, że zdaniem Kościoła katolickiego ten szczeniak powinien być pochowany na głębokości sześciu metrów, bo czarnuchy są zacnymi ludźmi... w głębi!

Rozległ się gromki śmiech i trwał dopóty, dopóki pięść Nicka nie wylądowała na podbródku Danny'ego. Wtedy w pubie na kilka sekund zapanowała śmiertelna cisza.

— Wynoś się!

W oczach Nicka jarzył się gniew.

Zaskoczony Danny pozbierał się z podłogi.

— Nick, daj spokój, ja tylko żartowałem...

Nick złapał go za koszulę i pociągnął do drzwi. Wiedział, że wszyscy znajomi przyglądają mu się i zachodzą w głowę, co mu odbiło, ale nie dbał o to. Miał dość.

— Otwieraj te zasrane drzwi, Jimmy, bo jak nie, to wywalę tego kutasa przez zamknięte.

Mógł to zrobić bez trudu i wszyscy zdawali sobie z tego sprawę. Nick był dobry w bójce. W interesach trzeba umieć o siebie zadbać i Nick z tego słynął w pewnych kręgach.

Jimmy Barr, który prowadził pub, błyskawicznie otworzył zamek. Na oczach wszystkich Nick wyrzucił starego kolegę na parking.

— Jesteś zwolniony. Nigdy więcej nie chcę cię tu widzieć, jasne? — Nick trząsł się ze zdenerwowania.

Jimmy Barr szybko wciągnął go z powrotem i zamknął drzwi na klucz. Wiedział, że lepiej będzie, jeśli Danny chwilowo pozostanie z dala od Nicka.

— Uspokój się, Nick, on był podpity, to wszystko.

Nick przysunął twarz do twarzy kolegi.

— Gówno mnie to obchodzi! Chłopak nie żyje. A wy, kurwa, uważacie to za zabawne? Bo ja nie. Nie obchodzi mnie, jaki był kolor jego skóry albo wyznanie. Był dzieciakiem, miał siedemnaście lat.

— Miał siedemnaście lat i trzymał pistolet w dłoni, Nick.

Powiedział to Anthony Sissons, jeden ze starych kumpli

Nicka. Chodzili razem do przedszkola i to dawało mu prawo mówienia głośno tego, co myśli.

Nick patrzył na niego przez kilka długich sekund, a potem się uśmiechnął.

— W porządku, Ant, ale nigdy nie lubiłem takich żartów, nawet kiedy byłem w lepszym humorze. Wiesz o tym.

Znów zaczęły się rozmowy, lecz atmosfera się popsuła i wszyscy o tym wiedzieli.

Jeden z mężczyzn siedzących przy barze, nowy robotnik Nicka, powiedział do sąsiada:

— Co jest grane? Przecież to był tylko żart.

— Siostra Nicka, Hester, wyszła za faceta z Indii Zachodnich, który ma na imię Dixon. Nick jest do niej bardzo przywiązany — odparł Joey Miles.

— Nie wiedziałem.

Joey parsknął śmiechem, słysząc zaskoczenie w głosie kolegi.

— Większość ludzi o tym nie wie, a jeśli chcesz utrzymać robotę, zachowaj tę informację dla siebie. Jestem trochę zalany, język mi się rozwiązał. Czas iść do domu.

Joey zsunął się z wysiłkiem ze stołka, klepnął Nicka w plecy i wyszedł z pubu.

Verbena była niepocieszona. Jej najstarsza córka Hettie przyjechała aż z Birmingham, żeby potrzymać ją za rękę. Verbena nie chciała jej widzieć, nikogo nie chciała widzieć. Chciała przeżywać żałobę w samotności. Hettie zdawała sobie sprawę, co czuje matka.

— Mamusiu, zjedz coś, na litość boską!

Wszystkie córki mówiły do niej „mamusiu", lecz w ustach Hettie słowo to brzmiało jak przydomek. Nie było w nim żadnego uczucia. Od chwili gdy Verbena zachorowała na agorafobię, Hettie — jej najstarsza córka — straciła dla matki cały szacunek. To bolało. Próbowała nakarmić ją kurczakiem, ale Verbena nie miała na niego ochoty.

— Kiedy wracasz do domu, Hettie?

Pytanie zawierało podtekst i obie miały tego świadomość.

Córka westchnęła.

— Nie zaczynaj, mamusiu. Znasz moje uczucia względem Sonny'ego. Okradał mnie, okradał nas wszystkich. W przeciwieństwie do ciebie nie potrafię po chrześcijańsku przebaczać.

Teraz z kolei Verbena westchnęła. Córka bardzo przypominała ją z wyglądu. Była rosła jak Karaibki, miała szerokie biodra i obfite piersi, które przechodziły z pokolenia na pokolenie u karaibskich kobiet. Nie miała jednak dobroci, która zwykle szła w parze z tymi zewnętrznymi cechami. Całe jej życie składało się z kłótni i zwad. A mimo to Verbena kochała ją najbardziej ze wszystkich dzieci, dopóki nie pojawił się Sonny. Może Hettie o tym wiedziała. Może to wyczuła? Verbena nie mogła teraz o tym myśleć.

— Chciałam tylko powiedzieć, że dzieci pewnie za tobą tęsknią, to wszystko. Wiem, co czułaś do Sonny'ego. Nie musisz iść na pogrzeb. I tak nie wiemy, kiedy wydadzą ciało.

Verbena mówiła tak zwyczajnym tonem, że czuła się dziwnie, słysząc swój głos. Chciała, żeby na pogrzebie Sonny'ego byli tylko ci ludzie, którzy go kochali, a jej najstarsza córka do nich nie należała. Czy można było ją za to winić? Sonny ją okradł, w któreś Boże Narodzenie zwędził jej pierścionek, kiedy przyszła w odwiedziny do matki, i sprzedał go. Najgorsze było to, że Hettie dostała ten pierścionek od teściowej. Nie miał żadnej wartości materialnej, za to był bezcenny w innym sensie.

Sonny zrobił to jednak dla matki, jak zawsze. Zginął przez nią, lecz Verbena nigdy nie powie tego na głos. Biedna Jude ma dość i bez tego.

Verbena odsunęła od siebie talerz i znów wyjrzała przez okno na dzieci wałęsające się po okolicy. Czekała na następne wiadomości. W tej chwili każda wiadomość była mile widziana. Już usłyszała najgorszą, już nigdy nic nie zrani jej w taki sposób.

Tyrell siedział w klubie w Brixton Heights przy Railton Road. Wiedział, że nie powinien wychodzić, lecz nie mógł siedzieć u matki i słuchać, jak wszyscy oprócz niej wyrażają się o jego synu jak o śmieciu. Nie był na to jeszcze przygotowany, choć wiedział, że powinien. Biedny Sonny mimo wszystko dostał to, na co zasłużył, jeśli ktokolwiek zasługuje na śmierć za próbę kradzieży magnetowidu czy DVD. Najbardziej niepokoił Tyrella pistolet. Skąd syn wziął broń? Wydawało się, że nikt tego nie wie, lecz Tyrell postanowił to sprawdzić i uczynił z tego swoją życiową misję.

Od lat był ochroniarzem w Londynie, teraz prowadził własną firmę. Nie brakowało mu kumpli i pracowników, z którymi mógł usiąść i zalać się. Nie był z natury amatorem rumu, ale jest to dobry trunek do upicia się. Kto raz go spróbował, ten zrozumie.

Tyrell zaśmiał się do swoich myśli i spojrzał na przyjaciela, Paxtona Regisa.

— Wiesz, że koroner w czasie odczytywania wyników autopsji stwierdził, że ten fagas potraktował mojego chłopaka z nadmierną siłą? Nadmierna siła... To coś znaczy, jeśli zostanie powiedziane na głos, nie?

Odkaszlnął i mówił dalej:

— Walił Sonny'ego kijem, nawet gdy ten stracił już przytomność.

Tyrell pociągnął łyk rumu.

— Strach, po prostu. Facet był przerażony. Tak działa na ludzi widok broni, prawda? Powiem ci, że ja też się jej boję. Kiedyś mieliśmy taki incydent przy wejściu do lokalu w Ilford. Wywaliliśmy jakichś szczeniaków, a oni wrócili z gnatem. Cholerni gówniarze! Wściekłem się, kiedy to zobaczyłem. Dlatego wiem, co zobaczył ten gość, rozumiesz?

Paxton skinął głową ze smutkiem.

— Mogę zrozumieć jego strach, bo sam go kiedyś poczułem, wiesz? Ale mimo że rozumiem jego reakcję, nie umiem mu wybaczyć, że odebrał mi Sonny'ego. Gdyby znał mojego syna, wiedziałby, jaki jest naprawdę, a on nie był zły.

Tyrell już się naprawdę zalał i Paxton zastanawiał się, kiedy trzeba go będzie odstawić do domu.

— A teraz musimy to dziecko pochować i wszystko jest do kitu. Diabelnie do kitu.

Tyrell perorował dalej, a Paxton skinął na barmana, żeby

nalał jeszcze jeden rum. Oby jego przyjaciel Tyrell nawalił się do nieprzytomności. Tyrell trafił do niewłaściwej roboty, niewłaściwego życia. Jego kłopot polegał na tym, że był zbyt dobry.

Tyrell wypił łyk następnego drinka. Nie był prawdziwym pijakiem, tak więc niewiele mu było trzeba, żeby się upić. Jednak w klubie było dzisiaj cicho, ciszej niż zwykle, jak gdyby wszyscy przeżywali żal razem z nim, choć po cichu każdy przyznawał, że zrobiłby to samo co Nick Leary. Trzeba bronić swego, zwłaszcza dzieci i kobiety.

Sonny przekroczył granicę.

Lecz nikt nie powiedział tego na głos. Tyrell był zbyt szanowany i lubiany.

— W porządku, Jude?

Jude usłyszała głos i usiłowała skupić wzrok, lecz okazało się to zbyt trudne.

Sally Hatcher uśmiechnęła się do niej, mimo że siłą powstrzymywała się, aby nie marszczyć nosa z powodu woni, która ją otaczała. Obiecała Tyrellowi, że zajrzy i sprawdzi, jak Jude sobie radzi. Sądząc po tym, co zobaczyła, nie najlepiej.

Tyrell powiedział, że musi iść do pracy. Sally wiedziała, że nie chce mieć dzisiaj do czynienia z interesami, lecz widać wszystko było lepsze od patrzenia, jak ta kobieta rujnuje samą siebie. Albo jak serce jego matki znów pęka.

— Weź płaszcz, zaprowadzę cię do Verbeny. Ona chce, żebyś przy niej była.

— Odejdź.

Sally westchnęła. Jej krótkie włosy doskonale układały się na kształtnej głowie, a szczupłe atletyczne ciało tryskało zdrowiem. Jude wyglądała przy niej na jeszcze starszą i bardziej zniszczoną, niż naprawdę była.

— No chodź, Jude, Verbena cię potrzebuje.

— Nikt mnie nie potrzebuje, Sally. Nigdy nikt mnie nie potrzebował i nigdy nie będzie. A teraz wyświadcz mi przysługę i odpierdol się.

W słowach Jude nie było obelżywości, przeklinanie było dla niej równie normalne jak oddychanie. Już szykowała sobie skręta, tym razem z heroiną. Czasem ją paliła. Jak tylko Sally wyjdzie, nawali się na dobre.

Sally patrzyła na nią z odrazą. Mimo iż widziała wiele zdjęć młodszej, ładniejszej Jude, a było ich mnóstwo w domu Verbeny, nie potrafiła ich dopasować do tego wraka kobiety.

Sonny wiedziałby, co zrobić z matką w takim stanie. To była dla niego normalka. Teraz Jude będzie musiała przywyknąć do zajmowania się sobą.

Drzwi frontowe otworzyły się i do mieszkania weszło bez pukania trzech młodych mężczyzn. Wszyscy byli biali, mieli krótkie, fantazyjnie obcięte włosy. Jeden miał z boku głowy wygolony symbol drużyny West Ham United, dwa skrzyżowane młoty.

Sally patrzyła na nich z niedowierzaniem.

— Jak się tu dostaliście?

Najwyższy z chłopaków spojrzał na nią i najwyraźniej ją zlekceważył.

— Mogę cię zapytać o to samo?

— To koledzy Sonny'ego — wyjaśniła poirytowanym głosem Jude. — Idź już sobie, Sally, do kurwy nędzy. Przeszkadzasz mi tutaj i w ogóle.

Sally podniosła torebkę.

— Jesteś pewna, że tego chcesz? — spytała łagodnie.

Jude spojrzała na nią spod oka, domyślając się, że Sally ucieszyła się z pretekstu do wyjścia.

— O tak, jestem pewna.

Sally wyszła. Naprawdę nic więcej nie mogła zrobić.

Była dziesiąta, kiedy Nick wreszcie wrócił do domu. Tammy siedziała w pokoju telewizyjnym i oglądała film. Obok niej stał duży kieliszek wina, w ręku trzymała papierosa. Nick wtoczył się do pokoju i osunął na kanapę obok niej. Tammy uśmiechnęła się do niego przelotnie, a potem znów skierowała wzrok na telewizor.

Nick rozejrzał się dookoła. Pokój był duży, wygodnie urządzony. Wielu ludzi chciałoby taki mieć. Jednak dla niego i Tammy było to pomieszczenie do drzemania. Do zwijania się w kłębek i oglądania telewizji.

Przysunął się do żony; potrzebował jej dzisiaj, potrzebował czuć się kochany. Chciany. Nigdy w życiu nie czuł się tak podle. Poczucie winy ciążyło mu straszliwie. Za każdym razem, gdy zamykał oczy, widział twarz tego chłopaka.

Złapał Tammy za rękę, a ona ścisnęła ją czule.

— Tammy...

— Już po wszystkim, Nick.

Skinął głową.

— Ale słuchaj...

— Jesteś nawalony.

Tammy powiedziała to, nie odrywając wzroku od ekranu.

Nick po raz drugi skinął głową.

— Muszę z tobą pomówić, Tams.

Spojrzała na niego.

— Za minutkę, poczekaj, aż to się skończy.

Głos Tammy był cieplejszy, łagodniejszy. Nick spojrzał na ekran, na którym Richard Burton kłócił się z Genevieve Bujold.

— Co to jest?

Tammy westchnęła z irytacją.

— *Anna tysiąca dni*, film o Henryku VIII i Annie Boleyn. On właśnie wtrącił ją do Tower i proponuje jej anulowanie małżeństwa, jeśli ona się zamknie i nie będzie się od niego niczego domagać. Ale ona go odtrąca, więc Henryk jest wściekły.

— Jak dla mnie brzmi nieźle.

Tammy zaśmiała się wbrew sobie.

— Daj mi obejrzeć, jak zginie, a potem zrobię ci drinka i będziemy mogli gadać przez całą noc, jeśli chcesz.

Nick patrzył na ekran, dziwiąc się zainteresowaniu żony historią. O Tammy można było powiedzieć różne rzeczy, ale na pewno zasługiwała na miano kopalni wiedzy o rodzinie królewskiej. Ubóstwiała Dianę i płakała przez trzy dni po jej przedwczesnej śmierci. Okazywała więcej uczucia kobiecie ściętej przed wiekami niż chłopcu, który zginął z rąk jej męża.

To była cała Tammy.

Nic jej nie zaprzątało, jeśli nie dotyczyło jej osobiście. Zagrożenie dla wolności Nicka odniosła właśnie do siebie. W jej umyśle fakt, iż mąż mógł wpaść w tarapaty dlatego, że bronił rodziny, równało się temu, że brytyjski system prawny pogroził jej palcem. Jej, Tammy, uwielbiającej rodzinę królewską — z wyjątkiem księcia Karola, rzecz jasna. Jej, która uważała siebie za na wskroś brytyjską kobietę. Która czasem nawet wygłaszała uwagi w związku z irlandzkim pochodzeniem Nicka. Była prawie zdruzgotana, gdy omal go nie aresztowano za to, co zrobił. Ostatnio Tammy więcej niż raz sponiewierała słownie królową. Ona, kobieta, która w normalnych okolicznościach gotowa była bronić monarchii za cenę życia.

Nickowi podobała się jej lojalność, nawet jeśli zawsze zaprawiona była szczyptą egoizmu. Wszystko, co robił Nick albo synowie, Tammy postrzegała jako coś, co będzie miało wpływ na nią.

Nick znów spojrzał na ekran telewizora. Anna Boleyn szła spokojnie na szafot. Nick patrzył na nią, przez chwilę, zastanawiając się, jak musiała się czuć, zostawiając małe dziecko pod opieką mężczyzny, który faktycznie ją zamordował.

Usłyszał ciche łkanie Tammy i przytulił ją. Pod pewnymi względami była chodzącym koszmarem, lecz musiał podziwiać jej wierność samej sobie. Anna Boleyn była jej idolką. Tammy wiedziała o niej wszystko. Wtuliła się w ramiona Nicka i pozwoliła ukoić.

Nie przyszło jej do głowy, że to ona powinna pocieszać jego. Z jej punktu widzenia wszystko było skończone.

I to w samą porę.

Tyrell leżał na kanapie u matki, bardziej pijany niż kiedykolwiek w życiu. Mimo iż Verbena nigdy nie lubiła alkoholu, rozumiała jego potrzebę wymazania ostatnich kilku dni.

Siedziała i przyglądała się zdjęciom małego Sonny'ego i jego matki, które wypełniały pokój. Sonny był ładnym dzieckiem.

Sally weszła z dwoma kubkami herbaty, takiej, jaką lubiła Verbena, z mnóstwem cukru i sporą porcją skondensowanego mleka. Słodycz i ciepło na chwilę ją uspokoiły.

— Była bardzo okropna?

Sally przysiadła na skraju kanapy i wzruszyła ramionami.

— Jak zwykle.

Verbena westchnęła.

— Nie powinnaś żywić do niej urazy, Sally. Nad nią trzeba się litować.

Synowa Verbeny nie odpowiedziała, tylko uśmiechnęła się, zaciskając lekko usta. Słyszała to od tak dawna, że przestało odnosić jakikolwiek skutek. Spoglądając w smutne oczy teściowej, jak zwykle poczuła litość dla starszej kobiety, tak bardzo przybitej tym, co spadło na jej rodzinę. Irytowało ją tylko to, że nikt w żaden sposób nie winił Jude Hatcher. Zawsze słyszało się tylko o biednej Jude, nieszczęsnej Jude. Nigdy o egoistycznej narkomance Jude, która systematycznie rujnowała życie wszystkim, którzy ją otaczali.

— Zrobić ci coś do jedzenia?

Sally nauczyła się zręcznie zmieniać temat rozmowy.

Zanim Verbena zdążyła odpowiedzieć, szyba okna w pokoju stołowym pękła i na małym stoliku wylądowała cegła. Obie kobiety krzyknęły. Tyrell otworzył oczy i wyprostował się błyskawicznie, najwyraźniej przestraszony.

— Co, u diabła...?

Wszystko działo się jakby w zwolnionym tempie. Verbena patrzyła, jak jej syn podbiega do strzaskanego okna, klnąc głośno na tego, kto wybił szybę. Wszędzie leżało szkło. Dopiero po kilku sekundach uświadomiła sobie, że jest też na jej kolanach, a kilka kawałków zraniło ją w nogi i twarz. W pierwszej chwili myślała, że to, co czuje, to łzy. Dopiero gdy Sally krzyknęła głośno, Verbena zauważyła, że to krew.

Jude odpłynęła. Wydawało jej się, że mały Sonny znów jest obok niej. Był młody, ale nie zbyt młody. W sam raz, żeby jej pomagać. Był takim dobrym dzieckiem. Kombinował dla niej od czasu, gdy stał się dość duży, żeby chodzić po zakupy.

Ściągnęła zębami opaskę uciskową z ramienia. Powtarzała dobrze znany rytuał. Napinanie mięśnia i inne przygotowania stanowiły dla niej część przyjemności.

Najbardziej lubiła, kiedy największy odjazd ustępował miejsca poczuciu całkowitego spokoju. Te właśnie chwile nazywała swoim czasem refleksji. Właśnie wtedy lubiła godzinami gawędzić z Sonnym. Rozśmieszał ją albo przynajmniej wywoływał uśmiech na twarzy. Robił jej skręta, żeby Jude łatwiej było znieść chwile, gdy magia heroiny mijała, a w jej miejsce pojawiało się pragnienie powtórzenia całej operacji od nowa.

Nigdy jej nie osądzał, nigdy się nią nie nudził tak jak wszyscy inni. Była jak jego dziecko, jego maleństwo.

Z jej oczu spłynęła duża gruba łza. Po raz pierwszy Jude cicho zapłakała. Naprawdę mogła oddać się żalowi dopiero wtedy, gdy została sama. Wstała z kanapy, spojrzała na bałagan panujący w pomieszczeniu i potykając się, ruszyła w stronę pokoju syna. Usiadła na łóżku, oddychając ciężko, i otworzyła szufladę komody. W puszce na tytoń znajdował się jego sygnet. To był prezent od ojca, a ona dopilnowała, żeby szpital zwrócił jej go po śmierci Sonny'ego.

Zważyła sygnet w dłoni. Był dość ciężki, miał mały diament osadzony w złotym kwadraciku. W lewym rogu tarczy widniała litera S starannie wygrawerowana włoską czcionką.

Przypomniała sobie twarz Sonny'ego, gdy otworzył pudełeczko rankiem w dniu swoich piętnastych urodzin. Tak się ucieszył z prezentu. Przez te dwa lata sygnet trafiał do lombardu, kiedy brakowało forsy, a Jude miała potrzebę. Sonny robił wszystko, nawet kradł, żeby go odkupić i znów wsunąć na palec.

Niewiele po nim zostało, inne rzeczy prawie bez wyjątku wyprzedała. Lecz patrząc na sygnet połyskujący w słabym świetle, wiedziała, że mały Sonny zrozumiałby to, co zamierzała zrobić.

Jeśli się pospieszy, zdąży, zanim Wielka Elli położy się spać. Dostanie forsę i załatwi sobie towar na rano. Wstała z wysiłkiem z łóżka, lecz sygnet ściskała mocno w dłoni.

W końcu Sonny znał ją lepiej niż ktokolwiek inny. Dopóki nie postara się o stały dopływ gotówki, sygnet musi pójść na sprzedaż. On zrozumiałby logikę jej myślenia. Znał jej potrzebę i rozumiał, skąd się wzięła.

Jej mały Sonny był dobrym dzieckiem i jego śmierć nie pójdzie na marne. Jude postara się, żeby ją wykorzystać, nawet gdyby miała to być ostatnia rzecz, którą zrobi w życiu.

Rozdział 5

Tyrella nie interesowało, co policja powie o rozbiciu szyby w domu matki; poszedł do pracy ze zmarszczonym czołem. Miał tego wszystkiego serdecznie dość. Chciał tylko przeżywać w spokoju żałobę.

Wydarzenia wczorajszego wieczoru nikogo nie zaskoczyły. Policja wyrażała żal z powodu śmierci chłopca, lecz nie przejęła się zbytnio zbitą szybą. Sonny stał się legendą w dzielnicy i jej mieszkańcy specjalnie go nie żałowali. Okradał ich przez lata, wywołując powszechną złość.

Jednak z matką Tyrella sprawa przedstawiała się zupełnie inaczej. Była lubiana i szanowana, mimo że od dłuższego już czasu nie wychodziła z domu. Wszyscy do niej przychodzili, a ona udzielała im rad i dzieliła się współczuciem, więc fakt, że ktoś mógł się mścić na niej w taki sposób, sprawił, iż Tyrell był gotów zabić.

Sanitariusze zszyli jej brew na miejscu. Kiedy zrozumieli, że nie wyjdzie z domu, musieli ją uspokoić, a potem opatrzyć ranę. Verbena bardziej bała się wyjścia, niż martwiła zranieniem. Lecz Tyrell to rozumiał. Rozumiał jej lęk lepiej niż ona sama.

Jego matka nie wychodziła z domu od ponad dwudziestu lat i wiedział, że już z niego nie wyjdzie. Verbena załamała się nerwowo na długo przed śmiercią brata Tyrella, lecz to wydarzenie stało się katalizatorem dramatycznych zmian w życiu ich wszystkich.

Matka Tyrella wiele w życiu zniosła i przyjmowała wszystko bez uników, prawdziwie po jamajsku. Kraj, w którym zamieszkali, postrzegała jako ratunek dla swojej rodziny, jako środek, dzięki któremu ich los się poprawi. Przepracowała każdą godzinę, którą zesłał jej Pan, ubierała dzieci w najlepsze ubrania, karmiła je najlepszym jedzeniem. Posyłała je do szkoły, pilnowała, żeby do niej dotarły, a co ważniejsze, żeby w niej zostały. W odróżnieniu od swoich rówieśników dzieci Verbeny za bardzo się bały wagarować, żeby nie zawieść matki, która musiałaby się za nie wstydzić.

Zabierała je do kościoła i uczyła o dobroci Jezusa Chrystusa i wartości dobrze przeżytego życia. Pracowała jako asystentka pielęgniarki w szpitalu, na zmiany, i brała ich tyle, ile mogła, nie opuściła ani jednej. Podobnie jak mąż rozumiała, że bez pieniędzy nie poprawią swojego bytu ani bytu dzieci.

Kiedy urodził się ostatni syn, powierzyła go opiece Hettie i Maureen. To właśnie one prowadzały go do szkoły i pewnego dnia z przerażeniem zobaczyły, jak wybiegł na ulicę i zginął pod kołami samochodu. Kierowcą okazał się sympatyczny mężczyzna, którego zaszokował fakt, że jakiś malec wyskoczył mu tuż przed samochód i w ciągu kilku sekund zmarł.

To nie była niczyja wina, lecz Verbena, która i tak żyła pod zbyt dużą presją, przyjęła śmierć syna bardzo źle. Stopniowo straciła ochotę do robienia najbardziej przyziemnych rzeczy. Dzieci i mąż patrzyli, jak ich najmocniejsza podpora więdnie pod naporem żalu. Najpierw skończyła się praca, potem zakupy w sklepie. Dzień po dniu siedziała w domu, czytając Biblię, szukając przyczyny, dla której zginął jej syn. Coraz rzadziej wychodziła z domu, aż wreszcie nawet kościół nie był już dla niej wystarczającym powodem do opuszczenia czterech ścian. To świat przyszedł do niej. Choroba Verbeny zaczęła być traktowana jako jej nieodłączna część, a nie coś dziwnego i obcego. W oczach rodziny i przyjaciół wydawała się czymś prawie normalnym.

Jednak w domu nie było ani jednego zdjęcia ostatniego dziecka i nigdy o nim nie wspominano. Samuel Hatcher został wymazany z życia rodziny, gdyż Verbena nie umiała sobie poradzić z jego śmiercią i własnym poczuciem winy.

Lecz Tyrell wiedział, że myśli o nim stale, bez przerwy wracając do tego poranka, gdy wysłała go z siostrami do szkoły, a sama rzuciła się na łóżko, wyczerpana po nocnej zmianie, ciesząc się, iż dzieci sobie poszły.

Tyrell często się zastanawiał, czy właśnie dlatego wzięła Jude pod swoje skrzydła; potrzebowała kogoś, kogo mogłaby obdarzyć uczuciem, i Jude zjawiła się w samą porę. Nigdy nie dostrzegała tego, że Jude jest narkomanką, nie wierzyła, że ta może nią manipulować.

Tymczasem Jude, znając słabości teściowej, zagrała na nich, przeistaczając się w osobę, której Verbena potrzebowała.

Dlatego Tyrell nigdy nie ubiegał się o opiekę nad synem. Jego matka go od tego odwiodła, a on starał się ją zadowalać w każdy możliwy sposób. Starał się wynagrodzić jej to, co ją spotkało, złagodzić ból, który ją dręczył.

Później pojawiła się Sally i łatwiej było zostawić Sonny'ego tam, gdzie był. A teraz Tyrell musiał z tym żyć. Podobnie jak jego matka, stracił dziecko i w żaden sposób nie mógł tego zmienić.

Mógł tylko tak jak ona żałować, że nie postąpił inaczej.

Po raz pierwszy naprawdę zrozumiał, co doprowadziło ją do takiego stanu. Pojął, czym jest ogromna dziura, która zieje w jej wnętrzu i której nic nigdy nie zapełni. Bo nie może zapełnić.

Jej ostatnie dziecko i jego pierwsze zginęły bezsensownie. Teraz Tyrell wiedział, jak trudno jest się pogodzić z taką tragedią. Jak to jest, kiedy próbuje się znaleźć sens w tym, w czym nie ma żadnego sensu.

Odepchnął od siebie te myśli. W głowie dudniło mu od kaca, miał podrażniony żołądek i zdawało mu się, że umrze z żalu. Był doszczętnie rozbity.

Wszędzie, gdzie spojrzał, widział młodych, szeroko uśmiechniętych ludzi, którzy mieli przed sobą całe życie. Zewsząd otaczali go młodzi mężczyźni idący do pracy albo do szkoły, zajęci swoim życiem, nieświadomi, że jego syn leży zimny i martwy. Wysiadając z samochodu w Tulse Hill, zastanawiał się, kiedy będzie mógł pochować syna.

Dinny White, jego pracownik i przyboczny, czekał na niego cierpliwie. Dinny miał jasną skórę, szczery uśmiech i długie, swobodnie rozpuszczone włosy. Wiedział, jaki jest przystojny, nie trzeba było mu tego przypominać. Bez przerwy palił trawę, był zawsze w dobrym nastroju i wyjątkowo dobrze umiał słuchać. Weszli razem do pobliskiego domu, rozmawiając o niczym.

Dinny kochał życie i trudno mu było patrzeć na wyraźnie przygnębionego szefa. Lecz Dinny miał swój rozum. Jeśli Tyrell zechce porozmawiać, to sam zacznie.

Wewnątrz domu Johnny Marks, rosły biały mężczyzna z gęstymi czarnymi włosami, ubrany w nieskazitelnie czystą kamizelkę, właśnie parzył herbatę. Ten dom był osią interesu Tyrella. Właśnie tu przeprowadzał rozmowy kwalifikacyjne z bramkarzami i wypłacał im pensje. Tutaj trzymał swoje telefony komórkowe i prowadził inne biznesy, te, o których jego żona oraz matka nic nie wiedziały.

Johnny Marks otworzył im drzwi.

— W porządku, Tyrell? Przykro mi z powodu Sonny'ego, ale sam się doigrał.

Od nikogo innego Tyrell nie przyjąłby takiej uwagi.

Wzruszył ramionami.

— Dajmy temu spokój, co, Johnny?

Johnny rozłożył szeroko ramiona w geście bezradności.

— Powinieneś się przyzwyczaić do takich odzywek, bo wszyscy są co do tego zgodni, stary. On był jak cierń w tyłku, wiesz o tym.

— Mimo to był moim synem.

Johnny uśmiechnął się szeroko, ukazując białe zęby. Wyglądał z tym uśmiechem na sympatyczniejszego, niż był w rzeczywistości.

— Jak się miewa biedna stara Jude?
— A jak myślisz?
— Odbija jej?
— Zgadłeś za pierwszym razem.
— To zrozumiałe, nie? Możemy już zabrać się do roboty? Kawa czy herbata?

Johnny zaparzył kawy i przyniósł kubki na tacy. Tyrell zazdrościł Johnny'emu jego podejścia do życia. Nic nie zbijało go z tropu. Wszystko było albo czarne, albo białe.

Wzięli się do pracy.

Angela Leary czuła się zmęczona; w nocy niewiele spała. Sprzątając rozległą kuchnię domu syna, nie mogła przestać zazdrościć jego żonie luksusu, który zapewnił jej Nick. Jakże to było odległe od domu, w którym się wychował. Naprawdę dużo osiągnął i Angela była z niego dumna, bardzo dumna.

Będzie go bronić do śmierci, bez względu na to, co ludzie mówią. Oczywiście, nic nie mówili, ale gdyby... Ona będzie na nich czekać.

Synowa Angeli była zmorą jej życia. Tammy miała wszystko, czego kobieta może zapragnąć, a mimo to nie była szczęśliwa. Miała kręćka na punkcie chłopów, a jednocześnie zachodziła w głowę, dlaczego mąż nie poświęca jej czasu.

Chłopcy zostali odprawieni do luksusowej szkoły i nikt ich nie widział przez cały rok. A nawet kiedy przyjeżdżali do domu madame, jak Angela w sekrecie nazywała synową, nigdy jej w nim nie było. Odpowiedzialność spadała na biedną nianię, babę wyglądającą podejrzanie jak mało kto.

Czasem Angela śniła na jawie, że Tammy zniknęła. Nigdy nie określała dokładnie, w jaki sposób jej synowa miałaby zniknąć, lecz bywało, że w jej marzeniach pojawiał się wystawny pogrzeb. W końcu Tammy była żoną Nicka i zasługiwała na godne pożegnanie. Później Angela mogłaby władać grzędą i nikt by się nie wtrącał.

Sprzątając, słuchała radia i podśpiewywała fragmenty piosenek. Kuchnia była jej królestwem. Madame nigdy tam nie wchodziła, jeśli nie musiała, a mimo to pomieszczenie było wspaniałe. Ogrzewał je piecyk gazowy, więc było tam zawsze ciepło jak pod pierzyną. Wyposażone zostało w podwójne piekarniki i dużą amerykańską lodówkę oraz mnóstwo innych gadżetów. O takiej kuchni się marzy, a mimo to madame zaciekle jej nienawidziła.

To jednak odpowiadało Angeli. Czasem przesiadywała tam do późnej nocy, szydełkując i słuchając radia. Niekiedy wypiła kropelkę czegoś na rozgrzewkę. Był także telewizor, lecz Angela słuchała na nim programów muzycznych telewizji Sky. Radio daje o wiele więcej satysfakcji niż telewizja. Na telewizor trzeba ciągle patrzeć. Angela lubiła słuchać, lubiła towarzystwo, które zapewniało jej radio.

Zaparzyła sobie filiżankę herbaty i usadowiła się w wygodnym fotelu przywiezionym przez jej syna wbrew życzeniom żony. Był stary, Nick uratował go z jej poprzedniego mieszkania, kiedy się tutaj wprowadzała. Tammy bardzo to rozzłościło. Mimo że fotel został pokryty nową tapicerką, ona wciąż uważała, że pełno na nim pcheł biednego kota Angeli, który zresztą już nie żył.

Siedząc w tym fotelu, Angela piastowała syna, karmiła go do syta piersią. Jeszcze jedna rzecz, o której madame nie lubiła słuchać.

Dlatego Angela nigdy nie traciła okazji, by jej o tym przypominać. Właśnie takie drobnostki sprawiają, że warto żyć.

Tammy wpadła do kuchni niczym huragan, jakby zmaterializowała się z myśli teściowej.

— Wychodzę. Zajmiesz się obiadem? Mogę późno wrócić.

To była taka mała gra, którą ze sobą uprawiały, zupełnie jakby Angela wyświadczała im przysługę, szykując posiłki. Jak gdyby nie robiła tego dzień w dzień.

— Oczywiście.

Wzrok Angeli powędrował do obranych już warzyw, pokrojonego i przyprawionego mięsa, czekającego na ugotowanie. Spojrzała w oczy Tammy, a ta pierwsza odwróciła głowę.

— Więc do zobaczenia.

Tammy powiedziała to wesołym tonem, a Angela uśmiechnęła się powoli.

— Do zobaczenia — odparła cicho.

Jeden zero dla niej. Trzaśnięcie drzwiami powiedziało jej, że przynajmniej co do tego się nie pomyliła. Na jej twarzy znów pojawił się uśmiech.

Nick siedział w swoim gabinecie na placu budowy. Zauważył, że brakuje wszystkich gazet oprócz sportowych. Zwykle rozpoczynali pracę od dyskusji o walorach rozmaitych kobiet pojawiających się na łamach tabloidów. Na ogół najwięcej głosów dostawała Jordan, choć wśród chłopaków było paru zatwardziałych wielbicieli naturalnych cycków. Nick słusznie założył, że jego sprawa wciąż zajmuje uwagę prasy.

Siedział przy biurku i patrzył z namysłem na zdjęcia dziewczyn, którymi oblepione były ściany. W żaden sposób go nie podniecały, uważał je za wulgarne i nachalne. Nie mógł jednak tego powiedzieć, bo wyszedłby na mało męskiego. Całe życie jego pracowników obracało się wokół skoków w bok i pilnowania, żeby żona się nie dowiedziała. Żony oczywiście się dowiadywały i wtedy rozpętywało się piekło. Nick widział, jak tłuką się z mężami, a czasem też i z rywalkami. Nierzadko bywało to męczące.

Weszła Lynn Starkey i Nick uśmiechnął się do niej. Była rosłą dziewczyną, a przy tym zabawną. Rządziła budową, jakby to były manewry wojskowe. Nick nie wyobrażał sobie, co by bez niej zrobił.

Jej biurko otaczały zdjęcia młodych mężczyzn w różnych fazach striptizu. W ten sposób Lynn dawała odpór kolegom; Nick śmiał się, gdy udawała, że ślini się na widok fotek tylko po to, by rozzłościć facetów. Żaden z nich nie grzeszył atrakcyjnością, a kobiety, o których rozprawiali tak swobodnie, nie wpuściłyby ich do łóżka. Nie lubili jednak, kiedy przypominano im o ich średnim wieku i dalekiej od doskonałości aparycji.

Lynn nazywała swoich przystojniaków męskolaskami i słowo to zawsze wywoływało uśmiech na twarzy Nicka. W biurze panowała dobra atmosfera, a kiedy zaczęły się kłopoty, wszyscy pracownicy stanęli murem za Nickiem. To, co się stało, uznali za przejaw prawa zwykłego człowieka do obrony.

Nick zaparzył filiżankę herbaty i zaniósł Lynn.

— Jak się masz, dziewczyno?

Lynn spojrzała mu głęboko w oczy. Wiedział, że czuje do niego miętę, ale mógł z tym wytrzymać.

— W porządku. A ty?

Nick wzruszył ramionami.

— Powoli przechodzi. Jak tu szły sprawy?

Szybko zmienił temat rozmowy, bo usłyszał mężczyzn wchodzących do gabinetów, ich rozmowy i żarty, i nie był pewny, czy zdoła sobie dzisiaj z tym wszystkim poradzić. Czy życie kiedykolwiek będzie takie samo?

Wątpił w to.

Wiedział tylko tyle, że musi się napić.

Jude Hatcher sączyła kawę i po raz kolejny słuchała, jak chłopcy opowiadają o Sonnym. Kiwała głową i uśmiechała się, a oni naciągali swoje opowieści, aż zamieniały się w bajki, opowiadane jednak w dobrych intencjach. W końcu wszyscy zaczną w nie wierzyć i Sonny stanie się częścią miejskiego folkloru.

Drzwi frontowe otworzyły się i wszedł najbliższy przyjaciel Sonny'ego, Gino. Podał Jude małą torebkę z brązową substancją, a ona uśmiechnęła się do niego.

Pozostali trzej chłopcy siedzieli w milczeniu i z osłupieniem patrzyli, jak Jude podgrzewa sobie działkę. Mimo iż uważali siebie za światowców, Jude była jedyną znaną im dorosłą osobą uzależnioną od heroiny. Mieli kolegów, który zażywali herę, ale tylko wciągali ją nosem. Żadne z ich rodziców nie brało, alkohol i papierosy były jedynymi używkami dozwolonymi w ich domach.

Alkohol przysparzał aż nadto kłopotów Gino, zwłaszcza że jego ojciec nie potrafił bez niego przeżyć ani jednego dnia. Lecz gdyby jego matka dowiedziała się, że był w domu Jude Hatcher, wpadłaby w furię. Gino dostrzegał w tym hipokryzję, nawet jeśli jego matce nie przyszłoby to do głowy.

Chłopcy z osiedla zawsze byli pod wrażeniem stylu życia Sonny'ego. Mieszkanie Jude stanowiło przystań dla wagarowiczów, wydziedziczonych i uciekinierów. Jego drzwi zawsze stały przed nimi otworem. A teraz, kiedy Sonny'ego już nie było, Jude potrzebowała młodych bardziej niż kiedykolwiek.

Gino obiecał, że będzie jej pomagał zamiast Sonny'ego, i zamierzał dotrzymać słowa. Tylko tyle mógł zrobić, by uczcić pamięć przyjaciela.

W wieku sześciu lat Sonny chodził po osiedlu, szukając dealera, któremu Jude była najmniej winna, i przynosił cenny towar do domu. Później pławił się w jej uściskach, pocałunkach i pochwałach, jakim jest dużym chłopcem swojej mamusi.

Lecz kiedy wstrzyknęła sobie działkę, stawał się dla niej odległy jak księżyc. Sonny szybko to sobie uświadomił i kiedy dawała, brał od niej ile tylko mógł.

To było w gruncie rzeczy zdumiewające, że sam nigdy się nie skusił. Popalał trawę z kolegami, lecz brązowy proszek nigdy go nie zainteresował. Zabawne, że Jude była z tego na swój sposób dumna: nie byłoby dobrze, gdyby w tym samym domu mieszkało dwoje ćpunów. Kradła pieniądze, które dostawał na urodziny, oraz prezenty od ojca, nawet sprzedawała jego ubrania, a on zawsze jej wybaczał, gdyż rozumiał tę potrzebę lepiej niż ona sama.

Kradł dla niej i uchodziło mu to na sucho z powodu sytuacji rodzinnej. Rzecz jasna, działo się tak tylko do jego szesnastych urodzin, bo potem nie było już tak łatwo się wywinąć. Nikt nie słuchał jego błagalnych tłumaczeń, że matka nie potrafi żyć bez narkotyków. Czasem dla jakiejś drobnej sumy załapywał się na coś, z czym nie miał nic wspólnego, ponieważ nie mógł trafić do aresztu ze względu na wiek. A rozmaici ludzie wykorzystywali go bez zastanowienia.

Sonny zrobiłby dla matki wszystko, o co by poprosiła, a ona nie potrafiła zrobić jedynego, o co on prosił.

Żeby przestała brać.

Próbował nawet zamykać ją w domu, lecz jej błagania, a później agresja w końcu powodowały, że znów zdobywał dla niej towar i cykl zaczynał się od nowa.

Jude leżała na kanapie z nieobecnym wyrazem twarzy, a chłopcy stopniowo wymykali się bez pożegnania. Ona też oddaliła się w swoje sekretne miejsce.

Nick siedział w pubie, opróżniając szklanki w zatrważającym tempie, kiedy zadzwonił jego telefon. Zerknął na wyświetlacz; nie odebrał połączenia, a następnie wyłączył aparat. To była Tammy, a on nie miał najmniejszej ochoty z nią rozmawiać. Joey Miles obserwował przyjaciela ze smutkiem. Nick źle zniósł tę sprawę. Nie robiło mu żadnej różnicy, ilu ludzi mówi, że postąpił słusznie.

— No, Nick, ruszmy się i chodźmy coś zjeść.

Nick Leary pokręcił głową.

Był potężnym mężczyzną, na ogół miłym dla innych, i ludzie zapominali, że potrafi być twardym draniem, kiedy najdzie go ochota. Właśnie to pozwoliło mu osiągnąć tyle w życiu. Kombinował niejednokrotnie, ale czy wszyscy tego nie robią w pogoni za lepszym życiem?

Podeszła do nich wysoka blondyna z dużym biustem i przylepionym uśmiechem.

— Cześć, Nick, dawnośmy się nie widzieli.

Była przyjaciółką znajomego od interesów, lecz zawsze rozglądała się za lepszą okazją. Tamten był żonaty, więc dziewczyna nie przejmowała się Tammy. W rzeczy samej właśnie to, czego dowiedziała się o żonie Nicka, nasunęło jej myśl, że z Nickiem może pójść o wiele lepiej, niż jej się z początku wydawało. Wyglądał też niczego sobie, więc seks nie byłby aż taką mordęgą. Jej obecny kochaś był niski, łysy i miał brzuch, w którym zmieściłyby się trojaczki, a jeszcze zostałoby miejsce dla stopera miejscowej drużyny piłkarskiej.

Nick miał też otwarty portfel olimpijskich rozmiarów i to przemawiało na jego korzyść, nawet gdyby nie miał innych zalet.

Nick nie odpowiedział, lecz blondynka spróbowała jeszcze raz.

— Hej, Nick, pamiętasz mnie?

Patrzył na nią przez kilka sekund, a później znów pokręcił głową.

— Niestety, nie.

W jego głosie nie było ani cienia zainteresowania, a jej mężczyźni nie lekceważyli. Przez chwilę była niepocieszona; Joey opuścił głowę i zamknął oczy. Blondynka była zszokowana i wyraz jej twarzy dobitnie o tym świadczył. Wszyscy ją pamiętają, jest kociakiem Desa Cartera, od tej sprawy w sądzie Nickowi musiało się coś pokręcić w głowie. Nawet nie przyszło jej na myśl, że Nick może ją ignorować.

— Dziewczyna Desa.

Wciąż zachowywała się kokieteryjnie, dając mu kolejną szansę. Joey musiał jej przyznać punkty za wytrwałość.

— Więc gdzie jest Des?

Nick zabawnie zagrał marynarza spoglądającego ze statku na morze. Zrobił z dłoni daszek nad oczami i przez kilka sekund rozglądał się wokół baru. Dostrzegł wstyd na twarzy dziewczyny i postanowił przestać, ale nie mógł. Zamiast tego odwrócił się do niej plecami i zamówił następnego drinka. Nie było to trudne, jako że był właścicielem pubu.

Joey chciał złagodzić jej zakłopotanie.

— Daj spokój, kotku. Weź sobie drinka na mój rachunek, okay?

— Desowi się to nie spodoba, jak mu powiem...

Des był miejscowym twardzielem, lecz nie tak mocnym, żeby wystąpić przeciwko Nickowi. Dziewczyna najwyraźniej nie pomyślała, gdy to mówiła. Nick się odwrócił.

— Aż się cały trzęsę, skarbie — rzucił zirytowany.

Podał jej telefon.

— Zadzwoń do niego, to od razu sobie pogadamy.

Joey wziął aparat od osłupiałej dziewczyny.

— Już dobrze, Nick — powiedział Joey cicho.

Ludzie zaczęli się na nich oglądać. Przyjaciółki dziewczyny były zachwycone takim obrotem sprawy, wiedziała o tym.

— On jest nawalony, kotku...

Nick skierował na nią palec i rzekł głośno:

— Ale nie aż tak nawalony, jasne? Nie tknąłbym cię nawet kijem od szczotki.

Blondynka odeszła poniżona. Joey odczekał kilka sekund.

— Ona na to nie zasługiwała, stary.

Nick się roześmiał.

— Naprawdę? Żona Desa to porządna babka. Dała mu pięcioro dzieci i zawsze stała przy jego boku, chociaż wpakował się w niejedno gówno. A on co robi? Zadaje się z... taką. Nawet zapłacił za jej pieprzone cycki! Ona widzi we mnie drugi otwarty rachunek, nic więcej. Dlatego niech spierdala. Wystarczy mi Tammy, która dzień w dzień próbuje doprowadzić mnie do bankructwa. Tej i wszystkich innych nie potrzebuję.

Otarł ręką twarz, bo znów się spocił. Od śmierci tamtego chłopaka często mu się to zdarzało. Trząsł się bez powodu i miewał napady lęku. Czuł się chory, nie mógł spać, jeść ani normalnie myśleć. Myślał tylko o młodym włamywaczu.

Z przyjemnością odbił to sobie na blondynce, dla niego była tylko wywłoką. Kociak jego kumpla. Ni mniej, ni więcej. Wiedział, że w te pędy do niego zadzwoni i opowie, jaka zniewaga ją spotkała. Powodzenia. Des nawet nie kiwnie palcem, ta siksa bardzo prędko się o tym przekona.

Nick spojrzał na barmankę.

— Za co ci, kurwa, płacę, Candice?! — ryknął. — Dawaj tego drinka!

Candice westchnęła. Zdjęła z regału butelkę brandy i z trzaskiem postawiła ją na barze przed Nickiem. Pchnęła w jego stronę czystą szklankę i powiedziała cierpko:

— Możesz sam nalewać sobie drinki, nie?

Nick wreszcie się roześmiał. Zawsze lubił Candice, twarda z niej sztuka.

Kobieta szła powoli w stronę samochodu. Torby z zakupami były ciężkie, dlatego przystawała, żeby zmienić ręce. Foliowe torebki z Tesco wpijały jej się w dłonie. Jej mała córeczka biegała we wszystkie strony. Matka zawołała ją czule.

Gino obserwował kobietę. Była szczupła i miała długie ciemne włosy. Wyglądała na sympatyczną, porządną i taka właśnie była. Śledził ją od godziny, a ona, zajęta robieniem zakupów i pilnowaniem dziecka, nawet tego nie zauważyła. Wyglądała i zachowywała się tak jak ludzie, którzy zawsze zakładają, że nic złego nie może im się stać. To cud, że w tych czasach tacy jeszcze się uchowali. Zdumiewało to Gina, mimo że był taki młody. Już dawno temu nauczył się, że nie wolno nikomu ufać, jeśli się go dobrze nie zna, a nawet wtedy trzeba mieć oczy szeroko otwarte. Właśnie takiej kobiety Gino szukał. Przed udaniem się do samochodu pobrała pieniądze z bankomatu, co ucieszyło Gina. Karty kredytowe mógł sprzedać, lecz gotówki nic nie zastąpi.

Poczekał, aż kobieta otworzy bagażnik i schowa torby do środka.

Kiedy otwierała tylne drzwi renault clio, żeby wsadzić dziecko do środka, podkradł się od tyłu i przycisnął do jej boku ostrze noża, dość mocno, żeby skaleczyć skórę, ale jej poważnie nie zranić.

Kobieta wciąż trzymała torebkę na ramieniu.

— Rzuć torebkę i nie odwracaj się — wyszeptał Gino. — Jak zobaczę, że patrzysz, przyjdę po ciebie i twoje dziecko. Jasne?

Kobieta skinęła głową i natychmiast upuściła torebkę.

Dziewczynka uśmiechała się, nic nie rozumiejąc z tej zabawy.

— Ładne dziecko, powinna pani się nim opiekować.

Gino podniósł wolno torebkę i dla dobra sprawy rąbnął

kobietę w głowę. Wpadła do samochodu, tak jak się spodziewał, on zaś prysnął z parkingu z torebką w dłoni i w ciągu kilku sekund dobiegł do osiedla. Znalazł kawałek pustego terenu i chciwie zabrał się do przeszukiwania torebki. To niesamowite, co kobiety w nich noszą. Typowy zestaw z tampaksami i pigułkami antykoncepcyjnymi, tabletkami od bólu głowy, szminkami i dziecinnymi chusteczkami, a oprócz tego listy i rachunki za gaz — wszystko z adresem właścicielki, oczywiście. Był nawet list z banku z wyciągiem z rachunku i książeczką czekową.

Czy ludzie nigdy się niczego nie nauczą?

Mając to wszystko, Gino mógł wziąć kredyt pod zastaw jej domu albo założyć lipne konto na jej nazwisko.

Portmonetka tej kobiety nie miała już dla niego tajemnic. Były w niej typowe damskie akcesoria: zdjęcia domu i dzieci. Dom był ładny, z dużym ogrodem. W rogu salonu stał panoramiczny telewizor i najnowszego typu odtwarzacz DVD — ta babka równie dobrze mogłaby dać ogłoszenie, że chce zostać obrabowana. W portmonetce znajdowały się także karty kredytowe, debetowe, karta klubowa Tesco, karta lojalnościowa od Bootsa, a nawet karta członkowska wypożyczalni wideo Blockbuster. W tej skórzanej torebce zmieściło się całe jej życie. A teraz Gino mógł nim dysponować wedle życzenia.

Uśmiechnął się, wyciągając z portmonetki karty i trzysta funtów w gotówce. Następnie przeszukał boczne kieszenie torebki. Mnóstwo kobiet zdejmowało biżuterię i bez zastanowienia umieszczało ją w torebce. Gino się nie rozczarował. Znalazł parę małych złotych kolczyków i diamentową bransoletkę.

Dobry połów. Gino był z siebie zadowolony.

Po namyśle wziął jeszcze listy. Adres tej kobiety może się przydać temu, komu je sprzeda.

Pogwizdując, Gino opuścił kryjówkę. Osiągnął cel i był wesół jak skowronek.

Tammy dowiedziała się o awanturze w pubie podczas długiego lunchu w Brentwood. Świętowała z koleżankami powrót do normalności, co oznaczało, że jak zwykle bierze na siebie płacenie rachunku.

Pławiła się w świadomości, że mąż jest jej wierny. Może czasem poflirtuje z jakimś kociakiem, pożartuje, ale w zasadzie inne kobiety go nie interesują. Wszystkie jej przyjaciółki — Tammy używała tego słowa w luźnym znaczeniu — miały problemy z utrzymaniem swoich facetów w domu, jej tymczasem trudno przychodziło wypchnąć Nicka za drzwi. Ostatnio był szczęśliwy, gdy wracał do domu, zdejmował buty, zjadł posiłek i pooglądał telewizję. Kręcił się po domu i nigdy z niego nie wychodził, chyba tylko po to, by zarabiać pieniądze albo się urżnąć. Tammy bynajmniej nie miała mu tego za złe.

Gdyby tylko od czasu do czasu ją gdzieś zabrał. W odróżnieniu od mężów koleżanek, którzy bzykali wszystko, co się rusza, jej mąż żył jak pustelnik. Tammy nie była głupia, podejrzewała, iż od czasu do czasu przeleci jakąś babkę gdzieś na mieście, ale musiała mu oddać sprawiedliwość, że nigdy nie narobił jej wstydu, jak wielu jego kolegów swoim żonom.

Przynajmniej za to była mu wdzięczna.

Teraz, gdy Nick odtrącił kociaka Desa, Tammy była tak szczęśliwa, jak od dawna jej się nie zdarzyło. To ważne, jak ludzie ją postrzegają. Ważne, że wiedzą, iż kontroluje sytuację. Przyjaciółki nie mogły zrozumieć, jak utrzymuje Nicka w domu, bo o niej nie można było powiedzieć, że jest wierna. Cały czas spędzała na romansowaniu i wszyscy o tym wiedzieli, łącznie z Nickiem.

Nikt nie mógł uwierzyć, że uchodzi jej to na sucho. Tylko Tammy wiedziała, jaką cenę płaci za swój styl życia, i że nigdy nikomu o tym nie powie.

Skinęła na kelnera, żeby podał następne wino. Miała świadomość, że daje przyjaciółkom do myślenia, syciła się ich zdumieniem, że Nick Leary nie ulega pokusie skoku w bok. Wiedziała, że jej zazdroszczą i rozkoszowała się tą chwilą. Sącząc z elegancją białe wino, puściła oko do młodego, przystojnego kelnera i z radością zauważyła, że przyjaciółki ze zdumienia podnoszą wzrok na sufit.

Wszystkie marzyły o tym, żeby mieć Nicka, i zastanawiały się, czy byłyby dość kobiece, by dochował im wierności.

A ona chciała, żeby tak właśnie myślały.

Nick tymczasem nie zbliżył się do niej od lat. Przytulał ją, obejmował, a przedwczoraj nawet razem zasnęli. Poczuła jego potrzebę bliskości i odpowiedziała na nią. Lecz prawda była taka, że Tammy nie budziła w nim pożądania. Na szczęście to samo można było powiedzieć o wszystkich innych kobietach.

Nazywał swój problem impotencją i właśnie dzięki niej Tammy miała złote karty kredytowe i sportowego mercedesa. Z tego też powodu synowie zostali odesłani do prywatnej szkoły, a ona mogła robić, co jej się żywnie podobało.

Ale nigdy nikomu o tym nie powie.

Jeśli Nickowi udaje się od czasu do czasu załatwić to na boku w czasie niespodziewanych wyjazdów w jakichś nieokreślonych interesach — co Tammy podejrzewała — to nie miała nic przeciwko temu. Jeśli tylko nie jest to nic poważnego, gówno ją obchodziło, mówiąc potocznie. Przynajmniej tak sobie powtarzała.

Znów odsunęła od siebie te myśli. Najbardziej bała się tego, że mąż zakocha się w innej kobiecie, jednej z tych, z którymi spotyka się na jedną noc. Lecz Tammy, jak to Tammy, zdążyła już zabezpieczyć sobie źródło dochodu, gdyby takie nieszczęście miało na nią spaść.

Nick Leary zapłaciłby za to, i to słono.

Jej mąż, wielki macho, najbardziej bał się tego, że jego niechęć do małżeńskiego łoża zostanie ogłoszona całemu światu, a ściśle mówiąc, kręgowi ich znajomych. Zawsze miał kłopoty z utrzymaniem swojego małego na baczność, jak Tammy łagodnie to określiła, a teraz nie potrafił nawet sprawić, żeby mały chociaż podniósł głowę, jak łagodnie określił to sam Nick.

Lecz Tammy ciągnęła tę grę, udawała, że robią to rano, w południe i w nocy, i mimo iż za drinka spółkowałaby z nogą od stołu, wszystkie przyjaciółki myślały, że Nick nie wie o jej romansach, a ona utrzymywała je w tym przekonaniu. Był to element jej cwaniackiej wiarygodności, a ona o tym wiedziała i z tego korzystała.

Choć jej mąż miał opinię kobieciarza, szczerze mogła powiedzieć, że nawet w szale zazdrości nie mogła znaleźć niczego konkretnego, co mogłaby mu zarzucić. Ale taki właśnie był Nick — jeśli kupował seks, ona nigdy się o tym nie dowie, i na swój sposób go za to szanowała, mimo iż ta myśl doprowadzała ją do obłędu.

Kiedyś znalazła w kieszeni jego marynarki paczkę kondomów i przewróciło to do góry nogami cały jej świat. Kiedy go o nie zapytała, odpowiedział, że sprawdza, czy uda mu się rozwiązać swój problem za pomocą seksu z prostytutkami.

Zazdrość jak zwykle wzięła w niej górę. Myśl, że jakaś bezimienna, pozbawiona oblicza dziwka może pójść do łóżka z jej mężem, podczas gdy ona nie potrafi nawet wzbudzić jego zainteresowania, sprawiła, że znów runęło jej poczucie wartości. Dopiero romans z młodym czyścicielem basenu pozwolił uporać się z tą katastrofą.

Jednak rozsądniejsza strona natury Tammy podpowiedziała jej, że powinna się cieszyć, iż Nick nie sypia z kobietą, na której mu zależy, że nie ma prawdziwego kociaka. Większość mężów jej koleżanek miało kochanki i było to tajemnicą poliszynela. Nick przynajmniej nie upokorzył jej w ten sposób. Gdyby miał kogoś, Tammy usłyszałaby to od jednej ze swoich tak zwanych przyjaciółek, które poinformowałyby ją o tym z rozkoszą.

Kiedyś często wychodziła z Nickiem i widywała mężów koleżanek z kochankami. Były to młode kobiety zajmujące znacznie niższe od ich żon miejsce w łańcuchu pokarmowym, lecz za to obdarzone pełnymi piersiami i jędrną skórą, której nie da się podrobić za żadne pieniądze. Wszystkie były zbyt głupie, by wiedzieć, że w końcu będą musiały ustąpić miejsca młodszym wersjom samych siebie, nawet gdyby dały kochankom dzieci; ten błąd często popełniały żony ich kochanków. Brzuchy poznaczone rozstępami i płaczące dzieci z dnia na dzień zamieniały je z obiektów erotycznych w szacowne matrony. Tak funkcjonował ich świat i choć mężom stukała pięćdziesiątka, zawsze znajdowała się jakaś kobieta gotowa zostać ich kociakiem, a nawet z nimi zamieszkać.

Właśnie dlatego Tammy postanowiła dowiedzieć się wszystkiego o interesach męża. Znała wartość finansową Nicka co do pensa i co do euro. Gdzieś musiał dostawać seks, a na pewno nie dostawał go od niej, więc jeśli kiedyś zaskoczy ją jakąś parweniuszką, Tammy załatwi go raz a dobrze. Jak mawiała jej matka: „Nie wściekaj się, tylko wyrównaj rachunki". Uderz faceta po kieszeni, to jedyne miejsce oprócz podbrzusza, w które można go trafić tak boleśnie, żeby łzy stanęły mu w oczach.

Nick wiedział o tym, że jeśli kiedykolwiek wytnie żonie brzydki numer, straci i pieniądze, i jaja.

Gary Proctor i jej mąż tylko ze sobą pracowali, jeśli wierzyć Nickowi, lecz ona nie nazywa się Gilly Hunt i na razie nie zamierza tego zmieniać. Jeśli ma ją za cipę, Tammy pokaże mu, jak bardzo się myli, i choć bliski kumpel Nicka Gary Proctor nie był uosobieniem dziewczęcych marzeń, Tammy wiedziała, że są kociaki, którym nie będzie to przeszkadzało.

Pilnowała swoich spraw i wkurzało ją, że większość kobiet, które zna, nie zabezpiecza się na deszczowe dni, które muszą nadejść. Nick może jej zabrać wszystko, ale ona ma swoją dumę i tego jej nie odbierze.

Gino stał w małym przejściu niedaleko domu i czekał na Wielką Elli. Uśmiechnął się do niej.

— W porządku?

Elli skinęła głową.

Była wysoka, potężnie zbudowana i miała ręce jak cepy. Jednak miała też śliczną twarz, która maskowała nikczemność ukrytą pod makijażem. Pochodziła z licznej rodziny znanej z wojowniczości i zręczności w bójce. Załatwiała ludziom narkotyki, lecz nie uważała się za dealerkę, sama używała tylko alkoholu. Była zdania, że narkotyki to rozrywka dla frajerów.

Kiedy mogła, wyświadczała też ludziom drobne przysługi. Rzecz jasna, za forsę.

— Masz?

Gino dał Elli trzysta funtów, a ona szybko przeliczyła banknoty. Następnie wręczyła mu podróbkę reklamówki Burberry, małą foliową torebkę pełną brązowego towaru oraz skrawek papieru z numerem telefonu.

— Nie dostałeś tego telefonu ode mnie, jasne?

Gino skinął głową.

— Pewnie, że nie. Co, masz mnie za głupiego?

— Brat by mnie zabił, gdyby się dowiedział, więc możesz sobie wyobrazić, co zrobiłby tobie?

Groźba była bardzo wyraźna; Gino skinął głową.

Miał dobry dzień. Dostał sto pięćdziesiąt funtów za karty i książeczkę czekową, wciąż więc był przy forsie. Teraz musiał tylko spuścić biżuterię i będzie mógł się głośno śmiać.

— Masz?

Jude patrzyła na Gina z taką ufnością, że poczuł się wspaniale. Wzięła od niego torebkę i wyszczerzyła zęby w uśmiechu.

— O, kurwa! Gino, to tak jakbym już teraz dostała prezent gwiazdkowy.

Gino urósł z dumy o metr.

— Zaopiekuję się tobą, Jude, spokojna głowa.

To były czcze przechwałki, ale przyjemne. Gino będzie się starał, żeby jej niczego nie zabrakło; tylko tyle mógł zrobić dla zmarłego przyjaciela.

— Mam numer, który chciałaś.

Zobaczył, że światło odpływa z jej twarzy. Teraz była pozbawiona wszelkiego wyrazu, blada jeszcze bardziej niż zwykle, jeśli to możliwe.

— Kitujesz?

Gino pokręcił głową i ostrożnie podał Jude numer zapisany na skrawku gazety. Kiedy na niego patrzyła, serce Jude podskoczyło z radości. Numery komórek się zmieniały, lecz stacjonarne pozostawały takie same.

— Gino, jesteś dobry! Zajebiście dobry.

Jude przyłożyła umorusaną dłoń do ust, jak gdyby powstrzymywała się, żeby nie powiedzieć czegoś więcej. Spoglądając na nią, Gino poczuł się wszechpotężny.

— Gino, synku, nawet nie wiesz, co mi dałeś — wykrztusiła wreszcie.

On zaś wiedział dokładnie, co jej dał, lecz nic nie mówił, pławiąc się w blasku pochwał Jude.

A kiedy pokazał butelkę wódki, Jude odebrało mowę. Gino natomiast zrozumiał, jak dobrze można się poczuć, pomagając komuś, kto ma mniej szczęścia niż ty.

Rozdział 6

Zaczynał się rześki poranek. W domu było ciepło, lecz na dachach sąsiednich budynków wciąż bielił się szron. Nick Leary obudził się i jedna myśl niepodzielnie zajmowała miejsce w jego głowie: dzisiaj odbędzie się pogrzeb Sonny'ego Hatchera.

Ta myśl paliła go w środku. Bez względu na to, ile wypił albo jak długo spał, nie mógł się jej pozbyć. Chłopak miał siedemnaście lat, a dzisiaj zostanie pochowany. Chłopak, dzieciak. Głupi mały złodziejaszek, ale tylko dzieciak, i to przystojny, który wedle wszelkich znaków na niebie i ziemi powinien mieć całe życie przed sobą.

Nick wyjrzał przez okno na ptaki zajmujące się swoimi sprawami. Nawet w tym stanie umysłu nie mógł się nadziwić, że może podziwiać taki wspaniały widok. A ten był naprawdę niezwykły: rozległe pola, sięgające prawie po horyzont, a na samym ich końcu ujście rzeki. Jego harmonii nie zakłócały żadne zabudowania. Nocą mógł obserwować światła statków w oddali i marzyć o tym, by być na jednym z nich. Dzisiaj, w pierwszych dniach października, widok z okna domu przypominał kartkę bożonarodzeniową.

Tammy wpadła do sypialni z przylegającej do niej łazienki, cała w białych ręcznikach i perfumach Versace.

— Dzień dobry!

Była radosna jak skowronek i z jakiegoś powodu zirytowało

to Nicka. Leżał na łóżku i przyglądał się jej. Wciąż była atrakcyjną kobietą, musiał to przyznać, i nadal umiała skłonić go do śmiechu, co było w jego oczach największą zaletą. Ona oczywiście o tym nie wiedziała. Uważała, że jej największe zalety to umiejętność prowadzenia błyskotliwej konwersacji i jędrne ciało.

— Dzisiaj jest pogrzeb.

Nick sam nie wiedział, co go skłoniło do powiedzenia tego.

Tammy ze zdumienia wzruszyła szczupłymi ramionami.

— Taak? I co z tego?

Z jej punktu widzenia sprawa była już zamknięta.

— Nick, musisz z tym wreszcie skończyć, wiesz? Stało się i nie zmienimy tego, bez względu na to, co powiemy albo zrobimy. — Tammy znów wzruszyła ramionami. — Broniłeś swego. Ten chłopak nie powinien się znaleźć w naszym domu. Nie powinien był kraść.

Powtórzyła to już wiele razy niczym mantrę. Chciała ułatwić życie Nickowi, lecz wiedziała, że to niemożliwe. Nick walczył ze swoim problemem samotnie, tak jak z każdą przeciwnością, na którą się natknął w ciągu swojego życia.

Tammy podeszła do łóżka i usiadła obok niego, zsuwając ręcznik. Sam widok jej ogromnych piersi prawdopodobnie wystarczyłby, żeby większości mężczyzn krew spłynęła do lędźwi. Niestety, na Nicka w ogóle nie działał. Smuciło go to, Tammy zaś doprowadzało do szału. Nie była w jego typie, jeśli to właściwe określenie.

Przez pościel gładziła go po udzie.

Podziękował jej za ten gest.

Wiedział, że to nie w porządku wobec niej, że jest taki, jaki jest, lecz nawet w najkorzystniejszych okolicznościach trudno mu było skupić się na seksie z Tammy. Zawsze zachowywała się jak suka z cieczką. Była taka napalona... Nie było w tym nigdy żadnej finezji. Czysty seks, bez pocałunków, taka była jego słodka Tammy.

Nick już prawie wchodził w nastrój, żeby dać jej to, czego chciała, gdy niechcący sama wszystko zepsuła.

— Wskoczyć z tobą do łóżka, skarbie?

Właśnie słowo „skarbie" zabiło resztki nadziei, która jeszcze istniała, lecz Tammy nie była tego świadoma, a Nick nie zamierzał jej tego powiedzieć.

Do ilu facetów zwróciła się w ten sposób przez te lata?

Nick ściągnął kołdrę. Uśmiechając się złośliwie, rzekł:

— Jeśli potrafisz go postawić, to jest cały twój, kochanie. I powiedzmy sobie szczerze, Tammy: ćwiczyłaś to z tyloma innymi mężczyznami.

Rysy jej twarzy, jeszcze przed chwilą miękkie i łagodne, błyskawicznie stwardniały.

— Pieprzyć cię!

— Nie dzisiaj, najdroższa. On nawet nie podniesie głowy, nie mówiąc o tym, żeby się wyprostował.

Nick roześmiał się ze swojego żartu, mimo iż było mu straszliwie smutno, że ją zranił. Dlaczego jej to robi? Tammy nie zasługiwała na takie traktowanie. Złapał ją za rękę, zanim zdążyła wybiec z sypialni.

— Przykro mi, Tammy. Kochanie, to nie jest nic osobistego, przecież wiesz.

Usłyszała smutek w jego głosie i wiedziała, że nigdy nie chciał jej zranić, choć w końcu zawsze mu się udawało. Odsunęła się od niego. Podniosła z podłogi ręcznik i okryła się. Teraz wstydziła się swojej nagości, żałowała, że znów zaczęła.

— Czyżby? A można odnieść wrażenie, że jest.

Złapała szczotkę do włosów leżącą na toaletce i ze złością zaczęła gniewnie przeciągać nią po włosach. Ból i wstyd sprawiały, że paliła ją twarz.

— Powinieneś się z kimś zobaczyć, i to jak najprędzej. To zaczyna doprowadzać mnie do szału.

Spojrzała na niego w lusterku toaletki.

— Spotykasz się z kimś?

Nick widział lęk w jej oczach; westchnął ciężko.

— Oczywiście, że nie. Z nikim się nie spotykam, daję słowo.

Mówił jej prawdę i oboje zdawali sobie z tego sprawę.

— Nawet z prostytutkami?

— A już na pewno nie z pieprzonymi prostytutkami.

Choć zdarzało się to w przeszłości.

Nick poszedł do łazienki i zamknął drzwi. Szczęk zamka zabrzmiał donośnie w ciszy sypialni.

Tammy popatrzyła na siebie krytycznie w lustrze toaletki. Wciąż wyglądała dobrze, więc to nie była jej wina. Rozglądając się po pięknym pokoju, po włoskich meblach i kosztownych draperiach, myślała o kobietach w całym kraju, które były obracane przez swoich mężczyzn na wszystkie strony w scenografii znacznie skromniejszej niż ta. Szczęściary. Nie po raz pierwszy postawiła sobie pytanie, czy wyjście za Nicka było tego warte.

Lecz najdziwniejsze było to, że wciąż go kochała.

Zawsze kochała i zawsze będzie kochać.

Jude była ubrana i gotowa do wyjścia. W czarnym kostiumie, z włosami uczesanymi „specjalnie" przez córkę sąsiadki wyglądała niemal uroczo. Nawet makijaż miała w porządku. Tyrell wiedział, że potrafi to zrobić tylko wtedy, gdy nie bierze brązowego proszku. Musiało ją to kosztować bardzo dużo, żeby się powstrzymać w ten czarny dzień.

Wyglądała prawie jak dziewczyna, którą kiedyś była, z wąskimi ramionami i długimi nogami. Jej włosy, świeżo ufarbowane i obcięte, były gęste i lśniące. Jude nigdy nie wiedziała, jaka jest śliczna. Nawet matka Tyrella, surowo krytykująca białe dziewczęta, była nią kiedyś oczarowana. I w gruncie rzeczy wciąż pozostała. Jude była dla Verbeny jak córka. Zbłąkana córka, to prawda, ale jednak córka.

Verbena spojrzała w smutne oczy Jude Hatcher i poczuła, że łzy spływają jej po twarzy. Ten cichy płacz trwał przez większą część nocy. Nie pójdzie z nimi na pogrzeb, nie zmusi się do tego nawet dla swojego małego Sonny'ego. Lecz będzie z nimi duchem, nikt w to nie wątpił.

Sally patrzyła, jak wszyscy spoglądają na Jude i jak zwykle poczuła wzbierającą niechęć. Przełknęła ją jak zawsze.

Wielebny Williams trzymał drżącą rękę Verbeny. Była niezłomną podporą jego kościoła, a on szanował ją i podziwiał za sposób, w jaki walczyła o to, by wychować rodzinę w zgodzie z boskimi przykazaniami.

Wszyscy przynosili jej chlubę z wyjątkiem Sonny'ego, który był hańbą od chwili, gdy nauczył się słuchać matki zamiast tego, co mówił świat. Pastor Williams wstydził się uczuć, które żywił do Jude Hatcher, lecz nawet jego chrześcijańska dusza nie mogła zdzierżyć, jeśli o nią chodziło.

Jude nie nauczyła swojego syna niczego wartościowego w czasie jego krótkiego życia. Nauczyła go tylko kłamstwa i oszustwa. Ponosiła taką winę za jego śmierć, jakby to ona trzymała w ręku pałkę, od której zginął. Dla nikogo nie było tajemnicą, gdzie miały trafić pieniądze skradzione tamtej rodzinie.

Mężczyzna, który spowodował śmierć Sonny'ego, wyglądał w telewizji na wstrząśniętego, mimo iż usprawiedliwiał swoje działanie. To musi być straszne, odebrać komuś życie, i straszne jest też to, że młody chłopak stracił życie dlatego, iż jego matka nie umiała funkcjonować bez narkotyków. Wielebny Williams starał się ze wszystkich sił wzbudzić w sobie współczucie dla Jude Hatcher, ono jednak za nic nie chciało przyjść.

Mimo to zachował swoje zdanie dla siebie, nic innego nie mógł zrobić. Kiedy pogrążona w żalu matka uśmiechnęła się do niego, zmusił się, żeby odpowiedzieć uśmiechem. W jego oczach Jude była trupem. Przez całe życie wysysała krew z syna tak samo jak ze społeczeństwa.

— Samochody przyjechały.

Wielebny wstał nagle, rad, że może wreszcie opuścić ten dom, że uroczystość oficjalnie się zaczęła. Po pochówku wszyscy tu wrócą i biedna Verbena wreszcie będzie mogła oddać się żałobie w spokoju, w otoczeniu rodziny. Williams wiedział, że ludzie nie żałują Sonny'ego. Chłopak był skazany na śmierć, i to raczej prędzej niż później. Wiedział też jednak, że ludzie troszczą się o Verbenę, i cieszył się z tego. Zasługiwała na sympatię, była dobrą, zacną kobietą. Jedyną pomyłką w jej życiu była wiara, że potrafi uratować wnuka, mimo iż zawodził ją raz po raz.

Nie zawiedzie jej nigdy więcej.

Nick znów był w pubie, lecz tym razem siedział w małym gabinecie obok piwnicy. Tutaj załatwiał mniej legalne ze swoich interesów. Joey Jones przyniósł mu dużą szkocką.

— Trochę wcześnie nawet jak na ciebie — rzucił wesoło.

Nie przeszkodziło mu to jednak nalać sobie jednego.

— Jak wygląda sytuacja? — spytał rzeczowym tonem Nick.

Joey bez słów rozumiał, co czuje przyjaciel. Nie miał zamiaru upodabniać się do kretynów na górze, którzy paplają o pogrzebie przy każdej okazji.

Joey jednym haustem wychylił szkocką.

— Śpiewająco. Mały Bobby Spiers chce wykorzystać teren w Bishops Stortford. Dobre miejsce, pierwszorzędni didżeje, dużo reklam, radio Kiss 100 i tak dalej. Już to dopiął. Dostanie licencję, a my spijemy śmietankę.

— Co mu powiedziałeś?

Joey nalał sobie drugiego drinka.

— Przyklepałem, oczywiście. Dlaczego pytasz? Masz jakieś wątpliwości w związku z tym?

Nick wzruszył ramionami.

— Masa młodego mięsa się tam kręci. Sam bym się chętnie rozejrzał — dodał z uśmiechem Joey.

Nick jęknął.

— Tobie też odbija? Czuję się tutaj jak na orgii.

— Wendy znów zaszła. Nie mogę na nic u niej liczyć przez kilka zakichanych miesięcy, wiesz, jaka ona jest.

— Więc nie żałuj sobie. Co jeszcze się dzieje? — zapytał Nick. W jego głosie dało się słyszeć znudzenie.

Joey zerknął do notesu, takiego samego jak te, których kobiety używają do robienia list zakupów. Było w nim wszystko, czego potrzebował do pilnowania interesu. Notes był długi, cienki i łatwo się go chowało.

Łatwo też można było się go pozbyć, co dla Joeya stanowiło największą zaletę. Cała legalna działalność było dobrze udokumentowana. W tym notesie znajdowały się zapiski dotyczące półlegalnych interesów, w których Nick Leary radził sobie znakomicie.

— Pokoje na godziny zarabiają na siebie, mieszkania są opłacone, kluby też. Naprawdę nie ma żadnych problemów. Wszystko mogę załatwić sam...

Spojrzał na przyjaciela.

— Może pójdziesz do domu, stary?

Nick ukrył twarz w dłoniach i cicho płakał. Joey nie wiedział, co począć. Przez wszystkie lata znajomości z Nickiem nigdy nie widział takiego wybuchu emocjonalnego. Z jednej strony to rozumiał. W końcu Nick zabił tego chłopaka. Ale z drugiej strony czuł, że Nick powinien sobie to teraz odpuścić. „Co się stało, to się stało", jak mawiała jego matka. Nie da się niczego cofnąć, choćby człowiek nie wiadomo jak chciał.

Matka mawiała również: „Zanim odpowiesz na czyjś gniew, policz do pięciu. W ten sposób nie zrobisz czegoś, czego nie można cofnąć". Dzięki tej radzie jego małżeństwo przetrwało dłużej, niż ktokolwiek przypuszczał.

Wreszcie, po bardzo długiej chwili podszedł do przyjaciela i ostrożnie położył rękę na jego ramieniu. Nick złapał ją i przycisnął, płacząc jeszcze mocniej. W końcu wcisnął twarz w brzuch Joeya i objął go mocno w pasie. Wypłakiwał się, a Joey klepał go po plecach, mając wątłą nadzieję, że nikt nie zastanie ich w tej pozycji.

Wolałby nie musieć tłumaczyć się z tej sceny.

Gdyby miał ochotę na wybuch uczuć, zostałby w domu i urządził sobie pyskówkę z żoną. W końcu wrzaski i szlochy to był jej popisowy numer.

— No, Nick, weź się w garść.

Joey słyszał zawstydzenie w swoim głosie i poczuł zażenowanie.

— Nie powinienem był tego robić, Joey. On był taki młody...

taki cholernie młody... Ale nie miałem wyboru, rozumiesz? Nie miałem żadnego, kurwa, wyboru...

— Jasne, że nie miałeś, stary, każdy facet zrobiłby to samo na twoim miejscu.

Łagodnie odsunął się od przyjaciela.

— Idź do domu, stary. Nie jesteś w formie... — Wiedział jednak, że pójście do domu to ostatnia rzecz, na którą Nick Leary ma ochotę. — Bierz kurtkę — polecił zdecydowanie. — Ruszamy w miasto, a ty idziesz na całość.

Nick otarł oczy.

— Nie jestem w nastroju, Joey.

— Ani ja, ale się nastroimy, hm?

Nick się uśmiechnął.

— „Miętowy Nosorożec"?

Joey zaśmiał się głośno.

— Na sam koniec. Rozejrzyjmy się, co tam dzień niesie.

Nick skinął głową.

Wszystko było lepsze od siedzenia i rozmyślania o pogrzebie Sonny'ego Hatchera. Nawet klub z dziewczynami tańczącymi na rurach.

Tyrell słuchał wielebnego Williamsa, który mówił o jego synu same dobre rzeczy. Szczególną uwagę pastor zwracał na to, iż Sonny okazywał tyle serca matce, że zawsze się nią opiekował.

Tyrell spojrzał na Jude, która zamknęła oczy. Widział warstewkę potu na jej twarzy. Westchnął ciężko, pragnąc, by ten dzień wreszcie się skończył.

Oczyma duszy widział Sonny'ego, kiedy ten był niemowlęciem. Jak to urocze dziecko zamieniło się w małego skurczybyka, którego właśnie grzebali?

Znów przegrywał ze swoim gniewem. Mimo iż tyle razy powtarzał sobie, że Nick Leary zrobił to, co zrobiłby każdy mężczyzna, Tyrell wciąż pragnął rozerwać go na strzępy.

Wstał, widząc Jude wychodzącą niepewnie z kościoła. Rad

z pretekstu do wyjścia, ruszył za nią. Ta hipokryzja była nie do przełknięcia. Miałby więcej szacunku dla pastora, gdyby ten powiedział prawdę o chłopcu, którego Tyrell kochał.

Z początku trudno było przyznać, że jego syn nie jest grzecznym chłopcem, lecz Tyrell już dawno pogodził się z faktem, że Sonny nie jest ideałem. A to z powodu kobiety, która siedziała skulona na ławce i szukała w torebce czegoś, co uniesie ją wysoko.

— Chodź, Jude.

Poprowadził ją przez cmentarz do swojego samochodu. Kiedy wsiedli, rozsunął podgłówek fotela i wyjął małą torebkę heroiny. Jude przyjęła podarunek z wdzięcznością, drżącymi dłońmi z mozołem otwierała paczuszkę. Pięć minut później leżała na przednim fotelu bmw. W jej oczach wreszcie zagościł spokój, ręce zwisały luźno. Wymazała z myśli dzień dzisiejszy tak jak wszystkie inne.

Tyrell nacisnął guzik i odtwarzacz kompaktowy obudził się do życia. Dziewczyny z zespołu Supremes śpiewały, że świat jest pusty bez ich ukochanego. Najdziwniejsze zaś było to, że w tej chwili Tyrell czuł się tak, jakby sam napisał ten tekst.

Mimo iż Jude była okropna, wciąż się o nią troszczył. Była jedyną kobietą, która wywierała na niego taki wpływ. Podobnie jak jego syn, czuł potrzebę opiekowania się nią. To była szczególna umiejętność Jude.

Grała ofiarę tak doskonale, bo naprawdę nią była.

Była największą ofiarą samej siebie.

Miała w oczach coś, co zawsze go pociągało. Kiedy była na haju, jej oczy były głębokie i zagubione, a ona sama nieobecna, więc pragnął ją utulić, przywrócić do życia i wszystko naprawić.

Lecz z Jude nie dało się niczego naprawić, ponieważ ona nigdy nie wiedziała, że to, co robi, jest złe.

Nick siedział w klubie przy Rupert Street. Klub był prywatny i należał do jego kolegi. Uśmiechała się do niego młoda dziewczyna z oczami błyszczącymi od kolumbijskiego towaru, w krótkiej spódniczce ledwie zakrywającej podbrzusze. To był kupiony uśmiech, Nick nabył go za odrobinę proszku i kilka drinków. Świadomość tego go przygnębiała.

Poszedł do łazienki i wciągnął następną porcję. Po koce przynajmniej czuł, że żyje. To był dobry towar, Nick już czuł szum w żyłach. Żałował tylko, że to narkotyk przyspiesza mu bicie serca, a nie dziewczyna.

Nie myślał o seksie. Gdyby do końca życia nikogo nie przeleciał, nie zrobiłoby mu to żadnej różnicy. Roześmiał się do swoich myśli i popatrzył na siebie w lustrze luksusowo urządzonej łazienki.

Za nim wszedł młody mężczyzna. Był przystojny, miał dwadzieścia kilka lat, gęste jasne włosy i niebieskie oczy o przenikliwym spojrzeniu. Wyglądał jak młody Steve McQueen i wiedział o tym. Nick obserwował go uważnie, płynne ruchy ciała, arogancję młodości świadomej swej urody.

Nick poczuł pragnienie, żeby mu powiedzieć, ostrzec go: „Pewnego dnia, w nie tak dalekiej przyszłości, będziesz mną, synku".

Miał ochotę roześmiać się do swoich myśli, bo wiedział, że ten chłopak, tak samo jak dziewczyna czekająca przy barze, marnuje najlepszą część swego życia, sprzedając się temu, kto najwięcej zapłaci. Spojrzał w lustro i napotkał spojrzenie chłopaka. Ten uśmiechnął się leniwie, a potem niedbałym ruchem wsunął dłoń w spodnie. To było najbardziej jednoznaczne zaproszenie dla pedałów.

W tych czasach liczy się tylko seks, który stał się towarem. W nikim nie zostało ani krzty uczucia, nawet w jego żonie. Nick spojrzał na chłopaka i udał, że wsuwa sobie palce do gardła i wymiotuje. Oczy tamtego się rozszerzyły. Potem wzruszył ramionami i wszedł do kabiny.

Nick spojrzał na swoje dłonie; ściskał umywalkę tak mocno, że bolały go kostki. Poczekał, aż chłopak wyjdzie. Wtedy z całej siły trzasnął pięścią w doskonałą twarz młodego przystojniaka.

Wyszedł bez pośpiechu z łazienki i spojrzał na Joeya. Opuścili klub, śmiejąc się. Nick wiedział, że chłopak, którego uderzył, ma pękniętą szczękę. Świadomość ta nie dawała mu satysfakcji, ale wyraził swoje zdanie. Tak mu się przynajmniej wydawało.

Jutro będzie dość czasu, by żałować.

Sally widziała, jak Tyrell wychodził z kościoła i serce jej zamarło. Wiedziała, że idzie się zająć Jude, lecz wytrzymała i postanowiła, że za nim nie pójdzie. Kochał ją, ale Jude kochał inaczej. Wszyscy kochali Jude inaczej. Biedna Jude, tak ją zawsze nazywali.

Cóż, Sally nie umiała w swoim sercu znaleźć dla niej współczucia, które miał Tyrell. Widziała w Jude egoistyczną, manipulującą innymi sukę. Lecz rzadko to mówiła, bo przez lata dostała dobrą lekcję.

Wciąż gniewało ją, że Verbena nie dostrzega w niej żadnego zła. Sally czuła, że zawsze będzie tą drugą. Była żoną Tyrella, dobrą matką, dobrą synową i uczciwym człowiekiem, ale to wciąż nie wystarczało.

I nigdy nie wystarczy.

Jude zawsze będzie w większej potrzebie i Sally nigdy jej w tym nie dorówna. Czasem wyobrażała sobie, jak by to było, gdyby zaczęła zaglądać do butelki. Może wtedy mówiono by o niej „biedna Sally".

Wiedziała jednak, że to nie w porządku, bo w istocie Jude chciała tylko, żeby wszyscy zostawili ją w spokoju i pozwolili jej dalej taplać się w bagnie, w które się w danej chwili wpakowała. Pragnęła śmierci prawie tak intensywnie, jak życzyła jej śmierci Sally. Lecz tylko wtedy, kiedy jej to pasowało. Nie przeszkodziło to jednak Sally nienawidzić kobiety, która niemal od pierwszego dnia była trzecią osobą w jej małżeństwie z Tyrellem.

Na swój sposób troszczyła się o Sonny'ego, w końcu był przyrodnim bratem jej synów. Lecz skłamałaby, gdyby przyznała w głębi serca, że jego śmierć nie uradowała jej przez chwilę — poczuła, że teraz gdy on zniknął, Jude zniknie z jej życia wraz z nim.

Teraz jednak nie była już tego taka pewna.

Jude nadal tam będzie niczym widmo na wielkiej uczcie, tak jak dotąd. Tylko że teraz naprawdę jest biedną Jude, która straciła jedyne dziecko.

Sally modliła się, żeby gorycz ją opuściła, lecz bała się, że modli się nadaremnie. Ze zmarłą kochanką mogła sobie poradzić, lecz Jude stanowiła całkiem inne wyzwanie. Była żywym trupem i nigdzie się nie wybierała.

„Miętowy Nosorożec" był wypełniony po brzegi. W barze dla VIP-ów Nick pił jednostajnie od wielu godzin. Koka i whisky robiły swoje, Nick całkowicie odpłynął. Zaczynała go boleć głowa i już przed godziną stracił zdolność skupienia wzroku.

Stracił też Joeya.

Siedział na kanapie i patrzył, co się wokół niego dzieje. Bez powodzenia próbował odszukać kumpla, lecz nigdzie go nie widział. Wstając, wpadł na rosłego mężczyznę w garniturze i eleganckich butach, najwyraźniej dżentelmena z City.

Nick wymamrotał kilka słów przeprosin, próbując przecisnąć się obok. Lecz mężczyzna, za dnia godny szacunku księgowy, był równie uparty jak Nick. Powlókł się za nim na zewnątrz.

Obrzucił go epitetami, gdy Nick zaczął machać na taksówkę. Dopiero po kilku chwilach Nick zauważył, że obelgi są skierowane do niego. Nawet się rozejrzał, ciekaw, kto tak dopiekł nieznajomemu.

Zobaczył, że mężczyzna zbliża się do niego z twarzą wykrzywioną wściekłością, i zachciało mu się śmiać. Facet był typowym urzędasem, zwiotczałym, bez grama mięśni. Lecz dość rosłym, by sprawić kłopot komuś, kto nie wiedział, jak się do niego zabrać.

Nick podniósł rękę w przyjaznym geście.

— Daj spokój, przecież nie chcesz się ze mną bić.

Paul Cross chciał się bić z każdym, jego zachowanie dobitnie o tym świadczyło.

— Wyszedłeś się, kurwa, odlać?

To było dobre pytanie.

— Nie wiem, kolego, ty mi to powiedz.

Odpowiedź Nicka dobrze zastąpiła bojowy okrzyk. W jego głosie zabrzmiała pogarda, która mogła skłonić przeciwnika do walki lub jej zapobiec, w zależności od tego, jak przyjął jego słowa.

Paul Cross na przekór Nickowi uznał, że chce walki. Nick westchnął, stając pewniej na chodniku. Był gotów do bójki, zresztą jak zawsze. Właśnie ta umiejętność zaprowadziła go w życiu tak wysoko.

Jako nastolatek był najlepszym bokserem wśród swoich rówieśników, a później najlepszym w szkole. Jego umiejętności były legendarne w okolicy, z której pochodził, i teraz, będąc mocno zawiany, z chęcią zmierzy się z tym gościem, który prawdopodobnie nigdy w życiu nie walczył inaczej niż w gniewie. Nick tymczasem walczył bez gniewu przez całe życie tylko po to, by dowieść swego lub posunąć się dalej na drodze kariery. Ten frajer nie będzie wiedział, z której strony padł cios.

W gruncie rzeczy to była najlepsza rzecz, jaka zdarzyła się Nickowi przez cały dzień. Szukał kozła ofiarnego od chwili, gdy wyszedł z domu, i oto właśnie nadarzył mu się wielki, kudłaty kozioł, gotów do zarżnięcia. I Nick chciał go zarżnąć. Ta ciota będzie piła przez słomkę przez następne pół roku swojego tłustego, idiotycznego i bezcelowego życia.

Wtedy Paul Cross zauważył jakąś zmianę w przeciwniku. Najpierw dostrzegł ją w oczach. Spojrzał uważniej na Nicka i coś w jego postawie powiedziało mu, że ten mężczyzna naprawdę chce mu zrobić krzywdę. Z jeszcze większym zaskoczeniem uświadomił sobie również, że może tego dokonać.

To było dla niego odkrycie.

Paul Cross rzecz jasna uczestniczył w bójkach, zasłużył sobie na opinię siłacza wśród kolegów, bo zawsze był gotów do draki. Lecz jeszcze nigdy nie bał się o życie.

Teraz po raz pierwszy zrozumiał, czym jest strach.

Zawsze zaczepiał mężczyzn, gdy wiedział, że nie umieją się bić tak samo jak on. Bo w gruncie rzeczy nie potrafił tego robić, był tylko gruboskórnym byczkiem. Nieznajomy wyglądał mu na tak zalanego, że padnie po jednym ciosie i Paul jak zwykle odejdzie w glorii zwycięzcy. Nazajutrz byłoby o czym mówić i czym się chwalić.

A teraz patrzył na Nicka, który zbliżał się do niego z zaciśniętymi pięściami i martwym spojrzeniem. Był wcieleniem groźby, wyglądał w tej chwili bardziej przerażająco niż sam diabeł.

— No to chodź, ty piździelcu, wyzywam cię.

W jego głosie było coś, co wskazywało, że pragnie zranić przeciwnika, i to mocno.

Nick lubił drażnić się w ten sposób ze swoimi ofiarami, to był element zabawy.

— No, drągalu. Sam chciałeś, to teraz, kurwa, masz.

Paul Cross trzeźwiał w przyspieszonym tempie. Cofnął się, próbując zejść nieznajomemu z drogi. Bramkarze z klubu obserwowali zajście, lecz zachowywali dystans. To też potwierdzało, że Paul zadarł z kimś z innej ligi.

Czarna taksówka zatrzymana przez Nicka czekała, a kierowca, rosły mężczyzna z fałszywym uśmiechem i zbyt wieloma tatuażami na ciele, obserwował, jak przeciwnicy szykują się do walki. Gdyby miał się zakładać, postawiłby pieniądze na tego w czerwonej koszuli, który wyglądał na mocno wkurzonego skurczybyka.

Paul został przyparty do muru i trząsł się ze strachu. Czuł, że poci mu się skóra na plecach. Jeszcze nigdy nikt nie przestraszył go do tego stopnia.

Nick przysunął twarz do twarzy Paula i szepnął:

— No co jest, chłoptasiu z miasta, zgubiłeś coś?

Uśmiechał się.

— Chcesz umrzeć?

Roześmiał się cicho, spoglądając w twarz Paula.

— Zabiłem już kogoś i mogę zabić jeszcze raz, to dla mnie jak splunąć.

Powiedział to mimochodem, lecz Paul mu uwierzył. Zdawało mu się, że rozpoznaje tę twarz, ale nie był pewien.

Podniósł ręce w przepraszającym geście.

— Daj spokój, kolego, dałem plamę...

Paul próbował się wyłgać z ciężkiej sytuacji, jego poniżenie dorównywało strachowi.

Nick spojrzał nań z odrazą.

— Umiesz pyskować, zasrańcu, tak? Masz wielką gębę, ale portek nie masz, jak mawiała moja staruszka.

Roześmiał się ze swoich słów.

Oparł dłoń na ścianie, zamykając przeciwnika w pułapce. Paul Cross czuł woń koki w jego ciężkim, kwaśnym oddechu.

— Podaj mi jakiś powód, dla którego nie miałbym cię rozsmarować po Kings Cross, to cię puszczę do domu, hm? — Zaśmiał się ponownie i dodał cicho: — Bo widzisz, chcę ci zrobić krzywdę. Albo inaczej — chcę komuś zrobić krzywdę, a ty od biedy się nadasz.

Paul Cross wiedział, że bramkarze czekają na jego odpowiedź, wstrzymując oddech. Przybliżyli się, wiedząc, że są poza zasięgiem kamer systemu bezpieczeństwa i że jeśli coś się stanie, nikt ich nie będzie obwiniał. Paul zaczerpnął tchu i z przerażeniem w głosie rzekł pojednawczo:

— Mam dzieci. Dałem plamę, porwałem się na lepszego od siebie...

Nick znów się uśmiechnął. Pokręcił smutno głową.

— Widzisz, koleś, to ty jesteś rakiem toczącym społeczeństwo. Wychodzisz z koleżkami na miasto, szukasz zaczepki i założę się, że w normalnych okolicznościach spuszczasz przeciwnikowi wpierdol. Wielkie chłopisko ze mnie, tak sobie mówisz, co? A mnie jeszcze nikt nigdy nie wpierdolił, a biłem się z najlepszymi. I co, mam cię zostawić w spokoju tylko dlatego, że masz dzieci?

Nick się zaśmiał.

— Dzisiaj wdepnąłeś w gówno, trafiłeś na niewłaściwego faceta, na swoją nemezis. Bo nie wystraszyłoby mnie dziesięciu takich gnojków jak ty, jasne? Nie ma na świecie ani jednego człowieka, którego bym się bał. I strasznie mnie korci, żeby rozsmarować cię na chodniku w celach czysto edukacyjnych.

Nick mocno szturchnął przeciwnika w pierś.

— Bo widzisz, nie za bardzo cię lubię. Ale dzisiaj nie lubię, kurwa, nikogo!

Warknął to z taką nienawiścią, że nawet bramkarze zrobili krok do tyłu, żeby niechcący nie narazić się rozwścieczonemu zabijace.

Paul Cross poczuł mocz spływający po nogach i nie potrafił dłużej znieść upokorzenia. Przepchnął się obok Nicka i umknął tak szybko, jak tylko mógł. Nick odprowadził go bez słowa wzrokiem. Na widok strachu tamtego poczuł, że gniew opuszcza go równie błyskawicznie, jak się zjawił.

Spojrzał na parującą kałużę moczu, odwrócił się do obserwujących go z obawą bramkarzy i ukłonił się teatralnie.

— Czyżbym powiedział coś nie tak, chłopcy?

Wrócił do klubu, nagle znów trzeźwy i gotów na noc w mieście.

Joey zauważył Lance'a Walkera po drugiej stronie baru i serce zamarło mu w piersi.

Lance słynął ze skłonności do awantur, mimo że jego aparycja na to nie wskazywała. Był to rosły mężczyzna, mocno zbudowany i umięśniony, obdarzony głową jak pocisk armatni i byczym karkiem. Miał także ogromne, niebieskie oczy, które nadawały jego twarzy łagodny i dobrotliwy wyraz. Gęste czarne włosy Lance'a przyprószyła siwizna, co jeszcze potęgowało wrażenie łagodności. Ludzie zakładali, że mają do czynienia z miłym gościem, przyjazną duszą. Tymczasem Lance był jednym z najbardziej niebezpiecznych typów, jacy chodzili po ziemi. Sam Lance dobrze o tym wiedział, nawet jeśli inni nie zdawali sobie z tego sprawy.

Poza tym nienawidził Nicka Leary'ego; Joey wiedział, że jeśli Nick go zobaczy, rozpęta się trzecia wojna światowa.

Nick pokłócił się z Lance'em przed kilkoma laty, nikt nie znał powodu. Nick w żaden sposób tego nie wytłumaczył i Lance też tego nie zrobił. Jednak Joey wiedział, że Nick wciąż chce mu dołożyć, i poczuł, że drży na całym ciele. Postawił drinka na barze i poszedł odszukać Nicka.

Dziesięć minut później wszedł do łazienki i zobaczył, że ci dwaj gawędzą ze sobą w najlepsze. Uśmiechnął się, by ukryć strach, wciągnął trochę koki i pomodlił się, żeby to, co poróżniło Nicka i Lance'a, odeszło w przeszłość.

Mimo to wyczuwał, że nadal atmosfera jest ciężka i nie wiedział, kiedy napięcie zniknie.

Lance był twardzielem, lecz w ciągu ostatnich kilku tygodni Nick podkręcał się coraz bardziej. Szukał kozła ofiarnego, żeby wyrzucić z siebie to, co się w nim zebrało. Lance mógł być właśnie tym, kogo poszukiwał.

Joey ocenił, że gdyby do czegoś doszło, postawiłby na Nicka.

Tamci zignorowali jego obecność, a Joey wymknął się z łazienki. Wiedział, kiedy nie jest mile widziany.

Rozdział 7

Tyrell obudził się w mętnym świetle, które powiedziało mu, że nie jest u siebie. Zamknął oczy i skrzywił się, przypominając sobie wczorajszy wieczór, a potem je otworzył i zobaczył leżącą obok Jude. Była nieobecna, całkowicie nieprzytomna; Tyrell uświadomił sobie, że jeśli jego małżeństwo z Sally przetrwa to, co się stało, przetrwa wszystko.

Przypomniał sobie, że wyszedł z Jude z cmentarza i odwiózł ją do domu. Jak przez mgłę pamiętał też, że poszedł kupić butelkę białego rumu, kiedy skończyli pierwszą, którą Jude miała w domu. Był całkiem pewny, że nie uprawiali seksu.

Sally rzecz jasna pomyśli coś innego. Pod tym względem była taka sama jak inne kobiety. Uważała, że Tyrell troszczy się o Jude, bo wciąż jej pragnie. On tymczasem nie pragnął Jude fizycznie od lat. Dlaczego miałby jej pragnąć? Z powodu heroiny stała się jego zdaniem aseksualna. Jej zdaniem też. Seks zawsze był dla niej tylko środkiem do osiągnięcia celu. Jednocześnie była bardziej aktywna seksualnie od niego. Zanim się z nią związał, miała za sobą więcej przygód niż Bill Clinton. Tyrell użył tego określenia świadomie, gdyż Jude uprawiała seks oralny przez długie lata. Jako dobra pracująca dziewczyna szczerze myślała, że seks oralny nie jest zdradą, i prawie przekonała do tego Tyrella. Ale tylko prawie.

Zamknął oczy, czując się upokorzony tym, że znów znalazł się obok niej.

Przypomniał sobie, że kiedyś pragnął jej nawet wtedy, gdy dowiedział się o jej ubocznej działalności. Pociągała go w sposób, którego nigdy do końca nie pojął. Była dla niego jak utajony rak, dopiero później uświadomił sobie, co uczyniła jemu i jego synowi.

Kiedyś była dla niego całym światem, ale później z tego powodu jego świat skurczył się do rozmiarów jej świata.

Z upływem czasu usługi seksualne, które świadczyła, by zdobyć pieniądze na zaspokojenie nałogu, nabierały coraz bardziej egzotycznego charakteru, więc zapłata za nie stawała się taka sama. Jude uważała to za szalenie zabawne i próbowała z tego żartować z Tyrellem. A ponieważ Tyrell był nią wówczas opętany, śmiał się razem z nią, a przynajmniej się starał. Co ona z nim zrobiła, że tak wiele jej wybaczał? Co takiego miała w sobie, że na tak wiele rzeczy przymykał oczy?

Cokolwiek to było, Tyrell przyjmował to, co mu łaskawie dała, i był wdzięczny. Dlatego wszystko, co robiła — a robiła rzeczy, na których wspomnienie większość prostytutek by zbladła — nie wydawało się ważne w ogólnym rozrachunku. Jude przysłoniła mu niebo i ziemię. Minęły lata, zanim zdołał ujrzeć całość obrazu, zobaczyć świat poza nią i jej potrzebami.

Jude była gotowa zrobić wszystko, żeby dostać od życia to, czego chciała. A dla niej wszystko naprawdę oznaczało wszystko. Sonny pogodził się z tym w bardzo młodym wieku i nauczył się żyć z tą świadomością o wiele lepiej niż ojciec.

Kiedy Tyrell poznał Sally, wydała mu się powiewem świeżego powietrza. Mimo to wiedział, że gdyby okazało się, że zrobiła choćby połowę tych rzeczy, które robiła Jude, odwróciłby się i odszedł od niej bez namysłu.

Wiedział też jednak, że gdyby Sally puszczała się w ten sposób, robiłaby to z rozmysłem, świadomie. Tymczasem dla Jude to było nic, liczyło się tylko zaspokojenie głodu narkotykowego.

Sally nigdy go nie skrzywdzi tak jak Jude. Nie stanie tutaj

i nie spojrzy mu w oczy tak, jakby to on miał problem. Jude tak właśnie robiła, i to wiele razy, a on nie dostrzegał jej występków i nie chciał o nich słyszeć, bo była narkomanką, a narkomani nie odpowiadają za swoje czyny.

Ale czy naprawdę? Może jego siostra Hettie ma rację? Zawsze twierdziła, że Jude robi to, co robi, gdyż Tyrell jej pozwala, a on zawsze w skrytości ducha się z nią zgadzał, choć nigdy nie powiedział tego na głos.

Jude była jak choroba, a Tyrell i jego matka ignorowali ten fakt, bo kiedy przyjęło się go do wiadomości, należało coś z nim zrobić, a oboje wiedzieli, że nie ma nikogo, kto może cokolwiek zrobić z Jude.

Tylko Jude mogła sobie pomóc, wszyscy znali tę prawdę, lecz poczucie winy z powodu opuszczenia jej wciąż bolało jak świeża rana. Prawdopodobnie dlatego nie mógł jej zostawić wczoraj wieczorem, nawet gdyby jego życie od tego zależało. Z jej powodu nie był na stypie po pogrzebie syna i w pewien sposób się z tego cieszył. Nawet wcześniej, przed pogrzebem, trudno było pogodzić się z faktem, że Sonny nie żyje. Tyrell wyobrażał sobie, że wszyscy starają się powiedzieć o nim coś miłego i im się nie udaje. Widział matkę w otoczeniu rodziny zajętej udawaniem, że śmierć Sonny'ego była tragedią, podczas gdy w rzeczywistości wszyscy uważali, że była nieunikniona.

Przesunął dłonią po twarzy. W tym miejscu poczucie bezradności było mu tak dobrze znane. Jude zawsze tak na niego działała. Teraz uświadomił sobie, że Sonny musiał się przy niej czuć tak samo. Zamknął oczy. Sally go zabije i ma do tego wszelkie prawo. W tej chwili nie dbał o to.

Zsunął się z łóżka i popatrzył na Jude. Sapała przez sen, skóra jej twarzy miała zniszczony wygląd w porannym świetle. Tyrell przypomniał sobie Sally, która rano wyglądała wspaniale, lecz nie istniał powód, dla którego miałoby być inaczej. Jeśli wypiła drinka, zasługiwało to na uczczenie pokazem sztucznych ogni. Tyrell odsunął od siebie tę myśl. Jakże pragnął znaleźć jakiś punkt równowagi ze swoimi kobietami.

Przeszedł cicho korytarzem do kuchni. Postawiwszy wodę w czajniku, zapalił bensona z paczki Jude. Nie palił od lat, lecz tego ranka potrzebował papierosa. To zabawne, ale kiedy był z Jude, palił jak komin, a kiedy od niej odszedł, rzadko brał papierosa do ust. Teraz palił tylko wtedy, gdy był zestresowany, a w stresy wpędzała go zwykle kobieta śpiąca nie dalej niż trzy metry od miejsca, gdzie właśnie stał, lub syn, który został wczoraj pochowany.

Było jeszcze wcześnie, przed chwilą zaczęło świtać. Tyrell widział światła zapalające się w innych mieszkaniach, migające ekrany telewizorów i ze zdumieniem pomyślał, że jego syn nigdy więcej czegoś takiego nie zobaczy. Miał siedemnaście lat i odszedł na zawsze. Tyrell nigdy więcej go nie uściska. Co nie zmieniało faktu, że matka nie przytuliła go od lat.

Bóg bez wątpienia jest surowym panem.

Matka Tyrella zawsze mówiła o mściwym Bogu i w tej chwili Tyrell nienawidził go prawie tak bardzo, jak nienawidził siebie za to, że nie stał obok syna, gdy ten go potrzebował. A teraz Sanny nie żyje, a życie toczy się dalej. Słońce wciąż wschodzi, chmury zbierają się przed deszczem. Było w tym coś niestosownego. Powinno się zdarzyć coś więcej dla upamiętnienia śmierci młodego człowieka.

Tyrell zaciągnął się głęboko papierosem. Chmury na niebie ciemniały coraz bardziej, wiedział, że będzie lało. To osiedle zawsze wydawało się nabrzmiałe burzą, jakby przyciągało złą pogodę.

Zastanawiał się, czy Sally już wstała i czy myśli o jego upadku. Nie mógłby mieć jej tego za złe.

Zaparzył kawy i słuchał, jak Jude porusza się po sypialni. Usłyszał, że wchodzi do łazienki i kaszle, jakby miała wypluć wnętrzności. Słyszał, jak się załatwia. Zapomniał, że ściany w tych mieszkaniach są takie cienkie. Nie można tu było mówić o intymności. Słyszało się spuszczanie wody z wanien i ubikacji, uprawianie seksu. Słyszało się kłótnie, śmiechy, płacz dzieci, gdy były bite albo śmiech, gdy je łaskotano, zależnie od tego, z którego mieszkania dochodziły odgłosy.

Kiedyś Tyrell leżał na łóżku obok Jude i słuchał tego wszystkiego, śmiejąc się lub marszcząc czoło w zależności od tego, co się działo. Teraz go to przygnębiło. To było życie Jude, kiedyś także jego, a później Sonny'ego. Może gdyby został, sprawy ułożyłyby się inaczej. Ale nie, to niedorzeczne. Kiedy wreszcie dotarło do niego, że Jude to pijawka wysysająca krew ze wszystkich, którzy ją otaczają, uciekł na bezpieczną odległość i czekał cierpliwie, aż syn uczyni to samo. Był przekonany, że Sonny w końcu pójdzie w jego ślady.

Lecz teraz jest już za późno. Zostawił syna tutaj, a ten musiał zbierać kawałki straconego życia Jude. I tak się to skończyło.

Sally już nie spała. Zamiast wyskoczyć z łóżka i naszykować śniadanie dla synów, została w łóżku, zastanawiając się, gdzie jest jej mąż i jak go okaleczy, kiedy wreszcie wróci.

Wczorajsze upokorzenie wciąż bolało: pełne litości spojrzenia rodziny, pytania chłopców o tatusia. Smutek w oczach Verbeny, kiedy zrozumiała, co się stało. Biedna Verbena, zawsze usiłująca wytłumaczyć Jude i jej potrzeby.

Pieprzyć Jude i jej potrzeby.

Sally poczuła się lepiej, gdy zaklęła w myślach. Czasem to robiła, żeby złagodzić napięcie, które osiągało teraz niebezpieczny poziom. Jeśli Tyrell nie pokaże się w domu w ciągu godziny, Sally od niego odejdzie. Zostawi go raz na zawsze i to w samą porę, jak z pewnością orzeknie jej matka.

Matka Sally nigdy nie potrafiła zrozumieć ani pogodzić się z faktem, że Jude wciąż jest pupilką wszystkich. Uważała to za niegodziwość wobec swojej córki, że narkomanka ma pierwszeństwo przed wykształconą i piękną kobietą, o wiele za dobrą dla rastafarianina, który rozkochał ją w sobie na zabój. Od chwili gdy dowiedziała się o występkach Sonny'ego i jego reputacji, ostrzegała Sally, że to się źle skończy.

Z początku Sally lubiła małego Sonny'ego, na swój sposób nawet się o niego troszczyła, lecz z czasem, gdy podrósł, a jego matka wciąż pozostawała częścią życia rodziny, Sally zaczęła czuć do niego niechęć.

Dlaczego to nie Jude zginęła?

Wszyscy słynni narkomani umarli młodo, więc dlaczego Jude wydaje się uodporniona na śmierć? Stale podpierała się jakimiś świństwami, wciąż była na haju, w mimo to wyglądała dobrze. Gdyby zginęła, życie byłoby dla wszystkich o wiele prostsze.

Sally zawstydziła się, że życzy Jude śmierci. Lecz szczerze powiedziawszy, od lat życzyła jej śmierci. Przypominała sobie, ile razy Tyrell zostawiał ją i jechał, żeby zaopiekować się biedną Jude, uroczą Jude z włosami utlenionymi na blond. Jude, matką jego pierworodnego syna. Jude, która wciąż miała nad nim dość władzy, by na jej kaprys gnał do niej przez cały Londyn.

Wreszcie Sally się rozpłakała.

Chłopcy wpadli do sypialni. Widząc rozpacz matki, przytulali ją i całowali. Płakała gorzkimi łzami, a oni patrzyli na nią z przerażeniem. Szlochała nad sobą i nad synami, którzy bez względu na wszystko nigdy nie zdołają zająć miejsca pochowanego wczoraj brata.

Sonny odszedł i dlatego nikt nigdy mu nie dorówna. Było źle, kiedy żył, a teraz, gdy umarł, synowie Sally nie mieli żadnych szans.

Sally znów ogarnęło pragnienie, by zrobić krzywdę Tyrellowi, lecz jeszcze bardziej chciała zranić Jude. Sonny nie żył, więc postanowiła, że jeśli jej mąż jeszcze raz zbliży się do tej kobiety, rozwiedzie się z nim i zabierze dzieci. Nie miał już żadnego powodu, by tam biegać. Sonny'ego nie było, ta część życia Tyrella skończyła się i odeszła w przeszłość.

Uśmiechnęła się wreszcie, zrozumiawszy, że ma kij, którego może użyć na swojego męża. I nie omieszka go użyć.

— No, już dobrze, chłopcy. Chodźmy zjeść śniadanie.

— Gdzie jest tatuś?

Sally spojrzała na twarze synów.

— Musiał załatwić pewną niedokończoną sprawę, skarbie. Pewnie już to zrobił.

Zadzwonił telefon komórkowy Sally leżący na stoliku do picia kawy. To był Tyrell. Uśmiechając się szeroko do synów, Sally odrzuciła połączenie.

Miała tego wszystkiego dość. Niech Tyrell się poci.

Tammy widziała ślady nocnej eskapady męża wypisane wyraźnie na jego twarzy. Zarost, obwisła skóra na szczękach i przekrwione oczy świadczyły jednoznacznie, że Nick znów ma za sobą alkoholowy maraton.

Ostatnio zdarzało się to bardzo często.

Miała nadzieję, że teraz po pogrzebie włamywacza wszystko się skończy. Mimo iż zachowanie męża było Tammy na rękę, zaczęło kolidować z jej życiem seksualnym. Wszędzie, gdzie się pojawiła, rozpoznawano ją, a jeśli jakże miły romans z greckim kelnerem ma trwać, to im prędzej dobiegną końca nocne eskapady Nicka, tym lepiej.

Jej synowie także mieli swoje problemy w szkole, lecz za takie pieniądze wychowawcy powinni sami załatwić sprawę. Kiedy chłopcy przyjadą do domu, Tammy pozna nazwiska uczniów dokuczających jej synom i powie ich matkom, co o tym myśli.

Gdyby tylko Nick potrafił załatwiać sprawy tak jak ona. Nad wszystkim się roztkliwiał, ona natomiast przechodziła nad tym do porządku dziennego. Uśmiechnęła się do siebie. Takie właśnie są kobiety. Władza ukryta za tronem i prawdziwy powód, dla którego mężczyźni osiągają w życiu sukces. „Z matki na żonę", mawiała jej ciocia. Zapomniała dopowiedzieć drugiej części porzekadła, która brzmiała: „z żony na kociaka".

Pijąc herbatę, Tammy poczuła chęć, żeby rąbnąć męża prosto w twarz. Czasem bywała taka samotna. Nawet teraz, gdy siedzieli razem przy śniadaniu, Nick nie powiedział ani słowa. Nawet kłótnia byłaby lepsza od tej ciszy.

Wydawał się taki zagubiony, taki smutny, że ją to wkurzało. Ona czuła się tak od lat, mimo że wiele w tym czasie skorzystała.

A teraz był bohaterem narodowym, jej zdaniem świat leży u jego stóp, a on umie tylko siedzieć i litować się nad sobą.

— Nick, czy mam krzyczeć, żebyś wziął się w garść?!

Zasmucona twarz męża doprowadzała Tammy do szału. W gruncie rzeczy za nic nie mogła zrozumieć, dlaczego Nick nie świętuje. Zignorował ją, wertując lokalną gazetę. Przez te wszystkie lata nauczył się, że jeśli nie zwracać uwagi na Tammy, sama się zamknie. Pod tym względem była jak dziecko. Wychodziła wściekła i wyżywała się na kimś innym. Widząc, że podnosi komórkę, uśmiechnął się w duchu. Teraz jad wyleje na jedną ze swoich koleżanek.

Gdy Tammy wyszła z kuchni, Nick przestał udawać, że czyta, i napił się letniej kawy. To się skończyło, wreszcie się skończyło, a on wciąż jest wolny, może zająć się interesami i swoim życiem.

Pod jednym względem ta świadomość go ekscytowała. Otoczenie i środowisko, w którym się wychował, wpoiły mu nienawiść do Starego Billa*, dlatego w pewnym sensie cieszył się, że jego jest na wierzchu. Lecz z drugiej strony był zły, że morderstwo uszło mu na sucho.

Bo pomimo wszystkich słów do tego właśnie rzecz się sprowadzała. Bez względu na to, jak często jego żona i znajomi ćwierkali o okolicznościach, Nick odebrał życie młodemu chłopcu. A teraz musiał z tym żyć i miał przeczucie, że będzie to cięższe niż każdy wyrok więzienia.

Twarz młodego Sonny'ego Hatchera była pierwszą rzeczą, która ukazywała mu się rano po przebudzeniu, i ostatnią, którą widział przed zaśnięciem. Zastanawiał się, co robiłby ten chłopak, gdyby wciąż żył. Może nawet stałby się normalnie funkcjonującym członkiem społeczeństwa.

Nick bardzo w to wątpił, lecz dziwniejsze rzeczy się zdarzają. Żałował, że nie ma się komu zwierzyć, że nie ma nikogo, z kim mógłby porozmawiać o uczuciach, które się w nim zebrały.

---

* „Old Bill" (Stary Bill) — slangowe określenie brytyjskiego wymiaru sprawiedliwości

Przypomniał sobie wczorajszą noc, bójki, które usiłował wszcząć, i tę jedną, którą wreszcie zdołał sprowokować.

Czasem zdawało mu się, że przechodzi załamanie nerwowe. Jego serce przyspieszało, a żołądek bolał nieustannie. Wydawało mu się, że teraz on umrze. I ten płacz... Nick szlochał niczym dziecko, nie mógł powstrzymać łez, bo czuł taki strach i taką odrazę do tego, co uczynił.

Strasznie było nieść na barkach taki ciężar. Tak jakby Sonny Hatcher wcale nie zginął, tylko żył dalej w umyśle Nicka, był stale obecny w jego myślach, dźgał jego nieczyste sumienie.

— Nie odchodź, Tyrell, proszę cię.

Jude powiedziała to cicho i choć raz w jej głosie zabrzmiał autentyczny smutek. Tyrell widział lęk w jej oczach na myśl o tym, że po raz pierwszy od lat zostanie sama, naprawdę sama. Wiedział, że jest to przerażająca perspektywa, ale zdawał sobie też sprawę, że im prędzej Jude do niej przywyknie, tym lepiej. Wczoraj wieczorem nie miał siły odmówić jej swojego towarzystwa, wszak pochowali syna, lecz teraz przede wszystkim czuł strach przed tym, co czeka go po powrocie do domu. Sally nie odbierała telefonu i bardzo go to martwiło.

— Jeszcze nie umiem sobie sama poradzić.

Tyrell spojrzał w oczy Jude i dostrzegł w nich błaganie.

— Muszę iść, Jude. Przykro mi, koleżanko, ale Sally jest na mnie wkurzona jak nie wiem co.

Jude spojrzała na jego przystojną twarz i poczuła, że jej paznokcie zamieniają się w szpony. Postawi na swoim. Zatrzyma go, nawet jeśli miałaby to być ostatnia rzecz, jaką w życiu zrobi.

Tyrell przez cały czas czytał w jej myślach, ale Jude była tego nieświadoma. Znał ją lepiej niż ona sama.

Podniósł marynarkę i ją włożył. Czuł się dziwnie w czarnym garniturze i pogniecionej białej koszuli pośród chaosu, jakim był dom Jude. Po raz pierwszy w życiu poczuł woń rozkładu otaczającą jego byłą żonę. Była obecna w pościeli, ręcznikach, łazience, lodówce i w szafkach. Dlaczego nigdy wcześniej jej nie zauważył? Kiedy wycierał twarz w brudny ręcznik, nieprzyjemny zapach uderzył go z całą siłą.

Wtedy uprzytomnił sobie, że w gruncie rzeczy doświadcza w tej chwili tego, co przeżywał Sonny. Jego dwaj młodsi synowie wycierali twarze w ręczniki pachnące kwiatami, spali w czystej, świeżej pościeli. Jedli smaczne, pożywne rzeczy, które nie walczyły o miejsce w lodówce z puszkami piwa.

Jude zawiodła swojego syna, lecz on, Tyrell, zawiódł go jeszcze bardziej. Zostawił go tutaj. Kiedyś powtarzał sobie, iż to dlatego, że chłopiec potrzebował matki, że Jude nie miała niczego oprócz niego, więc jakże mógł jej go odebrać. Prawda zaś była taka, że zostawił Sonny'ego tutaj, by zmagał się z matką, gdy sam w końcu się nią zmęczył.

Tyrell pokręcił głową i rzekł głośno:

— Idę, Jude. Wpadnę innym razem i zobaczę, jak ci się wiedzie, zgoda?

Chciał wrócić do domu i zmyć z ciała zapach tego miejsca. Jego oddech był kwaśny od białego rumu wypitego wieczorem, lecz nic nie mogło go zmusić do użycia którejś ze szczoteczek w łazience. Umył zęby wodą i palcem. Teraz pragnął tylko stamtąd uciec, zbyt przygnębiające było patrzenie na lepkie od brudu pamiątki po Sonnym, który odszedł z tego świata.

Rozglądając się po tym śmietniku uchodzącym za ludzką siedzibę, przeraził się na myśl, że miałby spędzić tam choćby jeszcze jedną chwilę. Widział, że z każdą mijającą sekundą rośnie szansa, iż Jude zafunduje mu wycieczkę do krainy ogromnych wyrzutów sumienia.

— Nie możesz mnie tak zostawić, Tyrell, nie teraz, gdy ciało mojego dziecka jeszcze nie ostygło w grobie.

Jude zaczęła płakać. Była w tym dobra, choć dotąd tylko raz lub dwa zdołała wylać łzy z powodu targających nią emocji. Lecz teraz było inaczej.

— Przestań, Jude.

— Tobie to dobrze. Możesz wyjść stąd tanecznym krokiem i wrócić do swojej miłej Sally i synów. A mnie co zostanie? Zjebane życie, jak zwykle...

Zapaliła papierosa. Zakaszlała ciężko, a potem wrzasnęła:
— Więc zostaw mnie! Idź w cholerę! I tak nigdy się dla ciebie nie liczyliśmy.
— Nie mów tak, Jude. Wiesz, ile kłopotów miałem przez ciebie z Sally przez te lata...
— Tak, Sally, cudowna Sally! A ta rodzina, Tyrell? Ja i Sonny, co powiesz o nas? — Mówiąc to, Jude wcale nie delikatnie szturchała się w pierś brudnymi od nikotyny palcami.
— Co powiem o tobie, Jude? Zostałem z tobą wczoraj na noc. Ale nie mogę spędzić tutaj jeszcze dnia, bo to naprawdę wywołałoby trzęsienie ziemi.
Tyrell usiłował przemawiać Jude do rozumu, choć wiedział, że traci czas.
A ona, widząc swoją szansę, zmieniła taktykę.
— Chyba powinnam przyzwyczaić się do tego, że będę sama, bez mojego syna. Tobie to pasuje, bo masz jeszcze dwóch, prawda?
Usiadła na brzegu kanapy; Tyrell widział jej nabrzmiałe żyły na kostkach i posiniaczoną skórę między palcami, gdzie czasem wstrzykiwała herę. Jej stopy wyglądały jak nieszczęście. Paznokcie były brudne, a stwardniała skóra pożółkła, jakby się rozkładała. Te stopy spoczywały wczoraj wieczorem na jego łydkach; Tyrell poczuł, że gniew wzbiera w nim na samą myśl o tym. To było tak, jakby zobaczył Jude po raz pierwszy. Naprawdę zobaczył ją i życie, które prowadziła.
— Idę, Jude, i w żaden sposób mnie nie zatrzymasz. Zajrzę w tygodniu.
Wyjął z kieszeni zwitek banknotów i jej podsunął. Wśród piątaków znalazło się kilka pięćdziesięciofuntówek; Tyrell oczekiwał, że Jude jak zwykle wyrwie mu je z ręki, lecz tym razem tego nie zrobiła. To był wykalkulowany gest i oboje o tym wiedzieli.
— Nie potrzebuję forsy, potrzebuję towarzystwa.
Tyrell pokręcił smutno głową.
— Skarbie, potrzebujesz kogoś, z kim mogłabyś się nawalić, a ja się do tego nie nadaję.

Jude widziała determinację w jego oczach. Westchnąwszy, odwróciła się i zgasiła papierosa w spodku służącym za popielniczkę.

— Jeśli teraz stąd wyjdziesz, to koniec, Tyrell. Ja nie żartuję.

Powiedziała to niskim głosem. Kiedy na niego spojrzała, dostrzegł determinację w jej oczach. Zawsze tam się pojawiała, kiedy zabrakło jej towaru albo potrzebowała na coś forsy. To spojrzenie mówiło, że Jude dostanie to, czego chce. I zawsze dostawała. Była w takich momentach silniejsza, niż ktokolwiek mógłby przypuszczać, nawet ona sama.

— Nie żartuję, Tyrell. Jeśli mnie teraz zostawisz, pożałujesz tego.

— Dlaczego? Co zrobisz, Jude, zabijesz się?

Tyrell wiedział, że używała tej metody szantażu w stosunku do syna, który wielokrotnie zatrzymywał się w pół kroku przed zrobieniem czegoś, zwłaszcza w Boże Narodzenie i urodziny, kiedy miał być z ojcem i braćmi. Chyba że miała akurat faceta lub nowego dealera, który udzielił jej dużego kredytu. Wtedy nie mogła się doczekać, kiedy Sonny znajdzie się za drzwiami.

Skinęła głową.

— Co innego mi teraz pozostaje?

Mówiła niskim, pełnym bólu głosem. Zabrzmiało to całkiem serio.

Tyrell westchnął i odparł sarkastycznie:

— Możesz podnieść z podłogi te pieniądze i kupić towar. Właśnie to zwykle robisz, prawda? Właśnie to byś robiła, gdyby Sonny żył.

Tyrell nie mógł uwierzyć, że to powiedział; Jude też nie mogła. Przez tyle lat próbował powstrzymać ją przed zabijaniem się narkotykami, a teraz radzi jej, żeby je brała?

— Ty draniu!

Tyrell wzruszył ramionami.

— Po prostu nie mogę tak dłużej, Jude. Nie rozumiesz, że ja też straciłem dziecko? Wczoraj pochowano mojego pierworodnego syna, naprawdę nie muszę więcej wysłuchiwać tych głupot. Jak słusznie zauważyłaś, mam jeszcze dwóch synów, którzy nawiasem mówiąc, naprawdę kochali brata i będą za nim tęsknić. Myślę, że mnie także mogą dzisiaj potrzebować. Świat naprawdę nie kręci się wokół ciebie, uwierz mi.

Częścią swojej świadomości Jude wiedziała, że Tyrell ma rację, ale nie należała do tych, którzy słuchają własnego sumienia. Zawsze robiła tylko to, co chciała, i rozumiała tylko tyle, ile chciała rozumieć.

Tyrell spostrzegł, że rzuca się na niego, i podniósł ręce, żeby się bronić, ale i tak sięgnęła paznokciami jego twarzy, zanim zdążył ją złapać za nadgarstki. Przez kilka sekund siłował się z nią, a potem kolana Jude ugięły się i osunęła się na kolana. Tyrell wciąż trzymał ją za nadgarstki. Znów płakała.

— Nie umiem sobie bez niego poradzić, nie dzisiaj, Tyrell. Nie mogę dalej bez niego żyć, nie mogę.

Tyrell podniósł ją delikatnie i przytulił. Przemawiając do niej, sam prawie płakał.

— Proszę cię, przestań. Daj mi trochę odetchnąć, do jasnej cholery. Nie mogę stać nad tobą bez przerwy tak jak biedny Sonny. Muszę wracać do domu, nie rozumiesz? Moja rodzina też mnie potrzebuje.

Oboje z zaskoczeniem usłyszeli, że drzwi frontowe się otwierają. Odwrócili się, żeby spojrzeć w tamtą stronę. Weszło trzech młodych mężczyzn. Tyrell rozpoznał kolegów Sonny'ego, który byli wczoraj na pogrzebie.

— Jak się tu, kurwa, dostaliście? — zapytał szorstko. Nie był pewny, czy chce, żeby ci chłopcy wchodzili i wychodzili, kiedy im przyjdzie ochota. Czy Jude naprawdę nie wie, co się dzieje na świecie? Odepchnął ją łagodnie, a ona osunęła się na kanapę i schyliła niezdarnie, żeby pozbierać banknoty z podłogi.

— Co jest, mowę wam odebrało? Jak tu weszliście?

— Drzwiami — odpowiedział najwyższy chłopak. W jego głosie nie było ani cienia szacunku dla Tyrella.

— Mam ci rozwalić gębę, szczeniaku?

Chłopak zbladł, słysząc złość w głosie rosłego rastafarianina. Wiedział, że stary Sonny'ego to twardy przeciwnik i pożałował, że nie pamiętał o tym, kiedy się do niego odezwał. Lecz konieczność imponowania kolegom stała w jego życiu na pierwszym miejscu i teraz płacił za to cenę.

— Daj im spokój, Tyrell. Poza tym zdawało mi się, że miałeś już iść.

Jude powiedziała to lekceważąco i Tyrell miał ochotę ją spoliczkować, ale się powstrzymał i odparł prawie normalnym głosem:

— Oczywiście, a ty właśnie mnie odprowadzałaś, kiedy nam tak niegrzecznie przerwano.

Nawet Jude zdobyła się na uśmiech, słysząc ten ton.

Tyrell zmierzył chłopców wzrokiem i westchnął w duchu. To byli koledzy jego syna i w ogóle go nie obchodzili. Wystarczyło na nich spojrzeć, by wiedzieć, kim są. Drobny blondynek już był naćpany do nieprzytomności.

— Przyjaźniłeś się z Sonnym?

Tyrell skierował to pytanie do dryblasa o kanciastej twarzy i włosami obciętymi na zapałkę.

Gino skinął głową.

— Pewnie wiedzieliście o nim wszystko, co?

— Jasne.

W podtekście tej odpowiedzi kryły się słowa „więcej niż ty".

— Więc skąd wziął pistolet, zasrani mądrale?

Tyrell odwrócił się do pobladłej Jude i rzekł:

— Wstaw wodę, chyba jednak jeszcze chwilę tutaj zabawię.

Rozdział 8

— Do jasnej cholery, Nick, wcześnie zaczynasz, nawet jak na ciebie.

Nick przełknął wódkę i beknął rozgłośnie.

— A ty co, jesteś moją mamusią?

Opierając się na rękach, Nick wstał od stolika i ruszył w stronę baru. Główna barmanka Candice obserwowała go uważnie. Wyczuwając emanujący od Nicka gniew, westchnęła ciężko. To będzie kolejny zły dzień.

Ostatnio było ich bardzo dużo. Nick żył tak, jakby wprowadził się do pubu. Siedział tam, kiedy Candice szła wieczorem do domu, i był, kiedy wracała rano. To zaczynało się robić męczące. U niej też to i owo się kotłowało i wcale nie potrzebowała dodatkowego stresu.

— Tak się czuję, bo ciągle muszę ci przypominać, że pijesz, nie jesz, i wszczynasz burdy z klientami...

Candice obserwowała odbicie Nicka w lustrze. Przewrócił gniewnie oczami.

— Odpieprz się, Candice, do kurwy nędzy. Daj mi odpocząć od twojego ujadania. Równie dobrze mógłbym siedzieć w domu z Tammy.

Candice uśmiechnęła się do niego i odparła poważnie:

— Przestań, Nick, aż taka zła nie jestem.

Nick zachichotał.

— Gdyby ona to usłyszała, przez tydzień plułabyś zębami.

— Zapominasz, że znamy się z Tammy od dawien dawna. Nie rzuciłaby się na mnie.

Nick wiedział, że to prawda. Nikt przy zdrowych zmysłach nie zadzierałby z Candice, która zaciekłością mogła się równać z mężczyzną. To był jeden z powodów, dla których tak dobrze prowadziła bar. Już jej nie zaczepiano, bo zbyt wielu wcześniej spróbowało. Nick zawsze ją lubił. Potrafiła zachowywać się przyjaźnie, nie kręcąc przy tym po babsku. Candice kładła kawę na ławę, a do tego była przystojną kobietą.

Nick wiele razy słyszał, jak mówiono, że ma śliczne cycki. Słyszał też ulubioną odpowiedź Candice, jeśli jakiś mężczyzna miał dość ikry, by powiedzieć jej to w twarz. Nie nadawała się do powtórzenia, lecz zawsze wywoływała uśmiech na jego twarzy.

— Napij się ze mną kawy, co?

Nick pokręcił głową.

— Ty napij się ze mną wódki.

Candice westchnęła, obciągając top zakończony frędzelkami i poprawiając obcisłe dżinsy. Ziewnęła głośno i odparła:

— Odpieprz się, Nick. W przeciwieństwie do ciebie mam przed sobą całą zmianę.

— Więc chodźmy na zaplecze i zróbmy sobie ciupcianko.

Candice wyszczerzyła zęby w uśmiechu.

— Osłupiałbyś, gdybym się zgodziła, co?

— I to jak. Po tym wszystkim nie stanąłby mi, nawet gdybyś zapłaciła.

Candice delikatnie dotknęła jego ramienia.

— No, wypij ze mną tę kawę, a potem idź do gabinetu.

W tej samej chwili za sprawą nowego zestawu stereo do baru zstąpił George Michael i zaśpiewał *Careless whisper*. Nick nagle zapragnął się rozpłakać.

Ostatnio zdarzało mu się to bardzo często.

Candice pokręciła głową i weszła za bar. Otworzyła torebkę i po chwili sprawnie przygotowała na blacie dwie równiutkie działki pierwszorzędnej koki.

— Wciągnij to, Nick. Rozjaśni ci się w głowie i trochę otrzeźwiejesz.

Nick podreptał za bar drobniutkimi kroczkami jak damulka; Candice parsknęła głośnym śmiechem. Wciągnąwszy nosem dwie porcje narkotyku, rzekł donośnie z amerykańskim akcentem:

— Mam w kieszeni paczuszkę za trzydzieści funtów. Możesz ją sobie wziąć, skarbie, bo otrzymałaś zaszczytny tytuł pracownicy miesiąca.

Candice starła biały proszek z nozdrzy Nicka i roześmiała się.

— Idź do chaty, do roboty, idź sobie gdzieś, do kurwy nędzy!

Podśpiewywała, kiedy Nick wkładał marynarkę. Gdy otwierał drzwi, krzyknęła:

— Nie zapomniałeś o czymś?

Nick uniósł pytająco brew.

— Pracownica miesiąca.

Wyciągnęła rękę, a Nick położył na niej paczuszkę. Candice się uśmiechnęła. To była ciężka paczuszka, dokładnie taka, jakiej potrzebowała na cały dzień za barem.

Dziwnie się czuła, patrząc, jak Nick wciąga kokę. Zwykle nie cierpiał, kiedy inni to robili, lecz Candice domyślała się, że wciąż coś go dręczy, i zlitowała się nad nim. Ostatnio przechodził prawdziwy magiel, ale był także bogaty i szanowany. Nie można wygrywać na wszystkich frontach, o czym właśnie przekonywał się Nick Leary.

Usłyszawszy, że odjeżdża, Candice wyciągnęła komórkę i wystukała numer.

— Już jedzie i znów jest nieźle wcięty.

Wyłączyła komórkę, nawet nie czekając na odpowiedź. Przygotowała sobie działkę koki i szybko wciągnęła. Kiedy zjawią się stali bywalcy, będzie jak w wariatkowie, będzie musiała mówić z szybkością pistoletu maszynowego i obsługiwać trzech klientów naraz. Zdążyła otrzeć nos i ścisnąć wargi, żeby zwilżyć szminkę, gdy wszedł pierwszy klient.

Candice uśmiechnęła się do niego i nalała mu to co zawsze. Miała dobrą pracę i wiedziała o tym, lecz jeśli krążące w powietrzu pogłoski są prawdziwe, Nick właśnie doprowadzał interes do ruiny.

Miała nadzieję, że weźmie się w garść, i to szybko, bo zaczynał jej działać na nerwy.

— Kto mógł dać Sonny'emu gnata?

— Daj spokój, Tyrell! I ty nazywasz się rastafarianinem? Pistolet można kupić za dwadzieścia funtów w pierwszym lepszym pubie.

— Nie taki pistolet, Jude. To była pierwszorzędna broń, która została wcześniej użyta do zbrojnego napadu. Chyba możemy przypuszczać, że policja uznała, że nasz syn był również w niego zamieszany. To jeden z powodów, dla których prokuratura nie wszczęła postępowania. Więc nie chrzań mi o pistoletach za dwadzieścia funtów!

Jude miała dość tej całej rozmowy.

— Jaki będzie pożytek z tego, że dowiesz się, skąd pochodziła broń? Chcesz zrobić z kimś porządek, to idź do Leary'ego. To on zabił nasze dziecko.

— Nie powtarzaj mi znowu tej zasranej śpiewki, Jude. Nie możesz obwiniać człowieka za to, że bronił swojego domu! Ile razy mam... To był potężny gnat. Sonny rozwaliłby z niego cały ten blok!

Jude skierowała wzrok na sufit.

— Otóż to. Więc dlaczego tego nie zrobił?

Tyrell potrząsnął głową tak mocno, że dredy smagnęły go po policzkach.

— Chcesz powiedzieć, że Sonny powinien był zastrzelić tego człowieka? O to ci chodziło?

Jude usiadła, pokonana.

— Nie, skąd... Sama nie wiem, o co mi chodziło, Tyrell. Po prostu odpieprz się, dobrze? Robisz wszystko, żeby mnie dobić.

Tyrell wziął głęboki oddech, by uspokoić gwałtownie bijące serce.

— Więc żaden z was nie ma pojęcia, skąd Sonny wziął ten pistolet?

Wysoki chłopak wyszedł z pokoju. Tyrell słyszał, jak się załatwia w ubikacji. Zastanawiał się, skąd chłopak wziął pieniądze na towar, którym najwyraźniej był nafaszerowany.

Czekał na jego powrót. Chłopak tymczasem, zamiast wrócić, wyszedł z mieszkania; jego kroki zadudniły ciężko na klatce schodowej.

— A ten dokąd się wybiera?

Nikt nie odpowiedział.

— To są jakieś jaja, Jude, ale dowiem się, co jest grane, i wierz mi, że kiedy to zrobię, zobaczysz fajerwerki.

— Och, odpieprz się wreszcie.

Tyrell był zły.

— Wiesz więcej, niż mówisz, Jude, ale ja w końcu i tak się dowiem.

— Wracaj do swojej rodziny, Tyrell, nie potrzeba mi teraz tego wszystkiego. Mam dosyć na dzisiaj, chcę odsapnąć.

Jude powiedziała to chrapliwym głosem i Tyrell wiedział, że mówi prawdę, a przynajmniej tak jej się wydaje. Dwaj chłopcy, którzy zostali, zapewnią jej wystarczające towarzystwo. Zastanowił się przez chwilę, który z nich załatwia jej towar, i trafnie odgadł, że prawdopodobnie ten, który właśnie czmychnął.

To było dobre zakończenie jej wcześniejszych rozpaczliwych błagań.

Tyrell wyszedł szybko z mieszkania. Dopiero na zewnątrz uświadomił sobie, że nie zostawił sobie pieniędzy na taksówkę i nie pamięta, gdzie zaparkował samochód.

Gary Proctor z zaciekawieniem rozglądał się po hurtowni. Warto będzie włożyć pieniądze i trochę wysiłku, by zamienić to miejsce w magazyn. Potrzebowali pomieszczenia, w którym mogliby przechowywać sprzęt na duże imprezy i prywatne przyjęcia. To było idealne. Dobrze wyposażone, z dyskretnym systemem alarmowym, korzystnie położone.

Nick ostatnio stał się nie do zniesienia, lecz wszyscy mieli nadzieję, że teraz już zdoła oddzielić grubą kreską to, co się stało, i będzie można znów zająć się pracą.

Młody mężczyzna z ufarbowanymi na blond włosami, sepleniąc, zapytał go, czy już skończył. Gary z leniwym uśmiechem kazał mu wejść do środka i zamknąć drzwi. Chłopak był podenerwowany i miał ku temu powody. Gary Proctor wiedział, jaką cieszy się opinią i umiał to wykorzystywać.

Chłopak woził go dzisiaj, dlatego Gary uważał, że ma prawo poprosić go o przysługę. W końcu zamierzał zafundować mu solidnego klina, a byli sami, więc czemu z tego nie skorzystać?

— Zapalisz?

— Co to jest, marycha?

— Nie, opium.

Chłopak pokręcił energicznie głową.

— Tego nie ruszam.

— A co ruszasz?

Nastolatek wzruszył ramionami; obcisła koszulka i ciasne dżinsy świetnie podkreślały walory jego szczupłego atletycznego ciała.

— Herę, kokę, czasem kwas... jakieś grzybki.

Przechwalał się w głupiutki sposób, w jaki zawsze siedemnastolatki chełpią się, rozmawiając z kimś, kto ma ponad trzydzieści lat.

Gary przez chwilę bawił się myślą, aby powiedzieć mu, że już przed laty hodował grzybki na własną rękę i że od niego pochodzi większość koki, która trafia do klubów na południowym wschodzie. Zwłaszcza do jego klubów. Brał procent od wszystkich dealerów, a poza tym sprzedawał im towar hurtowo.

Ale tylko uśmiechnął się do chłopaka.

— Przygotowałbyś mi fajną scenę na dzisiejszy wieczór?

Chłopak pokiwał energicznie głową.

— No jasne, kurwa! Pewnie, że tak.

— Więc chodź.

Małolat zbliżył się do niego, powoli zaczynał rozumieć, co sugeruje Gary.

— No, chodź, przecież nie jesteś tępy, co? Wiesz, czego chcę.

Gary miał świadomość, że gdyby Nick się dowiedział, zabiłby go, ale już mu nie zależało. Poza tym chłopak będzie za bardzo przestraszony, żeby pisnąć słowo. Już Gary się o to postara. Miał na imię Jerome i chciał być didżejem. Gary niedawno zaproponował mu miejsce w jednym z klubów, którymi kierował. Zdarzało mu się udawać, że kluby należą do niego — a czasem nawet tak mu się wydawało, bo tyle czasu im poświęcał — lecz w rzeczywistości były własnością Nicka Leary'ego. Gary postanowił na razie o tym zapomnieć.

Jerome nie był pedałem, Gary mógł się o to założyć. Na jego nieszczęście właśnie to najbardziej pociągało Gary'ego. Niedbałym ruchem rozpiął spodnie, obserwując spojrzenie chłopaka. Źrenice jego oczu rozszerzyły się, gdy zrozumiał, czego mężczyzna od niego oczekuje.

Gary roześmiał się na myśl o tym, co go czeka. To właśnie go podkręcało, właśnie tę chwilę lubił najbardziej.

— Otwórz szeroko buźkę i weź.

Chłopak cofał się, kręcąc głową i machając rękami, jak gdyby Gary zaproponował mu kanapkę, a on chciał powiedzieć, że jest najedzony.

— Daj spokój, facet, te pedalskie numery mnie nie kręcą.

Gary uśmiechnął się szeroko. Jego dwa złote zęby zalśniły w ostrym blasku słońca przedzierającym się przez panele dachu. Był mocno zbudowanym mężczyzną, miał szeroką klatkę piersiową i krótkie nogi, którymi mocno stał na ziemi.

— Chodź tutaj, mały. Nie jestem w nastroju na te dziewczęce fochy. Bierz w usta.

— Odpieprz się, Gary. Nawet się do tego nie zbliżę.

Chłopak odwrócił się, żeby odejść, lecz wtedy Gary rąbnął go potężnie w bok głowy. Uderzył go jeszcze trzykrotnie, za każdym razem mocniej niż poprzednio, a kiedy Jerome leżał na podłodze, podciągnął go na kolana za włosy.

— Masz dwa wyjścia, synku. Możesz to zrobić z zębami w komplecie albo z rozsypanymi na ziemi, ale zrobisz to tak czy inaczej. Jarzysz, o co mi chodzi?

Nastolatek płakał rozpaczliwie.

Gary natomiast śmiał się do rozpuku. Właśnie tak lubił, strach pobudzał go jeszcze bardziej. Na swoje nieszczęście Jerome postanowił, że za nic nie wyświadczy mu przysługi.

Dlatego Gary musiał zastosować mocniejsze środki perswazji niż zwykle.

Lance Walker leżał na podłodze zmaltretowany jak kurczak. Dudniło mu w głowie i zaschło w ustach. Wiedział, że dał się podejść i ta świadomość go wkurzała.

Jego ramiona tak długo pozostawały skrępowane z tyłu, że aż piekły z bólu; wiedział, że nie mógłby ich użyć, nawet gdyby zostały rozwiązane. Rozejrzał się i w półmroku dostrzegł jakieś maszyny, ale nie umiał powiedzieć jakie.

Powietrze przesiąknięte było wonią pleśni, dlatego trafnie odgadł, że znajduje się w piwnicy. Jednak panowała tam taka cisza, że wiedział, iż nikogo nie ma w pobliżu. Budynek sprawiał nieprzyjemne wrażenie opuszczonego i Lance przez chwilę zastanawiał się, czy zdoła się stamtąd wydostać. Bardzo w to wątpił.

Dzięki swojej konstrukcji psychicznej rzadko się lękał, lecz teraz czuł się nieswojo, gdyż wiedział, że jest zdany na czyjąś łaskę. Zwykle to inni ludzie byli na jego łasce. Lance wiedział, że wielu jego znajomych rozbawi ironia tej sytuacji.

— W końcu się obudziłeś.

Lance podskoczył i odwrócił się z trudem. Zobaczył Nicka wychodzącego z cienia z papierosem w dłoni i uśmiechem na ustach.

— Leary, ty cholerny posrańcu. Rozwiąż mnie i bij się jak mężczyzna. Ale ty nie jesteś mężczyzną, prawda?

Powiedział to z dawką nienawiści wystarczającą do rozpoczęcia wojny.

Nick się roześmiał; ten facet zasługiwał na podziw. Był związany i bezradny, a mimo to miał czelność mu pyskować.

— Ty nigdy się nie uczysz, co, Lance? Każdy inny miałby dość oleju we łbie, żeby postarać się udobruchać gościa, który nafaszerował go narkotykiem i związał jak baleron. Byłeś tępakiem w szkole i po tylu latach wciąż nim jesteś. A teraz gadaj, gdzie jest moja kasa?

Lance patrzył na Nicka oczami płonącymi z nienawiści.

— Wszyscy stracili kasę, wiesz o tym, Nick. Proszek został dostarczony i wrzucony do morza, a tam czekały na nas pierdolone gliny. Byłeś tam, więc wiesz, co się stało.

Nick rzucił papierosa na ziemię obok głowy Lance'a i patrzył, jak unosi się smuga dymu. Zgasił go ostrożnie nogą i zapalił następnego.

— Wiem tylko tyle, Lance, że wszyscy wypłaciliśmy ci ciężką kasę, a potem czekaliśmy w ulewie nad brzegiem jak banda cip — rzekł cicho Nick. — Zobaczyliśmy, że paczki wypadają przez burtę, więc wysiedliśmy z ciepłych autek, żeby je zebrać, i nagle wszędzie zaroiło się od glin.

Lance z wysiłkiem wzruszył ramionami.

— Zdarza się. Wiesz, jak to jest, wszystkim nam się to już przytrafiło i jeszcze się przytrafi. Tak to jest z handlem narkotykami, że niestety jest nielegalny, dlatego psy próbują pokrzyżować większe operacje. Prawda, że to wkurzające, ale tak już jest w naszym zakichanym życiu. Nie można zawsze wygrywać, Nick.

Nick uklęknął i odparł głośno:

— Wiem z dobrego źródła, że w paczkach zrzuconych z łodzi była słoma, a psy zostały uprzedzone kilka dni wcześniej. Kiedy w końcu przestały nas ścigać i zajrzały do worków, zrozumiały, że wszyscy zostaliśmy wykiwani. A ja się zastanawiam, kto to mógł ustawić? Nie ty przypadkiem?

— Kto ci nawciskał takiego szajsu? — Głos Lance'a był podwyższony, pobrzmiewał w nim gniew i odrobina strachu.

Nick uśmiechnął się ponownie i Lance wiedział, że to koniec.

— Chciałbyś wiedzieć, co? A teraz pytam po raz ostatni, gdzie, do kurwy nędzy, jest moja kasa?

Największym problemem Lance'a było to, że gotów był odciąć sobie nos, żeby zrobić na złość swojej twarzy. Każdy inny na jego miejscu starałby się ułagodzić tego, który miał wielką ochotę usunąć go z powierzchni ziemi. Ale nie Lance. Zaczęła się rozgrywka, kto kogo przechytrzy, a Lance, zamiast podnieść ręce przed tym, który go podszedł, zamknął oczy i powoli, gardłowym głosem odparł:

— Pierdolę ciebie i twoją kasą. Myślisz, że jesteś taki twardy, ale ja wiem o tobie wszystko, Leary, wszystko. Dobrze by było, gdybyś o tym pamiętał.

Wtedy Nick się roześmiał i był to gromki, ciężki śmiech. Lance rozumiał, że choćby nie wiadomo jak głośno krzyczał, nikt go nie usłyszy.

Znów zastanowił się, gdzie jest, lecz wiedział, że Nick mu tego nie powie. Stojąc nad Lance'em, Nick z całej siły nadepnął mu na twarz, a następnie wcisnął obcas w zakrwawiony nos.

— Naprawdę mnie wkurwiasz, Lance. Pytam po raz ostatni: gdzie jest moja kasa?

Tammy była na zakupach w Brentwood. Miała na sobie buty warte tyle, co roczny fundusz placówki misyjnej w jednym z krajów Trzeciego Świata, i była wygłodniała. Nie pragnęła jednak pożywienia, tylko swej ulubionej esencji pochodzącej od młodych mężczyzn.

Wystukała na klawiaturze numer Costasa i powstrzymała się przed zostawieniem mu wiadomości na sekretarce. Nie była głupia. Nigdy nie zostawiała wiadomości ani nie wysyłała SMS-ów, bo te mogły ją skompromitować, gdyby romans z aktualnym kochankiem wyszedł na jaw.

Kiedy pierwszy raz omal nie padła ofiarą szantażu, doznała wstrząsu. Była przekonana, że to jej błyskotliwa osobowość i bujne piersi przyciągają mężczyzn. Nigdy nie przyszło jej na myśl, że może także chodzić o jej na pozór niewyczerpane zasoby kart kredytowych. Dlatego teraz nie robiła swoim amantom wielu podarunków i kupowała je tylko wtedy, gdy zaspokajali jej pragnienia, a nie swoje.

To było coś nowego, lecz Tammy zawsze była otwarta na nowe doświadczenia. Uważała to za jeden ze swych uroków.

Gdyby tylko potrafiła wyrzucić męża z myśli na dłużej niż pięć minut, wszystko byłoby w porządku.

Weszła do małego butiku, w którym jej wzrok przykuła mała czarna torebka Fendi. Obejrzawszy ją i dotknąwszy pieszczotliwie skóry, postanowiła sprawić sobie przyjemność. Uznała, że cena sześciuset funtów to prawdziwa okazja.

Podała torebkę ładnej ekspedientce i uśmiechnęła się.

— Biorę ją, skarbie.

Ekspedientka, wysoka dwudziestokilkuletnia blondynka, zaczęła w wymyślny sposób pakować torebkę. Kiedy skończyła, pakunek wyglądał jak małe dzieło sztuki. Tammy z radością podała jej jedną ze swoich złotych kart kredytowych. Usiadła na aksamitnym fotelu, czekając na paragon i zastanawiając się, w co się ubrać, by jak najkorzystniej wyeksponować torebkę, i kogo zaprosić na prezentację. Zawsze traktowała swoje zakupy jak punkty zwrotne w życiu i w jej przypadku często tak właśnie bywało.

— Przykro mi, pani Leary, ale karta została odrzucona.

Tammy długo patrzyła na dziewczynę, a potem zapytała cicho:

— Słucham?

— Karta została odrzucona.

Dziewczyna była jeszcze bardziej zakłopotana niż Tammy i nie wiedzieć czemu tylko pogorszyło to sytuację. Przychodziła tu na zakupy regularnie od lat, lecz to będzie jej ostatnia wizyta, była o tym przekonana.

— To musi być pomyłka, kochanie, proszę spróbować jeszcze raz.

— Już to zrobiłam, pani Leary, i karta została odrzucona ponownie. Może spróbujemy z inną kartą?

Dziewczyna wciąż się uśmiechała, lecz był to wymuszony uśmiech.

Po wypróbowaniu pięciu kart kredytowych Tammy wychodziła ze sklepu z pustymi rękami. Twarz wciąż paliła ją ze wstydu, gdy siadała za kierownicą sportowego mercedesa.

Zabije Nicka. Zamorduje tego drania raz na zawsze, nawet jeśli będzie to ostatnia rzecz, jaką kiedykolwiek zrobi.

Sally siedziała z dziećmi i oglądała film na wideo, kiedy Tyrell wrócił do domu. W żaden sposób nie dała po sobie poznać, że zauważyła jego powrót, a chłopcy tylko uśmiechnęli się w jego stronę, gdy wszedł do holu. Zawsze świetnie wyczuwali panujący nastrój, a Sally, ta kochana Sally, potrafiła stworzyć atmosferę jakby przeniesioną prosto z księżyca.

To był uroczy salonik i po nocy u Jude Tyrell doceniał go jeszcze bardziej. Był pomalowany na bladoniebieski kolor, wykończony białym drewnem i miał podłogę z drewna czereśniowego. Wydawał mu się piękny. Sally miała smykałkę do dekoracji wnętrz. Wszystkie były jasne i przestrzenne, lecz dzisiaj najbardziej urzekł Tyrella zapach czystości i potpourri, który dawniej go irytował, bo za bardzo kojarzył się z domem matki. Dziś jednak ten pokój spełniał wszystkie oczekiwania, jakie miał wobec rodzinnego domu. To zabawne, lecz mały Sonny też uwielbiał ten dom. Zawsze chwalił się kolegom domem taty. To było jedyne miejsce, w którym mógł się naprawdę wyluzować.

Jude wpędzała go w stres, tak samo jak kiedyś ojca. Tylko tutaj, w tym łagodnym otoczeniu całkowicie się relaksował. Rozciągał się na kanapie z małymi braćmi, oglądał telewizję, śmiał się, żartował z nimi i patrzył na ich psoty, ciesząc się poczuciem, że jest u siebie.

Kogo on usiłował nabrać?

— Wchodzisz czy nie? — odezwała się Sally, kiedy Tyrell wciąż stał w drzwiach.

Raczej warknęła, niż powiedziała. Odezwała się do niego,

jakby był dzieckiem i to go zirytowało. Tyrell zawsze uważał, że najlepszą obroną jest atak, więc chętnie złapał przynętę.

— Do mnie mówisz, Sal?

Na dźwięk jego głosu chłopcy oderwali wzrok od ekranu. Byli wstrząśnięci, bo ich ojciec nie odzywał się w taki sposób do matki. Szeroko otwartymi oczyma patrzyli, jak ojciec przygważdża żonę spojrzeniem.

— Wiesz co, lepiej odczep się ode mnie, bo zaczynasz mi działać na nerwy.

Sally omal nie otworzyła ust ze zdumienia.

— Słucham? — Jej głos był podwyższony i to ją zezłościło.

Tyrell się rozkręcił. Roześmiał się i odparł:

— Słyszałaś. Mówisz do mnie, a nie do dziecka. To ja, Tyrell, twój mąż, który wczoraj pochował syna, a później musiał przez całą noc uspokajać kobietę, której nic nie zostało na tym świecie. Słyszałaś, co powiedziałem? Nic.

Wiedział, że świadomie ją dołuje, lecz już go to nie obchodziło, nie był w nastroju na takie utarczki. Był zmęczony, chciał wziąć kąpiel i coś zjeść. Chciał też wyrzucić garnitur na śmietnik, bo wiedział, że nigdy więcej go nie włoży.

I czuł przemożną chęć walnięcia żony w wyrażającą naganę twarz. Nie był pewny, dlaczego chce to zrobić, lecz impuls był silniejszy z każdą sekundą.

— Na górę.

Chłopcy zsunęli się z kanapy i wybiegli z pokoju. Głos Sally potrafił być czasem bardzo zimny, Tyrell dotąd tego nie zauważył. Stanęła z rękami na biodrach i popatrzyła na niego groźnie.

— Wchodzisz do mojego domu i poniżasz mnie w obecności dzieci po tym, jak spędziłeś noc z inną kobietą. Czuję od ciebie jej zapach, Tyrell. Czuję brud i smród tej baby i jej życia, wciąż trzyma się na tobie po tylu latach. A teraz możesz iść na górę, spakować swoje manatki i wracać, skąd przyszedłeś. Nie potrzebuję cię. Nikt cię tu nie potrzebuje.

Sally nie była pewna, kto jest bardziej zaszokowany jej słowami, mąż czy ona sama. Ale prosił się o to. Prosił się o to od lat. Tym razem to koniec. Jude Hatcher dostała to, czego chciała. Sally nie wiedziała tylko, czy tego właśnie chce mężczyzna, który przed nią stoi.

— Mój Sonny nic cię nie obchodzi, prawda? Nigdy cię nie obchodził.

— Och, nie bądź głupi, Tyrell, oczywiście, że mnie obchodził. Czemu miałoby być inaczej? Na swój sposób miły był z niego dzieciak. Ale to już skończone, nie będę dłużej żyła z Jude na horyzoncie. Nie potrafię. Jeśli jego śmierć oznacza, że od tej pory musisz być na jej zawołanie, to proszę bardzo. Ja mam już tego dość.

To był uzasadniony komentarz, Tyrell wiedział o tym w głębi serca.

— Przykro mi, Sally, ale ostatnio atmosfera była fatalna, a Jude wczoraj czuła się podle...

— No pewnie.

— Nie bądź sarkastyczna, Sal. Jej syn...

Sally westchnęła.

— Wiem, że jej syn nie żyje, ale ona zawsze czuje się podle z jakiegoś powodu. Tyrell, ona tobą manipuluje, a ty tego nie widzisz. Gdyby to nie był pogrzeb Sonny'ego, to wynalazłaby inny powód. Spędzasz tam więcej czasu niż tutaj, i to za jej sprawą, a nie biednego Sonny'ego. Mogłabym zrozumieć, gdyby chodziło o niego.

Sally mówiła przez zaciśnięte zęby, uspokoiła się siłą woli.

Tyrell osunął się na fotel, tak wygodny, że mógłby się w nim umościć i zapaść w przyjemny, niezakłócony marami sen.

— To musi się skończyć. Albo jesteś tu ze mną i chłopcami, albo to koniec, mówię całkiem serio, Tyrell. Musisz się trzymać z dala od Jude. Już nie jesteś za nią odpowiedzialny.

Wtedy Tyrell zaczął się śmiać, ale w tym śmiechu pobrzmiewała histeria.

— Och, naprawdę? Przykro mi, Sally, ale ulegałem błędnemu wrażeniu, że jestem dorosłym mężczyzną. Nie wiedziałem, że zamieniłem jedną mamusię na drugą.

Zerwał się z fotela i z przyjemnością zobaczył, że żona podskakuje ze strachu.

— Czyżbym podniósł na ciebie głos, Sal? Wybacz mi. Mam paść na kolana i całować jaśniejącą podłogę, po której stąpasz? A może napiszę pięćdziesiąt razy: „Nie będę się pieprzył na boku, rzekła moja żona".

— Przestań, bo zachowujesz się dziecinnie. Ktoś mógłby pomyśleć, że nigdy przedtem nie zostałeś zraniony. Sonny nie żyje, ale co z nami? My wciąż żyjemy, jeśli zechcesz to łaskawie zauważyć.

Tyrell spoglądał na Sally z odrazą, jego tłumione uczucia znalazły upust.

— Nigdy nie mogłaś się ścigać z Sonnym, więc nawet nie próbuj. Postanowiłaś zrobić z niego outsidera i uczyniłaś z tego swoją życiową misję. Obserwowałem, jak próbuje zapisać się dobrze w twojej księdze, stara się, żebyś go polubiła. On był dzieckiem, do kurwy nędzy, a ty ciągle wpędzałaś go w stres swoim sprzątaniem i pouczaniem, jak ma jeść, siedzieć, mówić. A mimo to on miał więcej życia w małym palcu, niż ty masz w całym ciele!

Sally czuła teraz ból, prawdziwy ból. Spodziewała się dzisiaj różnych rzeczy, ale nie tego. A jednak wiedziała, że Tyrell ma rację, nie akceptowała tego chłopca. To była tylko słabość ludzkiej natury, lecz mimo to miała poczucie winy.

— Jeśli jestem taka zła, to czemu nie odejdziesz? Wydaje mi się, że tylko szukasz do tego pretekstu. Więc idź, nie potrzebuję cię.

Sally machnęła ręką.

— Robiłam wszystko dla twojego syna, wszystko, co mogłam, i nie było to łatwe, wierz mi. Jude postarała się, żeby nie czuł się swobodnie z przyzwoitymi ludźmi. Okradał ciebie, twoją rodzinę, mnie. A ty stawiasz go wyżej ode mnie i moich dzieci? Wiele razy zabierał im pieniądze, a chłopcy go kryli. Więc idź, Tyrell. Idź i żyj z tą kupą brudu, która matkowała twojemu małemu Sonny'emu, zostaw mnie z dziećmi, żebyśmy mogli żyć w spokoju.

Tyrell wiedział, że Sally ma prawo tak mówić, a jednak brzmiało to źle w jego uszach. Powinna uszanować fakt, że chłopiec nie żyje. W takiej chwili nie powinno się rozszarpywać Sonny'ego na strzępy. Powinna pomóc mu znieść żałobę, a nie pogarszać sytuację.

Skierował palec w stronę jej twarzy.

— Posłuchaj mnie, Sal, posłuchaj uważnie. Jestem tyle... — odsunął palec wskazujący na pół centymetra od kciuka — od przekręcenia się z powodu syna. Śni mi się, myślę o nim bez przerwy. Mam takie poczucie winy, że jego życie potoczyło się w taki sposób, że czasem nie mogę oddychać. Więc nie waż się dopieprzać mi na moim własnym podwórku, bo to się nie uda. Nie tym razem.

Tyrell wsunął ręce do kieszeni i gwałtownym ruchem poszukał papierosów. Gdy zapalił, Sally wrzasnęła:

— Przestań! Nie będziesz psuł mi tutaj powietrza smrodem papierochów. Jeszcze jeden brudny zwyczaj Jude, który znów podłapałeś.

Tyrell wyszedł z pokoju, zaciągając się papierosem i wypuszczając jak najwięcej dymu. Stąpając po schodach, wydmuchiwał go głośno, żeby rozzłościć żonę. W łazience odkręcił wodę, usiadł na krawędzi wanny i rozpłakał się jak dziecko.

— Boże, skąd on wziął broń? Tylko to mi powiedz.

Wykrzyknął te słowa głośniej, niż szumiała woda, a potem zapalił następnego papierosa i rozciągnął się w wannie. Dopiero gdy zrobiła się lodowata, przestał płakać. Chłopcy puszczali kawałek Sean Paula i Blu Cantrella, słowa piosenki sprawiły, że Tyrell znów miał ochotę płakać. Piosenka nosiła tytuł *Breathe*, Sonny ją uwielbiał.

Tyrell zastanawiał się przez chwilę, czy przechodzi załamanie nerwowe.

Później wstał i ociekając wodą, spakował torbę. Żona przez cały czas nie spuszczała z niego oczu, a on ubrał się i bez słowa wyszedł z domu. Nie wiedział, dokąd idzie, ale jedno wiedział na pewno: nie może zostać pod tym dachem.

W bmw zapalił następnego papierosa i wciągając dym do płuc, uświadomił sobie, że po raz pierwszy od lat czuje się wolny.

Angela Leary wbiegła do holu, gdy jej syn wsunął klucz w zamek. Usłyszała samochód na podjeździe i czekała na Nicka, gdy wtoczył się przez drzwi.

— Ona dostała szału! Zniszczyła sypialnię i pokój...

Nick skinął głową ze znużeniem.

— Dobrze. Dasz mi filiżankę herbaty, mamo?

Wcale nie przejął się tym, co usłyszał.

— Oczywiście, synku, ale nie uważasz, że najpierw powinieneś porozmawiać z Tammy?

Nick pokręcił głową.

— Nie. — Roześmiał się. — Dlaczego miałbym chcieć z nią rozmawiać? Poza tym niedługo ją tu zobaczymy.

Tammy pędziła w dół po schodach; Nick spojrzał na matkę, jakby chciał powiedzieć: A nie mówiłem?

— Cześć, kochanie. Co cię dzisiaj opętało?

— Jesteś pijany!

— A ty jesteś brzydka, ale ja rano wytrzeźwieję.

Jako dobry Irlandczyk jego ojciec zawsze twierdził, że to jedyna rozsądna rzecz, jaką Churchill kiedykolwiek powiedział.

Nick odepchnął Tammy w bok.

— Zaparz mi herbaty, mamo, usycham z pragnienia.

— Ty draniu! Poniżyłeś mnie, unieważniając moje karty...

Nick znów parsknął śmiechem.

— Czyli jednak udało się? Myślałem, że to trwa dłużej.

Angela obserwowała ich z zadowoleniem. Jeśli Nick unieważnił karty Tammy, szykuje się prawdziwa bitwa. A ona chciała siedzieć jak najbliżej ringu.

Na miejsce starcia wybrała kuchnię, jako że nie było tam w zasięgu zbyt wielu kruchych przedmiotów, a Tammy będzie łapała wszystko, co wpadnie jej w rękę. Tammy zaś tylko stała i patrzyła na męża, jakby go nigdy przedtem nie widziała.

Widział, jaka jest ładna, kiedy nie oblepi się makijażem, widział krągłości jej figury i spojrzenie pokonanej kobiety, rzucone przez zaczerwienione od płaczu oczy, wciąż jednak tak samo błękitne jak przed laty w szkole, kiedy się w niej zakochał.

— Naprawdę mi to zrobiłeś, Nick?

Skinął głową i nawet w tym stanie, gdy alkohol siał spustoszenie w jego myślach, uświadomił sobie, że zrobił coś strasznego. Może ktoś inny tak nie uważał, lecz zdaniem Tammy było to niewybaczalne.

A najgorsze było to, że uczynił tak z czystej złości.

Rozłożył ramiona i Tammy się w nie rzuciła. Płakała, a Nick gładził ją po plecach, całował włosy i szeptał do ucha kojące słowa.

— Przepraszam, skarbie, ale to tylko po to, żeby dać ci nauczkę. To puszczanie forsy musi się skończyć, tak?

Tammy skinęła głową. Łzy wciąż spływały po jej twarzy, ale ona zmusiła się do uśmiechu.

— Kocham cię, Nick. Wiem, że ty tego nie odwzajemniasz, ale ja cię kocham, naprawdę!

— Wiem o tym, Tams. Na Boga, zawsze o tym wiedziałem.

Angela poszła do kuchni rozczarowana i postawiła wodę w czajniku.

Rozdział 9

Verbena nie była zaskoczona tym, że jej syn nie wraca do domu, to było zapisane w gwiazdach od dawna. Zdziwiła się jednak, że synowa właśnie ją o to obwinia.

Tyrell nie mieszkał z Sally od tygodnia, zatrzymał się u przyjaciela i nie wyglądało na to, by planował powrót do domu. Jednocześnie nie sprawiał wrażenia przybitego, co zdarzało się kilka razy w przeszłości. Sally była jedną z tych kobiet, które domagają się całkowitej uwagi i w końcu każdego zaczynają tym męczyć. Verbena to rozumiała.

Tyrell siedział z nią i pił kawę, a ona zadała mu pytanie, które dręczyło ją od tygodni.

— Wracasz do domu, synku?

Tyrell westchnął.

— Bardzo w to wątpię, mamo.

— Nie możesz tak po prostu odejść od żony. Życie polega na zawieraniu kompromisów, robieniu rzeczy, na które czasem nie masz ochoty...

Tyrell potrząsnął niecierpliwie głową.

— Wiem, co chcesz powiedzieć, ale szkoda słów.

— O co poszło?

Verbena wiedziała i Tyrell zdawał sobie z tego sprawę. Siedząc na krześle, wyglądała tak staro. Jej siwe włosy były uczesane, ale ich pasemka wciąż plątały się wokół szerokiej twarzy. Nie chciał jej jeszcze mocniej ranić. Kochał ją, kochał ją tak bardzo. A mimo to wydawało się, że tylko ją rozczarowuje.

— Mamo, proszę cię. Mogę albo robić przez całą dobę to, czego ona chce i zatracić się, albo pokazać, że umiem bez niej żyć.

— To dobre dla ciebie, ale co z dziećmi? — zapytała Verbena głosem, w którym słychać było irytację.

— Przeżyją. Ja zawsze będę się troszczył o swoje dzieci. Naprawdę myślisz, że bym je zostawił?

Jego matka wydęła wargi i skrzyżowała ręce na piersi, co jednoznacznie świadczyło, że jest rozgniewana.

— Naprawdę masz o mnie takie zdanie?

Głos Tyrella i jego postawa zdradzały, że czuje się dotknięty. Po raz pierwszy w życiu zapragnął spoliczkować matkę. Nie żeby ją zranić, lecz żeby gwałtownie przywołać ją do rzeczywistości. Za długo tkwiła w tym domu.

Verbena wyczuła nastrój syna i powiedziała cicho:

— Nie miej do mnie żalu, jeśli sam coś psujesz. Tym razem tylko siebie możesz winić. Ci chłopcy potrzebują cię teraz bardziej niż kiedykolwiek. Powinieneś wrócić do domu i zająć się nimi. Oni stracili brata.

— A ja najstarszego syna.

— Oni potrzebują twojej opieki.

— Zaopiekuję się nimi, zawsze to robiłem.

Verbena pokręciła smutno głową.

— Oby to była prawda, chłopcze, oby to była prawda.

Powiedziała to tak, jakby trzeba mu było przypominać o ojcowskich obowiązkach i to rozgniewało Tyrella, choć wiedział, że Verbena wcale tak nie myśli. Po prostu odezwała się w niej jamajska krew.

Tyrell spojrzał jej w oczy i zapytał zimnym głosem:

— Zaopiekować się moimi dziećmi? Żartujesz, mamo? Przecież opiekowałem się Sonnym, prawda?

Jego słowa zawisły w powietrzu.

Wzrok matki zdawał się mówić: „I spójrz, co się z nim

stało". Verbena zawsze uważała, że Tyrell powinien był zostać z Jude dla dobra Sonny'ego. Wierzyła, że chłopcy potrzebują ojców, silnych, modelowych postaci męskich, zwłaszcza jeśli matka nie staje na wysokości zadania, a tak właśnie bez wątpienia było w przypadku Jude. On jednak nie chciał się poświęcić, czuł, że może uczynić więcej dla syna, wyciągając go z narkotykowego środowiska i pokazując mu perspektywę innego życia.

Teraz już wiedział, że się pomylił. Ale przynajmniej Sonny w jego towarzystwie miał okazję przeżyć krótkie okresy normalności i szczęścia. Tyrell musiał w to wierzyć, bo inaczej wpadłby w obłęd. Musiał przynajmniej mieć nadzieję, że choć trochę zmienił życie syna, bo jeśli nie, po co to wszystko było?

— Wielkie dzięki, mamo. Czuję się o wiele lepiej.

— Sonny wpadł w złe towarzystwo, nie miał szans przy matce, która prowadziła takie życie. Właśnie dlatego chłopcy potrzebują ojców. Twoi chłopcy będą cię teraz potrzebować bardziej niż kiedykolwiek, nie rozumiesz tego?

Verbena niemal go błagała.

— To nie był sztubacki wybryk, który wymknął się spod kontroli. Sonny miał broń najwyższej klasy. Musiał się wmieszać w coś poważnego, bo inaczej nawet by nie zobaczył takiego pistoletu. Być może to Jude kryje się za tym wszystkim, może Sonny wykonywał zlecenie któregoś z jej dealerów, tego nie wiem, ale wiem jedno: muszę się dowiedzieć, jeśli jeszcze kiedykolwiek mam zaznać spokoju. Więc nie próbuj robić ze mnie czarnego charakteru, uczyniłem dla Sonny'ego wszystko, co mogłem.

— Mówię ci tylko tyle, synku, że moim zdaniem zbyt łatwo przekreślasz ludzi.

Tyrell wziął kurtkę i sportową torbę, zbyt zmęczony, by spierać się z matką. Nie mieszkał z Sally zaledwie od tygodnia, a już czuł się jak inny człowiek. Choć śmierć syna napełniała go smutkiem, znacznie lepiej radził sobie z uczuciami, kiedy był z dala od żony. Ilekroć próbował oddawać się żałobie w domu, za sprawą Sally czuł się tak, jakby robił to na złość jej i dzieciom. I wciąż nie pogodził się z tym, że kiedyś źle traktowała Sonny'ego.

— Tylko nie napytaj sobie biedy — ostrzegła Verbena.

Tyrell roześmiał się mimo woli.

— Kiedy odkryję, co się stało, może znów dam radę spać w nocy.

— Dokąd idziesz?

W głosie Verbeny pojawił się strach, że Tyrell ją zostawi. On zaś uśmiechnął się, z całej siły starając się maskować swoje uczucia.

— Zamierzam się dowiedzieć, skąd mój Sonny miał broń, i kto albo co skłoniło go do tego, że chciał jej użyć.

Jude spojrzała na numer telefonu zapisany na skrawku papieru i zadała sobie pytanie, czy już teraz odważy się go użyć. Wcześniej obiecywała sobie, że nie zrobi tego, dopóki kurz i dym nie opadną na dobre. Wtedy zagra o całą pulę. Sonny powiedział jej wszystko, lecz wiedziała, że będzie musiała to rozegrać bardzo precyzyjnie. Zaczekać na odpowiedni moment.

W tej chwili krążyło w jej zasięgu mnóstwo towaru z powodu tragicznej śmierci Sonny'ego; dostawała również trochę za darmo, a niektórzy dawali z litości. Nigdy w życiu nie powodziło jej się tak dobrze.

Ogarnęła ją fala spokoju, bo miała dość narkotyków na kilka następnych dni. Zostawi sobie numer na czas, gdy nie będzie w tak komfortowym położeniu. Wtedy ten, który odbierze telefon, zapłaci.

Zerknęła na zdjęcie Sonny'ego i pokazała mu język. Następnie z uśmiechem posłała całusa. Zaczynała się przyzwyczajać do tego, że została sama. To zabawne, ale ostatnio poczuła się tak, jakby wypuszczono ją ze szkoły. Mogła brać to, co chciała, pić to, co chciała, i nikt bez przerwy nie próbował korygować jej postępowania. Przyjaciele Sonny'ego także byli dla niej bardzo dobrzy, opiekowali się nią. Cieszyli się, że mają dokąd pójść, a ona lubiła ich towarzystwo.

Zwłaszcza towarzystwo Gina. Stwierdziła, że jeśli się nie myli, on też niedługo sięgnie po brązowy proszek. Miał do tego odpowiedni temperament, naturalne lenistwo połączone z lekkomyślnością, które składały się na osobowość amatora heroiny.

Ci, którzy nigdy jej nie spróbowali, nie rozumieli uczucia, które ona daje, całkowitego i skończonego spokoju odlotu. Chęci nabiera się z czasem. Przy pierwszych kilku strzałach organizm odrzucał narkotyk i reagował straszliwymi nudnościami. Lecz tak jak ze wszystkim innym, nie wolno dawać za wygraną i w końcu okazuje się, że było warto.

W pewnym sensie Jude zazdrościła Ginowi pierwszego razu. Później dzień w dzień starasz się odtworzyć pierwszy odlot, ale już nigdy, przenigdy nie poczujesz się tak wspaniale.

Jude puściła Canned Heat. *On the road again* było jej ulubionym utworem, rozpływała się przy nim. Brakowało jej muzyki Sonny'ego, z przyjemnością słuchała, kiedy chłopcy puszczali ją przy paleniu. Przyszło jej na myśl, że nie rozsunęła zasłon w mieszkaniu, ale nie mogła zebrać sił, żeby coś z tym zrobić. Poprosi któregoś z chłopców, żeby otworzył okno, kiedy przyjdą.

Matka Gina czepiała się go, że za dużo czasu spędza u Jude. Musiało mu być ciężko. Ale przyjdzie, zawsze przychodzi.

Jude odchyliła się i zapadła w popękane sprężyny kanapy. Za kilka minut strzeli sobie w żyłę i odjedzie na resztę dnia. Ale najpierw posłucha muzyki. Kiedy Sonny był mały, wtórowali razem wokalistom. Śmiali się przy tym z byle powodu.

Nie mogła sobie przypomnieć, jaki był ten powód. Tak jak większa część życia Jude, zmienił się w rozmytą plamę, garstkę przelotnych wspomnień, które połączone pajęczymi nitkami tworzyły coś na kształt egzystencji.

— Jest Nick?

Głos mężczyzny dochodził niewyraźnie z domofonu, więc Angela spytała:

— Kto pyta?
Znała zasady panujące w tym domu. Nigdy nie wpuszcza się kogoś, kogo się nie zna.
— Powiedz mu, że przyszedł Stevie D., on będzie wiedział, skarbie.
Angela przeszła do pokoju telewizyjnego.
— Synku, jakiś facet do ciebie przyszedł, stoi przy bramie. Stevie D. Mówi, że go znasz.
Nick zerwał się z kanapy z uśmiechem.
— Wpuść go! Nie widziałem go, od kiedy byliśmy dziećmi.
Uśmiechnął się jeszcze szerzej.
— Pamiętasz go, mamo? Steven Daly. Kiblował piętnaście lat za napad z bronią w ręku, włóczyłem się z nim w dzieciństwie, zanim dostał wyrok.
Angela skinęła raźno głową, przypominając sobie.
— A, tak. Jego matka była uroczą kobietą. Katherine Daly, umarła na raka parę lat temu. Byłam na pogrzebie.
Steven Daly przebył imponujący podjazd, dziwiąc się, jak wspaniale powiodło się jego przyjacielowi od czasu, gdy razem chodzili do szkoły. Choć trzeba uczciwie powiedzieć, że po tym, jak Steven dostał wyrok, Nick zadbał o to, żeby przyjaciel miał kilka funtów do wydania na boku, a także przez znajomego w służbie więziennej załatwił mu pojedynczą celę.
Stevie w gruncie rzeczy wolałby nie jechać dzisiaj tym podjazdem i nie musieć robić tego, po co przyjechał. Ale Nick zrozumie, był tego pewien.
Gospodarz stał w drzwiach frontowych, uspokajając psy, które niedawno kupił. Ten dom to było coś; Stevie pożałował, że nie zabrał ze sobą żony. Bardzo by się jej tutaj spodobało. Może innym razem, gdy załatwią z Nickiem bieżące sprawy.
Kiedy parkował samochód, Nick wyszedł go przywitać, uśmiechając się ciepło.
— W porządku, syneczku? Kopę lat.
Steven złapał jego dłoń, ściskali sobie ręce, trzymając się za przedramiona. Nick wprowadził przyjaciela do domu, choć raz

cieszącsię, że jego żona wyszła, by przelecieć aktualnego kochasia.

Angela zrobiła wielkie halo z wizyty Steviego, a on wydawał odpowiednie pomruki, opowiadał o matce, o tym, że bardzo mu jej brakuje i że zamówił mszę za nią w tę niedzielę. Podziękował, że Angela przyszła na pogrzeb i wyraził współczucie z powody straty tylu przyjaciółek.

Nick wreszcie wyratował go z opresji i zabrał do biblioteki. Stevie był pod wrażeniem, mimo że jego zachowanie wyraźnie zdradzało niepokój. Nick nalał dwie duże szkockie.

— Ja prowadzę, Nick.

— Zamów sobie taksówkę, frajerze. Pamiętasz, jak kiedyś gorzała wylewała ci się z butów, a ty jakby nigdy nic prułeś do domu?

Steven parsknął śmiechem.

— Pamiętam. Ale Bogu dzięki te czasy już minęły, co?

Nick się roześmiał i skinął głową.

Stevie zauważył, że jego kumpel wciąż wygląda potężnie, ale znów dostrzegł smutek w jego oczach. Były jeszcze smutniejsze niż wtedy, gdy był dzieckiem i musiał żyć narażony na humory ojca.

A humory Nicka seniora owiane były legendą.

— Przykro mi z powodu twoich kłopotów.

Nick wzruszył ramionami, pokazując, że naprawdę się tym nie przejmuje.

— Zdarza się.

— Teraz ktoś pomyśli dwa razy, zanim spróbuje cię skroić.

Nick skinął głową, lecz nie odpowiedział wprost.

— Jak żona i dzieci, Stevie?

— Dobrze. Z początku ciężko jej było przywyknąć, że wróciłem po takim szmacie czasu, ale stopniowo dochodzimy do normalności, rozumiesz.

Nick wiedział, jak trudno jest się zgrać parom, które długo pozostawały w rozłące. Przez te lata odwiedzał regularnie Bernice, żeby dać jej trochę grosza, zgodnie z ustaleniami. Lecz kiedy Steviego przymknęli, oboje byli jeszcze młodzi i zakochani. Bernice czekała na niego z trojgiem małych dzieci i złamanym sercem, na widnokręgu nie było innego faceta. Według norm ich środowiska miał prawo być z niej dumny. Nick mógł tylko mieć nadzieję, że obojgu warto było czekać.

— Więc co u ciebie, Stevie? Niemożliwe, żebyś przebył taki kawał drogi tylko po to, żeby życzyć mi wszystkiego najlepszego. Co jest grane?

Steven usiadł naprzeciwko Nicka w jednym z dużych foteli ustawionych po obu stronach kominka i rozejrzał się po ścianach zapełnionych książkami. Dopiero wtedy się odezwał.

— Nick, ta chata wygląda jak wyjęta z jakiejś zasranej bajki.

W głosie Steviego słychać było podziw, a także to, że ani trochę nie zazdrości przyjacielowi sukcesu.

Nick skinął głową z zakłopotaniem.

— To sprawka Tammy. Trudno jest jej tak po prostu przekartkować katalog Argos. Musieliśmy tu sprowadzić prawdziwego McCoya.

Nick nie dodał, że sama biblioteka kosztowała ponad sto tysięcy funtów i że wiele z pierwszych wydań książek należało do niego, wytropił je i kupił dla siebie. Wiedział, że nie pasowałoby to do jego wizerunku. Zabrzmiałoby tak, jakby się chwalił. Zawsze umniejszał znaczenie domu, mimo iż cieszył się, że należy do niego.

A raczej kiedyś się cieszył, zanim Sonny Hatcher wdarł się do środka i zginął.

Nick dolewał przyjacielowi szkockiej, rozmawiali o niczym, nadrabiali zaległości. Nick wiedział, że Stevie przejdzie do rzeczy, kiedy uzna za stosowne. Tymczasem cieszył się męskim towarzystwem.

— Nie wiem, jak ci to powiedzieć, Nick, ale nie mam wyjścia — rzekł wreszcie Stevie. — Muszę dostać jakieś odszkodowanie.

Nick patrzył dłuższą chwilę na przyjaciela, a potem odparł neutralnym tonem:

— Ciężkie słowa, Stevie. W jaki sposób cię obraziłem, stary?

Gdyby ktoś wsłuchał się uważnie, usłyszałby w tych słowach groźbę.

Stevie pokręcił głową.

— Nie o to chodzi, Nick. Sprawa dotyczy jednego z twoich ludzi, Gary'ego Proctora.

Nick westchnął.

— Co zmalował tym razem?

— Nie wiem, jak ci powiedzieć, Nick, bo to jest zajebiste, totalne przegięcie i muszę go stuknąć. Naprawdę muszę go stuknąć.

Nick spojrzał na starego druha. Jego włosy wciąż były gęste i rude, tyle że teraz przetykane siwizną. Miał wygląd człowieka, który niedawno wyszedł z więzienia: w jego zachowaniu była jakaś niepewność, mięśnie były dobrze wyćwiczone, a do skóry przywarła bladość, która utrzymywała się przez jakiś czas. Zdradzał też nerwowość, lecz miał wyrobioną reputację i Nick wiedział, że Stevie w żaden sposób się go nie boi. Martwił się tym, co kumpel ma do powiedzenia.

Nick wstał i nalał im jeszcze po drinku.

— No więc dobrze. Wal, stary.

Stevie westchnął ciężko, jakby dźwigał na barkach brzemię całego świata.

— Znasz moją siostrę Laetitię?

Nick skinął głową zdziwiony.

— Chyba nikt nie przeleciał jej w klubie? Ona musi mieć czterdziestkę jak nic.

Stevie zmusił się do śmiechu.

— To nie ja, Stevie. Jak na mój gust ma trochę za długie zęby!

Teraz Stevie naprawdę się śmiał; jego śmiech zabrzmiał przyjemnie w ciszy czytelni.

— Nie, nic z tych rzeczy. Chodzi o jej syna. Ma siedemnaście lat, miły z niego chłopak. Chce być didżejem... to znaczy chciał, dopóki nie wpadł na Gary'ego Proctora.

Nick ściągnął brwi.

— Powiedz, co zrobił Gary i czego ode mnie chcesz. Jeśli chłopak może pokazać swój talent w którymś z klubów, to klub jest jego, zajmę się tym. A jeśli Gary go odwalił, przemówię mu do rozumu, nie ma obawy.

Stevie znów pokręcił głową.

— Chciałbym, żeby to było takie proste. A to jest diabelnie trudne, Nick, trudniejsze niż garowanie w pudle. — Stevie przełknął głośno. — Gary napadł chłopaka. Jerome się bronił, ale Proctor go skasował. Chłopak leży w szpitalu i jest w proszku. A ja osobiście gołymi rękami skręcę Proctorowi jego śmierdzący kark! Nie schowa się za tobą ani za nikim innym, i to właśnie przyjechałem ci powiedzieć.

Nick był zaintrygowany.

— Co się stało, Gary mu przyłożył? Dlaczego?

Stevie potrząsnął wściekle głową.

— Nie przyłożył mu, Nick, tylko go skatował. Chłopak spędzi w szpitalu trzy miesiące. Przyłożył to niewłaściwe słowo, on próbował go wykorzystać seksualnie. Usiłował zmusić go do uklęknięcia. Rozumiesz?

— Co zrobił?

Stevie słyszał niedowierzanie w głosie przyjaciela.

— W końcu wydobyłem to z Jerome'a. Myślałem, że kumple wzięli go pod obcas albo coś w tym guście, rozumiesz. Ale wreszcie wyciągnąłem od niego, co się naprawdę stało. Jest w ciężkim stanie, tak jak powiedziałem. Wygląda na to, że Proctor zabrał go do nowego magazynu, który kupujesz, i powiedział, że załatwi mu imprezę, jeśli Jerome mu obciągnie.

— Gary to zrobił? — spytał Nick wysokim, pełnym niedowierzania głosem.

Stevie skinął głową; na jego twarzy malowała się skrajna odraza.

— Jerome odmówił i wtedy Proctor się do niego wziął. Próbował go do tego zmusić. Jerome nie chciał o tym słyszeć i słusznie, bo kto by chciał? Kazał mu się odpierdolić i coś ci powiem, Nick... — Stevie skierował na przyjaciela drżący palec, jego gniew wymykał się spod kontroli. — Ten chłopak nie jest z tych, co wciskają kit. Jeśli mówi, że tak było, to znaczy, że tak właśnie było. Najciekawsze jest to, że Jerome nie powiedział, że jest ze mną spokrewniony, bo chciał załatwiać sobie imprezy na własną rękę. Chciał wiedzieć, że udało mu się, bo jest dobry, a nie dzięki rodzinnym koneksjom. Gdyby Gary wiedział, kim jest Jerome, pewnie dałby mu spokój, ale musisz wiedzieć, że masz pieprzonego zboczeńca wśród swoich ludzi i trzeba z tym zrobić porządek. A poza tym obu nam zależy, żeby załatwić tę sprawę po cichu, z oczywistych względów. Właśnie dlatego przyjechałem się z tobą spotkać twarzą w twarz.

— Kurwa jego mać!

Nick znów pokręcił głową.

— Nie wierzę. Gary Proctor? Jesteś pewny, że chłopak się nie pomylił?

Stevie zaczynał tracić cierpliwość.

— Pewnie, że jestem, do kurwy nędzy! To zbyt poważna sprawa, żeby się pomylić, nie? To był on, bez dwóch zdań. Wyobraź sobie, jak się poczułem, kiedy to wszystko usłyszałem. Jeden z moich najstarszych kumpli jest dupojebcem, a na dodatek gwałcicielem.

Nick patrzył, jak Stevie jednym haustem wychyla resztkę drinka; w tej chwili emanowała z niego groźba.

— Radziłem sobie z nimi w kryminale i wierz mi, dla niektórych z nich to nie była pierwszyzna. Nawet na bloku. Ale to byli dorośli faceci, robili to z własnej woli. A ja nie pozwolę, żeby ten piździelec posuwał mojego siostrzeńca. Powinieneś zobaczyć tego chłopaka, ten skurwiel Proctor stłukł go jak kawał mięsa! Komu jeszcze to zrobił, co? Ilu jeszcze młodych chłopaków tak załatwił i uszło mu to na sucho? To właśnie chciałbym wiedzieć. Bo taki chłopak nie zgłosi tego nikomu, zgadza się? Sam masz dwóch synów, taki lemoniadowy chłoptaś kręci się w pobliżu, a ty nawet nie wiesz, co to za jeden!

Nick skinął głową, potwierdzając zasadność tych słów.

— Gdzie chcesz go załatwić?

Nick nie zamierzał w żaden sposób wstawiać się za swoim człowiekiem. To, co zrobił Proctor, było niewybaczalne.

— On musi za to zapłacić, Nick, nieważne gdzie. Ten biedny mały skurczybyk ledwie dycha, a moja siostra myśli, że dostał wpierdol od bandy chłopaków na jakiejś bibie. Przecież nie mogę się nikomu zwierzać, prawda?

— Jasne. Zadzwonię do Gary'ego. On ma dziuplę w Bow, spokojną, nikt o niej nie wie. Umówię się z nim tam i razem na niego poczekamy, okay?

Stevie skinął głową.

— Dzięki, Nick, wiedziałem, że zrozumiesz, ale mogę go załatwić sam.

Nick pokręcił głową i sprawa została rozstrzygnięta.

— Nie. Chcę stać u twojego boku i usłyszeć, co on powie.

Stevie wyszczerzył zęby w uśmiechu i wyjął z kieszeni kastet.

— Chyba niewiele poza wrzaskami i jękami, co?

Nick roześmiał się razem z kumplem, lecz jego świat, który wydawał się taki bezpieczny przed śmiercią Sonny'ego Hatchera, został wywrócony do góry nogami.

Tyrell siedział w swoim nowym domu i skręcał jointa. W rzeczywistości był właścicielem mieszkania, lecz Sally nic o nim nie wiedziała, podobnie jak o wielu innych nieruchomościach Tyrella. W ciągu tych paru lat kupił sporo takich mieszkań i miał niezgorsze gniazdko przygotowane na stare lata. Zaciągnął się skrętem i uświadomił sobie, jak bardzo mu brakowało swobody, tego, że może sobie zapalić i wypić piwo, kiedy ma na to ochotę.

Nawet gdyby trzymał w domu marlboro light, Sally odbiłoby ze strachu, że palenie doprowadzi go do wszelkich innych nałogów, jakie znała.

Gdyby tylko wiedziała.

Tyrell miał nadzieję, że czuje się dobrze. Rozmawiał z synami; nie odniósł wrażenia, by mieli się gorzej. Czasem zdawało mu się, że rozumieją go lepiej niż żona. W szkole stykali się z prawdziwym światem w odróżnieniu od Sally, która się na niego zamykała, jak tylko mogła. Była podobna do Jude bardziej, niż jej się zdawało, Tyrell teraz to dostrzegał. Obie na swój sposób uciekały. Jude za pomocą proszku, a biedna Sally do tego samego celu wykorzystywała urządzanie domu, szydełkowanie i gotowanie.

Tyrell odsunął te myśli od siebie i skupił się na wykonywanym zadaniu. To był królewski joint z sześciu papierków od papierosów; zamierzał wypalić go sam, a potem zasnąć snem nieboszczyka. Tyrell nie wyspał się porządnie od wielu dni i zaczynał odczuwać tego skutki. Nawet jego dredy wyglądały na przemęczone.

Przeżył straszliwy wstrząs, lecz wiedział, że tym, co naprawdę pali go w środku, nie jest żałoba.

Paliło go pragnienie zemsty.

Gary Proctor leżał na łóżku, oglądając film na wideo, kiedy żona poinformowała go, iż dzwonił Nick i powiedział, że chce się z nim spotkać w Bow. Było wcześnie, ale Gary po stresującym dniu lubił się położyć i pooglądać telewizję.

Gary miał posiniaczone, poobcierane kostki po walce. Musiał oddać chłopakowi, że jak na małego chudzielca mocno się stawiał.

Mimo to Gary udzielił mu lekcji przetrwania najsilniejszych, której ten mały skurwiel nie zapomni. Wstał i spojrzał na siebie z podziwem w lustrze.

— Maureen, naszykuj mi drinka, skarbie! — krzyknął do żony na dole.

Prawie doznał erekcji na myśl o chłopaku i o tym, do czego niemal go zmusił. Pociągnął się za członek, smakując doznanie; zamknął oczy i wyobraził sobie, jak mogłoby być.

Maureen weszła z drinkiem. Stawiając szklankę na stole, powiedziała sztywno:

— Czy mógłbyś...? Dzieci mogą wejść w każdej chwili, to byłby piękny widok dla nich, prawda?

— Odpierdol się, stara miotło.

Jednak Maureen nie dała się zaskoczyć.

— Przyganiał kocioł garnkowi, co? — odparowała i roześmiała się z sarkazmem. — Kto by cię teraz chciał? Trudno cię nazwać spełnieniem dziewczęcych marzeń. Wolałabym przelecieć psa.

Teraz Gary się roześmiał.

— A mnie staje, jak tylko zobaczę się w lustrze.

Maureen podniosła wzrok na sufit i warknęła zjadliwie:

— To dlatego, że masz gębę jak cipa, Gary.

Wyszła; Gary wiedział, że się z niego naśmiewa. Nawet on musiał przyznać, że to było zabawne. Zachowa to sobie w pamięci na przyszłość. Twardy orzech był z tej jego Maureen. Naprawdę zasłużyła na przypomnienie niektórych numerów, które wyciął jej Gary przez te lata, kiedy ze sobą byli.

Jak zwykle poświęcił sporo czasu włosom. Na ich punkcie miał fioła. Nie zastanawiał się, czego chce Nick, wkrótce się tego dowie. Zakładał, że chodzi o jakiś przekręt, i miał nadzieję, że będzie niezły zysk.

Gary wsunął głowę do pokoju najmłodszej córki, która zamachała do niego wesoło. Miała osiem lat i leżała bezpiecznie w łóżku pod kołdrą, oglądając serial *Prawo i porządek.*

— Pa, pa, tatusiu. Do zobaczenia rano.

— Jasne, księżniczko. Zrobię ci śniadanko, hm?

Dziewczynka uśmiechnęła się, szczerząc uroczo szczerbate uzębienie. Gary rąbnął pięścią w drzwi starszego syna i usłyszał burknięcie, ale to było ostatnio normą. Cmoknąwszy w policzek Maureen, Gary wyszedł z domu. Zastanawiał się, co przyniesie noc.

Otwierając samochód, pogwizdywał wesoło przez zęby.

Rozdział 10

Nick podniósł klapę garażu i wszedł do środka. W kącie stał palnik gazowy, który Nick z trudem zapalił. Światło było mdłe, lecz wystarczające, jeśli się miało dobry wzrok. Jednak było zimno i potrzebowali ciepła, więcej, niż mógł dać palnik, dlatego Nick wyjął z kieszeni kurtki piersiówkę i dwa metalowe kieliszki. Napełnił je i sączyli alkohol, czekając na Gary'ego Proctora. W środku nie było niczego oprócz kilku czarnych worków.

— Cicho tu i spokojnie, Nick, bezbłędnie wybrałeś arenę.

— Nikt nam nie przeszkodzi, nie ma obawy. W tej okolicy, jeśli ktoś słyszy krzyki, to tylko podkręca dźwięk w telewizorze.

Nick napełnił ponownie kieliszki.

— Wciąż nie mogę w to uwierzyć, Stevie. Teraz przypominam sobie, że zawsze odwoził do domu młodych chłopaków, z którymi pracowaliśmy. Ale ja też to robiłem po imprezach i w ogóle. To nasi pracownicy. Co o tym sądzisz? — Nick pociągnął łyk. — Myślisz, że zrobił już kiedyś coś takiego? Czy Jerome wspomniał, że to mogło się przytrafić komuś jeszcze?

Stevie pokręcił głową.

— Ani słowem, tylko że on nie miał ochoty o tym gadać. Ale podstępny zbok ci się trafił we własnym gnieździe, Nick!

Wyobrażasz sobie, w jakim świetle by cię to postawiło, gdyby ktoś się dowiedział? Wiesz, jacy są ludzie. On jest twoją prawą ręką, no nie?

Nick rozumiał, że przyjaciel chce go ostrzec, a zarazem usprawiedliwić to, że musi okaleczyć kogoś, z kim przyjaźnił się od lat. Lecz Nick był na to gotów w tej chwili; zaszokowało go to, że Gary okazał się takim draniem.

Pokręcił głową.

— To już, kurwa, przeszłość.

Po chwili milczenia Stevie rzekł:

— Jeśli to się wyda, każdy, kto się z nim kumplował, będzie podejrzany, ze mną włącznie. Wypiłem z nim piwo, kiedy mnie zwolnili, i tego właśnie nie mogę pojąć. Jak on mógł myśleć, że ujdzie mu to na sucho.

Spojrzeli na siebie z ukosa.

— Jest żonaty, ma dzieci. To pokazuje, jak mało człowiek wie, zgadza się? Myślisz, że jesteś na bieżąco, że wszystko widziałeś, że umiesz ocenić czyjś charakter, wiesz, komu możesz zaufać... Nagle zdarza się coś takiego, a ty zastanawiasz się nad tymi, którzy cię otaczają.

— Chcesz, żebym wymłócił go razem z tobą? — spytał rzeczowo Nick.

Stevie wzruszył ramionami.

— To już od ciebie zależy, stary, ale ostrzegam cię, wypruję mu krew i bebechy. Proctor wyjdzie stąd jak martwy.

Od razu pożałował, że użył właśnie takich słów, ale wiedział, iż Nick zrozumie, co chciał powiedzieć.

— Nick, możesz stąd prysnąć, jeśli chcesz. Doceniam to, co robisz, ale jak sprawa się rozniesie, to nie chciałbym, żebyś miał z nią cokolwiek wspólnego.

Stevie próbował uchronić przyjaciela przed użyciem przemocy, ostrzegał go, że może być bardzo źle. Nick to doceniał.

— Wiem, stary. Powiemy wszystkim, że Gary kablował. Potwierdzę twoją wersję, dobra? W ten sposób chłopak nie będzie wplątany, a Gary wyjdzie na trefnego i straci wiarygodność na resztę swoich dni. — Nick pokręcił głową. — Nie mogę uwierzyć nawet w to, że prowadzimy tę rozmowę, a ty?

Stevie westchnął dramatycznie.

— Strach człowieka ogarnia, co? Garowałem piętnaście lat, mając za towarzystwo tylko moją prawą rękę. Nigdy nie przyszło mi do głowy zwrócić się w inną stronę, a zdziwiłbyś się, co niektórzy tam zrobiliby za buteleczkę valium albo za parę skrętów. Chcę powiedzieć, że gwałciciel to gnój, ale żeby facet gwałcił innego faceta? Co to ma, kurwa, znaczyć?

Odgłos zatrzymującego się przed garażem samochodu uratował Nicka przed koniecznością udzielenia odpowiedzi. Wiedział jedno: musi przejść przez to wszystko aż do gorzkiego końca. Gdyby zrobił coś innego, nie byłoby to dobre dla interesów.

To był nikomu niepotrzebny skandal.

Gino wszedł do mieszkania z drżeniem serca, nie cierpiał załatwiania spraw tutaj. Znajdowało się w zaniedbanym bloku; ze względu na liczbę kradzieży drzwi wszystkich mieszkań były obite metalem. To było idealne miejsce na biznes Lenny'ego Bagshota. Poza tym pozwalało oszczędzać na broni.

Skobel szczęknął za nim głośno, a do holu wtoczyło się dziewięciomiesięczne niemowlę w chodziku. Dziewczynka była ubrana w markowe rzeczy i miała na szyi trzy złote łańcuszki. W przekłutych uszkach błyszczały trzy pary kolczyków.

— To pupilka tatusia.

Gino ruszył za wysokim, młodym mężczyzną do dużego pokoju. Wnętrze wyglądało jak zdjęcie z kolorowego magazynu, było piękne, i to właśnie wywoływało u Gina nerwowość. To był pokój z ekranu telewizora, a nie z osiedla komunalnego, w którym się wychował. Bez przerwy się bał, że zabrudzi dywan albo puści bąka. Było tam niemożliwie czysto, a to nijak nie pasowało do jego świata. Jego matka lubiła porządek, ale ten lokal był sterylnie czysty, przypominał poczekalnię w szpitalu.

Dziewczyna Lenny'ego miała na imię Harriet, w skrócie Harry, pochodziła z klasy średniej i była bardzo ładna. Wyglądała jak gwiazda filmowa, a w każdym razie Gino tak uważał.

Lenny był wysoki, chudy i miał jasne, bardzo krótko obcięte włosy. Dobrze się ubierał i odpalał jednego papierosa od drugiego. W odróżnieniu od większości okolicznych dealerów nigdy nie dotykał towaru, który sprzedawał. Nie brał narkotyków, koniec, kropka. Dla niego był to tylko stopień drabiny wiodącej do lepszego życia. Prowadził swój interes, dbając o maksymalne bezpieczeństwo i zysk.

Uważano go za równego gościa i Lenny dbał o ten wizerunek. Miał szorstki cockneyowski akcent i bez przerwy żartował, tyle że w jego żartach krył się groźny podtekst. Lenny potrafił załatwić wszystko za forsę z góry. Potrafił również załatwić delikwenta, jeśli ten próbował go wykołować.

W każdym razie tak mówiono na osiedlu.

— Ile dzisiaj?

— Pół uncji.

— Przeginasz trochę, nie? Co jest grane, robisz balangę?

Lenny zaśmiał się ze swojego żartu.

— A ty sam bierzesz, Gino? Powiedz prawdę.

Gino pokręcił głową.

— Jasne, że nie. To dla głupich.

Lenny znów się roześmiał.

— Miło mi to słyszeć. Trzymaj się z dala od hery, młody. Ona kradnie duszę i nigdy jej nie oddaje. Więc popychasz towar dalej?

Gino potrząsnął mocno głową.

— Niee... To dla Jude Hatcher.

Lenny ucieszył się, że chłopak zachowuje się niepewnie. Lubił straszyć takich młodzików, a oni później trzymali w sobie ten strach do końca życia. Gdyby chłopak nie flirtował z heroiną, Lenny przyjąłby go na pełny etat, lecz był pewien, że Gino lawiruje na krawędzi uzależnienia, a jeśli tak jest, to nie chciał mieć z nim nic wspólnego. Może poczekać, jest cierpliwy, bo musi taki być. W tej grze trzeba czekać cierpliwie na okazję.

Nigdy się jej nie szuka. Ten chłopak miał zadatki na przyzwoitego dealera, więc jeśli nie ulegnie, Lenny da mu szansę.

— Powiedz jej, żeby uważała, Gino. To dobry towar i po tym, co ona sobie do tej pory strzelała, może ją zabić.

Lenny znów parsknął śmiechem.

— A jeśli tak się stanie, to Jude może odwiedzić swojego bękarta w piekle, nie?

Sonny miał zatarg z Lennym tuż przed swoją śmiercią. Gino nie wiedział, o co poszło, ale domyślił się, że Sonny bardzo się tym przejął. Gino spoglądał na dealera z obawą. Wiedział, że jeśli sprzeda dalej, dostanie od Lenny'ego reprymendę, bo ten chciał trzymać klientów dla siebie. Na tym osiedlu nikt nie handlował bez błogosławieństwa Lenny'ego.

— Zostałeś ostrzeżony zgodnie z prawem wojennym, synku. Będziesz o tym pamiętał, prawda?

Gino skinął głową i wręczył Lenny'emu pieniądze.

Dwie minuty później stał przed blokiem i wciągał w płuca ogromne hausty zimnego nocnego powietrza.

Pognał od razu do Jude. Ona czeka na niego z niecierpliwością, a dziś wieczorem Gino też chciał spróbować brązowego proszku.

Nadszedł czas, by posmakować uroków życia. Jak powiedziała Jude, nigdy nie wiesz, kiedy przyjdzie na ciebie pora, więc lepiej cieszyć się życiem, póki trwa. A Gino chciał spróbować tylko raz, żeby zobaczyć, o co to całe halo.

— No, rusz się, Tyrell, nie możesz znów przesiadywać tu w samotności.

— Właśnie, że mogę. Mogę robić, co mi się podoba, jestem już dorosły.

Louis Clarke zaśmiał się głośno. Tyrell miał czarną czuprynę, a on jasną; przyjaźnili się od dzieciństwa. Louis był cwaniakiem i krętaczem, przystojniakiem i kobieciarzem, a zarazem najbardziej lojalnym facetem, jakiego Tyrell kiedykolwiek znał.

Przyszedł na pogrzeb Sonny'ego z braćmi. Mimo iż Sonny

kiedyś okradł jego dom, Louis uczcił pogrzeb chłopca pięknym wieńcem. Tyrell wiedział, że ten gest skierowany jest raczej do niego niż do jego zmarłego syna, ale i tak go docenił.

— Przeżyłeś kilka ciężkich miesięcy i w ogóle, to zostawia ślad, nie? Może pojechałbyś do domu i pogadał z Sally, co? Założę się, że jest rozbita.

Tyrell otworzył dwie puszki piwa i siadając, podał jedną przyjacielowi. Był boso, ubrany tylko w spodnie od dresu. Nigdy nie człapałby w takim stroju po domu, bo Sally dostałaby zawału. Pobyt tutaj doskonale mu służył. Mógł sobie siedzieć, jeść to, co lubi, a nawet chrupać coś, oglądając telewizję. Zjadł rybę z frytkami całą w soli i occie, cuchnęło tak, że śmiał się w głos. Radował się na myśl, że chłopcy niedługo go odwiedzą. Choć raz będą mieli okazję cieszyć się sobotnim popołudniem jak należy.

Odważcie się żyć niebezpiecznie, chłopcy, upuście kilka okruchów na dywan, nie żałujcie sobie!

Tyrell znów miał ochotę zaśmiać się do swoich myśli.

— Czy ty mnie słuchasz?

— Przepraszam, Lou, właśnie myślałem, jak wielką przyjemność sprawia mi to, że mogę tu być sam. Nie mogę się nacieszyć swoim towarzystwem.

— Ty zajebiście kochasz samego siebie, Hatcher, kropka! Muszę przyznać, że myślałem, że będziesz przybity tą chryją z Sal, a ty wyglądasz naprawdę nieźle po tym, co się stało.

— Czuję się tak, jakby wypuszczono mnie ze szkoły, jeśli mam być szczery. Potrzebuję pobyć trochę sam, muszę rozplątać w głowie parę spraw. Ale do diabła z tym wszystkim. Skoro już przyszedłeś, to chcę cię poprosić o przysługę.

— Dla ciebie wszystko, stary, tylko powiedz.

Tyrell wiedział, że Louis to prawdziwy przyjaciel. Był szczery, uczciwy i kochał go jak brata. Był jedynym człowiekiem, którego mógł prosić o tę przysługę, a mimo to zastanawiał się, czy Louis nie odmówi.

Wziął głęboki oddech. Kręcił palcami dredy, co zawsze świadczyło o tym, że się waha.

— To zabrzmi jak wariactwo...

Wtedy Louis parsknął śmiechem. Podniósł niedopałek skręta, zapalił go i zaciągnął się głęboko.

— Usłyszałem już od ciebie niejedno...

Tyrell się uśmiechnął, ale nie roześmiał, a tak właśnie by zareagował w normalnych okolicznościach. Louis zrozumiał nagle, że chodzi o coś poważnego.

— Chcę wiedzieć, co się stało z moim Sonnym.

Louis przyjrzał mu się badawczo. W niesamowicie niebieskich oczach Lou zawsze odbijały się wszystkie jego myśli. Tyrell spojrzał w nie z nadzieją, że przyjaciel zrozumie, o co chce go poprosić. A co ważniejsze, że zrozumie, dlaczego prosi jego, a nie kogoś innego.

— Ale ty wiesz, co się stało z Sonnym, każdy to wie — odparł Louis.

Powiedział to smutnym tonem i Tyrell wiedział, że stary kumpel uważa, iż w końcu naprawdę się pogubił. Nie dość, że zostawił cudowną żonę i zamieszkał samotnie, to jeszcze palił trawę, pił red stripe'a, a na domiar złego popadł w paranoję na punkcie morderstwa syna. Nie, musi przestać o tym myśleć jak o morderstwie. Może przyjaciel naprawdę ma rację. Może faktycznie się pogubił.

— Tyrell, zdarzyło się coś strasznego, ale sam powiedziałeś, że zrobiłbyś to samo, co ten Leary...

— Nie chodzi mi o Leary'ego — wpadł mu w słowo Tyrell. — Chcę wiedzieć, dlaczego mój chłopak w ogóle się tam znalazł. Mój Sonny, niech Bóg ma go w swej opiece, był drobnym złodziejaszkiem, kombinatorem. Nie odważyłby się obrabować takiego bunkra, bo nie bardzo umiał się włamać nawet do komunalnej nory. Wystarczy zajrzeć do jego kartoteki, on nigdzie się właściwie nie włamywał, podkradał tylko rzeczy z domów, do których poszedł w odwiedziny. A w tamtej chacie jest najnowocześniejszy system alarmowy i wszystko, co może być. Nie ma, kurwa, mowy, żeby Sonny to wszystko obmyślił, nie zrobiłby tego na własną rękę. Powiem ci coś jeszcze: gliniarze muszą to wiedzieć. Pomyśl logicznie. Sonny był dzieciakiem, wyrośniętym dzieciakiem. W życiu nie uknułby czegoś takiego w swojej łepetynie, ktoś mu musiał pomagać. I jeszcze jedna rzecz: broń. Skąd Sonny miałby wytrzasnąć półautomatycznego gnata?

Louis nie chciał mówić, że półautomatyczny pistolet to w tych czasach niemal modny dodatek do ubrania wielu młodych mężczyzn.

Podjął próbę uspokojenia przyjaciela.

— Tyrell, jesteś w żałobie...

— Pewnie, że jestem w żałobie, ale to nie ma nic do rzeczy. Posłuchaj mnie i zastanów się logicznie nad tym, co mówię.

Louis zamilkł. Nie wiedział, co zrobić ani co powiedzieć przyjacielowi. Po raz kolejny spróbował go przekonać.

— Sonny zginął tragicznie w młodym wieku. Musisz pozwolić mu odejść...

Tyrell zaczął krzyczeć. Nie potrzebował banałów, potrzebował kogoś, kto posłucha tego, co ma do powiedzenia.

— Czy słyszysz, co ja mówię? Naprawdę myślisz, że mój Sonny, który ledwie umiał zawiązać sobie sznurówki, obmyśliłby włam tego kalibru? Czyżbyś nie usłyszał ani jednego słowa, które powiedziałem? Spójrz na mnie, Louis, jestem realistą i wiem, że tej nocy odchodził jakiś numer, o którym nie wiemy. Gdzie Sonny miałby spuścić towar, który skubnąłby z takiego pałacu? Skąd w ogóle przyszedłby mu do głowy pomysł, żeby skroić Leary'ego? Zastanów się. To nie była jego arena działania, nie miał głowy do takiego skoku, w jaki się wpakował. Czemu miałby się porywać na skok na taką skalę? Nie, to był czyjś plan, na pewno nie Sonny'ego. Mój syn zginął z powodu czyjejś pazerności. Czy teraz kumasz, o co mi chodzi?

Louis rozumiał i modlił się do Boga, żeby było inaczej, bo wiedział, że jego przyjaciel nigdy nie miał złudzeń co do swego syna. Widział małego Sonny'ego dokładnie takiego, jakiego widział cały świat, a mimo to kochał chłopaka, wprost ubóstwiał. To Jude była naprawdę winna. Nitki większości sprawek Sonny'ego prowadziły do niej i do jej nałogów.

— Kto twoim zdaniem maczał w tym palce?

Louis był świadom konsekwencji swojej odpowiedzi, a Tyrell wywnioskował z tych słów, że jego stary przyjaciel będzie stał u jego boku bez względu na wszystko.

— Myślisz, że Jude coś o tym wie?

Tyrell uśmiechnął się drwiąco.

— Nie, skądże, ale ktoś na pewno wie, z kim Sonny kombinował. Musiał komuś powiedzieć. Gdyby Jude cokolwiek wiedziała, powiedziałaby mnie, a nie psom. Na pewno by ze mną o tym porozmawiała. Właśnie dlatego muszę się dowiedzieć, co tam było grane, bo inaczej nigdy więcej nie zasnę spokojnie.

Louis zastanowił się nad słowami przyjaciela.

— Od czego zaczniemy? — spytał.

Wtedy Tyrell uśmiechnął się naprawdę, pierwszy raz od tygodni.

— Wiedziałem, że mogę na ciebie liczyć, Lou.

Louis wzruszył ramionami, zakłopotany wdzięcznością starego druha.

— Jasne, że możesz, ty zrobiłbyś dla mnie to samo.

Jednak Louis martwił się w głębi duszy, bo tak samo jak reszta kolegów uważał, że Sonny Hatcher zadarł w końcu z nieodpowiednim człowiekiem i zapłacił za to najwyższą cenę. Ale jak ma to powiedzieć Tyrellowi?

— Jeśli czegoś potrzebujesz, zawsze jestem do twojej dyspozycji, przecież wiesz.

Właśnie to przyjaciel chciał od niego usłyszeć.

Lance Walker konał z bólu i zastanawiał się, kiedy Nick do niego przyjdzie. Teraz był już gotów powiedzieć mu wszystko, co tamten chce wiedzieć.

Minął tydzień, a on wciąż leżał na zimnej podłodze, ciągle był związany i powoli odchodził od zmysłów.

Dręczył go potworny ból, ramiona jakby zostały wyrwane ze stawów, usta były suche i popękane, pragnienie było o wiele gorsze od głodu. Dwa razy chluśnięto na niego wiadrem lodowatej wody, a on cieszył się, że może ją zlizywać z brudnej podłogi. Teraz jednak musiał zlizywać wilgoć ze ściany, ale żeby tego dokonać, musiał przetoczyć się w jej pobliże i dlatego drżał z bólu.

Jedynym światełkiem w tunelu było to, że Nick zawsze przychodził sam, a to oznaczało, że nie podzielił się swoją wiedzą z innymi członkami syndykatu.

Nick chciał zgarnąć całą pulę dla siebie, właśnie dlatego tutaj leżał, lecz Lance nie mógł tego wykorzystać.

Był cwany, Lance go nie docenił. Nie popełni więcej tego błędu.

Jego twarz tak spuchła, że ledwie mógł oddychać, a chłód posadzki wsączył mu się w kości.

Nick to siła i Lance o tym zapomniał. Był też za sprytny na to, żeby wyciąć jakiś numer i mieć z tego powodu kłopoty. O tym też Lance powinien był pamiętać.

Lance się zabrudził i śmierdział tak, że zbierało mu się na wymioty, ubranie przywarło do jego skóry, przylepione kałem i moczem. Mimo gniewu musiał przyznać, że na miejscu Nicka zrobiłby to samo. Jednak ta myśl nie poprawiła mu humoru.

Był bardziej niż kiedykolwiek zdeterminowany, by nie zdradzić Nickowi tego, co ten chciał wiedzieć.

Tammy była tym razem sama i naprawdę świetnie się bawiła. Przeglądała bele materiału do nowej sypialni. Postanowiła urządzić od nowa piętro, mimo że od poprzedniego remontu minęło dopiero dziewięć miesięcy. Było to właściwie konieczne, bo spustoszyła wnętrze w szale wściekłości na Nicka. Kiedy Tammy puszczały nerwy, było na co popatrzeć. Przed widowiskiem i po nim.

Teraz jednak pokazywała się od najlepszej strony: urządzanie i upiększanie domu stanowiło jej żywioł. Tak jakby kompensowała sobie wewnętrzną pustkę wydawaniem pieniędzy. Właśnie dlatego to robiła, o czym w głębi serca dokładnie wiedziała.

Zadzwoniła komórka Nicka. Motyw *Dam Busters* irytował ją, więc popędziła, żeby odebrać połączenie. Do tej pory nawet nie wiedziała, że zostawił telefon w domu. Musiał się bardzo spieszyć, jeśli go zapomniał, bo nigdy nie ruszał się bez komórki. Wróciwszy wcześniej, niż się spodziewała, Tammy usłyszała od teściowej, że Nick wyjechał ze Steviem Dalym. To ją zaintrygowało.

Nick zwykle pilnował telefonu, jakby wart był fortunę i pewnie tak właśnie było ze względu na numery telefonów, które w nim miał. Tammy dostrzegła szansę zajrzenia za kulisy. Na ekranie widniało słowo „Połączenie", które wzbudziło podejrzenia Tammy. Zwykle na wyświetlaczu ukazywało się imię dzwoniącego.

— Halo?

Cisza.

Tammy spojrzała ze zdziwieniem na aparat. Przyłożywszy go znów do ucha, powtórzyła:

— Halo!

Telefon ucichł.

Ten śmierdzący podły drań miał kociaka na boku pomimo wszystkich swoich zapewnień!

Cóż, nie będzie tego znowu przechodzić, nigdy więcej bezsennych nocy i dociekania, gdzie on jest, patrzenia i czekania, by zorientować się, co knuje. Nie. Tak dłużej być nie może. Poprzednim razem omal się nie załamała. Nick nigdy jej się do niczego nie przyznał, ale ona wiedziała. Twarz Tammy ściągnęła się z gniewu i bólu; cisnęła telefonem przez cały pokój.

Wtedy odezwał się telefon stacjonarny. Popędziła, żeby go odebrać.

— Halo!

Znów cisza po drugiej stronie.

Tammy nie wytrzymała.

Była już kiedyś w takiej sytuacji. To się więcej nie powtórzy, jeśli ona ma w tym wszystkim coś do powiedzenia.

— Słuchaj, ty zdziro, niszczycielko cudzych małżeństw! Jak się dowiem, kim jesteś, pourywam ci cycki...

Połączenie zostało przerwane i Tammy osunęła się na podłogę, w jej oczach zebrały się łzy. Nie chodziło o to, że Nick miał kociaka, to mogła znieść. Najgorsze było to, że mógł uprawiać seks z kimś innym.

A do niej nie zbliżył się od tak dawna.

Tammy kochała seks i kochała męża. Gdyby te dwie miłości mogły się połączyć. To chyba nie są wygórowane pragnienia? Większość przyjaciółek Tammy przechwalała się, że mężowie ciągle się tego domagają, a one wciąż starały się wymigiwać. Tammy też się śmiała, choć nie było w tym nic zabawnego. Jeśli Nick pieprzy się poza domem, to sprawa jest poważna. Zwłaszcza jeśli osoba, z którą to robi, ma numer jego najważniejszego telefonu komórkowego.

Nick był podobny do Tammy. Zwykle miał ich numery i sam do nich dzwonił. Ale ta musiała uważać, że ma szanse, skoro odważyła się zadzwonić do domu, w którym kochanek mieszka z żoną i dziećmi.

A teraz już jest po nim. Tammy zrobi taką awanturę, że tym razem nie udobrucha jej nawet podróżą dookoła świata.

Zaczynała planować zemstę, ale mimo to wciąż płakała z bólu.

Spoglądając na kupony materiału i próbki kolorów, zapytała samą siebie, po co właściwie się tym zajmuje. Potem jak zwykle otarła oczy, wzięła się w garść i zaczęła obmyślać plan. Nick nigdzie się nie wybiera, bez względu na to, co ta suka po drugiej stronie linii sobie myśli. Tammy zresztą też nie zamierzała się wyprowadzać.

Gary Proctor wkroczył do garażu cały w uśmiechach. Jego twarz rozjaśniła się z radości na widok Steviego.

— Cześć, stary, co słychać?

Zakładał, że Stevie przyszedł, żeby przepchnąć u Nicka jakiś interes. Pewny dochód, póki sam nie stanie na nogi.

Nikt się do niego nie odezwał, a to zaniepokoiło Gary'ego.

— Co się stało?

Nick pokręcił smutno głową, spoglądając na byłego przyjaciela. Nagle Stevie podniósł rękę i z całej siły rąbnął Gary'ego w twarz. Ten runął na ziemię, cios pozbawił go tchu. Jednak pozbierał się błyskawicznie, na jego twarzy malowało się zaskoczenie. Gary nie unikał bójki, ale musiał przyznać, że Stevie jest lepszy.

— O co, kurwa, chodzi?

Wydawał się autentycznie zdziwiony i przez ułamek sekundy Stevie nie był pewny, czy dorwał właściwego człowieka. Ale nie wątpił w swój instynkt.

— Ty pieprzony pedale! — ryknął Stevie. — Ty gnoju, próbowałeś dobrać się do tyłka mojemu młodemu siostrzeńcowi...

Oczy Gary'ego się rozszerzyły, jakby go poraził grom. Spojrzał na Nicka i zrozumiał, że się naciął, i to podwójnie.

— Słuchaj, Stevie, nie wiem, co ci powiedziano...

Gary mamrotał, usiłując się wyłgać z ciężkiego położenia. Wtedy Stevie zabrał się do bicia, jakby nie mógł się doczekać, kiedy to załatwi. Gary szybko padł pod gradem ciosów. Nick przyglądał się i zastanawiał, co powinien robić. Wiedział, że to bezcelowe próbować powstrzymać Steviego, i wiedział, że honor wymaga, by dołożył Proctorowi mocno i dotkliwie. Widząc, że Gary kuli się i chowa głowę, ucieszył się, że Proctor nie próbuje stawiać się Steviemu, bo w ten sposób jeszcze pogorszyłby swoją sytuację.

Nagle wszędzie zaczerwieniło się od krwi i Nick uprzytomnił sobie, że kastet Steviego ma zadziory. Stevie rąbnął Gary'ego w głowę z taką siłą, że musiał zaprzeć się kolanem o jego ramię, żeby wyrwać kastet z ciała.

Skrzywił się mimowolnie, wiedząc, że ból Gary'ego jest straszny, lecz jednocześnie akceptował fakt, iż kara musi być adekwatna do zbrodni, a ta była ogromna. W ich kręgu byli geje, którzy nie kryli się ze swoimi skłonnościami, a mimo to zdołali zachować wiarygodność. To ci, którzy uganiali się za dziećmi, budzili taki gniew. W ich świecie to było nie do przyjęcia, nigdy tego nie tolerowano, i dotyczyło to także mężczyzn lubiących naprawdę młode dziewczęta.

W każdym razie tych, którzy lubili trochę zbyt młode dziewczęta.

Zbrodnia Gary'ego polegała również na tym, że chciał wziąć chłopaka siłą, a to także nie było tolerowane w ich kręgu.

Stevie dyszał ciężko, nierównomiernie, wciągając w płuca zimne wieczorne powietrze. Krew była już wszędzie, nawet na suficie garażu.

Nick pociągnął Steviego za ramię.

— Daj spokój, stary, on ma już dość.

— Nie, jeszcze nie.

Stevie sapał, lecz wciąż był gotów doprowadzić robotę do należytego końca.

Gary spojrzał na swojego dawnego przyjaciela.

— Proszę cię, Nick... ostrzegam cię...

Słowa były ciche, ledwie słyszalne w niewielkim wnętrzu.

Twarz Nicka stężała.

— Co zrobisz? Podkablujesz mnie? — spytał groźnym niskim tonem.

Stevie obserwował to z zaciekawieniem. W głosie Gary'ego usłyszał coś intrygującego.

— Wiesz, że tego bym nie zrobił...

— Więc co zamierzasz zrobić? Przed czym mnie ostrzegasz?

To, co powiedział Gary, było najwyższą obrazą i wszyscy trzej zdawali sobie z tego sprawę. Nick się wyprostował na całą swoją wysokość.

— Grozisz mi, piździelcu? Po tym wszystkim, co dla ciebie zrobiłem? Dajesz plamę, a potem grozisz mi zdradą, żeby wyłgać się od wpierdolu, na który zasłużyłeś?

Nick odwiódł nogę i kopnął Gary'ego prosto w usta. Głowa odskoczyła w tył. Nick wybił mu zęby. Pięć minut później to Stevie powstrzymał go od dalszego bicia. Gary Proctor wyglądał już wtedy jak krwawy ochłap mięsa. Stevie zbadał jego puls.

— On ledwo zipie, Nick.

Nick się uśmiechnął; wyglądał dziwnie w blasku gazowej

lampy. Podszedł do kąta garażu, wziął kanister benzyny i polał nią Gary'ego. Zapach paliwa ocucił ofiarę. Proctor poruszył się, jakby chciał zobaczyć, co się z nim dzieje.

— Żartujesz, Nick? — mruknął Stevie z lękiem w głosie.

Nick pokręcił głową.

— Ani trochę! To jego nora i dlatego ją wybrałem. Może się tu usmażyć i iść do piekła, gówno mnie to obchodzi. Nie dość, że się spedalił, to jeszcze groził, że mnie załatwi, po tym, co zrobił...

Zapalił zapałkę i upuścił na postać skuloną na posadzce.

— Nikt, ale to nikt nie będzie sobie ze mną pogrywał, Stevie. I kto jak kto, ale ty powinieneś o tym pamiętać.

Swąd palonej skóry był obezwładniający. Stevie odwrócił wzrok od Gary'ego, który wił się, ogarniany płomieniami. Rozległ się stłumiony krzyk.

— Chodź, Stevie, stary druhu, muszę się napić. I coś mi się zdaje, że ty też — rzucił Nick żartobliwym tonem.

Wyszli z garażu, Nick opuścił klapę. Kłódka była duża i ciężka, a klapa okuta metalem, lecz wrzaski Gary'ego wciąż rozdzierały wieczorne powietrze. Przez brudne okna widać było skaczące płomienie. Nick spojrzał na Steviego i wzruszył ramionami.

— Przez jakiś czas nie będzie się pedalił, prawda?

Kiedy siedzieli w samochodzie, mówił o wszystkim oprócz nędznego końca swojego starego kumpla.

Stevie zawsze wiedział, że z Nickiem lepiej nie zadzierać, ale zapomniał, jaki potrafi być mściwy, jeśli zalezie mu się za skórę. Tego wieczoru wszyscy dostali dobrą lekcję.

Rozdział 11

Nickowi pękała głowa. Żałował, że musiał wypić tyle drinków, żeby uspokoić nerwy Steviego. W gruncie rzeczy marzył o tym, żeby pójść do domu, znaleźć trochę ciszy i spokoju, i uporządkować w głowie wydarzenia tego wieczoru. Tymczasem zastał miotającą się żonę i matkę przerażoną tak, że skryła się w swoim pokoju.

Naprawdę nie miał na to wszystko ochoty. Jego życie przypominało ostatnio mydlaną operę, w której kryzys goni kryzys.

— Proszę cię, to prawdopodobnie była pomyłka...

Tammy usłyszała ton znudzenia w głosie męża i w głębi duszy wiedziała, że przesadza, lecz nie mogła się powstrzymać. Tak jakby diabeł usiadł jej na ramieniu i sączył do głowy słowa idealnie obliczone na wyprowadzenie Nicka z równowagi.

— Nie waż się wciskać mi bzdur, koleś...

— Czy ta tajemnicza dama coś mówiła? Nie. Czy jej zdjęcie w cudowny sposób ukazało się na wyświetlaczu? Nie. To mógł być ktokolwiek, Tammy. Odbiło ci, kurwa, i tyle! Wszędzie widzisz kochanki, a znasz mnie lepiej niż wszyscy...

Tammy chciała mu wierzyć, lecz dręczyła się przez całą noc, doprowadzając się do obłędnej zazdrości. Teraz nie było szans przemówić jej do rozsądku. Ona sama wiedziała o tym lepiej niż Nick.

— Założę się, że macie niezły ubaw, co? Czy ona o nas wie?

O naszym tak zwanym życiu? No, odpowiedz, ty brudny, śmierdzący szczurze... — Tammy chciała się powstrzymać, ale wiedziała, że to niemożliwe.

— Ostrzegam cię po raz ostatni, Tammy. Nie dzisiaj, skarbie. Nie jestem w nastroju do znoszenia twojej histerii. — Nick wycedził to przez zęby. Tammy widziała jego zaciśnięte pięści i przeszył ją dreszcz lęku.

Tammy słyszała niebezpieczny ton w jego głosie, wiedziała, że to nie jest czas i miejsce, lecz niestety diabeł wciąż pchał ją do przodu. Podsunęła mu pod nos wymanikiurowany palec, walcząc z pokusą, żeby go drapnąć i sprowokować do prawdziwej reakcji. Bo niczego innego nigdy od Nicka nie pragnęła, tylko reakcji. Kłótnia jest lepsza od obojętności. Wszystko jest od niej lepsze.

— Ty wiesz i ja wiem, że coś kręcisz. Znam cię od dawna i teraz wszystko zaczyna do siebie pasować. Późne powroty, wóda, włóczenie się z tak zwanymi kumplami... Ty, który kiedyś nie mogłeś opuścić choćby jednego odcinka *Buffy*, bo później przez tydzień chodziłeś jak struty! Ostrzegam cię, Nick, powiedz jej, żeby wsiadła na swój zasrany rower i odjechała, bo jak wpadnie mi w ręce, to nie będzie mogła się pieprzyć z nikim, a na pewno nie z moim mężem!

Nick popijał gorącą czekoladę, starając się uspokoić, zanim naprawdę straci cierpliwość do żony. Wciąż rozmyślał o Garym Proctorze i jego groźbie, próbował przetrawić tę zniewagę. Wszystko to świadczyło o tym, że koniec końców nikomu nie można ufać.

Tyle lat przyjaźni nic nie znaczyło. Gary wiedział wszystko o interesach Nicka i to był wystarczający powód, by go skasować. Lecz Nick wmówił sobie, że chodziło o zasadę. Był otoczony przez zdrajców, takich jak Lance Walker.

Tammy, zauważywszy, że mąż przestał zwracać na nią uwagę, znów zaczęła wrzeszczeć. Słysząc samą siebie, czuła wstyd i upokorzenie. Ale to on ją tak poniżył i nigdy mu tego nie wybaczy.

Nick wyrwał się z zadumy i ryknął zmęczonym głosem:

— Obszczekujesz niewłaściwe drzewo, Tammy. Zmień wreszcie płytę, do cholery, bo czasem mam ochotę zafundować sobie romans choćby po to, żebyś miała o co dupę zawracać.

Tammy zamknęła się zgodnie z jego oczekiwaniami. Wystarczyło dać jej do myślenia, żeby ją uciszyć. Ale szybko jej przeszło.

— Więc gdzie byłeś dzisiaj w nocy? I co tu robił Stevie Daly? Pewnie nadrabialiście stracony czas. Kiedyś leciał na wszystko, co się ruszało. Czy tym zajmowaliście się w nocy? Wypożyczyłeś mu którąś ze swoich zdzir?

Nick przełknął resztkę gorącej czekolady.

— Och, zamknij się, głupia babo, nie będę odpowiadał na twoje idiotyczne pytania. I zanim znów zaczniesz, Tammy: jeśli usłyszę jeszcze jedno słowo, wyjdę z tego domu i nie wrócę, dopóki się nie odpieprzysz albo nie przymkniesz dzioba.

Nie chciał tego robić, lecz wiedział, jak ją wystraszyć. Nick nie lubił wykorzystywać swojej władzy nad nią, ale przy takich okazjach była to jedyna rzecz, którą mógł uczynić, by zapewnić sobie odrobinę ciszy i spokoju. Słowa Gary'ego Proctora nim wstrząsnęły, a później zrobił coś strasznego, coś tak przerażającego, że teraz zastanawiał się, czy nie zaczął popadać w obłęd.

Wciąż słyszał ten krzyk.

Było tak, jakby wszystko wokół Nicka się rozpadało, jakby każdy element jego życia się walił, a on nie wiedział, jak powstrzymać ten proces. Sonny Hatcher zapoczątkował łańcuch zdarzeń, które mogły doprowadzić do katastrofy. Było tak, jakby trwające od lat ślizganie się Nicka po cienkim lodzie dobiegło końca. Czuł się, jakby rzucono na niego klątwę. Jako człowiek rozsądny wiedział, że to głupie, lecz w takich chwilach jak ta prawie w to wierzył.

Ogarnęła go wściekłość, jakiej nigdy przedtem nie zaznał. Wiedział, że czasem potrafi być straszny, lecz nie osiągnąłby tego, co osiągnął, bez tej skazy charakteru. Jednak dotąd zawsze kontrolował swoją skłonność do przemocy i pozwalał sobie na nią tylko po to, by osiągnąć jakiś wyraźny cel. Teraz wydawało się, że może skrzywdzić każdego bez mrugnięcia okiem.

Im dłużej myślał o Garym, tym silniejszą czuł żądzę zabijania. Przeżył szok, gdy się dowiedział, że siostrzeniec Steviego został przez niego pobity i że jego przyjaciel próbował zmusić chłopca do seksu. Czy Nick mógłby chodzić z podniesioną głową, gdyby coś takiego się wydało? Mógł się pocieszać faktem, że Stevie chciał to zachować w tajemnicy. Lecz alkohol rozwiązywał Steviemu język.

Nick znów zamknął oczy, przygnębiony tym wszystkim.

Totalna katastrofa.

Głos Tammy przewiercał mu głowę, a on ze wszystkich sił starał się wyłączyć. Patrzył na wiadomości Sky News, chciał zobaczyć, czy będzie coś o Garym. To była straszna śmierć, więc stanowiła dobry news. Nick wiedział o tym z doświadczenia. Zerkał jednym okiem na telewizor, jednocześnie obserwując poruszające się usta żony.

Ona nigdy nie przestawała. To było tak, jakby ktoś podkręcił głośność, a później nie chciało mu się ściszyć. Nick zapragnął wyjąć z niej baterie raz na zawsze, wyobraził sobie, że ją dusi. Przez wszystkie lata ich małżeństwa widział ten obrazek oczyma duszy wiele razy i czasem dochodził do wniosku, że być może to właśnie powstrzymywało go przed zamordowaniem Tammy. Uspokajała go sama cudowna myśl, że to robi i że jej usta poruszają się, lecz nic nie mówią.

Popatrzył jej w oczy. Widać w nich było napięcie i wreszcie Nick znalazł w sercu litość dla niej. Zapragnął zabrać ją z tego pokoju i dać jej to, czego chciała, bo tylko w ten sposób mógł przekonać ją raz na zawsze o swoim uczuciu. Gdyby rzucił ją na podłogę i porządnie zerżnął, zamknęłaby się momentalnie. Bo Tammy potrzebowała rżnięcia, nie kochania się czy delikatnych pieszczot, tylko ostrego, nieprzyzwoitego seksu.

Dzięki niemu rozkwitała. Nick mógł się modlić do Boga, żeby czuł to samo.

Jego problem zaczął się przed laty, Nick myślał więc, że do tej pory zdążyła się pogodzić z tym faktem. Wiele razy proponował jej rozstanie, gotów był zgodzić się na rozwód na jej warunkach, ale ona zawsze odmawiała. Wiedział, że go kocha, i na swój sposób też ją kochał, lecz nie tak, jak ona chciała być kochana.

Tak pragnął dać jej to, czego chciała.

Ale nie potrafił. Bez względu na to, jak bardzo próbował, nie umiał już się na to zdobyć.

Zastanawiał się, kto dzwonił, kiedy go nie było. Ktokolwiek to był, rozpętał piekło i Nick wiele by dał, żeby w tej chwili przywalić mu prosto w zęby. Ciekawe, czy to któryś z kumpli Lance'a. Powinni go już szukać. Chciał, żeby to była kobieta, jego życie stałoby się dzięki temu łatwiejsze, lecz biedna Tammy oczywiście myślała, że pieprzy się na prawo i lewo ze wszystkimi, tylko nie z nią.

Czemu ona wpędza go w takie poczucie winy?

Dał jej wszystko, czego pragnęła.

Oczywiście z wyjątkiem jedynej rzeczy, która ją kiedykolwiek interesowała.

Przepchnął się obok niej, wziął kluczyki od samochodu i wyszedł z domu. Tammy wciąż za nim wrzeszczała, gdy odjeżdżał range roverem.

Nick wiedział, że groźba, którą rzucił, odbierze jej w nocy sen. Tammy naprawdę uwierzy, że ma kochankę i właśnie do niej jedzie, ale jemu było to teraz obojętne. Spał już kiedyś w samochodzie, może to zrobić znowu.

Zwłaszcza jeśli dzięki temu nie będzie musiał słuchać wrzasków i zawodzeń żony.

Carlosa Brenta zdziwił widok Tyrella siedzącego w jego mieszkaniu, choćby z tego powodu, że wiedział, iż Tyrell nie zajmuje się brudną robotą. W każdym razie nie na tę skalę co Brent, bo nie kradł i nie robił włamań.

Tyrell jednak zajmował się brudną robotą: ochroniarstwem, egzekucją długów i tak dalej. Kupował też długi i właśnie w ten sposób zarobił większość pieniędzy.

Carlos sprzedał mu parę długów i musiał przyznać, że Tyrell chodził je zbierać tam, gdzie większość jemu podobnych bała się zapuszczać. Wykorzystywał siatkę rastafarian zakapiorów, niestroniących od bójki; tak zapracował na swoją legendę. Lecz jeśli chodzi o poważne przestępstwa, to nikt nie nazwałby go łotrem. To jednak nie oznaczało, że nie mógłby, gdyby zechciał, bo miał siłę i kontakty; po prostu mu się nie chciało.

Głupio z jego strony.

Gdyby Carlos miał tyle fartu, żeby przyjaźnić się z takimi gośćmi jak Clarke'owie, w mgnieniu oka opanowałby cały ten cyrk.

Clarke'owie byli legendą swoich czasów. Zajadli i bezkompromisowi, stali za większością najbardziej przerażających epizodów w przestępczym świecie. Nikt nie śmiał wystąpić przeciwko nim, a Tyrell miał posłuch u całej rodziny; najmłodszy z Clarke'ów traktował go niemal jak brata. A mimo to Tyrell wciąż zasuwał na życie, nie najgorsze, trzeba przyznać, lecz nie takie, jakie mógłby mieć dzięki kilku słowom swoich kumpli.

Krótko mówiąc, Carlos Brent uważał Tyrella za cipę. Jednak oddawał mu sprawiedliwość, przyjaźn Tyrella z Clarke'ami miała swoją wymowę.

Carlos specjalizował się w dostarczaniu żelastwa. Załatwiał gnaty dla najrozmaitszych ludzi na najrozmaitsze okazje. To właśnie robił i był w tym świetny. Choć sam tak twierdził, nie mijał się z prawdą. Żaden z dostarczonych przezeń pistoletów nie mógł zostać namierzony i nie mógł doprowadzić do niego policji. Carlos był na to o wiele za sprytny.

Policja mogła trafić na jego ślad tylko wówczas, gdyby ktoś sypnął go policji, a to mu nie groziło.

Carlos się o to postarał.

Wiedział również o synu Tyrella. Mimo iż jedna część jego świadomości głośno wyrażała współczucie, druga nic a nic nie przejmowała się marnym końcem tego małego skurczybyka. Carlos zachowywał jednak swoje zdanie dla siebie i dalej wydawał odpowiednie pomruki.

Tak się złożyło, że Tyrell zjawił się ze swoim kumplem Louisem, który, choć sam nie należał do wagi ciężkiej, miał odpowiednie powiązania dzięki swoim trzem braciom. Pozostali Clarke'owie byli tego roku największą siłą, zwłaszcza że działali grupowo na modłę mafii. Louisa zawsze uważano za kogoś w rodzaju wolnego strzelca, lecz mimo to nie należało go z góry lekceważyć. Zwłaszcza że przyprowadził ze sobą swojego brata, Terry'ego. Dlatego Carlos udawał, że cieszy się ze spotkania, mimo iż marzył tylko o tym, by pójść do łóżka i przelecieć swoją aktualną ukochaną.

Flora była osiemnastoletnią blondynką, miała duży biust (warunek konieczny dla Carlosa), długie nogi i jędrny tyłek. Jej jedyną wadą był wyjątkowo ciężki bradfordzki akcent, ale ponieważ Carlos nie zamierzał omawiać z nią żadnych ważnych spraw, mógł przez jakiś czas przymykać na to oko. Była gotowa, tak jak wszystkie, a Carlos zaczynał mieć dość litanii żalów Tyrella. Prowadził ciekawsze konwersacje z frajerami w pubach. Przynajmniej mógł posłać ich w cholerę i pójść do domu, kiedy go znudzili.

— Musiało ci być ciężko, stary.

Carlos starał się nasycić głos jakimś uczuciem, lecz na próżno, bo chciało mu się tylko ziewać.

Tyrell skinął głową, wiedząc, że tamten nie poświęca mu całej swojej uwagi, ale nie mógł wiele na to poradzić. Jednak Terry Clarke, najmłodszy z braci, był innego zdania i głośno je wyraził.

Terry miał skłonność do rozróby. Słynął z wojowniczości i uznając zachowanie Carlosa za wyraz lekceważenia jego i jego rodziny, rzucił sarkastycznie:

— Co jest? Przeszkadzamy ci, koleś?

Carlos się zdumiał.

— Że co?

Louis zamknął oczy zmieszany.

— Daj spokój, Terry.

Lecz Terry pokręcił głową. Był potężnym mężczyzną. Znał doskonale swoją wartość.

— Takiego wała! Umówiliśmy się na to spotkanie. Nie stanęliśmy znienacka w progu, prawda? — Odwrócił się do

Carlosa. — Jeśli nie chciałeś tej rozmowy, trzeba było powiedzieć, koleś. Chcemy tylko usłyszeć odpowiedzi na kilka pytań, to wszystko. To nie jest wyższa matematyka.

Terry żywił osobistą urazę do Carlosa, lecz za nic by się z tym nie zdradził. Carlos załatwił gnata, z którego później postrzelono w akcie zemsty jednego z „robotników" rodziny Clarke'ów. Terry wiedział, oczywiście, że taki jest charakter interesu, który prowadzi z braćmi, i że Carlos nie ponosi żadnej winy, ale niechęć pozostała. Rana postrzałowa była ciężka jak diabli, a ponieważ większość krążących w okolicy pistoletów pochodziła od tego skurczybyka, Terry czuł, że ma słuszny powód do oburzenia.

— Chcemy tylko wiedzieć, Carlos, czy to ty skombinowałeś gnata, którego miał jego syn. Mam ci przystawić lampę do łba czy odpowiesz na pytanie, żebyśmy mogli pójść do domu i walnąć się do łóżka?

Louis się uśmiechnął. Pod pewnymi względami Terry był draniem, ale nie można było go nie lubić. Lubili go mężczyźni i lubiły kobiety, ku rozpaczy Renee, jego cierpiącej od dawna dziewczyny i matki pięciorga jego dzieci. Terry miał też gorszą stronę: kiedyś gonił trzech mężczyzn w tunelu Rotherhithe z maczetą, a miał wtedy dopiero osiemnaście lat. Takie opowieści ciągną się za człowiekiem, a Terry wiedział o tym jak nikt inny.

Carlos patrzył na niego ze zdumieniem, lecz w nim także żarzył się gniew. On też był rosłym mężczyzną, pół Hiszpanem, pół Antiguańczykiem. Odziedziczył temperament po matce Hiszpance i smykałkę do interesów po ojcu pochodzącym z Antigui. Nie mógł nie zareagować na takie słowa, musiał odpowiedzieć temu chłoptasiowi, a nie był dzisiaj w nastroju.

Tyrell uratował sytuację.

— Jak widzisz, Carlos, śmierć mojego Sonny'ego narobiła trochę zamieszania w naszych kręgach.

Oznaczało to: „Pomóż nam", a wtedy Terry z ciebie zejdzie. Jednocześnie w łagodny sposób wyrażało groźbę. Właśnie tak załatwiało się sprawy w ich świecie, a Tyrell doskonale znał tę grę. Mimo to czuł się dziwnie, wracając do niej po tylu latach. W młodości był jednym z nich, należał do ferajny. Nigdy jednak nie przepadał za skrajną przemocą — ani za żadną, jeśli o to chodzi — mimo iż stanowiła integralną część ich świata.

Jego ochroniarze musieli mieć odpowiednią reputację, bo w przeciwnym razie nie było sensu ich zatrudniać. Niektórzy nosili broń, a Tyrell o tym wiedział i to pochwalał; wiedział również, że większość prawdopodobnie kupiła gnaty od Carlosa. Znał go i był pewien, że Carlos może im pomóc, jeśli zechce. To była delikatna sytuacja dla Carlosa i wszyscy zdawali sobie z tego sprawę, lecz Tyrell miał nadzieję, że przez wzgląd na młody wiek Sonny'ego handlarz pójdzie mu na rękę.

Carlos był już jednak wkurzony i dostrzegł wyjście z sytuacji. Przedtem już prawie zdecydował, że puści trochę pary, ale teraz postanowił, że będą musieli obejść się smakiem.

— Załóżmy, że sprzedałbym wam dzisiaj gnata, a wy załatwilibyście z niego któregoś z naszych znajomych.

Wszyscy skinęli głowami.

Carlos rozłożył ramiona i ciągnął myśl:

— Przypuśćmy, że ten, którego zastrzeliliście, miał braci, a oni chcieliby się dowiedzieć co i jak, a ja wysłuchałbym ich łzawej historyjki...

Skinął na Tyrella.

— Tylko się nie obraź, stary. Ale przypuśćmy, że powiedziałbym im, komu sprzedałem żelastwo, a oni by się do was dobrali, jak bym wyglądał?

Terry wyszczerzył zęby w uśmiechu.

— Jak zafajdany sztywniak.

Carlos parsknął śmiechem.

— Dokładnie. Więc czemu miałbym łamać dla was zasady? Sprzedaję towar, a wy robicie z nim, co chcecie, zgadza się? Zaspokajam popyt ni mniej, ni więcej. Gdybym ja go nie sprzedawał, robiłby to jakiś inny skurwiel. I po mocno zawyżonej cenie, muszę dodać. Nie ponoszę odpowiedzialności za sposób użycia sprzętu nabytego w moim lokalu i niestety nie mogę złamać zasady poufności związanej z transakcją, bo naraziłbym się na opinię największej szczekaczki w południowym Londynie. Kumacie?

Terry westchnął.

— Jest w tym sporo racji.

Przyznał to niechętnie, ale musiał być sprawiedliwy. On też, podobnie jak Carlos, nie paplałby na wszystkie strony, kto i co kupił, bo w ten sposób mógłby rozpętać piekło.

Carlos wiedział, że jest o krok od zwycięstwa.

— Nigdy, powtarzam, nigdy, nie rozmawiam z nikim o moich transakcjach. Gdybym to robił, Stary Bill prułby do mnie tak, że paliłyby mu się gumy w bryce. Nawet obijając się po celi, trzymałem język za zębami, o czym, kurwa, dobrze wiecie.

Spojrzał na trzech mężczyzn. Carlos przesiedział osiem miesięcy w areszcie za posiadanie broni i wyszedł tylko dzięki sztuczkom bardzo elokwentnego i bardzo drogiego adwokata, który udowodnił, że policja popełniła drobne uchybienia w czasie rewizji.

— Obawiam się, że w żadnych okolicznościach nie mogę zmienić zasad handlowych, żeby wam dogodzić. Przykro mi z powodu chłopaka, ale takie rzeczy się zdarzają. Nie wolno mi rozmawiać o niczym, co ma związek z poszczególnymi transakcjami, jak już wyjaśniłem. Ludzie kupują mój towar, a później to już od nich samych zależy, co z nim zrobią.

Carlos powiedział to w sposób otwarty i przyjazny. Właśnie wyplątał się z potencjalnie niebezpiecznej sytuacji.

Uśmiechnął się rozbrajająco.

— Ale mogę powiedzieć jedno: szukajcie bliżej domu. Zdążyłem się już przekonać, że często właśnie tam trafia się na informacje, które najmniej chce się usłyszeć.

— Co chcesz przez to powiedzieć?

Terry nigdy nie grzeszył bystrością; wciąż próbował dociec, co właściwie powiedział Carlos.

— To tylko takie spostrzeżenie, jak wymiana zdań między braćmi.

Carlos uśmiechnął się do Tyrella.

Ten zaś skinął głową, rozumiejąc, co handlarz miał na myśli. Jednak rozgryzł to już wcześniej na własną rękę.

W głowach wszystkich obecnych dudniło jedno nazwisko: Hatcher. Jude Hatcher.

Nick spojrzał na człowieka, którym był Walker, i westchnął. Cuchnęło niesamowicie, lecz widok dawnego przeciwnika leżącego na podłodze nie wywarł na nim najmniejszego wrażenia.

Lance go okradł i to załatwiało kwestię uprzejmości.

— Wyglądasz jak upiór z horroru.

Lance gapił się na niego zapadniętymi oczami.

— Odpierdol się.

Słowa były niewyraźne, mówienie sprawiało Lance'owi ból. Tylko czysta nienawiść utrzymywała go przy życiu i obaj zdawali sobie z tego sprawę.

— Odpierdol się, ty cwelu.

Nick przykucnął i spojrzał w twarz Lance'a. Zdumiewała go odporność ludzkiego ducha.

— Właściwie jesteś już martwy. Wiesz o tym, prawda?

Tym razem Lance nie odpowiedział. Znów zapadał w śpiączkę.

Nick wstał, odszedł od kłębka brudnych łachów i zapalił papierosa, żeby zneutralizować smród. Po dziesięciu minutach chlusnął na leżącego wiadro wody.

— Idę zjeść soczysty stek i popić butelką wina. Będę myślał o tobie, o tym, że leżysz tutaj i zdychasz.

Znów uśmiechał się do Lance'a.

— Masz mi coś do powiedzenia? Jeśli tak, wybawię cię z tego syfu, przysięgam.

Lance się zakrztusił.

— Wała.

To była ostateczna odpowiedź, obaj mieli tego świadomość.

Nick westchnął z udanym żalem. Westchnienie odbiło się echem od wilgotnych betonowych ścian.

— W porządku. Pa, pa, Lance. Nie rób niczego, czego ja bym nie zrobił.

Odszedł, śmiejąc się i słuchając, jak Lance Walker obrzuca go wszystkimi wyzwiskami, jakie istnieją pod słońcem.

Gino spojrzał na igłę, którą podawała mu Jude. Podwinął rękaw i nawet zawiązał opaskę na ramieniu. Jego żyła sterczała zapraszająco, adrenalina przyspieszała bicie serca.

Nie było to jednak podniecenie, tylko strach.

Teraz, gdy nadszedł czas, Gino nie był wcale taki pewny, czy chce to zrobić. Jude wyglądała strasznie w półmroku brudnego pokoju. Marycha, którą wypalił, wywoływała paranoiczny lęk, igła wydała się olbrzymia w drobnej dłoni Jude.

Jego zęby były w okropnym stanie z powodu strachu Gina przed igłą i dentystą, a przecież właśnie zamierzał się ukłuć. Gdzie tu logika?

— Chcesz, żebym to zrobiła, skarbie?

Jude mówiła niskim, mruczącym głosem, jej oczy były zamglone, bo wcześniej mocno sobie strzeliła. Wyglądała teraz łagodniej, z oczu zniknął obłąkańczy, nerwowy wyraz narkotycznego głodu, który po jakimś czasie pojawia się u większości uzależnionych od heroiny. Troska o Gina przydała jej delikatności, prawie dobroci. Lęk chłopaka nagle się ulotnił.

Szeptała głosem pełnym wyrozumiałości, objaśniając swoje myśli.

— Mam w rękach absolutne zapomnienie, Gino. Trzymam w nich klucz do religii całego świata i tego, co obiecują. Po co siedzieć na górze w Nepalu i gadać do jakiegoś zgrzybiałego lamy, jeśli u mnie w domu możesz wejść do Walhalli?

Uśmiechnęła się do swoich słów, usłyszanych zbyt dawno temu, żeby mogła je dokładnie zapamiętać. Przynajmniej nie chodziło jej o jego ciało, a właśnie z tego powodu pierwszy raz wstrzyknięto Jude heroinę.

— Najpierw poczujesz kopa, później stopniowe rozluźnienie ciała i umysłu, a potem znajdziesz się w tamtym miejscu, Gino, a tam jest tak dobrze. Nie ma rachunków, trosk, niczego oprócz poczucia całkowitego i absolutnego zrozumienia. Kiedy poznasz to miejsce, będziesz chciał w nim zostać na zawsze.

Gino uśmiechał się do niej, to brzmiało w jego uszach wspaniale.

Ostatnio pragnął zapomnienia bardziej niż czegokolwiek innego. Odpowiedzialność za śmierć Sonny'ego, którą od czasu do czasu czuł, bardzo mu ciążyła. Powinien był lepiej się nim zająć, ale zostawił go, kiedy Sonny zaczął pracować na własną rękę. Nic nie skłoniłoby go do tego, co zrobił Sonny, żeby zaspokajać nałóg matki.

Matka Gina próbowała powstrzymywać syna przed tym, by nie stał się, jak to określała, „jeszcze jednym punktem w statystyce"; Jude natomiast zachęcała swego syna do robienia wszystkiego dla pieniędzy, których potrzebowała do zaspokajania nałogu.

Tylko to doprowadziło go do śmierci, tylko ci ludzie, z którymi zaczął się zadawać. A Gino go z tego powodu zostawił i teraz targało nim poczucie winy.

A w tej chwili Jude podsuwała mu wyjście.

— Zaciągnij kurtynę świata, synku, i spokojnie usuń się we własny świat.

Jude przyciągnęła rękę Gina i wprawnym ruchem poklepała żyłę, która po chwili wystawała bardzo wyraźnie. Wciąż się uśmiechając, Jude wsunęła igłę pod skórę.

Najpierw powoli wstrzyknęła heroinę do krwi, później wciągnęła krew, żeby oczyścić strzykawkę, a następnie wpuściła do ciała krew razem z resztką narkotyku.

Gino czuł się, jakby zrobiono to komuś innemu. Nagle dostał kopa i położył się z zamkniętymi oczyma.

Kiedy tak leżał, Jude poszła do kuchni po miskę do zmywania. Wyrzuciła brudne sztućce do zlewozmywaka i postawiła puste naczynie na podłodze koło Gina. W samą porę. Chłopak niemal natychmiast zaczął się trząść, organizm usiłował pozbyć się obcej substancji z krwiobiegu.

— Walcz z tym, Gino, później zobaczysz, że było warto, synku.

Gino pocił się i wymiotował. Słyszał tylko śmiech Jude i jej zapewnienia, że im dłużej się bierze, tym jest łatwiej.

Angela zapukała delikatnie do drzwi sypialni.

— Odejdź.

Tammy już nie krzyczała, jej głos był prawie niesłyszalny; Angela otworzyła drzwi i wśliznęła się do pokoju.

Sypialnia wciąż ją zdumiewała, była większa od całego mieszkania, w którym przeżyła dzieciństwo. Zobaczyła synową zwiniętą w kłębek na sześcioipółmetrowej szerokości łożu; wydawała się taka mała i opuszczona, że po raz pierwszy Angela poczuła dla niej odrobinę współczucia.

— On wcale tak nie myśli, Tammy.

Dolna warga Tammy drżała, jej niebieskie oczy były zaczerwienione od płaczu. Ujrzawszy teściową w sypialni bez drwiącego uśmieszku na twarzy, przemawiającą do niej tak łagodnie, nie wytrzymała.

Znów wybuchła płaczem.

Angela usiadła na brzegu łóżka i poklepała ją delikatnie po plecach.

— Już dobrze. Przynieść ci drinka? A może herbaty?

Tammy pokręciła głową i usiadła powoli. Kaszląc i pociągając hałaśliwie nosem, powiedziała:

— W barku jest brandy.

Angela nie była przeciwniczką mocnych trunków, więc podeszła do szafki i nalała dwie solidne porcje. Luksusowa sypialnia, za którą zapłacił jej syn, zalana była miękkim światłem. Angela niechętnie przyznała, że czasem Tammy miała rację, jeśli chodziło o męża. Nick, choć dobry był z niego chłop, może — ale tylko może — nie zasługiwał na tytuł męża roku. Ale czy miał na to szansę, jeśli wyszedł z takiego środowiska, z jakiego wyszedł? Oglądając jako dziecko takie rzeczy i doświadczając tego, czego doświadczył?

Syn, którego bardzo kochała, miał jakiś niedostatek, jakąś skazę charakteru, która zawsze będzie mu psuła normalne życie. Jego ojciec poniewierał nimi wszystkimi, odebrał ostatnią resztkę wiary w siebie, którą mieli, i wdeptał w błoto brudnymi słowami i agresją.

Angela wciąż go słyszała, jak bije dzieci i wpędza je w przerażenie, aż wreszcie Nick mu odpłacił. W dniu, w którym to uczynił, życie ich wszystkich zbliżyło się do normalności. Mimo iż wtedy żadne z nich nie wiedziało już, czym naprawdę jest normalność.

Jej synowi czegoś brakowało i Angela zawsze o tym wiedziała; przez te lata zbierała drobne kawałeczki, przeważnie dodając dwa do dwóch, i w ten sposób zdobyła wiedzę o synu, której ta biedna dziewczyna nigdy nie pojmie. Znała go aż za dobrze, lecz nie mogła pozwolić, by przerażona kobieta siedząca przed nią w tej chwili poznała choćby fragment tej wiedzy.

Śmierć młodego włamywacza sprawiła, że otworzyła się puszka Pandory. Tylko Angela o tym wiedziała i nie zamierzała nikomu powiedzieć. Nikomu nie śmiałaby o tym powiedzieć.

To ojciec przygotował grunt pod życie jej syna, a ona nigdy go nie zdradzi, ujawniając to wszem wobec. Nick jest dziwny; przyznając to przed samą sobą, Angela odczuła pewną ulgę. Jej syn jest dziwny i potrafi być niebezpieczny, a wszystko to za sprawą niewylewającego za kołnierz Irandczyka, za którego wyszła za mąż w pijanym widzie.

Czy mogła zrobić więcej? Znała odpowiedź na to pytanie. I wiedziała, że gdyby coś zrobiła, ta dziewczyna nie byłaby narażona nawet na połowę tego, co musiała wycierpieć.

Własne myśli wzburzyły Angelę, ale wiedziała, że ma rację. Chrapliwe szlochy synowej wreszcie zmiękczyły jej twarde serce. Nigdy nie lubiła tej smarkuli, która odebrała jej syna, i często surowo ją oceniała, widząc, jak ich małżeństwo powoli się psuje.

Lecz dzisiaj po raz pierwszy w życiu Angela odrobinę litowała się nad synową. Trzymając Tammy w ramionach i czując, jak ta się trzęsie, w końcu doszła do wniosku, że może ją naprawdę polubić.

W jakiś dziwny sposób zawsze lubiła Tammy. Była tylko niechętna jej uczestnictwu w życiu Nicka. Kiedy Nickowi zaczęło się dobrze powodzić, Angela doszła do wniosku, że lepiej by było, gdyby znalazł sobie żonę, która ugruntuje jego świeżo zdobyty majątek i pozycję. Angela wiedziała jednak, że gdyby wybrał kobietę z wyższej klasy, nie porządziłaby w tym domu długo, tymczasem Tammy z radością zostawiała jej wszystko.

Z biegiem lat Angela przekonała samą siebie, że to Tammy jest przyczyną psucia się tego małżeństwa. Jednak od dnia śmierci włamywacza oglądała drugą stronę natury Nicka. Z dnia na dzień jej uczucia do Tammy stały się cieplejsze, zaczynała dostrzegać, jak trudne jest jej życie.

Czuła, że nielojalność wobec syna pali ją od środka, lecz rozdzierające szlochy tej wciąż młodej kobiety poruszały ją coraz bardziej. Angela ściskała ją mocno, wyczuwając delikatne kości i szczupłą figurę, której nie zmieniło nawet urodzenie dwóch dorodnych chłopców. Najgorsze było to, że szloch Tammy wyrażał skrajną samotność i rozpacz; Angela wiedziała, że po części ponosi za nie winę. To ona krzątała się na drugim planie, od pierwszego dnia starając się wbić klin między męża i żonę.

Okazało się jednak, że jej pomoc nie jest potrzebna, Angela słuchała przez długie lata błagań tej biednej dziewczyny, by mąż spełniał swój obowiązek, a jej serce kierowało się przeciwko niej. Teraz jednak nawet ona musiała przyznać, że Tammy, niech Bóg zachowa ją w swej opiece, miała trochę racji.

Wnuczkowie, których Angela kochała, wydawali jej się trochę podejrzani. Ich oczy różniły się kształtem i kolorem, byli inaczej zbudowani, jeden miał kędziory, a drugi włosy jak jedwab... Odsunęła od siebie te myśli. Nick ich kochał, a nigdy nie zaakceptowałby kukułek we własnym gnieździe, prawda?

— No, moja śliczna. Wypij brandy, to ci przyniesie ulgę.

Wypłakawszy wszystkie łzy, lecz wciąż trzęsąc się z emocji, Tammy połykała palący trunek i kaszlała, gdy wpadał jej do gardła. Linie wokół oczu były wyraźniejsze niż zwykle, lecz mimo to wydawała się Angeli bardzo młoda. Bez makijażu jej naturalna uroda była lepiej widoczna. Umalowana sprawiała wrażenie bardziej kruchej, przypominała lalkę. Teraz wyglądała jak słodkie dziewczę, którym zawsze była, choć nigdy tego nie dostrzegała.

— On cię tu przysłał? — spytała Tammy niskim szorstkim głosem, wyczerpanym krzykiem i płaczem. Było w nim także mnóstwo nadziei. Jeśli to Nick kazał matce iść na górę, znaczyło to, że mu na niej zależy, że zaraz po kłótni wrócił do domu.

Angela pokręciła smutno głową.

— Nie, Tammy. Ale nie mogłam dłużej słuchać, jak rozpaczasz.

Milczały przez chwilę. Od tak dawna nie rozmawiały ze sobą w ten sposób, że wydawało się to nienaturalne, wymuszone.

— Więc on nie wrócił?

— On wcale tak nie myślał, skarbie, nie ma nikogo oprócz ciebie.

Tammy uśmiechnęła się cynicznie.

— Chciałabym w to wierzyć, ale wiem, że ktoś jest, czuję to w środku.

Angela westchnęła.

— On cię kocha, wiesz o tym. Nawet gdyby ktoś był, i tak nic by to nie znaczyło. Jesteś dla niego bardzo ważna.

Rozłożyła ręce i wskazała gestem sypialnię.

— Spójrz na ten dom, dziewczyno, on nie dałby ci tego wszystkiego, gdyby mu na tobie nie zależało. Nie kupowałby ci tych samochodów, zegarków i wszystkich innych rzeczy, gdyby mu nie zależało na tobie, prawda?

Tammy słuchała tych słów z przyjemnością, mimo że brzmiały dla niej pusto. Podarunkami Nick usiłował ją udobruchać, a także uciszyć swoje sumienie. Oddałaby wszystko i znów zamieszkała w komunalnym mieszkaniu, w którym gnieździli się po ślubie, gdyby to przywróciło bliskość między nimi.

Gdyby Nick jeszcze choć raz przytulił ją tak jak wtedy. Właśnie tego pragnęła najbardziej, poczucia bezpieczeństwa w jego ramionach, bycia pożądaną przez mężczyznę, którego kochała tak bardzo, że samo patrzenie na niego sprawiało jej wprost fizyczny ból.

Rozdział 12

Gino cierpiał. Minęła dopiero dziewiąta trzydzieści rano, a on czuł się tak, jakby przejechała po nim ciężarówka. Całe ciało przenikał ból i dręczyło go niewiarygodne pragnienie. Poza tym nadal bolał go żołądek, a wypita kawa ciążyła w trzewiach. Jude poradziła mu, by zaspokajał pragnienie musującymi, słodkimi napojami, gdyż na jakiś czas neutralizują także głód narkotyczny. Gino zachował tę radę na przyszłość.

Minie kilka dni, zanim przestanie porządnie jeść i kilka tygodni, zanim straci na wadze. Tylko kilka tygodni dzieliło go od początku uporczywego bólu, który sprawi, że Gino zrobi wszystko dla następnej działki.

Jednak w tej chwili wciąż była to dla niego nowość i był zdeterminowany, by wycisnąć z niej jak najwięcej i przyjąć to nowe uczucie z taką godnością, na jaką wciąż umiał się zdobyć. Wszedł do brudnej łazienki i spojrzał w lustro. Miał czarne kręgi pod oczami, a skórę bladą i zwiotczałą. Własny wygląd wprawił go w szok i wiedział, że matka od razu by się zorientowała, iż bierze twarde narkotyki. Właśnie tego obawiała się najbardziej i Gino poczuł się trochę nieswojo, lustrując uważnie swoje przerażające odbicie. Naprawdę kochał matkę, lecz jej nieustanne przynudzanie doprowadzało go do obłędu. Po odejściu ojca za bardzo na nim polegała. Jednak teraz, gdy pojawił się w jej życiu nowy facet, Gino miał więcej wolnego czasu.

Tymczasem matka naprawdę się o niego troszczyła i od śmierci Sonny'ego cały czas miała go na oku. Gino obiecywał jej raz po raz, że nie podąży tą samą drogą, co większość nastolatków z osiedla. Ale to było strasznie trudne, bo branie narkotyków jest ekscytujące. Pozwala zapomnieć o nudzie i podnosi wiarygodność młodego chłopaka na osiedlu.

Narkomanów się znało, cieszyli się swoistą sławą i podobnie jak dla większości młodych dorastających w tej okolicy, była to dla Gina jedyna sława, na którą mógł liczyć. Od tej pory będą na niego wołać „ćpun".

Spodobał mu się kop, a kiedy wreszcie odjechał, poczuł coś w rodzaju spełnienia, które też sprawiło mu satysfakcję. To było tak, jakby spał, choć miał świadomość, że nie śpi. Niesamowite. Odjazd trwał chwilę, lecz kiedy się powtórzył, doznał poczucia całkowitego i absolutnego oddzielenia. Wszystkie kończyny stały się ciężkie, a skóra zaróżowiła, kiedy narkotyk uderzył do mózgu. Później było tak, jakby znalazł się w wannie pełnej lepkiego karmelu. Ruchy były przez chwilę ograniczone, lecz nie miało to znaczenia, bo i tak nigdzie się nie wybierał. Wrażenie było cudowne: żadnych trosk, żadnych zmartwień, samo istnienie. Efekt minął po kilku godzinach i Gino natychmiast zapragnął powtórki.

Podwinął rękaw koszulki od Johna Rocha i spojrzał na ślad po nakłuciu na ręce. Uśmiechając się do siebie, postanowił zrobić to jeszcze raz. Wtedy zgodnie z obietnicą Jude osiągnie zapomnienie, którego tak rozpaczliwie pragnął.

Było dokładnie tak, jak powiedziała: czy świat ma mu do zaoferowania coś, czego Gino nie może znaleźć w swojej głowie?

Nick wśliznął się do domu o wpół do ósmej nazajutrz rano i jego oczom ukazał się zaskakujący widok. Jego matka i żona siedziały w kuchni i rozmawiały — nie krzyczały na siebie, nie kłóciły się i nie drwiły z siebie, tylko ze sobą rozmawiały.

Wrażenie było niemal surrealistyczne.

Nick żartował, że ostatnio widział Tammy w kuchni przed operacją wstawienia implantów, a to tylko dlatego, że trzymali w spiżarni butelkę wódki.

Po spędzeniu nocy na siedzeniu range rovera miał nadzieję, że wykąpie się w łazience dzieci, znajdzie czyste ubranie i wymknie się z domu, zanim Tammy zdoła oderwać głowę od poplamionej tuszem poduszki. Tymczasem ona siedzi z jego matką, popijając herbatkę, i obie nie wyglądają na uszczęśliwione jego widokiem.

Tym razem zaliczył podwójne trafienie. Jeśli matka przeszła na stronę Tammy, on zostanie na lodzie. I to bez łyżew.

— Więc jakoś zdołałeś doczołgać się do domu? — rzuciła drwiąco Tammy.

— Nie, jestem przywidzeniem. Wszyscy je dzisiaj mamy, bo przed chwilą zdawało mi się, że siedzisz wesolutka jak skowronek i ćwierkasz z moją mamuśką. Czyżby ktoś wsypał extasy do wodociągu?

Tammy miała chęć się roześmiać, ale wiedziała, że to niebezpieczne. Nick miał dar rozśmieszania jej i gdy zobaczy, że ona się śmieje, będzie wiedział, iż jest już u niej na plusie. Dzisiaj była zdeterminowana, żeby nie dać mu się na to złapać.

— Zabiłbym za filiżankę herbaty.

Nick wiedział, że Tammy jest o krok od wybuchnięcia śmiechem; wolał skłonić ją do śmiechu zamiast do płaczu, co ostatnio nie zawsze mu się udawało.

— Naprawdę? Więc włamywacze się już skończyli?

Tammy zobaczyła, że twarz męża blednie i pożałowała swoich słów.

— To było niełądne.

Nawet na nią nie krzyknął. Wyszedł z kuchni, jego kroki zadudniły na schodach.

— To było naprawdę nieprzyjemne, Tammy, nawet jak na ciebie. Idź i porozmawiaj z nim — nakazała teściowa.

Tammy potrząsnęła głową i odparła szczerze:

— Nie mogę. Chcę go zranić, Angelo, ostatnio noszę w sobie właśnie to pragnienie. Jeśli pójdę na górę, doprowadzę do kłótni, bo będę chciała się dowiedzieć, gdzie spędził noc. Powie, że spał w samochodzie, a ja będę wiedziała, że kłamie, powiem mu to, wyniknie wielka awantura i sprawy przybiorą jeszcze gorszy obrót.

Uśmiechnęła się do teściowej.

— Wiem, co robię, widzisz? Wiem, że jestem głupia i powinnam trzymać buzię na kłódkę, tak jak radzą w kolorowych magazynach. Ale nie potrafię. Muszę mu to powiedzieć, muszę poznać prawdę.

Wstała.

— Będzie lepiej mieć kłótnię za sobą teraz, zanim Nick weźmie prysznic.

Tammy wyszła z kuchni, biorąc ze sobą kubek z herbatą. W holu zobaczyła swoje odbicie w pełnowymiarowym lustrze. Wyglądała dobrze, wiedziała o tym. Czemu on tego nie dostrzega?

Nick już był pod prysznicem koło sypialni, a jego komórka dzwoniła. Tammy rozlała herbatę na polerowaną dębową podłogę, pędząc do telefonu, żeby uprzedzić Nicka. Głośne dźwięki melodii *Dam Busters* raniły jej uszy.

— Halo!

Tammy usłyszała kobiecy głos.

— Kto mówi? Nick, to ty?

— Mówi jego żona — odparła cicho Tammy.

— O, cześć, Tammy. Mówi żona Gary'ego, jest tam Nick? Bo Gary znów nie ściągnął na noc do domu...

Tammy poczuła ulgę, słysząc Maureen. Niemożliwe, żeby to ona była kociakiem Nicka, nie miała warunków. Tammy mogła być dla niej miła.

— Nick jest pod prysznicem. Właśnie miałam zamiar do niego wskoczyć, wiesz, jaki on jest! — Kłamstwo spłynęło z jej języka ze zwykłą łatwością. — Powiem mu, żeby do ciebie oddzwonił, dobra?

— Nick przynajmniej się kąpie, a Gary i woda są po przeciwnych stronach barykady.

Tammy parsknęła śmiechem.

— Wiem, że spotkał się wczoraj wieczorem z Nickiem i nie widziałam gnoja od tej pory, a mamy kupować nową sofę — ciągnęła Maureen.

Tammy skinęła głową, zapominając, że rozmówczyni jej nie widzi.

— Każę mu do ciebie oddzwonić.

— Dzięki, skarbie.

Tammy przerwała połączenie i stała, lekko stukając się aparatem w podbródek i spoglądając na ogród. Więc Nick wrócił do domu, a Gary nie. Nick był zdecydowany zostać w domu, uzmysłowiła sobie, a ona wysłała go w noc.

Ale dokąd, a raczej: do kogo?

Zaczęła przeglądać książkę telefoniczną w poszukiwaniu nieznanych nazwisk, lecz szybko uświadomiła sobie, że Nick jest za sprytny, by zostawić jakiś ślad w telefonie. Kompromitujący numer albo numery zna na pamięć. Ale co się stało, że Gary Proctor urzędował po nocy poza domem? Kto by się do niego zbliżył bez solidnej zachęty finansowej?

Tammy była ciekawa, gdzie ci dwaj razem się szwendali.

Poszli do klubu z tancerkami na rurze?

— Napatrzyłaś się już?

Tammy podskoczyła na dźwięk głosu Nicka, po czym bez przekonania rzuciła mu komórkę.

— Przed chwilą dzwoniła żona Gary'ego Proctora. Nie wrócił wczoraj do domu.

Nick wzruszył ramionami.

— No i co z tego?

Tammy westchnęła.

— Powiedziała, że wyszedł na spotkanie z tobą.

— Spotkaliśmy się, wypiliśmy szybkiego drinka, załatwiliśmy interes... Właściwie to dlaczego ja się przed tobą tłumaczę?

Nick zaczął się wycierać. Tammy przyglądała mu się z zachwytem. Dla niej był czystą doskonałością. Sam jego wzrost zawsze ją pociągał.

— Gdzie byłeś?

Tammy była na siebie wściekła, że o to zapytała. Ale musiała wiedzieć.

— Spałem w aucie. Jeśli zadasz mi jeszcze jedno pytanie, otworzę drzwi balkonowe i spuszczę cię przez balustradę, pogwizdując melodię z *Love Story*. To mój ulubiony film, bo żona bohatera umiera na końcu.

Mówiąc to, Nick uśmiechał się do Tammy, a ona poczuła, że mąż pociąga ją tak samo jak dawniej.

— Ja cię naprawdę kocham, Tammy. I pójdę do lekarza, obiecuję.

Powiedział to z pokorą. Ale ile razy już jej to przyrzekał i ile razy uspokajało to Tammy tylko do następnej wielkiej kłótni?

— Co dzisiaj robisz? — zapytał.

Tammy wzruszyła ramionami.

— Zjem lunch z dziewczynami.

— Więc wszystko po staremu. Czy na tym sabacie czarownic będzie ktoś, kogo naprawdę lubisz?

Tammy uśmiechnęła się szeroko. Uwielbiała jego cierpkie poczucie humoru, a kiedy zachowywał się tak jak dzisiaj, wyrażając skruchę i starając się jej nie zranić, znów naprawdę go kochała.

— Wszystkie mamy ze sobą wiele wspólnego, Nick.

Roześmiał się głośno i odparł, wchodząc do części sypialnej:

— Macie ze sobą wspólne tylko to, że wszystkie zaczynałyście życie z brązowymi włosami.

Tammy poszła za nim do sypialni.

— Gdzie naprawdę byłeś?

Nick owinął się ręcznikiem w pasie i zaczął napełniać umywalkę gorącą wodą, przygotowując się do golenia. Włączył telewizor; Tammy zobaczyła, że jest nastawiony na Sky News.

— Przysięgam ci, że spałem w range roverze. Przysięgam również na życie matki, że w moim świecie nie ma innej kobiety.

Zobaczyła w lustrze, że Nick patrzy na nią i poczuła, że mówi prawdę, a mimo to wciąż nie mogła w to uwierzyć.

— Mam dość kłopotu z tobą, dziewczyno!

Nick uśmiechnął się smutno do żony.

— Ale już ci kiedyś powiedziałem, że jeśli chcesz odejść albo chcesz, żebym ja odszedł, to odejdę. Wszystko w twoich rękach, Tams, bo nie mogę tak dłużej żyć. To dla mnie trudne, że taki jestem, że się nie sprawdzam. Przełknąłem twoich kochasiów i to, że wszyscy uważają, że trzymasz mnie pod pantoflem, bo nic z tym nie robię. Ale musimy to rozwiązać raz na zawsze, skarbie.

Nick wciąż patrzył na Tammy, która poczuła, że drżą jej wargi. Odwrócił się do niej i mocno przytulił.

— Od śmierci włamywacza nienawidzę tego pieprzonego domu. Nienawidzę tu przebywać, a seks jest ostatnią rzeczą, o której myślę. Pamiętasz, co powiedział tamten świrołap w Stanach? Że to wszystko z powodu stresu, prawda?

Tammy skinęła głową.

— Czy teraz wyobrażasz sobie, w jakim napięciu żyję? Bez przerwy mam tego chłopaka przed oczami. Wydaje mi się, że go słyszę. Nawet nie chcę, żeby chłopcy przyjechali na ferie, bo czuję się przy nich rozkojarzony. Dręczy mnie strach, że coś podobnego znów mogłoby się zdarzyć.

Tammy gładziła go delikatnie po plecach.

— To nie była twoja wina...

— Ale ja czuję się tak, jakby była. Kombinowałem na prawo i lewo przez całe życie i zraniłem wielu ludzi, czasem naprawdę mocno. Ale to był dzieciak, młody chłopak.

Tammy przytuliła się, radując się bliskością jego ciała.

— Przykro mi, Nick, sama nie wiem, co we mnie czasem wstępuje. Jestem taka cholernie zazdrosna.

— To ja powinienem być zazdrosny, Tammy. Ty to dostajesz bez względu na sytuację między nami, a ja się nie wściekam, bo wiem, że to moja wina.

Po raz pierwszy Nick powiedział coś na głos o drugim życiu Tammy.

— To nic dla mnie nie znaczy, Nick. Oni sprawiają tylko, że czuję się lepiej, że jestem pożądana.

— Ale ty jesteś pożądana!

Tammy spojrzała w jego oczy i z zaskoczeniem ujrzała w nich łzy.

— Chciałabym w to wierzyć, Nick.

— Uwierz.

— Twoje słowa nie wystarczą.

Nick westchnął.

— I w ten sposób wracamy do punktu wyjścia, prawda? Mam zostać czy odejść?

Louis Clarke i Tyrell jedli obfite śniadanie w kafejce przy Wandsworth Road. To był posiłek, który może przyprawić o atak serca. I szalenie im smakował.

— Może wczoraj nie poszło najlepiej, Lou, ale to dla mnie nowa sytuacja, do jasnej cholery! Jak myślisz, dlaczego chciałem, żebyś ze mną poszedł?

— Myślę, że powinieneś zamknąć tę sprawę. Mam złe przeczucia.

Tyrell nie odpowiedział. Jadł dalej, zastanawiając się, kiedy ustanie ból, który trawił go w środku.

— Nie mogę, ale zrozumiałbym, gdybyś mnie z tym zostawił.

Louis się uśmiechnął.

— Powinniśmy coś sobie wyjaśnić, Tyrell. Myślę, że Terry nam pomoże, tak powiedział.

Tyrell skinął głową.

— Dzięki, Lou.

— Pójdziemy odwiedzić Jude?

Louisowi wydawało się, że najlogiczniej będzie od tego zacząć, lecz wahał się, czy powiedzieć to przyjacielowi.

Tyrell skinął głową, ale powoli tracił apetyt. Najbardziej lękał się tego, że odkryje, iż śmierci Sonny'ego można było uniknąć, i to Jude, a nie on, mogła się o to postarać. Usunął z głowy tę przerażającą myśl. Nie wyobrażał sobie, jak mógłby żyć z taką świadomością.

— Muszę tylko poustawiać moich ludzi, a potem pójdziemy. Znasz Jude, ona nie wynurza się na powierzchnię razem z resztą świata. O tej porze jeszcze nie będzie kontaktowała.

Louis, który zajadle nienawidził Jude, nie odpowiedział. Skoncentrował się na posiłku i w milczeniu wyrzucał sobie, że wplątał się w sprawę, która może tylko przysporzyć przyjacielowi jeszcze więcej żalu.

Ale czy mógł postąpić inaczej?

Louis widział kiedyś, jak sanitariusze zabierają nieprzytomną Jude na oddział zamknięty, a biedny Sonny czepiał się rozpaczliwie drzwi karetki, mimo że on i Tyrell usiłowali skłonić go, by wsiadł z nimi do samochodu. Upiekło się jej, przez wzgląd na Sonny'ego sąd nie wymierzył jej grzywny za kradzież w sklepie i napaść. Chłopiec robił to wszystko, co robił, wyłącznie po to, by ją nakarmić i zaspokoić jej nałóg. Dlaczego zatem Tyrell tak się uparł, żeby dowiedzieć się o nim tego najgorszego? Bóg jeden wie, że nie miał wiele złudzeń co do tego chłopaka.

Louis przeczuwał coś złego. Śmierć małego Sonny'ego była podejrzana, a on doszedł do wniosku, że mógłby nie chcieć poznać prawdy.

— Pani Proctor?

Maureen skinęła głową, czując instynktowną obawę przed dwoma mężczyznami, którzy stanęli na progu jej domu.

— Możliwe. A kto pyta?

Starszy mężczyzna westchnął.

— Bądźmy poważni. Gdzie jest Gary?

Maureen wzruszyła ramionami.

— Skąd mam, kurwa, wiedzieć?

— Jego samochód znaleziono na lotnisku Stansted, w bagażniku było ponad kilo kokainy. Chcemy wiedzieć, czy Gary czasem nie wyjechał na mały urlop.

Maureen po raz drugi wzruszyła ramionami i zamknęła drzwi.

— Nie widziałam go. Jeśli go złapiecie, pozdrówcie go ode mnie, dobrze?

Przybysze znali już tę grę.

— Możemy wejść? — zapytał donośnie policjant.

— Macie nakaz? — odpowiedziała jeszcze głośniej Maureen. Uprawiała tę grę o wiele dłużej od nich.

— Nie...

— To spieprzajcie!

— Ale możemy go zdobyć.

Maureen nie pofatygowała się, by odpowiedzieć, tylko weszła na górę i przetrząsnęła dom w poszukiwaniu trefnego towaru. Kiedy policjanci wrócili z nakazem, kartkowała katalog z sofami. Pozbyła się podejrzanych rzeczy, podając je przez płot sąsiadowi, u którego na szczęście nie przeprowadzą rewizji.

Sprawa załatwiona.

Zabije Gary'ego, kiedy go dopadnie. Zawsze to samo: on robi bajzel, a ona musi go sprzątać. Jak mawiała do siostry: u nas wszystko po staremu.

— Teraz czujesz się lepiej?

Gino skinął głową.

— Tak jak mówiłam, prawda?

Uśmiechnął się.

Jude niemal zazdrościła mu pierwszej eskapady w krainę hery. Przypomniała sobie swój pierwszy raz — nie mężczyznę, który ją wciągnął, bo to był śmieć — lecz to nieznane do tej pory poczucie, że znalazła swoje miejsce. I to miejsce znajduje się w jej ciele. Drogą do prawdziwej ucieczki nie były bilety lotnicze ani praca dająca spełnienie, a taki właśnie kit wstawiali zawsze ludzie, którzy nie brali. Potęga tkwiła w igle i każdy, kto zechciał, mógł po nią sięgnąć.

Gino znów drzemał, był w strefie zmierzchu, jak mawiał Sonny, kiedy Jude wybierała ucieczkę z rzeczywistości. Brała od tak dawna, że nie mogła funkcjonować, kiedy towar był za bardzo rozcieńczony. A ten drań dealer, od którego kupowali, chrzcił go chininą. Lecz żebrakowi nie wolno wybrzydzać. Jude musiała brać to, co dostawała.

Wciąż miała paczuszkę za trzydzieści funtów i uważała, by nie dać chłopakowi za dużo. Trup Gina był ostatnią rzeczą, jakiej potrzebowała. Lecz nawet gdyby przedawkowała, dla policji Gino był dorosły i brał z własnej woli. Po osiągnięciu wieku osiemnastu lat człowiek jest dorosły w oczach prawa. Nie trzeba wlec na posterunek mamusi ani tatusia. Dlatego Jude nie trzęsła się za bardzo.

Gino zostanie jej nowym pomocnikiem, drugim Sonnym. Żeby to osiągnąć, musiała zagwarantować sobie jego oddanie i była na najlepszej drodze do tego.

Usłyszała głośne pukanie do drzwi, więc poszła otworzyć. Stała tam matka Gina w całej okazałości swoich osiemdziesięciu kilo.

— On tu jest?

Jude pokręciła głową i zapytała ze zdziwieniem:

— Kto?

Deborah White ze schludnie uczesanymi w kok blond włosami, ubrana w dżinsową kurtkę, spojrzała z góry na Jude.

— A jak myślisz?

Była zła. Nie pozwoli sobie dzisiaj wciskać kitu.

— Pewnie, że go nie ma. Co twój Gino miałby tutaj robić?

Głos Jude zabrzmiał przekonująco; Deborah White przypomniała sobie, że ta kobieta niedawno pochowała dziecko, i przez chwilę ogarnęło ją współczucie.

— A nie wiesz, gdzie może być?

Jude wzruszyła ramionami, marząc o tym, żeby ta baba była tysiąc kilometrów stąd. Najlepiej pod ziemią.

— Nieee...

W tej samej chwili Gino wychynął z dużego pokoju do toalety, wstrząsany torsjami. Szedł jak pijany, opierając się o ścianę i zakrywając dłonią usta wypełnione gorzką żółcią, która już tryskała spomiędzy jego palców. Deborah White spojrzała na syna i serce zamarło w jej piersi.

— Gino?

Przecisnęła się obok Jude, spychając ją na ścianę.

— Au, stój, to jest mój dom!

Deborah uznała później, że sprawił to głos Jude. Zachowywała się tak, jakby została niesprawiedliwie posądzona, a tymczasem jej syn wymiotował, nieprzytomny od narkotyku podanego mu przez tę szmatę.

Przyłożyła jej z taką siłą, że powaliłaby zapaśnika sumo. Poczuła, że Jude upada po ciosie, a potem stopa Deborah jakby sama z siebie kopnęła ją z całej siły w głowę; Deborah żałowała tylko, że ma na nogach półbuty, a nie ciężkie kozaki z cholewami. Pierwszy raz w życiu chciała odebrać komuś życie, bo wiedziała, że Jude właśnie odebrała życie jej synowi. Może nie umrze dzisiaj, lecz będzie jak martwy, kiedy wpadnie w sidła heroiny.

Pobiegła za nim do toalety. Najpierw uderzył ją w nozdrza smród, a później zobaczyła syna rozciągniętego na sedesie; miał szkliste oczy, a jego nowa śliczna koszulka była cała pokryta wymiocinami. Usiłowała go postawić na nogi i zabrać do domu, kiedy Jude stanęła za nią.

— On już wziął... Wciągnęłam go. Powiedziałam mu, że jest ofermą, Debbie...

Deborah odwróciła się do niej z wściekłością.

— Ty pieprzona dziwko! Ściągnęłaś mojego syna do swego poziomu. Straciłaś swojego syna, chcesz, żebym ja też straciła mojego?

Krzyczała, a jej głos przyciągnął sąsiadów, którzy tłoczyli się wokół drzwi. U Jude zawsze był kabaret, jej mieszkanie stanowiło coś w rodzaju miejscowego klubu rozrywki.

— On jest wszystkim, co mam.

— Próbowałam mu tylko pomóc.

Jude zachowywała się, jakby słusznie broniła swego.

— Straciłam syna, to prawda. Myślisz, że z własnej woli zrobiłabym coś takiego? Próbowałam mu pomóc, przecież ci mówię.

— Ty nikomu nie możesz pomóc, Jude. Jesteś niezdolna do udzielenia jakiejkolwiek pomocy komukolwiek prócz siebie. Mój Gino kochał twojego syna, bo Sonny był dobrym chłopcem. Wbrew tobie i temu bagnu, które tu stworzyłaś, był dobrym dzieckiem. Zniszczyłaś go tak, jak niszczysz wszystko, czego się tkniesz. Jesteś pieprzoną ćpunką, a ćpuny to dla mnie gówno. Póki trzymałaś swoje gówno za drzwiami tej nory, nie musiałaś się mnie bać, ale teraz wpadłaś w tarapaty bardziej, niż ci się wydaje.

Złapała Jude za gardło i zaczęła raz po raz walić mocno jej głową o ścianę.

— Nie chcę patrzeć, jak mój Gino daje tyłka przed kiblami, tak jak robił twój biedny Sonny, żeby zaspokoić twój nałóg. Wszyscy widzieliśmy, jak sprzedawał się dla ciebie! Ty nie masz wstydu, tacy jak ty go nie znają. Wszyscy pracujemy na to, żebyś ty mogła ćpać! Świat zwariował!

Deborah znów uderzyła Jude, ktoś zaczął ją od niej odciągać.

— Zasrany chłopiec do wynajęcia, Sonny! To hańba, co z nim zrobiłaś. Ale z moim synem ci się nie uda.

Louis obserwował tę scenę zaszokowany, nie mogąc uwierzyć w to, co słyszy, lecz instynktownie wiedząc, że to prawda. Tyrell trzymał rosłą kobietę w ramionach, starając się ją uspokoić. Sąsiedzi stali na półpiętrze, kręcąc głowami i szepcząc między sobą. Niektórzy nawet trzymali w dłoniach kawę, herbatę albo puszkę piwa, w zależności od osobistych upodobań. To było jak impreza, tylko że nie świętowano niczego dobrego, lecz w ostateczny sposób poniewierano zmarłego chłopca.

Deborah trochę się uspokoiła i szlochając, mówiła do Tyrella:

— Spójrz na mojego syna... ona to zrobiła. Naćpał się do nieprzytomności, ona podała mu to świństwo. Twój Sonny nie chciał dać się wciągnąć, choć Bóg wie, że ona próbowała go uzależnić. Wiem to na pewno, słyszałam, jak Gino rozmawiał z kolegami. Oni wszyscy uważają, że Jude jest super, bo mogą tu pić i palić marihuanę. Nie mogę z nią rywalizować, rozumiesz? W porównaniu z tą norą moje mieszkanie jest nudne, tylko tapety na ścianach i *Coronation Street* w telewizji. Ale ja ją zabiję, mówię ci! Zabiorę go teraz do domu, a jeśli się dowiem, że Gino znów był w pobliżu tego szamba, rozwalę jej łeb. Jeśli w żaden inny sposób nie uda mi się utrzymać go z dala od heroiny, zrobię to.

Wszyscy zamilkli, słuchając słów Deborah. Tyrell spojrzał na nią ze współczuciem, wiedząc, że mówi prawdę.

— Spójrz na niego. Zajrzyj do łazienki i zobacz, co ona z niego zrobiła.

Tyrell spojrzał na Gina rozciągniętego na sedesie jak wyżęta szmata i zapragnął przyłożyć Jude.

— Chodź. Odprowadzimy was do domu.

Skinął na Louisa, który wszedł do łazienki i widząc, w jakim stanie jest chłopiec, przełożył przez ramię brudny ręcznik i dopiero potem go podniósł. Wyniósł Gina z mieszkania jak strażak, nie wiedząc, co jest brudniejsze, chłopak czy ręcznik.

Ludzie zgromadzeni przed drzwiami rozstąpili się powoli, kiedy przechodził. Wciąż ze sobą rozmawiali i szeptali, kręcąc głowami, gdy zobaczyli, w jakim stanie jest Gino.

— Koniec przedstawienia.

Tyrell wyprowadził roztrzęsioną kobietę z mieszkania, nawet nie zamykając za sobą drzwi. Jude milczała, czując wrogość sąsiadów i wiedząc, że jeśli odczuwali dla niej litość z powodu śmierci syna, to nie zostało po niej śladu.

Biedna Jude znikła i znów została Ćpunka Jude.

Było jednak coś, czym mogła się pocieszyć: Gino wróci. Bez względu na to, co myśli jego matka, on wróci. Heroina do niego przemówiła tak jak do Jude i mimo wielkiego krzyku Deborah, jej drogi synek Gino jest tykająca bombą zegarową, tak samo jak oni wszyscy na osiedlu.

Kiedy na scenę wkroczyła policja, Jude zatrzasnęła sąsiadom drzwi przed nosem. Jak zwykle nikt niczego nie widział ani nie słyszał, a policjantom to odpowiadało. Póki w grę nie wchodziła broń masowego rażenia, gówno ich obchodziło, co wyczyniają mieszkańcy osiedla.

Rozdział 13

Gino leżał w łóżku. Wiedział, że coś jest nie w porządku, lecz ponieważ Jude dała mu większą dawkę niż poprzednio, odjechał całkowicie. Miał gdzieś to, co się działo, więc pogrążył się głębiej w narkotycznym transie. Anglia odeszła w sen. Przestał dbać o to, co go otacza. Tyrell i Louis położyli go na łóżku; Tyrell przyglądał mu się przez chwilę, przypominając sobie, ile razy robił to samo z Jude.

Mieszkanie wyglądało rewelacyjnie, było przytulne i nieskazitelnie czyste. Pod tym względem Gino miał o wiele większe szanse niż Sonny. Deborah zaparzyła wszystkim kawę; Tyrell i Louis usiedli w kuchni i czekali, aż gospodyni uspokoi się na tyle, by móc rozmawiać. Tyrell wiedział doskonale, co czuje ta kobieta; kiedy mieszkał z Jude, tak wiele razy ogarniało go to samo poczucie bezradności.

Nie miał serca, by powiedzieć Deborah, że to poczucie nigdy się nie poprawia, tylko pogarsza.

— Czy to była prawda... to, co powiedziała pani o moim Sonnym?

Deborah odwróciła się do niego, stawiając kubki z kawą na idealnie czystym stole. Jej oczy wciąż były czerwone od płaczu. Bolało ją serce na myśl o tym, co będzie musiała powiedzieć temu mężczyźnie.

— Naprawdę nie wiedziałeś?

Tyrell pokręcił głową; jego dredy zakołysały się i Deborah zobaczyła, jaki jest przystojny. Sonny był do niego podobny, może miał jaśniejszą skórę, lecz mimo to był podobny do ojca.

— Czy wyglądam jak człowiek, który wiedział?

Deborah ustawiła sobie krzesło przy stole, wyciągnęła papierosy i zapalniczkę, a popielniczkę umieściła blisko siebie, tak aby nie musieć ponownie wstawać i móc skupić się na słuchających mężczyznach.

— Zaczęło się, kiedy miał piętnaście lat, wtedy nie robił tego regularnie, ale któregoś wieczoru szłam na bingo i mijałam toalety koło dworca autobusowego, obok których kręcą się chłopcy do wynajęcia. Zobaczyłam w pobliżu Sonny'ego i pomachałam mu.

Deborah zaciągnęła się głęboko dymem, pokręciła smutno głową i mówiła dalej:

— To był miły chłopiec, nigdy nie miałam z nim problemu, choć bardzo wielu ludzi miało.

Tyrell rozumiał, iż Deborah chce mu dać do zrozumienia, że nie mówi mu tego ze złośliwości, ale tego sam zdążył się już domyślić. Wystarczyło mu jedno spojrzenie na jej syna, by wiedział, o co poszło jej z Jude.

— Proszę mówić dalej, pani White.

Deborah znów się zaciągnęła. Louis zobaczył, że ręce jej drżą, i wiedział, że Jude sponiewierała życie kolejnych dwojga ludzi na swojej radosnej drodze do zapomnienia. Był gotów się założyć, że ta kobieta nigdy więcej nie zaśnie spokojnie z powodu syna, a on czułby się dokładnie tak samo, gdyby chłopak leżący na łóżku był jego synem. Wiedziała już, że Gino skrócił sobie życie. Może spłodzi dziecko, zwiąże się z kilkoma kobietami, lecz najważniejszym związkiem jego życia pozostanie romans z heroiną. Jeśli Jude zdołała wedrzeć się do jego głowy, chłopak jest stracony.

— Ci chłopcy tam, sami wiecie, kim oni są, niech Bóg ma ich w opiece. Ćpuny, narkomani, normalna rzecz, prawda? — Deborah wzruszyła ramionami. — Człowiek się przyzwyczaja. Z początku to było szokujące, wiecie? Zobaczyć, jak tam chodzą udziwnionym krokiem, umalowani. Ale w końcu stali się elementem krajobrazu. Po jakimś czasie nikt nie zwracał na nich uwagi. Lecz kiedy zobaczyłam tam Sonny'ego... doznałam wstrząsu.

Spojrzała Tyrellowi w oczy.

— Lubiłam go, niejeden raz w tej kuchni naszykowałam obiad temu biednemu gnojkowi. Ale wtedy kazałam synowi trzymać się od niego z dala. To nie było nic osobistego, wszyscy wiedzieliśmy, jaki jest dobry dla Jude. Ludzie podziwiali go za to, że tak się nią opiekował. A wiecie, co jest w tym najgorsze? Że ona nie była tego warta. Ta baba to pieprzone ścierwo!

Deborah odpaliła jednego papierosa od drugiego, po czym wstała.

— Idę zajrzeć do Gina, a później wypiję drinka. Też się napijecie?

Tyrell skinął głową, wiedząc, że Deborah potrzebuje towarzystwa.

— Szklanki są w szafce koło zlewozmywaka.

Wyszła z kuchni, mocno trzymając papierosa w dłoni. Louis wstał, rad, że może się czymś zająć. Trudno mu było słuchać, jak ta kobieta mówi, że Sonny był chłopcem do wynajęcia, mógł więc się tylko domyślać, co czuje Tyrell. Deborah wróciła, niosąc butelkę taniej szkockiej i nalała każdemu solidną porcję.

— Często tam bywał?

Tyrell słyszał chrapliwość swojego głosu, niedowierzanie i przerażenie, musiał przełykać łzy, które w każdej chwili mogły pocieknąć mu po twarzy. Nie wiedział ani nigdy nawet przez myśl mu nie przeszło, że coś takiego może się stać. Dlaczego nikt mu nie powiedział?

Choć właściwie wiedział dlaczego. Wszyscy za bardzo się bali.

— Z początku nie, ale później owszem, bardzo często. To Gino mi o wszystkim opowiedział. Zakazałam mu widywać się z Sonnym, jak już wspomniałam. Nie chciałam, żeby się w to wplątywał. Widzi się to w gazetach, w telewizji, ale my tutaj żyjemy. To nie jest film dokumentalny na Kanale Czwartym o tym, jak żyje druga połowa, to my jesteśmy tą drugą połową! Żyjemy w tym bagnie dzień i noc. Może nie zasługuję na tytuł matki roku i może mieszkam w gównianej dzielnicy, ale robię, co mogę, dla moich dzieci. Sonny wybrał życzenie śmierci, stary. Wiem, że nie chcesz tego słyszeć, ale tak było. Jude trzymała go tak mocno, że nawet trudno to sobie wyobrazić, a razem z nim trzymała mojego Gina. Dawała im szansę bycia niegrzecznymi, a ponieważ oni żyli tutaj i stanowili część tego bagna, kurczowo chwycili się tej szansy. To była pokusa, której nie umieli się oprzeć.

Deborah pociągnęła łyk drinka.

— Gino powiedział, że Sonny nie miał wyboru. Gdyby on nie poszedł się sprzedawać, Jude by to zrobiła, a nienawidził tego i ona zdawała sobie z tego sprawę. Dostała parę razy w skórę, a poza tym nie była już wiele warta. Nie łapała już tak łatwo frajerów, zwłaszcza że była w takim stanie. Chodził więc z jej błogosławieństwem, bo ta leniwa suka nie była w stanie ruszyć tyłka i odpicować się tak, by mogła zarobić nim na swoje narkotyki.

Tyrell zamknął oczy.

Deborah znów się rozpłakała.

— Co ja mam teraz zrobić? — zapytała błagalnie. — Teraz, kiedy ona dała mojemu synowi spróbować smaku pustki. Teraz, kiedy wie już, o co ten cały krzyk. Będzie tego chciał, jest wystarczająco głupi, żeby dać się wciągnąć. Ze złodziejstwem mogłam wytrzymać, ale nie z tym. Zabiję ją. Przysięgam na Boga, że uduszę tę dziwkę i nie obchodzi mnie, kto się o tym dowie.

Louis napełnił jej szklankę, rozumiejąc, że alkohol uspokoi Deborah.

— Będę miał na niego oko, przyrzekam. Jude nie ściągnie go tam z powrotem, pani White. Nie mogłem pomóc mojemu dziecku, bo za mało wiedziałem, ale pomogę pani synowi. Tylko tyle mogę obiecać — rzekł Tyrell.

Deborah skinęła głową. Miała nadzieję, że to właśnie usłyszy.
— Sonny pana kochał, wiem to na pewno. Ciągle o panu opowiadał.
Nie było to wielkie pocieszenie, ale Deborah nie mogła mu dać innego.

Nick był w swoim pubie w Bermondsey, małej knajpce uczęszczanej przez znanych opryszków. Dobre było to, że nie mógł tam wejść nikt, kto nie był znany innym gościom albo kto nie miał wystarczającej siły ognia, by dać Tony'emu Blairowi pretekst do inwazji.
Tego drugiego, choć to mało prawdopodobne, próbowali lepsi od premiera, a klub wciąż trwał w nieustannie zmieniającym się świecie.
Stevie był dzisiaj nerwowy i fakt ten złościł Nicka.
Ktoś mógłby pomyśleć, że nigdy w życiu nie brał udziału w rozróbie i że nie wyszedł niedawno z kryminału po dłuższej odsiadce. Dobrze, że nie musi radzić sobie z tym, z czym codziennie ma do czynienia Nick. Starał się tylko utrzymać głowę nad powierzchnią wody, a musiał zmagać się z kosmiczną ilością gówna. A teraz Stevie dostaje zawału serca z powodu takiego drobiazgu. Fakt, że wciąż był na warunkowym, miał więc powód, żeby się łamać, lecz Nick nie był w nastroju do niańczenia starego kumpla.
— Nie znajdą związku między nim a nami — odezwał się zirytowany do przyjaciela. — Pomyślą, że handlował towarem i zaliczył wpadkę. To często zdarza się dealerom, którzy próbują opchnąć za dużo proszku naraz. Psy pomyślą, że ktoś zrobił Gary'emu operację na otwartym portfelu. To się zdarza codziennie, większe firmy napadają na małych handlarzy. Nie ma mowy, żeby ta sprawa wróciła do nas rykoszetem, więc przestań jęczeć i wypij drinka, do kurwy nędzy.
Stevie wiedział, że Nick mówi logicznie, lecz to wszystko zrobiło się dla niego za trudne. Chciał dopieprzyć Gary'emu Proctorowi, i to porządnie, temu nie zaprzeczał, ale o zabijaniu

nie było mowy. Miał za sobą długą odsiadkę w odróżnieniu od Nicka, któremu się poszczęściło i który prowadził słodkie życie. Gdyby posmakował trochę kryminału, zrozumiałby, dlaczego Stevie tak niechętnie myśli o powrocie.

Co rzecz jasna nie znaczyło, że zamierzał mu o tym wspomnieć w najbliższej przyszłości.

— Pieprzony bandyta! O co ten cały hałas?

Młoda rudowłosa dziewczyna ze szczupłymi nogami i podejrzanie ciężkim biustem podeszła i uśmiechnęła się przyjaźnie do Steviego. Potem spojrzała na Nicka i zapytała z mocnym akcentem z Essex:

— Masz moją wypłatę?

Nick się roześmiał. Lubił tę dziewczynę, dobry był z niej dzieciak. Miała osiemnaście lat, lecz bez makijażu wyglądała na dwanaście; robiła striptiz od czasu, gdy jako piętnastolatka uciekła z domu dziecka. Nick skinął głową na dziewczynę za barem, a ta podała mu kopertę.

— Proszę, skarbie, do zobaczenia za tydzień.

Dziewczyna zatrzepotała rzęsami, a Nick puścił do niej oko, ale oboje wiedzieli, że to tylko gra; on się nią nie interesował, a ona jeszcze bardziej go za to lubiła. Mężczyźni przystawiali się do niej od samego początku, gdy jako ładna dziewięcioletnia dziewczynka trafiła do domu dziecka. Lepiej od trzy razy starszych kobiet wiedziała, jak o siebie zadbać.

Jeszcze raz uśmiechnęła się do Steviego, bo Nick zapewnił ją, że jego kumpel może być chętny. Lubiła gangsterów, tacy jak oni zwykle gwarantowali dobry seks i zawsze byli szczodrzy. Patrzył na nią tak, jakby miał ochotę się zabawić.

A Stevie faktycznie miał ochotę. Za długo pozostawał grzeczny. Jego żona była cudowna i doceniał to, że na niego czekała, lecz niestety miała ciało czterdziestolatki, a on zbyt długo marzył o ciałach dwudziestolatek. Ta mała była w sam raz dla niego, za dobra, żeby ją odtrącić.

Życie jest za krótkie na monogamię, tyle zdążył się nauczyć za kratkami. Nick uśmiechnął się, słysząc, że Stevie nawiązuje pogawędkę z dziewczyną. Dwadzieścia minut później stali po drugiej stronie baru, a jego myśli były równie daleko od Nicka jak jego żona i dzieci.

Ruda była w porządku i wykonała świetną robotę, odciągając tego biednego dupka od Nicka, który chwilowo miał go dość. Wiedział, że Stevie chciał dołożyć Proctorowi, sam tak mówił, i Proctor dostał. To Nick wykonał najgorszą robotę tej nocy, więc czym Stevie się łamie? Według ich norm tylko dał Proctorowi klapsa.

Nick lubił Steviego, ale pod pewnymi względami była z niego stara baba. Kryminał może tak podziałać na człowieka. Wychodzili stamtąd bogatsi o doświadczenie, zdolni dźwignąć świat na ramionach, albo tacy jak Stevie, bojący się własnego cienia.

Chciał, żeby zrobić porządek z Proctorem, i tak się właśnie stało, identycznie jak z tym śmierdzącym złodziejem Lance'em Walkerem.

Koniec zasranej pieśni.

Tyrell i Louis wrócili do Jude.

Louis współczuł przyjacielowi, wiedział, że czuje się śmiertelnie poniżony. Słyszał plotki o Sonnym, wszyscy je słyszeli. Chłopak był jak jednoosobowa fala zbrodni i z początku było to nawet zabawne. Jednak kiedy zaczął robić skoki na własną rękę, przestało być śmiesznie. Tylko pozycja Tyrella w półświatku sprawiła, że chłopak nie dostał porządnego klapsa.

Lecz Louis nigdy nie słyszał o tym, że Sonny dawał tyłka. Usiłował postawić się w sytuacji Tyrella i niewiele z tego wyszło. Ale on zawsze postrzegał tego chłopaka inaczej niż wszyscy. Właśnie to czyniło z niego porządnego człowieka. Tyrell kochał syna i Louis to szanował.

Kiedy weszli do mieszkania, Jude stała w holu, jakby na nich czekała. Jedno oko miała podbite, a na szyi już wychodziły sińce. Wyglądała, jakby dostała porządne lanie i tak właśnie było.

— Ty pizdo.

Tyrell nie wiedział, kto jest bardziej zaskoczony jego odzywką, on czy Jude. Nigdy nie użył tego słowa w odniesieniu do niej, choć wiedział, że jest częścią jej codziennego życia tak samo jak brud, który ją otacza, i smród, który wydziela. Była boso, widział ślady po igle między palcami jej stóp i ciemne nitki żył na kostkach. Spojrzał na nią takimi samymi oczami jak wszyscy inni i wyparowało poczucie winy, które zawsze czuł. Jego miejsce zajęła nienawiść, której intensywność go przeraziła.

Zobaczył fałsz w jej niebieskich oczach, którego nigdy przedtem nie odważył się dostrzec, gdyż wówczas musiałby zmierzyć się ze świadomością, że Jude naprawdę taka jest. Wątpliwości zawsze tłumaczył na jej korzyść, ale to już się skończyło.

— Nazywano mnie już gorzej, Tyrell.

Uśmiechnął się do niej szyderczo i Jude pierwszy raz poczuła się nieswojo.

— Nie wątpię.

Tyrell wyciągnął skręta z kieszeni marynarki i zapalił go drżącymi rękami. Słodki zapach trawki zmagał się z innymi zapachami w mieszkaniu.

— Więc Sonny dawał tyłka, tak?

Jude odgarnęła włosy z oczu pogardliwym gestem.

— A skąd. Wiesz, jacy oni tu są, pieprzą bez sensu.

Ledwie słyszalne drżenie w jej głosie zdradzało strach i Tyrell wiedział, że przyparł ją do lin. Wystarczy, że zada ostatni cios i pośle ją na deski.

Tak też zrobił.

— Wierzę matce Gina.

Jude była pewna, że Tyrell nie uwierzy w ani jedno słowo z tego, co usłyszał, lecz teraz patrzyła mu w oczy i wiedziała, że się pomyliła.

Tyrell był rosłym i przystojnym mężczyzną, a jego dredy przydawały mu godności, której brakowało młodszym facetom z Indii Zachodnich. Jego wizerunek nie był pochodną mody — to był prawdziwy Tyrell. Miał szeroką twarz, wysokie kości policzkowe i skośne oczy. Nigdy nie zauważał tego, że jest taki przystojny, nie przywiązywał wagi do takich rzeczy.

Jude wzruszyła lekceważąco ramionami i znudzonym tonem, jakby chciała go jeszcze bardziej rozwścieczyć, odparła:

— Możesz wierzyć, w co chcesz. Teraz i tak jest za późno, nie? Jego już nie ma.

Mówiła o Sonnym tak, jakby był szczeniakiem, który uciekł, albo obcym człowiekiem, który nic dla niej nie znaczył.

Wtedy Tyrell uzmysłowił sobie, że właśnie tym był dla niej jej syn: środkiem do osiągnięcia celu. Z żalem sobie uzmysłowił, że biedny Sonny czuł to przez cały czas.

Louis nie był przygotowany na atak, podobnie jak Jude. Znikła pod gradem ciosów, które zabiłyby każdą inną kobietę. Louis przez pięć minut musiał odciągać przyjaciela od przerażonej Jude. Wszystkie brzydkie numery, które zafundowała mu w ciągu wspólnie przeżytych lat, nie spotkały się z taką reakcją. Gdyby ktoś jej powiedział, że Tyrell podniesie na nią rękę, Jude postawiłaby przeciw temu swoją ostatnią działkę.

Louis nigdy przedtem nie widział takiego gniewu. Wiedział, że ten gniew długo się kumulował. Syn tego faceta żył jak pies i przedwcześnie zginął. Teraz nadszedł czas zapłaty dla Jude, bo nie próbowała temu zapobiec. A w gruncie rzeczy postarała się, żeby do tego doszło. Sonny nie miał szans na porządne życie.

Patrzył na wrak kobiety, jej zakrwawiona twarz i zwiotczała skóra nie robiły na nim żadnego wrażenia. Gdyby kiedyś ktoś mu powiedział, że podniesie na nią rękę, roześmiałby mu się w twarz, a teraz wiedział, że z radością skręciłby jej kark i wyrzuty sumienia ani przez chwilę nie zmąciłyby mu snu.

Nienawiść wryła się w niego głęboko.

— Skąd mój syn wziął pistolet?

Wciąż dyszał, zadając to pytanie, a Jude, pobita, lecz wciąż trzymająca się na nogach, odparła:

— Nie wiem.

Jej głos znów rozwścieczył Tyrella. Tym razem Louis musiał użyć całej swej siły, żeby wyciągnąć przyjaciela z mieszkania.

Wpychając go do samochodu, zastanawiał się, jakie będą reperkusje tej wizyty.

Nie musiał długo czekać na odpowiedź.

Maureen Proctor patrzyła na drugą parę policjantów, która odwiedziła ją tego dnia. Nie przyjmowała do wiadomości tego, co jej właśnie powiedzieli.

— Jesteś pewny, że to mój Gary?

Posterunkowy ze smutkiem skinął głową.

— Czy on nie żyje?

— Nie, pani Proctor, ale jest w opłakanym stanie.

W opłakanym stanie?

To słowo zabrzmiało dziwnie w jej uszach. Używano go w czasach jej matki. Zachciało jej się śmiać, kiedy usłyszała je z ust młodego człowieka.

— I mówisz pan, że został pobity i podpalony?

Funkcjonariusz znów skinął głową.

— Ale dlaczego ktoś miałby to robić mojemu staremu? Irytujący z niego gnój, ale nikt, kogo znamy, nie posunąłby się tak daleko.

— Chce pani, żebyśmy zabrali panią do szpitala?

Maureen spojrzała na niego, jakby wyrosła mu jeszcze jedna głowa.

— Też mi, kurwa, pytanie! Sama tam pojadę.

Przez całą drogę do oddziału poparzeń szpitala w Billericay Maureen zachodziła w głowę, kogo tym razem wkurzył Gary. Zastanawiała się także, komu najpierw powiedzieć, bo istniała szansa, że ktoś, kogo zna, może wiedzieć, kto jest odpowiedzialny za napaść. Jednak najbardziej wstrząsnęła nią wiadomość o kilogramie kokainy znalezionym w aucie Gary'ego.

Narkotyki nie były specjalnością Gary'ego ani Nicka, a ci dwaj ściśle ze sobą współpracowali we wszystkim. Gary mógł wciągać kokainę, lubił być na haju, ale nią nie handlował. Trzymał się innych interesów.

A może po prostu o tym nie wiedziała? Może Gary utrzymywał to przed nią w tajemnicy z tego prostego powodu, że wiedział, iż Maureen nienawidzi narkotyków. Lawirując w gąszczu samochodów, z zadumą patrzyła na ludzi, którzy żyją, nie musząc się martwić tym, że ktoś zapuka do ich drzwi, czy ich mężowie spędzą Boże Narodzenie w domu, czy też przez lata trzeba będzie odwiedzać ich w pierdlu i udawać przywiązanie, którego nie ma, bo do przywiązania potrzebny jest bliski kontakt, a ten jest niemożliwy.

Maureen przestała o tym myśleć. Gary jest w ciężkim stanie w szpitalu, a nie siedzi w więzieniu, nie został aresztowany i nie trzeba wpłacać za niego kaucji.

Ale pobity i podpalony? W taki sposób traktuje się pedofilów... Czyżby Gary robił coś, o czym nie miała pojęcia?

Musiała przyznać z goryczą, że to niewykluczone. Ale jeśli tak, to z pewnością nie robił tego u boku Nicka, który słynął jako porządny, oddany rodzinie facet. Nawet nie oglądał się za kieckami. Lubił sobie pogadać i poflirtować, lecz tylko tyle i nic więcej. Gary zaś był jak wieprz ryjący w ziemi. Czyżby przystawiał się do czyjegoś kociaka? Albo córki?

Ta myśl przeraziła Maureen.

Postanowiła jak najprędzej pomówić z Nickiem Learym i sprawdzić, co on wie. Ale nie przez komórkę. Zadzwoni z automatu, żeby nikt nie mógł jej namierzyć. Jeśli poszło o interesy, ona i dzieci nie muszą się martwić o forsę. Będzie jej się należało jakieś odszkodowanie od Nicka i weźmie je raczej prędzej niż później. Jeśli Gary wyzionie ducha, zażyczy sobie sporej sumki i odsetek od jego udziału w zyskach.

Maureen miała się nad czym głowić, a Nick Leary, choć uczciwy, nie był człowiekiem, którego warto do siebie zrażać. Miała tylko nadzieję, że Gary o tym pamiętał.

Tyrell siedział z żoną i synami w swoim dawnym domu i przyglądał się, jak chłopcy ze sobą rozmawiają.

Dobrzy byli z nich chłopcy, napawali Tyrella dumną. Byli grzeczni, pogodni, a co najważniejsze, okazywali mu szacunek.

Kochał ich i kiedyś uwielbiał być tutaj z nimi. Teraz czuł się jak gość.

To zabawne, lecz dom wydawał się teraz mniejszy, a minął dopiero tydzień od dnia, w którym się stąd wyprowadził, nie więcej. Teraz czuł się tak, jakby ściany na niego napierały.

Patrząc na synów, pomyślał o Sonnym i o jego życiu. Jak on, ojciec, mógł o czymś takim nie wiedzieć? Dlaczego nie uświadamiał sobie, że dzieje się coś tragicznego?

Lecz z drugiej strony w życiu Jude zawsze źle się działo, ciągle zdarzało się coś nadzwyczajnego. Dla niej to była normalka. Przez całe życie robiła rzeczy, które inni instynktownie postrzegali jako złe. Sonny dorastał w cieniu jej nałogu. Jeśli Jude była naćpana, świat był dobry. Jeśli była na głodzie, wszyscy za to pokutowali. Ktoś pukał do drzwi o trzeciej w nocy, domagając się forsy... Czy to nie zdarza się wszystkim?

Najstarszy syn Tyrella żył w świecie, w którym przemoc i zagrożenie nią były czymś pospolitym, a on, ojciec, na to pozwolił. Jednak to świadomość, że Sonny się sprzedawał, żeby kupić matce narkotyki, gryzła go od środka niczym kwas. Na myśl o tym, co Sonny robił z tymi mężczyznami dla pieniędzy, Tyrell czuł do niego nienawiść, mimo że go kochał.

Widział tych chłopców na londyńskich dworcach, litował się nad nimi, choć jednocześnie budzili jego odrazę. Odganiał ich, żeby nikt nie pomyślał, że go pociągają. Czuł wstręt do nich i sposobu ich życia, a zarazem gratulował sobie, bo wiedział, iż nic podobnego nie stanie się udziałem żadnego z jego synów. Nigdy nie będą musieli robić czegoś takiego, bo on, Tyrell, o nich zadba. Prawda?

Ta nowa informacja tłumaczyła wiele rzeczy, które kiedyś wydawały mu się podejrzane, lecz wówczas nie próbował ich wyjaśniać. Na przykład tego, że Sonny znikał późnym wieczorem bez słowa i że zawsze nosił przy sobie dwie komórki. Jedna zapewne służyła do załatwiania interesów, dlatego zawsze odbierał telefony na osobności. Musiał mieć regularnych klientów.

Kiedy Tyrell dowiedział się o śmierci syna, nie przypuszczał, że kiedykolwiek poczuje się gorzej niż wtedy.
Ale się mylił.

Angela znów była sama. Tammy wyszła z domu na lunch. Zaraz potem jej teściowa udała się do swojego aneksu i nalała sobie szklankę gorącego mleka zaprawionego brandy. Sączyła je powoli, patrząc w telewizor nastawiony na kanał ITV 2. Lubiła program Sally Jesse Raphael, która prowadziła własny talk-show i była gospodynią starszą i rozsądniejszą od innych. Angeli podobał się zwłaszcza sposób, w jaki prostowała wypowiedzi gości, kiedy uważała, że ci się mylą.
Gdyby tylko życie było takie proste.
Ci ludzie z telewizji naprawiali świat w ciągu paru minut. W czasie gdy Angela parzyła herbatę, potrafili ocalić małżeństwo, zdemaskować niewiernego partnera czy ujawnić nastoletniej dziwce, kim jest ojciec jej dziecka.
Angela była wprost uzależniona od tego programu, dzięki niemu czuła się lepsza od tych, którzy używali wizualnego medium do publicznego prania brudów. Nie mogła zrozumieć ich mentalności. Ci psychiczni popaprańcy brali forsę za to, żeby programy były ciekawe i konfrontacyjne. Spoglądali wyzywająco na ujadającą widownię, jakby chcieli powiedzieć: „Spójrzcie na mnie i na bajzel, który zrobiłem nie tylko z mojego życia, ale również z życia moich dzieci i ich rodzin"; „Jaki jestem cwany, bo stałem się tematem rozmów bandy bezrobotnych wyrzutków, którzy powinni być mądrzejsi i nie tracić cennych godzin życia na oglądanie tego szajsu".
Och, jak ją to bolało.
Bolało ją, że jej syn był poniewierany słownie przez całe dzieciństwo, że musiał stać przy nogach łóżka i patrzeć, jak ojciec bije, a później gwałci jego matkę.
Co ci ludzie wiedzą o bólu i cierpieniu? Co mogą wiedzieć o poniżeniu i upodleniu? Co mogą wiedzieć o małym chłopcu,

który próbował ocalić siostrzyczkę przed tym samym upokarzającym losem, a ściągnął go na siebie?

Jak Angela może opowiedzieć o tym wszystkim synowej? Jak może oczekiwać, że ktoś to zrozumie, zwłaszcza Tammy, która żyje dla seksu i dla tego, co on według niej oznacza.

Seks nie stoi ponad miłością, zwykle tak nie jest. Chodzi w nim o zatrzymanie kogoś przy sobie, zastraszenie go, nakłonienie do robienia tego, czego się chce. Seks jest bronią wielu mężczyzn, Angela wiedziała to z pierwszej ręki. Nalała sobie dużą porcję brandy i wychyliła ją jednym haustem. Znów poczuła strach i choć wiedziała, że mąż leży w zimnym grobie, wciąż nie pozbyła się lęku, że w każdej chwili może wpaść z furią przez drzwi. Wiedziała, że Nick czasem też się tego boi. Gniew męża Angeli był taki, że wciąż po tylu latach wisiał jak groźba nad ich życiem.

Angela westchnęła, wiedząc, że pozwala myślom schodzić na boczny tor, ponieważ nie wie, jak naprawić swoje życie, a właściwie życie syna. Nie wie, co począć ze straszliwą wiedzą, którą właśnie posiadła.

Dzisiaj węszyła, jak zwykle zresztą. Nie umiała się od tego powstrzymać. I zobaczyła coś, czego nie spodziewała się nigdy zobaczyć. Dowód na to, że jej syn jest wykolejony.

Spróbuje żyć z tą świadomością, lecz nie była pewna, czy potrafi dać sobie radę z nią i ze wszystkim, co się z nią wiąże.

Nick miał skazę na charakterze, a Angela przyłożyła rękę do jej powstania. Wiedziała o tym lepiej niż ktokolwiek inny.

Więc co z tą wiedzą zrobi?

Był czas, nie tak dawno temu, kiedy koniec małżeństwa Nicka i Tammy stanowiłby dla Angeli powód do świętowania. Gotowa była przeklinać przeznaczenie, które połączyła jej syna z żoną.

Lecz nie teraz. Wreszcie spojrzała bezstronnie na biedną Tammy i życie, które musiała znosić u boku Nicka. A to, co obecnie wiedziała, napawało ją przerażeniem.

Cholerni mężczyźni i ich wieczna żądza mocnych doznań... Dlaczego Tammy miałaby wracać do domu pozbawionego naturalnego ciepła i miłości? Angela nie przywiązywała większej wagi do tych wszystkich gadek o seksie. W tych czasach wszyscy uważają, że stale powinni przeżywać orgazmy i trząść się z podniecenia. Według Angeli seks miał swoje miejsce i czas, którym był każdy sobotni wieczór po kilku drinkach, potrzebnych lub nie. Pozwalał utrzymać małżeństwo w całości.

Dlaczego, do jasnej cholery, jej syn nie zajął się swoim problemem przed laty? Jednak wtedy, o czym Angela wiedziała z własnego gorzkiego doświadczenia, o pewnych problemach trudno było rozmawiać, a co dopiero je rozwiązywać.

Otworzyła mały sejf i wyjęła zdjęcia. Spoglądając na nie, poczuła napływające łzy, lecz powstrzymała je, pociągając nosem. Była twardsza od Tammy, bo musiała.

Rozglądała się po przestronnym aneksie, który syn dla niej zbudował, patrzyła na piękne sprzęty, które Tammy pomagała jej wybierać, i bardzo chciało jej się płakać, lecz przez tyle lat trzymała swoje uczucia pod powierzchnią, że teraz nie mogły się spod niej wydostać.

Kiedy mąż swoim postępowaniem sięgnął dna, ona zachowywała stoicyzm. Bez względu na to, co się działo, nie wolno było dać tego poznać zewnętrznemu światu. Przed laty oznaczało to sąsiadów. Teraz jednak najbliższi sąsiedzi byli tak daleko, że aby się do nich dostać, trzeba było wsiąść do autobusu.

Jednak płacz Tammy poruszył Angelę bardziej, niż się spodziewała. Słysząc jej szlochanie, poczuła się tak, jakby uwolniono jej uczucia i nagle została zmuszona do zmierzenia się z faktem, że synowa jest przeraźliwie nieszczęśliwa, i to nie ze swojej winy. Długa rozmowa, którą odbyły, zmieniła punkt widzenia Angeli na to małżeństwo. Rozmowa oraz zawartość sejfu.

Od dawna wiedziała, że nie układa się między nimi dobrze i obwiniała o to Tammy, jej napady złości i rozrzutność. Lecz w głębi duszy wiedziała, że wina nie może leżeć wyłącznie po jej stronie. Nick nie jest synem swojego ojca tylko z nazwiska, zauważyła z goryczą.

Tammy pragnęła miłości i seksu. Mijały lata, a nie otrzymywała od Nicka ani jednego, ani drugiego; to ją skrzywiło i prawie zniszczyło. Angela aż za dobrze wiedziała, jak to jest, i dlatego chwilowo postanowiła nie mówić głośno o zdjęciach, które znalazła w kieszeni kurtki syna zaledwie dziesięć minut po wyjściu Tammy.

Nie dla jego dobra — bo przestała o nie dbać w chwili, gdy zobaczyła zdjęcia — lecz dla dobra Tammy, synowej, której przedtem nawet nie lubiła, a którą teraz pragnęła kochać i chronić.

KSIĘGA DRUGA

Nie łudźcie się: Bóg nie dozwoli z siebie szydzić.
A co człowiek sieje, to i żąć będzie.

List do Galatów, 6,7

Wariat ten, kto chce wierzyć w potulność wilczą,
w zdrowie końskie, w miłość chłopięcą,
w przysięgę nierządnej.

William Szekspir

Król Lear (Akt III, scena VI)*

* przekład Witolda Chwalewika

Rozdział 14

Nick obserwował żonę pijącą wino. A właściwie należałoby powiedzieć: żłopiącą. Lecz jeśli uda mu się chociaż ją nakłonić, by pomyślała tak jak on, warto było zapłacić siedemdziesiąt funtów za butelkę. To była ekskluzywna restauracja i tylko Nick mógł dostać w niej taki pierwszorzędny stolik bez zrobienia rezerwacji znacznie wcześniej. W tym lokalu warto było się pokazać i Nick wiedział, że zaimponuje to jego żonie. Lubiła, kiedy ją z nim widywano, a to, że tam poszli, sprawiło jej wielką przyjemność. Wszystkie przyjaciółki się o tym dowiedzą, a dla biednej Tammy to się naprawdę liczyło.

Nick musiał nastawić ją odpowiednio, by przyjęła to, co się stało z Garym. Też musiała o tym wiedzieć.

Ponownie napełnił jej kieliszek.

— Wypij.

Tammy się uśmiechnęła, już była podcięta. Gdyby jadła lunch z innym mężczyzną, spodziewałaby się, że w ciągu pięciu minut przypuści na nią atak. Ale ponieważ był to Nick, nie robiła sobie wielkiej nadziei, choć w odległej i mglistej przeszłości to się zdarzało. Nadzieję zawsze można mieć.

— Więc jak myślisz, kto to zrobił Gary'emu?

Nick wzruszył nonszalancko ramionami.

— Nie mam zielonego pojęcia.

Tammy obserwowała go uważnie. Łgał w żywe oczy, to

wiedziała na pewno. Wiedziała też jednak, że w rozmowie z kimś innym sprawiałby wrażenie szczerego, a nawet zdezorientowanego. Nick Leary był fantastycznym aktorem. Pod wieloma względami minął się ze swoim prawdziwym powołaniem.

— Twój najlepszy przyjaciel zostaje upieczony w garażu, a ty nie uważasz tego za dziwne? Nawet nie chcesz wiedzieć, kto to zrobił?

Nick znów pokręcił głową.

— Zgadza się.

Tammy patrzyła na niego przez kilka sekund, a potem rzekła pogodnym tonem:

— Popytam wśród żon. W naszym gronie zwykle udaje nam się dotrzeć do sedna każdego brudnego numeru, jaki tutaj odchodzi.

Nick spojrzał na nią, mając świadomość, że inni klienci obserwują tę wymianę zdań, choć nie mogą słyszeć słów.

— O, nie, moja pani, tego nie zrobisz.

Złapał ją za nadgarstek i ścisnął, aż Tammy się skrzywiła.

— Spójrz na mnie, Tams, i czytaj z moich warg. Gary kręcił za moimi plecami i wpadł, jasne?

Tammy skinęła głową, nieco zaniepokojona tonem głosu męża.

Nick również wyglądał na zaniepokojonego, lecz to nie była żadna nowość. Wyglądał tak od czasu włamania do ich domu. Z dnia na dzień siwiał coraz bardziej, a zmarszczki mimiczne się pogłębiły.

Tammy jak zwykle ogarnęło współczucie dla męża. To była kolejna z jego umiejętności. Każdy problem Nicka wywoływał w niej żal. Wiedziała, że na zewnątrz nosi maskę macho, musiało mu być trudno z nią żyć.

Wiedziała także, że wielu ludzi — między innymi policjantów — pomyśli, że Nick miał coś wspólnego z wypadkiem Gary'ego albo że wie, kto za nim stał.

Zbyt ściśle ze sobą współpracowali, by mogło być inaczej.

Lecz dzięki nieszczęśliwemu wypadkowi z włamywaczem ludzie spojrzą na niego łagodnie. Właśnie w taki sposób funkcjonował ich świat i oboje mieli tego świadomość.

Nick jadł dalej, jakby nie wiedział, co to troski, lecz w ich świecie pozory były bardzo ważne. I nikt nie umiał ich podtrzymać tak jak Tammy i Nick. Byli w tym mistrzami i musieli nimi być, jeśli prowadzili takie życie.

Tammy zawsze miała ochotę albo go pocałować, albo kopnąć, tak jak Nicka juniora, w grę nie wchodziły pośrednie odczucia. Jego stary przyjaciel został straszliwie zmasakrowany i leżał półżywy, a Nick wyglądał na przybitego, a mimo to coś w tym nie grało.

Nie wyglądał na wystarczająco przybitego.

Tammy była przekonana, że Nick o wszystkim wie i że nie chodziło tylko o to, że Gary robił jakieś interesy na boku. Zestawiła w myślach wszystkie fakty i zapytała cicho:

— Czy to ma coś wspólnego ze Steviem Dalym?

To był strzał w ciemno, wymieniła nazwisko instynktownie. Przez całe lata postępowała w ten sposób i stała się mistrzynią w tej dyscyplinie.

W nagrodę zobaczyła, że twarz Nicka pobladła jeszcze odrobinę.

— Minęłaś się z powołaniem, Tams, powinnaś zostać gliniarzem.

Tammy się roześmiała, zadowolona, że trafiła, zresztą zgodnie ze swoimi oczekiwaniami. Nick zawsze potrafił ją naprowadzić, a ona wciąż nie przejrzała tej gry.

— Jestem za niska.

Nick przyjrzał się żonie. Rzeczywiście była drobniutka. Zawsze go to pociągało, zwłaszcza w takich sytuacjach, kiedy z nim współdziałała. Wyglądała na słabą i delikatną, lecz Nick wiedział, że nie potrwa to długo, bo jej oczy zaczynały zmieniać zabarwienie. Zmiana była tak minimalna, że mógł ją dostrzec tylko ktoś, kto naprawdę dobrze znał Tammy. Zamierzała się z nim kłócić, a on nie był pewien, czy potrafi znieść kłótnię.

— Co takiego zrobił Gary? To musiało być coś strasznego. Stevie obrabiał banki, jest złodziejem, a nie mordercą. To duża różnica.

Nick westchnął.

— Nie wiem, o czym mówisz. Naoglądałaś się za dużo seriali.

Tammy wiedziała, że Nick nie powie nic więcej, ale coś w tym było i miało związek ze Steviem, więc trochę się uspokoiła.

— To nie ty, prawda? — zapytała dla pewności.

Nick pokręcił głową.

Tammy zastanawiała się, co powiedzieć. Drink zaczynał robić swoje, była trochę wystraszona. Postanowiła uwierzyć Nickowi, tylko to mogła zrobić. Musiała chronić siebie, dom i dzieci, oboje o tym wiedzieli.

— W porządku. Czy mamy się spodziewać pukania do drzwi?

— Jeśli gliny będą pytały, byłem z tobą przez całą noc, okay?

Tammy uśmiechnęła się drwiąco, a jej oczy przybrały stalowoszary odcień, gdy uświadomiła sobie, że właśnie do tego zmierzała cała ta pogawędka. Nick pozwolił jej wyciągnąć z siebie informację. Zaczynała rozgryzać jego taktykę, ale nie zdradziła się z tym.

Wiedza to władza, mawiał zawsze Nick.

— Rozumiem. Chcesz, żebym uwiarygodniła twoją bajeczkę, do tego ma służyć ten lunch. Powinnam od razu się domyślić.

— Zawsze byłaś bystra, Tammy, dlatego się z tobą ożeniłem.

Uśmiechnęła się.

— Więc taki był powód, prawda?

Powiedziała to głosem pełnym urazy i Nick mógł się tylko zastanawiać, ile czasu upłynie, zanim Tammy się upije i zacznie kłócić, a on będzie musiał odstawić ją do domu. Na szczęście jednego mógł być pewny z Tammy: wystarczyło, że usłyszała wiadomość i wszystko było jasne. Cokolwiek się stanie, Nick będzie miał alibi i oboje nie mieli co do tego wątpliwości.

Louis Clarke pił dużą wódkę z lodem w klubie w Clerkenwell i przekazywał braciom nowe informacje o synu Tyrella. Byli zdumieni takim obrotem sprawy i widzieli, że Louis jest zawstydzony samym mówieniem o tych rzeczach.

— Czuję się jak zasrana plotkara!

Wszyscy roześmiali się nerwowo.

— Bo w pewnym sensie nią jesteś, nie?

Terry Clarke zaczerwienił się z gniewu i zawstydzenia.

— Gdyby to był któryś z moich synów, chybabym oszalał.

Wszyscy skinęli głowami.

Tyrell był równym gościem, lubianym i szanowanym. To, że coś takiego na niego spadło, wytrąciło z równowagi wszystkich siedzących przy stole. Jeśli katastrofa zdarza się zbyt blisko domu, człowiek odnosi wrażenie, że może się powtórzyć w rodzinie. Stara się chronić swoje dzieci, ale czy mu się to udaje, to w tych czasach zupełnie inna sprawa. Wszystko się pokręciło, świat zmieniał się z godziny na godzinę.

— To nie on go wychowywał, tylko ta szmata Jude. Pieprzona suka.

— Jak to przyjął? — spytał Colin, najstarszy z braci.

— A jak myślisz?! Jak ty byś przyjął coś takiego?

— Na pewno nie na tyłek.

Głos Terry'ego podszyty był drwiną i bracia zaśmiali się, choć nie bez poczucia winy.

Louis westchnął.

— Słuchajcie, pomożemy mu czy nie? Myślę, że on ma rację, podejrzewając, że kryło się w tym coś więcej, niż widać na pierwszy rzut oka.

Colin skinął głową.

— Ja znam Nicka Leary'ego i wiem, że to równy gość. Nie ma mowy, żeby był w to zamieszany.

Powiedział to głosem wykluczającym wszelki sprzeciw.

— Ale kto mógłby się odważyć go skroić? Wiem, że nie tak dawno miał jakiś drobny zatarg z Leo Greenem. Ale Leo to nie jest cienki złodziejaszek. Przyłożyłby mu raz i po sprawie.

Terry zmarszczył czoło. Leo Green handlował bronią i narkotykami. Ani jedno, ani drugie nie było specjalnością Nicka Leary'ego. Zajmował się wyłącznie prowadzeniem klubów i dyskotek, a za parawan służyła mu firma budowlana, która przynosiła wystarczające dochody.

— O co się pożarli?

— Leo robił dealerkę w klubach Nicka. Wiecie, jak to jest, wynajął paru młodziaków, żeby wnosili towar. Z tego, co wiem, towar był gówniany i jakiś małolat o mało się nie przekręcił. Zasrane extasy i rohypnol, środek hipnotyzujący, po którym dziewczyna odjeżdża i można ją zgwałcić. Dlaczego po prostu nie upiją laski albo nie podsuną jej trochę koki? Te dzisiejsze szczeniaki nie mają za grosz klasy! Tak czy siak, Nick Leary się kapnął i mleko się rozlało, ale Nick to nie jest facet, któremu można powiedzieć, żeby się walił, on potrafi o siebie zadbać.

— Ale to samo można powiedzieć o Leo — wtrącił Billy Clarke. — Musieli dobić targu, coś za coś, jeżeli nie doszło do rozlewu krwi.

Nikt nie odpowiedział; Louis podszedł do baru i zamówił kolejne drinki. Billy spojrzał na twarze braci. Wyglądali jak klony, a gdy siedzieli razem przy jednym stole, stanowili zatrważający widok. To była ich siła i wiedzieli o tym. Nikt nie zadzierał z braćmi Clarke, którzy zawsze ze sobą trzymali. Taki układ był korzystny dla interesów, a poza tym dobrze wyglądał.

— Więc co z tym Learym? Myślisz, że Leo Green mógł ustawić ten napad jako zemstę?

Louis pokręcił głową.

— Ja tego nie widzę, ale wspomnę o sprawie Tyrellowi. Facet wyłazi ze skóry, odkąd się dowiedział, że jego syn był gejem.

Billy westchnął.

— Ale czy on był gejem? Oglądałem film dokumentalny o chłopcach do wynajęcia, wielu z nich robi to tylko dla pieniędzy, nie mają z tego przyjemności. Nie są pedziami w pełnym znaczenia tego słowa.

Terry i Colin się roześmieli.

— Kiedy ty obejrzałeś jakiś zasrany film dokumentalny?

Billy się zarumienił.

— Znacie Caroline, ona ogląda te wszystkie bzdety.

Pozostali bracia spojrzeli po sobie i parsknęli śmiechem. Caroline była wysoką, długonogą brunetką z szeroko rozstawionymi oczami i mózgiem prostym jak konstrukcja cepa. Billy ją ubóstwiał, a ona ubóstwiała jego; wszyscy bracia na swój sposób za nią szaleli. Po urodzeniu trojga dzieci i dwunastu latach małżeństwa wciąż wyglądała jak nastolatka.

Billy przyjął żarty z humorem, tak jak się spodziewali; Terry natomiast by się wkurzył.

— Nie lubię Leo Greena, to zasrany krętacz! — warknął Colin.

— Kto pukał do twojej puszki?

Colin był najspokojniejszym z braci, myślicielem. Choć często wychodził na bufona, w pewnym sensie był mózgiem całej ferajny. Słuchali go, kiedy mówił, bo nieczęsto się odzywał.

Pociągnął łyk piwa i otarł hałaśliwie usta.

— Przed laty Leo ściął się z jednym gościem, który przywoził świńskie filmy z Amsterdamu. Naprawdę ostre, wtedy nie można było tu dostać niczego podobnego. W każdym razie ten gość wykolegował Leo, a wiecie, co Leo zrobił? Podstępny skurwiel pojechał z żoną i dziećmi na urlop przyczepą kempingową, zabrali nawet psa. I tak wszystko zaaranżował, że gdy ten, co go wyrąbał, wyjeżdżał z tunelu Dartford, Leo rzucił się na niego z łomem. Wyciągnął faceta z samochodu i grzmocił na oczach swoich dzieci i żony.

Kiedy zjawiły się gliny, Leo wstawił im łzawą bajeczkę o tym, że ciężarówka omal go nie przejechała, jego, niewinnego człowieczka, który jechał na urlop z żoną i dziećmi. Złapał więc łom, bo tamten kierowca chciał rozjechać jego samochód z dziećmi w środku. Zasrane gliny o mało nie dały mu medalu za odwagę! A tamten nie mógł im opowiedzieć, o co naprawdę poszło, nie? Zaliczył wpadkę i postawili go przed majestatem prawa za spowodowanie zagrożenia życia i tak dalej! Leo uważał to za diabelnie zabawne. Szmaciarz wykorzystał własne dzieci, żeby wyrównać rachunki. A gdyby sytuacja się odwróciła i tamten załatwił jego i rozwalił mu samochód? Dzieci Leo były malutkie, a on postawił na szali życie dzieciaków, żony i psa, żeby jego było na wierzchu! Osobiście uważam, że jest zdolny do wszystkiego. Właśnie dlatego nigdy z nim nie handlowałem.

— Myślisz, że Leo mógł mieć coś wspólnego z tym, że Sonny zakradł się do domu Leary'ego?

Colin wzruszył ramionami.

— Nie wiem. Mówię tylko, że zadaje się z młodymi chłopakami, bo puszcza w obieg proszek, dlatego można przypuszczać, że przynajmniej znał Sonny'ego. Handluje też bronią, a to zainteresowało Tyrella, zgadza się? Chciał wiedzieć, skąd chłopak wziął gnata. Może Leo nie jest osobiście w to zamieszany, ale może nas naprowadzić na właściwy trop.

— Handluje bronią? — zdziwił się Louis.

Colin odpowiedział powoli, jakby przemawiał do pięciolatka.

— Idziesz do niego, a on sprzedaje ci broń, to właśnie oznacza handel.

Znów wszyscy się roześmieli.

— Bardzo zabawne. Myślałem, że Leo handluje tylko proszkiem?

Colin wzruszył ramionami.

— Jeden z moich ludzi kupił od niego świetnego gnata, Leo sprzedaje taniej od innych. Ale znając Leo, wiem, że jest w tym jakiś haczyk, musi być. On używa.

— Gdzie jest teraz Tyrell?

— Nawalony jak stodoła — odparł Louis. — Zmienił się od czasu, kiedy zostawił Sally. Nie może przestać myśleć o Sonnym. Ale to chyba normalne w takiej sytuacji.

— Nie lubię tej Sally — stwierdził Billy. — Caroline powiedziała kiedyś, że ona jest zimna, a znacie moją starą, ona rzadko mówi złe słowo o kimkolwiek.

Wszyscy skinęli głowami. Świadczyło to o szacunku, którym darzyli Caroline, że bez wahania słuchali jej opinii. Nie można było tego powiedzieć o ich żonach i dziewczynach, których nigdy nie słuchali, chyba że chodziło o dom i dzieci.

To było jakby ich terytorium.

— Lubię starego Tyrella — mruknął smutno Billy.

Wszyscy skinęli głowami.

— Równy z niego gość i zdaje mi się, że im prędzej dotrze do sedna tej sprawy, tym lepiej. Jankesi nazywają to zamknięciem dochodzenia.

Wszyscy znów spojrzeli na Colina, a Terry powiedział wysokim głosem:

— Trzeba było słuchać mądrzejszych.

Znów wszyscy się zaśmiali, lecz był to wymuszony śmiech; wszyscy wyraźnie spoważnieli. Nie mieli najmniejszej ochoty myśleć o życiu małego Sonny'ego, które trudno było w zasadzie nazwać życiem.

Myśl o własnych dzieciach budziła w nich przerażenie, bo ojciec zapewnił Sonny'emu dostęp do porządnego życia i patrzcie, jak to się skończyło. Żaden z nich nie chciał, żeby jego syn kombinował i kręcił, kantowaniem zarabiał na życie. Chcieli, żeby byli zwyczajnymi ludźmi, i to pod każdym względem. Żaden też nie chciał, by ich córki wyszły za mężczyzn takich jak oni. Nie chcieli, by żyły tak jak ich matki, bez przerwy zastanawiając się, gdzie jest mąż, czy wróci do domu, czy też go przymkną. I żeby nie miały problemu, który ich kobiety uważały za największy: żeby nie musiały zadawać sobie pytania, kogo mąż posuwa na boku.

Chcieli o wiele lepszego losu dla swoich dzieci, bo w przeciwnym razie po jaką cholerę to całe kantowanie?

Jude zaczynała panikować. Towar już się prawie kończył, a Gino się nie pokazywał. Myślała, że do tej pory uwolni się od matki, zostanie wykopany z domu i na dłużej zamelinuje się u niej.

Jeśli się wkrótce nie pojawi, będzie musiała wyjść i sama zarobić parę funtów, a tego nie lubiła. Nie chodziło o to, co musiała robić dla forsy, lecz o fakt, że wiązało się to z koniecznością ubrania się i wyjścia z domu. Dla Jude te czasy już się skończyły. Wolała siedzieć w domu, z dala od świata, z dala od rzeczywistości. Tylko w ten sposób mogła dać sobie radę.

Musiałaby również się wykąpać, a od śmierci Sonny'ego wanna była prawie nieużywana. Śmierdziała. Sonny sprzątał, prał pościel i zajmował się wszystkimi przyziemnymi sprawami. Z czasem weszło mu to w krew. Lubił być czysty, godzinami przesiadywał w łazience.

Jude wiedziała też, że ze swoimi siniakami nie będzie atrakcją dla żadnego mężczyzny, więc znalazła się w kropce.

Nie dostanie już towaru z litości po awanturze z matką Gina, a nie miała nic do sprzedania. Poszedł już przenośny sprzęt Sonny'ego, a także jego kompakty i walkman. Mogła zadzwonić do firmy aukcyjnej i kazać zabrać jego łóżko i szafę, ale gdzie wówczas będą spali goście?

Nie zamierzała prosić o pomoc Tyrella, w każdym razie przez jakiś czas. Pozostali koledzy Sonny'ego unikali jej, od kiedy wciągnęła Gina w heroinę, pozostało jej więc tylko jedno. Wzięła komórkę Sonny'ego i wybrała numer, który dostała od Dużej Ellie. Od razu włączyła się sekretarka, więc Jude drżącymi rękami wyłączyła aparat. Wiedziała, że to, na co się porywa, jest niebezpieczne, lecz znalazła się na krawędzi. Nie miała wyboru. Nick Leary był jej coś winien, a ten numer to przepustka do niezmierzonych skarbów. Czeka go szok, Jude była zdeterminowana, żeby mu go zafundować.

Poczeka godzinę i zadzwoni jeszcze raz.

Tymczasem wybierze się do Verbeny. Zawsze warto było zapukać do jej drzwi, kiedy Jude znalazła się w rozpaczliwej sytuacji.

Nawet jeśli będzie musiała słuchać Biblii.

Sally patrzyła, jak jej mąż pakuje swoje ostatnie rzeczy do dużej walizy, której zwykle używali w czasie wakacji. Nie mogła uwierzyć, że opuszcza ją na dobre. Lecz w jego twarzy dostrzegła determinację i z żalem sobie uświadomiła, że to koniec ich małżeństwa. Kiedy wyjdzie z tą walizką, ona nigdy więcej nie będzie go mogła wpuścić. Duma jej na to nie pozwoli. Bardziej martwiła się o to, co ludzie pomyślą o niej i jej rodzinie, niż o własne szczęście. Zdawała sobie sprawę, że Tyrell też to wie i wykorzystuje ten fakt przeciwko niej. Doprawdy nie mogła go za to winić.

Była córką swojej matki, jak zauważył przed laty. Teraz zostało to udowodnione, gdyż Sally nie potrafiła poprosić go, by został. W głębi duszy chciała go błagać, żeby nie odchodził, bo wciąż go kochała. Oboje jednak wiedzieli, że bardziej przejmuje się tym, iż będzie postrzegana jako żona, którą porzucił mąż.

Tyrell spojrzał na nią świeżym okiem i zastanawiał się, jak w ogóle go usidliła. Gdyby nie ona, jego najstarszy syn mieszkałby z nim. Lecz Sonny zawsze wiedział, że Sally nie patrzy na niego przychylnie.

Jakby była przekonana, że zbruka jej synów, i może miała rację. Ale to świat bruka dzieci. Mogą pochodzić z najlepszych domów, a i tak popalają trawę. Dość spojrzeć na księcia Harry'ego.

W sypialni Tyrell poczuł, że Sally spryskała poduszki olejkiem lawendowym, żeby spokojniej spać. Zerknął na gustowne obrazy na ścianach. Sally powstrzymywała się od wygładzenia pogniecionej kołdry tylko dlatego, że leżała na niej walizka.

Jej życie ogromnie różniło się od życia Jude. Zawsze miała wszystko pod kontrolą i kiedyś pociągało to Tyrella. Teraz, patrząc na nią, widział tylko to, że ta kobieta nigdy nie chciała, by jego najstarszy syn kręcił się po domu i siał w nim zamęt. W gruncie rzeczy nie chodziło o jej synów — Sally nie mogła znieść chaotycznego sposobu bycia Sanny'ego. Gdyby skończył studia, powitałaby go z otwartymi ramionami. Sally była snobką, i to w najgorszym wydaniu.

Tyrell miał tylko nadzieję, że jego dwaj pozostali synowie będą mogli poszczycić się jakimiś osiągnięciami, bo inaczej spotka ich ten sam los co Sonny'ego. Sally była pod tym względem jak jej matka: widziała w dzieciach odbicie samej siebie i bez przerwy myślała o tym, jak inni ludzie ją postrzegają.

Lecz teraz Tyrell był górą i postara się, żeby jego synowie mieli lepszy start w życiu niż biedny Sonny. Dopilnuje, by wiedzieli, że życie to coś więcej aniżeli ciągłe zrzędzenie o tym, że trzeba być najlepszym. Jego synowie zaznają także radości. Tyrell uświadomił sobie, że chłopcy nawet śmieją się przyciszonym głosem. Czemu wcześniej nie starał się temu zaradzić? Ponieważ Sally pilnowała, by wszyscy tańczyli tak, jak ona zagra. Ale to już nie wróci. On zmieni płytę i w przyszłości wszyscy będą tańczyć do takiej melodii, jaką wybierze.

— Zaparzyć ci kawy?

To była zakamuflowana prośba, żeby został, i Sally nie zdobędzie się na bardziej otwartą. Oboje zdawali sobie z tego sprawę. Jeśli Tyrell przyjmie zaproszenie, jego żona będzie się spodziewać, że spróbuje ją pocałować, a może zaciągnąć do łóżka. Ona najpierw się sprzeciwi, ale w końcu ulegnie i wszystko będzie jak przedtem. Tyrell widział błaganie w jej oczach.

— Nie mogę. Umówiłem się z kimś i już jestem spóźniony.

Powiedział to niedbale, wiedząc, że ją rani, lecz już się tym nie przejmował. Ile razy Sally odzywała się w ten sposób do Sonny'ego, kiedy dzwonił, żeby porozmawiać z braćmi? Przerywała mu w pół zdania, mówiła, że leżą w łóżku, uczą się albo robią jeszcze coś innego, a Tyrell jej na to pozwalał. To było w tym wszystkim najgorsze: pozwalał jej, bo nie był wystarczająco mężczyzną, żeby kazać jej odczepić się od tego biednego chłopca.

— W takim razie nie będę cię zatrzymywać.

Tyrell uśmiechnął się drwiąco.

— À propos, dlaczego nie powiedziałaś mi, że Sonny dzwonił do ciebie na komórkę tego wieczoru, gdy zginął? Byliśmy wtedy na Jamajce.

Tyrell widział szok na twarzy żony.

— Policja zanotowała twój numer jako jeden z ostatnich, pod które dzwonił. Jestem pewny, że rozmawiali o tym z tobą.

— To było nieodebrane połączenie... tak im powiedziałam.

Nie poinformowała o tym jednak Tyrella, a on chciał, by mu to teraz wyjaśniła. Jąkała się, a Tyrell patrzył z przyjemnością na jej zakłopotanie, bo chciał jej to powiedzieć, tylko czekał na właściwy moment.

— Z zapisu wynika, że rozmowa trwała minutę i dwadzieścia sekund, więc nie wciskaj mi kitu. Zrobiłaś to, co zawsze, prawda, Sal? Posłałaś go w cholerę, bo nie mogłaś znieść, że pakuje się z butami w twoje bezpieczne, zaciszne życie.

Sally kręciła głową.

— Oprócz mnie nikogo nie było...

— Gdybym z nim pomówił, może nie zrobiłby tego, co zrobił. Może — powtarzam, może — dzwonił po to, by prosić o pomoc lub radę.

Sally się roześmiała i odparła twardym głosem:

— Chciał pieniędzy. Kazałam mu poczekać, aż wrócimy do domu. Czy nawet na wakacjach musimy finansować nałóg jego matki?

Sally była teraz pewna swego.

Tyrell zbliżył twarz do jej twarzy i wycedził przez zaciśnięte zęby:

— Jesteś pizdą, Sal! Podłą, mściwą i zazdrosną pizdą.

Po raz drugi w ciągu kilku dni nazwał tak kobietę. Zamknął oczy i wziął głęboki oddech, bo poczuł również ochotę, by przyłożyć jej tak mocno, żeby nigdy więcej się nie podniosła.

— Potrzebował pomocy, a wiedząc, jak się do niego odnosisz, nie zadzwoniłby, gdyby nie był zdesperowany.

— Skąd miałam wiedzieć, co zamierza zrobić?

Tyrell wytarł nos. Ciekło mu z niego, musiał zebrać całą siłę woli, żeby się nie rozpłakać.

— On się sprzedawał, Sal. Ten chłopak dawał tyłka z powodu matki, a ja nawet o tym nie wiedziałem, bo postarałaś się o to, żebym nie miał czasu z nim pogadać.

— Nie mogłeś przekazać mu pieniędzy z Jamajki.

Sally powiedziała to lekceważącym tonem. Pozbierała się i Tyrell musiał ją za to podziwiać. Nawet jeśli nie mógł podziwiać jej za nic innego.

— Ależ mylisz się. Mogłem mu przekazać forsę przez przyjaciół. Już to wcześniej robiłem.

Tyrell zobaczył zdziwienie na twarzy żony i ten widok sprawił mu drobną satysfakcję.

— Nie wiedziałaś nawet połowy, a zdawało ci się, że wiesz, i to ci pasowało. Idę. Tak jak powiedziałem, muszę się z kimś spotkać, coś załatwić.

Ściągnął ciężką walizę z łóżka i jedwabna narzuta zsunęła się na podłogę. Wiedział, że Sally z trudem powstrzymuje się, żeby jej nie podnieść i nie umieścić pieczołowicie na miejscu. Wynosząc walizę z sypialni, zobaczył synów i uświadomił sobie, że wszystko słyszeli. Nie mógł jednak nic na to zaradzić ani niczego powiedzieć, bo płakał. Łkał z powodu swojego zmarłego syna. Ci dwaj żyli i mieli dobrą opiekę. Musi uporządkować sobie wszystko w głowie, zanim o tym wszystkim z nimi porozmawia.

Rzeczy, których dowiedział się w ciągu ostatnich kilku dni, złamały go. Nie był pewien, czy kiedykolwiek zdoła się naprawdę pozbierać. W tej chwili wiedział tylko tyle, że jeśli nie wyjdzie z tego domu, wybuchnie.

Jego przystojni synowie patrzyli na niego wielkimi oczami; Tyrell postawił walizkę. Wziął ich obu w ramiona i przytulił. Następnie podniósł walizkę i ostrożnie zszedł po wąskich schodach. Wychodząc przez frontowe drzwi, słyszał, jak za nim wołają, lecz zamknął drzwi i odszedł jak najszybciej.

Porozmawia z nimi później, kiedy będzie mógł normalnie mówić. Wyjaśni sytuację z matką najlepiej, jak umie. Teraz jednak wiedział, że musi ratować siebie i właśnie to zamierzał uczynić.

W samochodzie zapalił skręta, zaciągnął się mocno, a potem ruszył w drogę do swojego mieszkania, gdzie miał się spotkać z Louisem Clarkiem.

Rozdział 15

Jude wyglądała przez okno i starała się uspokoić nerwy. Numer, pod który dzwoniła, wciąż nie odpowiadał, a ona za każdym razem była coraz bardziej roztrzęsiona. Ale człowiek nie ma wyboru, kiedy diabeł siedzi za sterem, a ponieważ jej diabeł siedział za sterem bez przerwy, wiedziała, że musi doprowadzić tę grę aż do gorzkiego końca.

— Pan ci pomoże, Jude, jeśli go poprosisz.

Jude przewróciła oczami i skierowała wzrok na sufit.

— Pan mnie olewa i dobrze o tym wiesz.

Verbena nie była zaszokowana tymi słowami, spodziewała się ich. Modliła się jednak i miała nadzieję, że pewnego dnia Jude ujrzy światło i odda się w Jego ręce.

— Mylisz się, dziewczyno. A teraz odłóż ten telefon i porozmawiaj ze mną jak należy.

Jude była rozdygotana, pociła się i to nie tylko ze względu na głód narkotykowy, lecz także z nerwów. Poczuła, jak cuchnie, i przez ułamek sekundy zrobiło się jej wstyd. Spojrzała na siebie w dużym pozłacanym lustrze wiszącym nad kominkiem i zobaczyła straszydło z ciemnymi strąkami na głowie i oczami nabiegłymi krwią. Ten widok ją przygnębił. Nie cierpiała patrzeć na siebie, bo wówczas uświadamiała sobie, że taka już będzie aż do śmierci. Zalała ją kolejna fala żalu nad sobą pomieszana z odrazą i rozpaczliwą potrzebą zapomnienia.

Musiała stamtąd wyjść, zdobyć forsę i wrócić do domu, gdzie czuła się bezpieczna, gdzie mogła się utwierdzić w przekonaniu, że jej życie toczy się normalnym torem.

— Tutaj pewnie wszyscy świetnie się bawią.

Verbena pokręciła głową.

— Dlaczego tak myślisz, kochanie?

Jude wzruszyła ramionami.

— Trudno mnie uznać za gwiazdę miesiąca, co? Teraz, kiedy moje dziecko nie żyje, chyba nie będę tutaj mile widziana.

Jej głos przepełniony był litością dla samej siebie. Wiedziała, które guziki nacisnąć, naciskała je przez ponad połowę swojego życia.

Verbenie jak zwykle zrobiło się żal Jude. W stosunku do niej zachowywała się tak, jakby była zaślepiona. Nawet ona miała tego świadomość.

A mimo to nigdy nie potrafiła jej odmówić.

— Zawsze będziesz mile widziana w moim domu, wiesz o tym.

Jude się uśmiechnęła i tym razem był to prawdziwy uśmiech. Jej wyblakłe oczy pozostały zamglone, lecz fakt, że była teściowa wciąż się o nią troszczy, znaczył dla niej więcej, niż przypuszczała. Po odejściu Sonny'ego brakowało jej miłości. Bez względu na to, kim była i co robiła, Verbena zawsze była gotowa jej pomóc i uwielbiała ją, a ona aż do tej chwili nie uświadamiała sobie, jak bardzo tego potrzebuje.

Odruchowo złapała Verbenę za rękę i mocno uścisnęła.

Ta stara kobieta straciła syna i to sprawiło, że nie była w stanie wychodzić z domu. Czasem irytowało to Jude, gdyż wiedziała, że gdyby teściowa wychodziła, przyniosłaby jej do domu to, czego potrzebuje, i dzięki temu oszczędziłaby jej zachodu.

Samuel był małym Sonnym Verbeny. Nie nazwałaby go „dobrym dzieckiem", w odróżnieniu od braci i sióstr. Był jej zagubioną owieczką i grzesznikiem i kochała go za to jeszcze mocniej.

Teraz jednak Jude wiedziała, że śmierć jej syna jeszcze bardziej zbliżyła ją do teściowej. Verbena była dla niej dobra, musiała to przyznać. W przeciwieństwie do wszystkich innych, którzy ją opuścili, Sonny i Verbena zawsze byli gotowi pospieszyć jej z pomocą.

— Co ja bym bez ciebie zrobiła?

Choć raz Jude mówiła szczerze i jej głos dobitnie o tym świadczył.

Starsza kobieta poruszyła obfitym ciałem, rozpaczliwie pragnąc przytulić tę pożal się Boże matkę, która przed nią siedziała. Mimo iż wiedziała, że nie powinna współczuć Jude, jej serce zachowywało się tak, jakby miało za chwilę pęknąć ze smutku.

Jude nie była zła, to tylko narkotyki pchały ją do złego. Verbena wiedziała, bo znała to z autopsji. Jude nawet ją okradała; podbierała niewielkie sumy, czasem jakiś drobiazg. Kiedy Sonny był malutki, babka zawsze przeszukiwała ukradkiem jego wózek, zanim Jude wyszła, na wypadek gdyby zawieruszyła się w nim jakaś bransoletka lub pierścionek. Lecz poznawszy rodzinę Jude, zrozumiała, dlaczego dziewczyna taka się stała.

Pięć minut później otworzyła portmonetkę i dała Jude tyle, że wystarczyło na sporą torebkę, choć obie udawały, że daje jej pieniądze na jedzenie. Uprawiały tę grę przez wiele lat i Verbena zastanawiała się, kiedy ten dziwny układ się skończy.

Dopiero po śmierci którejś z nich, pomyślała z zadumą. Oby to była jej śmierć, wtedy nareszcie wyjdzie z domu.

Jude wzięła pieniądze i natychmiast się ulotniła, a staruszka zbliżyła się do zdjęcia grobu wnuczka. Potarła fotografię kciukiem, myśląc o jego życiu; wiedziała, że ze wszystkich ludzi w jej świecie tylko on jeden zrozumiałby, dlaczego dała Jude pieniądze.

Sonny odziedziczył po Verbenie zdolność przebaczania. Jakie to smutne, że nikt nigdy nie dostrzegł tego faktu.

Nick zostawił żonę w winiarni z przyjaciółkami, a sam ruszył do domu, żeby się przebrać, odpocząć przez kilka godzin, a przy okazji zebrać myśli. Matka nie chciała z nim rozmawiać, więc po kilku próbach dał za wygraną. Tak jakby z dnia na dzień włożyła togę obrończyni Tammy. Co mu nawet w pewnym sensie odpowiadało, bo poprawiało atmosferę i pozwalało unikać zadrażnień.

Nie mógł zawracać sobie głowy dociekaniem, co się stało, bo i bez tego miał dość kłopotów.

Kochał matkę, lecz czasem rozumiał, dlaczego Angela doprowadza Tammy do szału. Nigdy nie były ze sobą blisko, nawet się nie lubiły, ale teraz wydawało się, że to Nick ma na pieńku z matką, a nie Tammy. Był gotów na to przystać przez jakiś czas, jeśli tylko poprawi to nastrój jego żony. Miał się czym martwić, nie będzie się przejmował napadem złego humoru matki. Przejdzie jej i oprzytomnieje. Istniała między nimi więź, której Angela nigdy nie przetnie, oboje mieli tego świadomość.

Szybko wziął prysznic i położył się na łóżku. Mógł poleżeć w spokoju, póki Tammy przebywa poza domem. Był przemęczony, wiedział, że sen bardzo by mu się przydał, ale nie mógł się uspokoić. Śmierć młodego włamywacza nim wstrząsnęła, lecz to, co zrobił Gary'emu, było okropne, Nick dopiero teraz to zrozumiał.

Co się z nim dzieje?

Jak dotąd psy go się nie czepiały, pytano go tylko, kiedy ostatnio widział Gary'ego Proctora. W takich sytuacjach każdego o to pytają. Nick wiedział, że nie chcą, by jego nazwisko znów trafiło do gazet. Był kimś w rodzaju bohatera, w każdym razie dla opinii publicznej. Rozegrał wszystko po cichu, a teraz, gdy Tammy stała po jego stronie, czuł, że jest bezpieczny. Nick nie miał wątpliwości, że gliny wiedzą o reputacji Gary'ego — jego zresztą też — lecz prawo w tym kraju wymaga dowodów, i bez względu na to, o co go podejrzewano, policja musiała udowodnić, że on i Gary robili jakieś brudne interesy. Nick był o wiele za sprytny, by pozwolić na to, żeby coś odbiło się rykoszetem i wróciło. Na zewnątrz dbał o otoczkę prawdziwego biznesmena.

Wiedział również, że gliny mają wrażenie, iż łączyły go

z Garym bliskie więzi. A Nick chciał, żeby tak właśnie myśleli. Zasypał żonę Proctora forsą, więc Maureen była bardzo miła. W gruncie rzeczy nie posiadała się z radości. I nic w tym dziwnego, bo Gary od lat traktował ją jak płatną pomoc domową.

Stevie, niech go Bóg błogosławi, ucieszył się, że Nick wyświadczył mu przysługę, choć nie chciał tego, co się stało.

W sumie to powinien być spacerek.

Taką przynajmniej Nick miał nadzieję. Jeśli gliniarze nie aresztują nikogo w ciągu doby od popełnienia poważnego przestępstwa, sprawca mógł się czuć prawie bezpieczny. Większość ludzi nie wie o tym, że przestępcy znają prawo i jego działanie lepiej niż przeważająca część tych, którzy służą Staremu Billowi. Musieli je znać, bo w przeciwnym razie nie przetrwaliby na ulicy nawet pięciu minut. Przestępcy uprawiający z powodzeniem swój proceder płacili ciężką kasę adwokatom i prawnikom, żeby dowiedzieć się, na czym polega ta gra. Byli przygotowani na każdy cios, który może na nich spaść.

Wymiar sprawiedliwości w największej mierze polega na tym, kto ile może zapłacić, a nie na tym, kto jest winny. Zostało to wielokrotnie udowodnione. Wystarczy spojrzeć na wyroki dla pijanych kierowców.

Nick znów się trząsł. Wziął parę głębokich oddechów, żeby uspokoić nerwy, zamknął oczy i próbował się odprężyć, lecz było to niemożliwe. Widział tego chłopca nawet na jawie. Sonny Hatcher śnił mu się co noc, a o swoim najstarszym przyjacielu nie śnił ani razu, czy to nie dziwne?

Zerknął przez drzwi balkonowe i zobaczył, że nadciąga noc. Nienawidził ciemności, nienawidził być w niej sam. Zamknął oczy i przełknął lęk, który go opadał. Jak zawsze w takiej chwili ujrzał Sonny'ego Hatchera, który zbliżał się do niego. Chłopiec uśmiechał się i wyciągał ręce. Wyglądał tak młodo, ale w końcu przecież był bardzo młody — przystojny chłopak z ciemnymi oczami i skórą w kolorze kawy. Wyglądał jak siostrzeniec Nicka. Syn jego siostry był w tym samym wieku.

Nick zeskoczył z łóżka. Oddychał ciężko, serce mu waliło. Nie potrafił się odprężyć, nie potrafił odpocząć.

Sonny Hatcher nie zrobił mu nic złego poza tym, że wszedł do jego domu. A Nick go za to zabił. Chłopak powinien mieć więcej oleju we łbie i trzymać się z daleka od tego miejsca.

Gary Proctor natomiast stanowił prawdziwe zagrożenie. Nick żałował tylko tego, że nie utrzymał nerwów na wodzy i nie pozwolił Steviemu się nim zająć. To byłoby rozsądne rozwiązanie, lecz po śmierci Sonny'ego Hatchera Nick nie potrafił jasno myśleć.

Czasem się zastanawiał, czy przechodzi załamanie nerwowe.

Było jeszcze wcześnie i Nick wiedział, że nie zaśnie. Choć raz zapragnął, żeby była przy nim Tammy. Ubrał się i wyszedł z domu, pierwszy raz w życiu nie żegnając się z matką. Musiał wyjść, bo ściany napierały na niego. Pragnął znaleźć się wśród ludzi.

Jadąc do wschodniego Londynu, rozmyślał, kiedy to się wreszcie skończy, kiedy będzie mógł znów normalnie żyć. Wiedział dobrze, dokąd zmierza, i zdawał sobie sprawę, że nie powinien tam jechać. To było złe, bardzo złe, lecz nie umiał powstrzymać żądzy, która go nachodziła. Pojawiała się teraz tak rzadko, że musiał za nią pójść.

Czuł ją pierwszy raz od włamania; Nick potrzebował dzisiaj oddechu bardziej niż kiedykolwiek przedtem. Musiał uwolnić się od frustracji, a to był najlepszy sposób, jaki znał.

Zaparkował sportowego mercedesa na niewielkim podjeździe i brudną windą wjechał na dziesiąte piętro bloku w Plaistow. Śmierdziało. Wychodząc z windy, odchrząknął głęboko, a potem splunął głośno przez betonowy balkon.

Dwóch młodych chłopaków stało na półpiętrze, paląc skręta; Nick spojrzał na nich. Spuścili wzrok na jego widok, a on minął ich bez słowa. Zapukał mocno do świeżo pomalowanych na czerwono drzwi.

Otworzyła młoda blondynka, mniej więcej osiemnastoletnia.

— Zastanawiałam się, kiedy znów zajrzysz.

Nick się uśmiechnął.

— Nie mogłem się doczekać, skarbie. Jesteś sama?
Wciągnęła go do niewielkiego holu. Pachniało pieczonym kurczakiem Kentucky i jajecznicą.
— Chwilowo tak.
Nick wyciągnął z kieszeni sto funtów i uśmiechnął się.
— Wyłącz komórkę, dzisiaj jesteśmy tylko we dwoje, okay?
— Wszystko, czego sobie zażyczysz, Nick.
Uśmiechnął się szerzej.
— Ja mógłbym ci powiedzieć to samo. A teraz wyciągaj sprzęt i przestań się opieprzać.

— Jesteś pewny, że chcesz się z nim zobaczyć?
Tyrell skinął głową.
— Załatwiłem z nim spotkanie dzięki Colinowi. Chłopcy są gotowi zrobić wszystko, żeby pomóc. Ale jesteś pewny, że chcesz w to wejść? Leo to zawodnik wagi ciężkiej, wiesz o tym.
— Cięższej niż ty i twoi bracia? Nie sądzę.
Louis się uśmiechnął.
— Wiesz, co chcę powiedzieć. To tylko plotki, stary. Jeśli on pożarł się z Learym, nie mogło to mieć nic wspólnego z twoim synem, no nie?
Tyrell wzruszył ramionami.
— To wszystko, co mam w tej chwili, stary. Zastanów się. Co, do kurwy nędzy, on robił w domu z systemem alarmowym jak w Fort Knox...?
Louis westchnął. Tylko nie to. Tyrell był jak porysowana płyta gramofonowa.
— Jeśli Leary dostał się do domu, alarm nie był włączony, zgadza się?
Tyrell pokręcił głową.
— W gazetach pisali, że to był dzielony alarm, co oznacza, że kiedy gospodarze spali, alarm na dole był włączony.
Louis skinął głową, lecz Tyrell widział, że nie angażuje się w to sercem.
— Chcę powiedzieć, że Leary to twardy gość. Nie potrzebo-

wał mieć włączonego alarmu tak jak państwo Pierwsilepsi. Myślałby tak jak my: kto ośmieli się nas obrobić?

Tyrell parsknął śmiechem.

— Właśnie o to mi chodzi, kto ośmieliłby się go obrobić? Zastanów się.

— Już się zastanawiałem, stary, i myślę, że jedynym człowiekiem, który by się na to odważył, był małolat bez pomyślunku, niemający zielonego pojęcia, w co się pakuje. Chłopak taki jak twój Sonny. Pewnie zrobił to pod wpływem impulsu, wiesz, że zawsze potrzebował kasy.

Tyrell dopił red stripe'a, a następnie zgniótł hałaśliwie puszkę i cisnął w kierunku kosza.

— O moim Sonnym można powiedzieć różne rzeczy, nie podważam tego, był małolatem bez pomyślunku, ale nie ma mowy, żeby przyszło mu do głowy skroić taki bunkier. Jak już ustaliliśmy, nie był najtęższym umysłem po tej stronie Tamizy. Dlaczego postanowił obrobić akurat Nicka Leary'ego? Aż do tamtej nocy Sonny kroił tylko...

Nie dokończył zdania, więc Louis zrobił to za niego.

— Przyjaciół, rodzinę i sąsiadów?

Nieprzyjemnie było usłyszeć, jak ktoś wypowiada to na głos, lecz taka była prawda.

— Ale to właśnie próbuję ci powiedzieć, Louis, on nie miał łepetyny do takiego skoku. Musiał mu ktoś pomagać. Może Leo coś wie.

Louis wiedział, że nie ma sensu spierać się z Tyrellem.

— W porządku, więc ruszmy się. Colin i reszta będą na nas czekać, okay?

Bez względu na to, co powie Leo, bracia Clarke postarają się, aby to była prawda. Tyrell mógł się uważać za szczęściarza, że ma takich przyjaciół, i wiedział o tym. Wstał i uścisnął kumpla.

— Muszę to zrobić, rozumiesz, prawda? Muszę wiedzieć, co się za tym kryje.

Louis skinął głową, lecz w głębi duszy zastanawiał się, czy przyjaciel nie wymaga zbyt wiele.

— Mam nadzieję, że wszystko się wyjaśni.

Tyrell odgarnął dredy z twarzy i odparł smutno:

— Cholera, ja też mam taką nadzieję, Lou.

Leo Green nie był uszczęśliwiony, widząc w domu braci Clarke.

W swoim domu.

Colin rozejrzał się i pomyślał, że jest to niczego sobie chata. Była to willa w południowym Londynie, wokół której rozciągał się wielki ogród z tyloma drzewami, że domu nie było widać z ulicy. Odpowiadało to Leo, który potrzebował prywatności do prowadzenia interesów. Brama wjazdowa też prezentowała się nieźle, podobnie jak dwa dobermany biegające po ogrodzie siedem dni w tygodniu, dwadzieścia cztery godziny na dobę. Pochodziły ze złomowiska należącego do przyjaciela Leo, a psy ze złomowiska są najlepsze, gdyż nie czują przywiązania do nikogo i szanują tylko tego, kto je karmi. Stróże prawa nie mogli wejść do domu Leo niepostrzeżenie, nie mieli szans.

W przeciwieństwie do Clarke'ów, którzy mogli wejść do sypialni Leo i nasikać na jego śpiącą żonę. Nikt nawet by nie pisnął, a na pewno nie on. I to właśnie wkurzało Leo. Był już gangsterem o ustalonej pozycji i trudno mu przychodziło zginać przed kimś kark. Wchodził rozmaitym ludziom w tyłek, kiedy był chłopcem, i w trakcie zmagań o poprawienie swojego losu wielokrotnie dostawał po nosie. Stopniowo eliminował wszystkich, którym musiał się podlizywać, i teraz znajdował się na szczycie. Obecnie to on wydawał rozkazy i miał posłuch w swoim światku, lecz w tej chwili w eleganckim, przestronnym gabinecie Leo siedziała siła znacznie większa i ani trochę mu się to nie podobało.

— Jest szansa, żebym dostał jakiegoś drinka, Leo? Bo zaschło mi w gardle jak w starej cholewce.

Leo poderwał się z fotela.

— Jasne, jasne — rzekł przepraszająco. — Piwo może być?

Colin Clarke skinął głową.

— Oni będą tu za minutę i wtedy przystąpimy do rzeczy. Nie przeszkadzamy ci, prawda?

Dobrze wiedział, że mu przeszkadzają, ale mu to zwisało, i Leo też miał tego świadomość.

— Ależ skąd. Mogę przyjść na spotkanie, kiedy mi się chce.

Powiedział to buńczucznym tonem. Oznajmiał w ten sposób gościom, że jest człowiekiem, z którym należy się liczyć.

Billy wyszczerzył zęby w uśmiechu.

— Spotkanie? Kto teraz umawia się na zasrane spotkania?

Pokręcił głową, jak gdyby był mocno zirytowany.

— Wizyta u lekarza, tak? — powiedział głośno, jakby Leo miał kłopoty ze słuchem.

Sarkazm zawarty w tych słowach był tak wyraźny, że wszyscy obecni się zaśmiali.

Wtedy Leo wybuchnął. Rozmawiał wcześniej z Carlosem Brentem i wiedział, że bracia w końcu do niego przyjdą, ale niech go szlag, jeśli jego także uda im się zastraszyć.

— Czy chodzi o gnata, którego opchnąłem Carlosowi Brentowi i z którego później postrzelono kogoś z waszych? Kiedy mój towar zostaje sprzedany, przestaję ponosić za niego odpowiedzialność. Puściłem w obieg tony sprzętu, nie możecie mieć do mnie pretensji o każdą zabłąkaną kulę.

Terry się rozzłościł. Wstał z kanapy pokrytej czarną skórą i zapytał:

— Na kogo ty się wydzierasz, kurwa twoja mać?

Leo spojrzał na rosłego mężczyznę i zadał sobie pytanie, dlaczego, mając pełny dom broni, po prostu nie rozwali tych sukinsynów raz na zawsze.

Billy jak zwykle uratował sytuację.

— Wyluzuj, Terry. A ty, Leo, rusz się z tymi drinkami. Tamci przyjdą za chwilę i wtedy przejdziemy do interesów.

Słowo interesy brzmiało w uszach Leo jak muzyka.

— Naprawdę chcecie coś kupić?

— Możliwe. Chcemy rzucić okiem, zanim się zdecydujemy, to wszystko.

W tej samej chwili rozległ się dzwonek i Leo, spojrzawszy na ekran kamery systemu bezpieczeństwa, wpuścił przybyszów do domu. Każdy inny gość zostałby przeszukany przez ludzi Leo, ale żaden z obecnych w gabinecie by na to nie przystał, musiał ich więc wpuścić bez rewizji.

Louis wszedł do pokoju ze swoim kumplem Tyrellem, który, choć nie tak potężny jak Clarke'owie, był jednak słusznej postury. Rosły, przystojny i gniewny. Ten sam Tyrell, które Leo pamiętał z czasów młodości. Zawsze umiał sobie poradzić. Minęły lata, Tyrell ożenił się z Sally i został szacownym obywatelem, trochę stracił z dawnej zadziorności. Teraz jednak znów ją miał, i to spotęgowaną.

— W porządku, Leo? Dawnośmy się nie widzieli.

Leo skinął głową na dwóch nowo przybyłych; serce waliło mu mocno w piersi. Widok Tyrella nie całkiem go zaskoczył. Krążyła pogłoska, że Tyrell czegoś potrzebuje.

Lecz w tej chwili był ostatnim człowiekiem, którego chciałby widzieć.

Nick leżał na łóżku i czuł, że zalewa go dobrze znana odraza. Dlaczego to robi?

Atmosfera brudu była jednym z bodźców, które go podniecały. Wiedział o tym i zastanawiał się, dlaczego tak jest. Pościel była pognieciona, ale była już taka, zanim wszedł na łóżko. Frankie obsługiwała pewien rodzaj klientów, którzy podobnie jak Nick nie przywiązywali zbytniej wagi do otoczenia. Mieszkanie wyglądało jak obrzydliwa nora, panujący w nim smród wprost odurzał. Nick już czuł w ustach jego smak. Wziął butelkę wódki i pociągnął długi łyk, mając nadzieję, że go spłucze, i wiedząc, że to daremny wysiłek.

Na odrapanym stoliku nocnym koło łóżka leżało lusterko od dawna pozbawione oprawy. Białe kreski kokainy z postrzępionymi brzeżkami, leżące równiutko, były jedynymi schludnymi i czystymi obiektami w całym pomieszczeniu.

Nick wciągnął zręcznie jedną, odchylił głowę i wciągnął

jeszcze dalej, w głąb nosa. To nie był dobry towar, lecz to nie on go rozprowadzał. Prawie natychmiast zaczęło mu ciec z nosa i Nick wytarł go wierzchem dłoni. Spojrzał w dół i jak zwykle ogarnął go wstręt do swojego ciała. Było białe i wyglądało jak napuchnięte, przy młodym ciele Frankie nagle poczuł się stary i zużyty. Jednak Frankie też była już nadmiernie zużyta z powodu nadużywania narkotyków i alkoholu oraz seksu. Dla niej to było odwalanie układu obowiązkowego i właśnie to najbardziej pociągało Nicka. Przyciągnął jasną głowę do krocza i czując jej zimne wargi na członku, westchnął.

Właśnie to lubił, patrzeć, właśnie to go brało, a Frankie lepiej niż ktokolwiek inny wiedziała, jak go podkręcić. Dlatego zawsze tu wracał, mimo że za każdym razem przysięgał, że już nie wróci.

Dlaczego podnieca go woń brudu i nasienia? Dlaczego widok zużytego i zakrwawionego ciała wywoływał u niego erekcję wszech czasów? Czemu nie może być jak inni mężczyźni, mieć normalnych potrzeb i pragnień? Dlaczego odstręcza go własna żona, którą większość mężczyzn z radością obracałoby godzinami?

Kościste ciało Frankie było zbiorowiskiem sińców i zadrapań. Widząc poruszającą się głowę z brudnymi blond włosami, Nick poczuł przemożne pragnienie, by wytrysnąć. Chwycił mocno tlenione włosy, wygiął się i drżał przez kilka sekund, wciskając się głęboko w usta Frankie, aż usłyszał dobrze znany odgłos krztuszenia się, który doprowadził go do obłędu.

Doszedł jak przysłowiowy ogier. Uśmiechając się, ubrał się szybko i błyskawicznie wymknął z mieszkania. O Frankie można było powiedzieć wiele, ale nie to, że jest mistrzynią konwersacji.

Pogwizdując, nacisnął guzik windy. Chłodne wieczorne powietrze przyjemnie owiewało skórę, a on nadal dyszał ciężko po wysiłku, idąc do auta.

Za parę godzin znów ogarnie go dobrze znana odraza, za parę godzin z nienawiści do siebie wyprze ze świadomości swoje seksualne pragnienia. Jednak w tej chwili rozkoszował się uczuciem nasycenia, które go ogarniało.

A kiedy przyszło poczucie winy — bo zawsze przychodziło — nim też w jakiś dziwny i pokrętny sposób się rozkoszował.

— Więc o co wam chodzi?

Leo znów przybrał obojętny ton, lecz wymagało to mobilizacji całej siły woli.

Terry wyszczerzył zęby.

— Chcemy gnata, takiego, jakiego ostatnio sprzedałeś. Rozwalono z niego jednego z moich najlepszych chłopaków.

Wszyscy usłyszeli sarkazm tych słów, a Leo szczególnie dobrze. Był rad, że kazał swoim ludziom wyjść, a oni, szczerze powiedziawszy, też woleli, żeby sam radził sobie z tą bandą gnojów.

— Nie muszę się już przed nikim tłumaczyć. Popycham towar innym dealerom, takim jak Carlos, wszyscy znacie zasady. Z chwilą kiedy towar opuszcza mój lokal, przestaję za niego odpowiadać.

Colin i Billy gapili się wymownie na Terry'ego, dając mu do zrozumienia, że ma wyluzować. Wiedział, że nie powinien odpuszczać tej bitwy, lecz w tych czasach wszystkie interesy się zazębiały i coraz trudniej było przygwoździć drania.

— Czego wam potrzeba, broni ręcznej?

Tyrell skinął głową; Leo zorientował się, że to on będzie kupował.

— Jakiej?

— Pistolet półautomatyczny, najlepiej hiszpański, na pociski parabellum. — Z gazety dowiedział się wszystkiego o broni, którą miał przy sobie Sonny.

Leo był pod wrażeniem. To była odmiana, mieć do czynienia z kimś, kto nie odgrywa kowboja dwie godziny, a później kupuje najtańszy model. Gdyby dostawał funta za każdym razem, gdy patrzył, jak dorośli mężczyźni nakładają rękawiczki i mierzą do niewidzialnych celów, miałby więcej forsy niż Elton John.

Otworzył szufladę i wyjął pęk lateksowych rękawiczek. Każdy, kto dotykał jego broni, musiał wcześniej włożyć rękawiczki; oprócz tego Leo dla większej pewności czyścił pistolety po oględzinach. Nikt nie chce zostawić przypadkowego odcisku na gnacie zakupionym przez kogoś, kto wykorzystał go do rabunku lub morderstwa. To byłaby niezła zagwozdka, tłumaczyć się w sądzie z czegoś takiego.

— Widzę, że wiesz, czego chcesz, i doceniam to, stary.

Wszyscy patrzyli, jak Leo zmienia się w handlarza bronią i eksperta, którym bez wątpienia był. Czy ktoś go kochał, czy nienawidził, musiał przyznać, że Leo wie wszystko o broni, bo przez jego ręce przeszedł prawie każdy gnat w tym mieście. Otworzył szafkę i wyjął coś, co było zawinięte w delikatną skórę antylopy. Rozwinął pakunek i podał pistolet Tyrellowi. Składając go z lubością w jego rękach, rzekł cicho:

— Oto półautomatyczny pistolet dobrej hiszpańskiej marki, okazja. Dla ciebie tylko tysiąc. Z tego, co wiem, nigdy nie został użyty w tym kraju, więc na swój sposób ma dobre pochodzenie. A najlepsze w nim jest to, że można z niego oddawać pojedyncze strzały. — Leo otworzył komorę i dodał wesoło: — Ale jeśli zwolnisz tę blokadę, możesz rozwalić całą gromadkę ludzi zebranych w pomieszczeniu.

Leo wyszczerzył zęby do zebranych, a oni zrobili to samo, doceniając żart.

— Nie jest ciężki, nabity waży tylko dwa i pół kilo, jest bardzo poręczny i łatwo go schować. Superpistolecik. Wali porządnie, a jednocześnie łatwo można go ukryć.

Tyrell zważył pistolet w dłoni. Rozumiał, dlaczego broń pociąga młodych mężczyzn. Człowiek czuje się potężny, trzymając w rękach coś tak śmiercionośnego.

Leo spojrzał na niego i uśmiechnał się; lepiej niż ktokolwiek ze zgromadzonych w gabinecie rozumiał, co czuje Tyrell. Był wielbicielem broni od dziecka, więc to naturalne, że handel nią uczynił swoją specjalnością.

— W tej chwili krąży ich na rynku mnóstwo. Przywożą je ze stref wojny brytyjscy żołnierze, którzy tam stacjonują. Po każdym konflikcie zbrojnym zbierają je jak trofea, dlatego nikt ich nie liczy, prawda? Nikt nie wie, że przechodzą w ręce żołnierzy, rozumiecie? Wszyscy zakładają, że zostały zabrane przez wroga. Mam w wojsku dostawcę, który je skupuje, trafiają tutaj i czekają na takich jak wy. Psy się wkurzają, kiedy udaje im się je w końcu namierzyć, ale nie mogą wiele zrobić. Zdarzało się nawet, że proponowano mi policyjne pistolety. To niesamowite, co skok oprocentowania kredytu hipotecznego może uczynić dla czarnego rynku.

Leo otworzył następną szafkę i wsunął uzi w dłonie Terry'ego Clarke'a. A Terry'emu bardzo się to spodobało, zgodnie z oczekiwaniami Leo.

Nalał wszystkim po jeszcze jednym drinku i czekał, aż dojdą do sedna sprawy. Bo mieli problem, a Leo był przekonany, że jest jedynym człowiekiem, który może go rozwiązać.

Rozdział 16

Leo odprężył się, robiąc to, na czym znał się najlepiej. Zszedł nawet do piwnicy i przyniósł swoje najlepsze zabawki, choć wiedział już, że prawdopodobnie nie uda mu się niczego sprzedać. Był hurtownikiem sprzedającym osobiście tylko tym, których dobrze znał lub którym nie mógł odmówić, tak jak braciom Clarke. Znano go głównie jako handlarza narkotyków, obsługiwał większość dealerów koki w okolicznych dzielnicach, w klubach i na ulicach; nie robił tego sam, tylko za pośrednictwem siatki młodych i rzutkich chłopaków, którzy chcieli trochę zarobić.

W sumie miał pozycję mocnego gangstera, choć na pewno nie stanowił takiego zagrożenia jak mężczyźni, którzy właśnie przebywali w jego domu. Zajmowali się tyloma rzeczami, że trudno było stwierdzić, gdzie zaczyna się ich działalność, a ponieważ współpracowali z wieloma różnymi ludźmi, nigdy nie było wiadomo, przeciwko komu się występuje, jeśli zadarło się z którymś z nich. Najlepiej, gdyby nie musiał się o tym dowiedzieć, mimo iż go wkurzali.

Leo żył po to, żeby mówić o broni, i był dobrym sprzedawcą. Kochał pistolety, uwielbiał je. Dla niego gładkość metalu, a nawet zapach oleju używanego do ich czyszczenia, były lepsze niż kobieta.

Clarke'owie także się odprężali, nagle słuchanie Leo rozwodzącego się na temat broni zaczęło sprawiać im przyjemność. Bez wątpienia był ekspertem i nawet Terry zapomniał o swojej urazie. Wiedzieli, że kiedy następnym razem naprawdę będzie im potrzebna broń, zwrócą się do Leo, a on zorientował się, iż zawładnął publicznością, że trzyma ją w ręku, i sprawiało mu to przyjemność.

Umiałby sprzedać pistolet papieżowi, właśnie to najbardziej lubił w swojej robocie. Narkotyki można sprzedać każdemu, kto ich potrzebuje, lecz broń to zupełnie inna para kaloszy, bo w odróżnieniu od działki koki czy extasy trzeba ją przechowywać i mądrze używać.

Tyrell trzymał w dłoni mały damski pistolecik z epoki wiktoriańskiej z rękojeścią wysadzaną macicą perłową, który Leo kupił wyłącznie jako ciekawostkę. Spojrzał na pięknie rzeźbioną rękojeść i wyobraził sobie, że broń spoczywa dyskretnie w eleganckiej torebce. To była urocza zabaweczka, która mogła wyrządzić sporo szkody.

W przeciwieństwie do Terry'ego Tyrell nie cierpiał trzymać broni w ręku, choć doceniał psychologiczną siłę, którą daje ona ludziom. Broń służy do zastraszania. W wielu aspektach przestępczej działalności strach jest najważniejszym czynnikiem. Większość złodziei napadających na banki ma broń tylko na pokaz, nie zamierzają nikogo ranić ani zabijać; chcą ludzi nastraszyć i nic więcej. Widok pistoletu osadza w miejscu potencjalnego bohatera, unieruchamia wszystkich i czyni ich spolegliwymi. To ułatwia zadanie złodziejom, którzy mogą w spokoju robić swoje. W handlu narkotykami broń wykorzystywano do wymuszeń, do trzymania wroga z dala od swojego terytorium oraz dlatego, że ważący pięćdziesiąt kilo mężczyzna z gnatem w dłoni jest jak Arnold Schwarzenegger. Takie jest prawo ulicy, a ulica nigdy nie była terytorium Tyrella.

Billy trzymał niemiecki pistolet i ważył go w ręku. Broń dobrze leżała w dłoni, była doskonale wyważona. Leo wyszczerzył zęby i wyjaśnił:

— To dziewięciomilimetrowy pistolet, dokładnie taki, jakiego potrzebujesz, jeśli chcesz kogoś skosić na amen. Ten gnat by go zmiótł. Mogę go wytłumić, bo to hałaśliwy skurczybyk. Ta hiszpańska zabawka zrobiłaby to samo, ale nie tak szybko i elegancko. Jej plusem jest to, że jeśli przytrzymasz palec na spuście, będzie waliła dalej. — Leo uśmiechnął się, tłumacząc działanie broni. — W każdym pocisku jest gaz, który automatycznie wyrzuca następny. Urocza broń, choć do magazynka nie wchodzi wiele kul. Ale wystarczająco dużo, żeby narobić poważnych szkód, jeśli o to ci będzie chodziło.

Terry znalazł już w Leo nowego najlepszego kumpla. Wpatrywał się w niego oczarowany, a Colin obserwował go nerwowo. Terry jest wystarczająco niebezpieczny, nie trzeba uzbrajać go po zęby. Jeśli bracia nie będą na niego uważać, kupi coś pod wpływem impulsu niczym dziewczyna z Essex w sklepie Lakeside.

Pistolet był ostatnią rzeczą, jakiej potrzebował Terry Clarke, dlatego Colin postanowił przypomnieć wszystkim, po co tam przyszli.

— Handlujesz z Nickiem Learym, prawda? — zapytał.

Leo poczuł, że jego serce zamiera. Spojrzał przepraszająco na Tyrella i odparł:

— Wiesz, że tak, Colin.

Atmosfera momentalnie uległa zmianie. Wszyscy odłożyli pistolety na biurko. Zabawa się skończyła i przypomnieli sobie, po co naprawdę złożyli wizytę Leo. Clarke'owie czekali na reakcję Tyrella.

— Słyszałem, że ściąłeś się z nim jakiś czas temu — powiedział Tyrell obojętnym tonem i Leo był mu za to wdzięczny.

— Ścieram się z różnymi ludźmi co jakiś czas, to normalka w moim biznesie. — Teatralnym ruchem schował broń i rzekł: — Przykro mi z powodu twojego syna, ale Nick, mimo że ma swoje wady, zrobił tylko to, co zrobiłby każdy facet.

Tyrell wiedział, że powiedzenie tego w obecności Clarke'ów musiało Leo wiele kosztować i szanował to.

— Nie mam nic przeciwko niemu, sam zrobiłbym to samo.

Leo wiedział, że Tyrell mówi prawdę.

— Ale interesuje mnie coś innego. Chcę wiedzieć, kto mógł podpuścić mojego syna, żeby zakradł się do domu Leary'ego?

Pytanie wprawiło Leo w osłupienie, wszyscy to widzieli. Był jednak dość bystry, żeby domyślić się, o co im chodzi.

— Co chcesz przez to powiedzieć? — zapytał ostrożnie.

Tyrell westchnął.

— Pytam cię, czy ktoś, kogo znasz, mógł się zadawać z moim synem, to wszystko. Chodzi mi o to, czy Sonny miał powiązania z kimś, kto mógł go sprowadzić na manowce.

— Chcesz powiedzieć, że był niewiniątkiem, które się zabłąkało?

Tyrell pokręcił głową.

— Nie. Ale nie był takim draniem, jakiego z niego zrobiono. W każdym razie ja tak uważam.

Leo zaśmiał się lekceważąco.

— Twój Sonny nie był zasranym aniołkiem. Wiesz, o czym mówię?

Tyrell zrobił krok w jego stronę, całą swoją postawą wyrażając groźbę.

— Uważaj, co gadasz — rzekł cicho. — Mieszasz z błotem mojego syna. Mówisz o nim tak, jakby był bandytą.

Leo westchnął.

— Jeśli to słowo ci pasuje.

Odpowiedź była obliczona na to, żeby rozzłościć Tyrella. Terry obserwował scenę błyszczącymi oczami. Kłótnia przybierała na sile.

— Słyszałem, że był panienką — ciągnął drwiąco Leo.

— Ty chyba dużo wiesz o moim synu, więcej niż ja. Jesteś pewny, że go nie znałeś?

Wtedy Leo wybuchł; przez cały czas był tego bliski. Spojrzał z góry na Tyrella i krzyknął:

— Wiem tyle, co usłyszę na ulicy. Nick był załamany tym, co się stało. Ale prawda jest taka, że gnojków wdeptuje się w ziemię, a ten mały skurwiel dostał to, o co się prosił. Miał szczęście, że nie wlazł tutaj, bo z miejsca rozwaliłbym skurczybyka.

Leo, wciąż gotując się w środku, nalał sobie brandy.

— Więc nie pakuj się do mojego domu i nie próbuj mnie

straszyć, Hatcher, bo nic z tego nie będzie! Miałem starcie z Nickiem z powodu prywatnej sprawy i nie będę o tym rozprawiał z kim popadnie. Zanotuj to sobie w swoim tępym czarnym łbie!

Sposób, w jaki Leo wypowiedział słowo „czarnym", sprawił, że wszyscy mężczyźni w pokoju spojrzeli na siebie oczami rozszerzonymi z niedowierzania. Tyrell był oszołomiony nienawiścią w jego głosie. Nie mógł uwierzyć w to, co przed chwilą usłyszał, tak samo jak wszyscy inni.

Louis się wściekł.

— Co ty sobie, kurwa, wyobrażasz?

Zrobił krok w stronę Leo, który miał dość oleju w głowie, żeby się cofnąć. Dotarło do niego, że palnął głupstwo dziesięciolecia i starał się zneutralizować nienawistne słowa.

Leo już nie lubił ludzi, z którymi handlował. Przychodzili do niego młodzi, czarni i biali, i chcieli tylko broni. Wszyscy chcieli kogoś zranić, zwłaszcza jamajskich gangsterów. To byli mali dranie, próbowali nawet obrobić Leo, którego bardzo to wkurzyło. Uważał, że ma do czynienia z szumowinami. Po zastanowieniu, widząc wokół gniewne twarze, uznał, że udzieli szczerej odpowiedzi.

Spojrzał na Tyrella.

— Bez obrazy, wiem, że jesteś złoty gość, ale w ciągu ostatnich dziesięciu lat prawie wszystkie gnaty, które sprzedałem, trafiły do facetów z Indii Zachodnich. Walą do siebie bez opamiętania! Nazywają to czarny na czarnego. Ja to nazywam gówniarz na gówniarza. Twój syn wszedł do domu Nicka i próbował go skroić. Nakryto go i zginął. Przykro mi, kolego, ale myślę, że dostał to, o co się prosił. Ni mniej, ni więcej. Przepraszam za to, co powiedziałem, ale skłamałbym, gdybym nie powiedział szczerze, co o tym myślę.

To wy chcecie żelastwa, wy chcecie broni, a ja ją sprzedaję, takie są fakty. Jeśli twój syn był uzbrojony, to ja się temu, kurwa, nie dziwię, jasne? Może robię się rasistą na stare lata, ale gdybyś prowadził mój interes, też byś nim był. Bez przerwy mam do czynienia z pieprzonymi czarnuchami i wiesz co? Wszyscy mają do kogoś urazę, jakiś rachunek do wyrównania, dokładnie tak jak ty teraz. A ja sprzedaję im broń z nadzieją, że się wystrzelają nawzajem i dzięki temu ulice będą czystsze. Więc teraz wiesz, do kurwy nędzy, o co mi chodzi?

Tyrell wstał. Jego oczy, zwykle wyrażające życzliwość, zrobiły się prawie czarne z gniewu.

— Czy tylko to widzisz? Moje dredy? — ryknął. — Urodziłem się tutaj i uniknąłem kantowania. Pewnie, że trochę kombinuję na boku, ale to tacy jak ty mącą. Myślisz, że czasem nie wrzucam was wszystkich do jednego worka?

Rozejrzał się po pokoju.

— Pewnie, że tak, za każdym razem, gdy do któregoś z moich klubów ładuje się paru białych chłoptasiów szukających zadymy. Ale się powstrzymuję, bo nie chcę być taki. Bo jestem dość inteligentny, by wiedzieć, że mam przed sobą niewielki procent populacji, i udaję, że widzę wszystkich, a tak nie jest... Bo, kurwa, nie jest. Większość ludzi jest w gruncie rzeczy w porządku. Chodzi tylko o to, z kim się zadajesz.

Leo nie wiedział, co powiedzieć, podobnie jak wszyscy inni. Tym razem to Terry uratował sytuację.

— Wyluzuj, Tyrell. Nie można wyedukować kartofla, jak mawiała moja mama.

Na chwilę wszyscy zamilkli, a później rozległ się gromki śmiech. Nawet Leo się śmiał, choć nie wiedział właściwie z czego.

Terry odwrócił się do niego i oznajmił:

— Wezmę tę hiszpańską zabawkę.

Leo ucieszył się ze zmiany tematu i z tego, że może zarobić parę funtów. Terry wyciągnął garść banknotów i odliczył tysiąc w używanych dwudziestkach. Wiedział, że bracia nie są uszczęśliwieni takim obrotem sprawy, lecz wisiało mu to. Zakochał się w małym hiszpańskim pistoleciku, który może okaleczyć, zabić lub zastraszyć.

Dokładnie tak samo jak Terry.

Leo zgarnął pieniądze i powstrzymał się od przeliczenia ich. Wiedział, że niewiele brakowało do poważnej awantury, i rozpaczliwie pragnął jej uniknąć.

— Czy to ty dostarczyłeś broń, którą miał syn Tyrella? Nie będzie żadnej reakcji, jeśli to zrobiłeś, możemy przysiąc — zadeklarował Billy. — Chcemy tylko wiedzieć, skąd wziął taki pierwszorzędny towar. Rozumiem, co Tyrellowi chodzi po głowie. Jego syn nie miał pukawki za dwadzieścia funtów, tylko prawdziwy rozpylacz. Nigdy nie zarobiłby na taką spluwę dawaniem tyłka.

Leo pokręcił głową i odparł arogancko:

— Nie. Ale wierzcie mi, że gdybym mu go sprzedał, nie powiedziałbym o tym waszej bandzie.

Nikt nic nie powiedział, a Tyrell trzasnął go w głowę z całej siły, a tej miał niemało. Leo runął na podłogę.

— Do diabła z tobą, białasie — rzekł cicho. — Lepiej pozbieraj swoich kumpli, zanim wyjdziesz na ulicę, bo postaram się, żeby ktoś cię namierzył.

Szturchnął handlarza w pierś, aż tamten się skrzywił.

— Jestem twoim najgorszym koszmarem, Leo, czarnuchem, który żywi zasraną urazę. I wiesz co, dziany frajerze? Mam tę urazę do ciebie.

Tammy uświadomiła sobie, że dziewczyna jest wściekła, zanim ta zauważyła, co jest grane.

Kayleigh Kalibos była żoną rosłego Greka zajmującego się skokami na bank; wszyscy wiedzieli, że Tammy z nim kiedyś spała. Lecz ponieważ od tego czasu upłynęło parę miesięcy i ponieważ Tammy miała wybiórczą pamięć, nie przejęła się tym, że żona Greka przysiadła się do jej towarzystwa w winiarni. W gruncie rzeczy zapomniała o całym epizodzie. Dopiero zachowanie Kayleigh jej o nim przypomniało. Ona zaś, jak się zdawało, nie zapomniała i nie przebaczyła Tammy. Jej mąż zrobił w życiu parę numerów, lecz posuwanie żony Nicka Leary'ego musiało być jednym z najgłupszych.

Dziewczyna z niechęcią przyznała, że rozumie, co pchnęło męża w jej ramiona. Tammy otaczała pewna aura. Przypominała młodą dziewczynę, mimo iż dobiegała czterdziestki, tak w każdym razie wynikało z pogłosek. Wiek Tammy, podobnie jak wiek jej koleżanek, podawany był wyłącznie w dużym przybliżeniu.

Dzisiaj była w szczytowej formie, nafaszerowana kokainą i podgrzana alkoholem, jednym słowem gotowa do boju. Jej „przyjaciółki" to wyczuły i zamiast rozładowywać sytuację, dolewały oliwy do ognia. W głębi duszy wszystkie żywiły nadzieję, że Tammy choć raz dostanie w skórę i przekona się, że nie jest niezwyciężona.

Kayleigh była tak samo pijana jak Tammy i dlatego parła do konfrontacji. Gdyby jej mąż o tym wiedział, byłby przerażony. Wciąż bał się, że Nick się dowie, co zrobił z jego żoną, i go zabije, toteż ostatnią rzeczą, jakiej sobie życzył, była publiczna awantura z udziałem jego najdroższej połowicy.

Tammy wyszła z kabiny w toalecie i uśmiechnęła się przyjaźnie do Kayleigh. Siedziały w winiarni Suzy Snaith, przyjaciółki, tak więc mogły wciągać proszek, nie kryjąc się przed innymi klientami, którzy zresztą byli tacy sami jak one. To był lokal, do którego ludzie przychodzili, gdyż ich tam znano i mogli bez obawy fundować sobie odjazdy. Gliniarze ignorowali to miejsce, bo nie było warto robić tam najazdów. Lista klientów wyglądała jak zestawienie *Who's Who* przestępczego bractwa, toteż klienci owi cieszyli się respektem zarówno przyjaciół, jak i wrogów.

Fiona i Melanie pracowicie szykowały sobie działki na granitowej powierzchni umywalki, obserwując i czekając na nieuchronne starcie. Napięcie w damskiej toalecie rosło, a powietrze było naelektryzowane od mieszaniny hormonów, wódki i kokainy.

Kayleigh weszła do jednej z kabin, a Melanie szepnęła:

— Odpuść sobie, Tams. Ona chce awantury, a ty jej nie potrzebujesz.

Tammy roześmiała się zgodnie z oczekiwaniami Melanie.

— Pieprzyć ją!

Powiedziała to głośno, tak jak Melanie się spodziewała.

Tammy dyszała ciężko, gotując się ze złości na myśl, że Kayleigh może postawić na swoim.

Wyszła się zabawić z koleżankami i musiała zachować reputację numeru jeden w swoim gronie. Poza tym musiała wypuścić trochę pary. Nick wykorzystywał ją jak zwykle, a choć Tammy pozwalała się wykorzystywać, nie znaczyło to, że fakt ten jej nie złościł. Jej życie znów wyglądało podle. Tak naprawdę nie miała nic. Mąż nic dla niej nie robił, zerwała z kelnerem, swoim chłopcem do zabawy, a synowie pytali, czy mogą zostać na ferie w prywatnej szkole, do której chodzili.

Miała tylko Angelę, a co to za atrakcja dla kobiety, która lubi zaszaleć? Wiedziała, że koleżanki chcą, żeby pożarła się z Kayleigh, wiedziała, iż nie powinna się z tą miotłą bić, lecz zarazem było to wysłuchanie jej dzisiejszych modlitw, bo jeśli się na kimś nie wyżyje, to pęknie. Tego też była pewna.

Koka zawsze w końcu na nią tak działała. Odjazd trwał chwilę, a później przychodziły depresja i rozgoryczenie; wszędzie widziała intrygi i wmawiała sobie, że wszyscy ją obgadują. Paranoja po koce prowadziła do większej liczby bójek niż whisky i brandy razem wzięte.

Nagle Kayleigh była przyczyną wszystkich nieszczęść Tammy; żądza przywalenia jej stała się przemożna.

Kayleigh wytoczyła się niepewnym krokiem z toalety i sprawdzając makijaż, przypadkowo szturchnęła Tammy, która właśnie zamierzała wciągnąć solidną działkę koki. Niczego więcej Tammy nie potrzebowała. Wyprostowała się błyskawicznie i z całej siły trzasnęła wyższą od siebie kobietę w twarz.

Ważąca siedemdziesiąt kilo Kayleigh runęła do tyłu. Mimo drobnej postury Tammy umiała się bić, ponieważ lubiła to robić.

Kayleigh była jednak gotowa do walki, a miała nad przeciwniczką przewagę dwudziestu kilogramów, więc awantura szybko przeniosła się z toalety do winiarni. Mężczyźni i kobiety błyskawicznie usuwali się walczącym z drogi. Kayleigh chwyciła butelkę wina z jednego ze stolików i uniosła wysoko, zamierzając walnąć nią w kunsztownie ufryzowaną czuprynę Tammy. Rosły Greg Peterson wyrwał broń z jej dłoni i wraz z trzema kolegami w końcu rozdzielił walczące furie.

— Zabierzcie je na zewnątrz! — krzyknęła Suzy Snaith.

Wywleczenie kopiących, miotających przekleństwa dam nie było łatwym zadaniem i zajęło mężczyznom z pięć minut.

— Ja cię nauczę rżnąć się z moim mężem!

Tammy się roześmiała.

— Nie, skarbie, to chyba ja powinnam nauczyć ciebie rżnąć się z twoim mężem!

Po tych słowach rozgorzała walka stulecia.

Kayleigh wyrwała się z rąk trzymających ją mężczyzn jak obłąkana, a Tammy już na nią czekała. Wbiła szpilkę w stopę tego, który ją krępował, ten wrzasnął, a ona wyskoczyła z jego objęć i runęła na Kayleigh. Tłukły się dalej z prawdziwą rozkoszą.

Mężczyźni zrozumieli, że próba rozdzielania ich teraz nie ma sensu. Poza tym musieli przyznać, że długie tipsy na paznokciach oraz profesjonalnie wybielone zęby budziły lęk nawet w nich. Postanowili zostawić panie w swoim towarzystwie.

Policja przyjechała po pięciu minutach.

Tyrell siedział w samochodzie zaparkowanym przed publicznym szaletem. Toalety znajdowały się na osiedlu, w którym wychował się jego syn. Tyrell przechodził obok nich wielokrotnie, nie zwracając na nie najmniejszej uwagi. Nieopodal był parking położony przy głównej ulicy osiedla.

Zobaczył, że wokół szaletu wprost roi się od młodych chłopców, i musiał walczyć z odruchem wymiotnym. Rozglądał się za chłopakami, których widział kiedyś z Sonnym.

Minęła już jedenasta w nocy i poza miejscowym sklepem Tesco, otwartym przez całą dobę, główna ulica była prawie pusta. Jednak o toaletach nie dało się tego powiedzieć. Samochody podjeżdżały i odjeżdżały z zastraszającą częstotliwością.

To był całkiem nowy świat dla Tyrella, który doznał szoku, widząc, co się tam wyprawia. Myślał, że takie rzeczy dzieją się tylko w Soho i podobnych siedliskach rozpusty. Nie wiedział, że odbywa się to prawie w każdej publicznej toalecie w kraju.

Zapalając następnego papierosa, usłyszał ciche pukanie w szybę i aż podskoczył. Odwrócił się i zobaczył kilkunastoletniego blondynka, który uśmiechał się do niego.

Otworzył szybko drzwi.

— Czego chcesz?

Dopiero wtedy uświadomił sobie, że chłopak proponuje mu swoje usługi. Ze zdumienia prawie zaniemówił.

Czy wygląda na pedała?

Lecz tego wieczoru zobaczył wielu facetów odwiedzających wieczorem to miejsce i zaczął się zastanawiać, jak właściwie wygląda homoseksualista. Większość przypominała normalnych mężczyzn mających własne rodziny.

— Jesteś tu nowy?

Chłopiec uśmiechnął się przyjaźnie; miał krzywe zęby. Tyrell ocenił jego wiek na piętnaście lat, może mniej. Był szczupły, a nawet chudy, ubrany jak uciekinier, których widuje się na placu Picadilly.

Najwyraźniej był bezdomny.

Tyrell wziął głęboki oddech.

— Od dawna tu pracujesz?

Chłopiec skinął głową i zaczął otwierać drzwi po stronie pasażera.

— No, decyduj się, stary, bo marznę jak skurwysyn. Idziesz czy nie?

Tyrell podjął błyskawiczną decyzję i wpuścił chłopca do samochodu.

— Gdzie chcesz iść?

— To znaczy? — spytał ze zdziwieniem Tyrell.

Chłopak wyszczerzył zęby.

— O, kurwa, naprawdę jesteś nowy. Nie możemy się pieprzyć na ulicy pod latarnią, no nie? Chodźmy do parku.

Tyrell uruchomił silnik, skóra mu cierpła na całym ciele na myśl, że może zostać nakryty przez Starego Billa.

Nigdy nie uwolniłby się od tej hańby.

Jednak ruszył bez przeszkód, a chłopak skierował go we właściwe miejsce.

Nick widział, że Tammy jest zalana i naćpana. Policjanci też to oczywiście widzieli.

— Ja go, kurwa, kocham...

Usiłowała pocałować męża, a on starał się trzymać ją od siebie z daleka.

— Dzięki za wyciszenie sprawy.

Policjanci spojrzeli na Nicka ze współczuciem. Tammy była posiniaczona i poobijana, lecz najwyraźniej wyszła zwycięsko z bójki. Jej doskonały nastrój jednoznacznie o tym świadczył.

— Są jakieś zarzuty?

Starszy z policjantów pokręcił głową.

— Po prostu zabierz ją do domu, kolego, bo mamy z nią urwanie głowy.

Tammy na wpół leżała na plastikowym siedzisku na posterunku, powstrzymując się przed zaśnięciem. Zjawił się detektyw Rudde i zawołał Nicka do sali przesłuchań.

— W porządku, Nick?

Ten skinął głową.

— Z kim ona się tym razem pożarła? — zapytał Nick zmęczonym głosem; Rudde odgadł słusznie, że ma dość na jeden wieczór.

— Z Kayleigh Kalibos. Jej mąż już ją zabrał. Powiadam ci, że nie chciałbym być na jej miejscu, kiedy dowiezie ją do domu.

Nick wiedział, że mąż Kayleigh będzie się bał jego zemsty, i miał świadomość, że Rudde też o tym wie.

— Słyszałeś coś nowego o Garym?

Rudde pokręcił głową i odparł roztropnie:

— Jest w tym więcej, niż widać na pierwszy rzut oka, ale z tego, co słyszę, nie mogą wpaść na żaden ślad. Ale znasz

Gary'ego. Maczał paluchy w tylu sprawkach, że było tylko kwestią czasu, kiedy się sparzy.

— Dobrze powiedziane! Próbował mnie wykiwać parę razy, ale mimo to przykro mi z powodu tego, co go spotkało. Wypłaciłem forsę jego starej, właściwie nie miałem innego wyjścia, bo Gary współpracował ze mną od lat.

Rudde postanowił zmienić temat.

— À propos, Tammy miała przy sobie pewną ilość kokainy klasy A. Załatwiłem to, ale trzeba jej coś powiedzieć, Nick. Nie wyciągnę jej, jeśli to się powtórzy.

Nick westchnął.

— Gdyby pismacy to wywęszyli, mieliby używanie. Wiesz, jak to jest, zwłaszcza po tym, co się stało.

Nick skinął głową.

— To ją bardzo mocno dotknęło, musisz zrozumieć...

Detektyw uśmiechnął się na znak, że rozumie. Nick wiedział, że podobnie jak wszyscy inni w duchu zadaje sobie pytanie, dlaczego on jako mąż nie przylał Tammy tak, żeby popamiętała na długie lata.

— Zostawiam ją w twoich godnych rękach. À propos, muszę ci coś szepnąć. Ojciec Sonny'ego Hatchera, Tyrell, zaczął węszyć, myśli, że ktoś podpuścił jego syna, żeby obrobił twoją chatę. Możesz się spodziewać, że w którymś momencie nawiąże z tobą kontakt, okay?

Nick był zaszokowany, zdradzał to wyraz jego twarzy.

— Jak każdy ojciec stara się zrozumieć, co się wydarzyło. Nie żywi do ciebie urazy, wiem to na pewno. Chcę cię tylko ostrzec, żebyś był przygotowany na jego wizytę.

Nick się uśmiechnął.

— Dzięki za informację. A teraz zabiorę moją drogą żoneczkę do domu.

Policjanci usłyszeli chrapliwy śmiech Tammy; twarz Nicka zrobiła się jeszcze bledsza i bardziej zatroskana. Rudde nigdy nie zaznał niedoli małżeństwa i był za to wdzięczny losowi. Im bliżej przyglądał się parom małżeńskim, tym mniej podobał mu się pomysł przykucia się do kogoś na resztę dni.

— Ona przez cały dzień się szlajała?

Nick skinął głową. Otarł ręką twarz, westchnął i rzekł ze smutkiem:

— Wiem, co wszyscy myślą, ale Tammy ma niejeden kłopot na głowie. Parę drinków i szczypta towaru pomagają jej trochę się wyluzować.

Rudde nie odpowiedział. Patrzył, jak Nick Leary wychodzi z sali w towarzystwie wstrząsanej torsjami żony, i cieszył się, że nigdy nie miał ochoty się ożenić.

Rozdział 17

Chłopak nazywał się Lomax, William Lomax, wołano na niego Willy. Tyrell postanowił nazywać go Lomax albo po prostu Will. W tych okolicznościach nie mógłby się zmusić, by wypowiedzieć głośno przydomek chłopca*.

— To czego chcesz? — zapytał chłopak.

Tyrell zatrzymał samochód koło parku w cieniu koron drzew. Było ciemno, widział niewyraźne postacie mężczyzn i chłopców majaczące wzdłuż ogrodzenia. Nigdy nie przypuszczał, że coś takiego ujrzy. Niektórzy przechodzili przez dziurę w parkanie i kryli się w krzakach. Tyrell uświadomił sobie, że jest cała kategoria ludzi, o których istnieniu nie miał dotąd pojęcia.

Lecz z drugiej strony, skąd miałby o nich wiedzieć?

Jeśli człowiek nie ma powodu, by szukać czegoś nietypowego, niekoniecznie musi wiedzieć, że to istnieje. Tyrell zdawał sobie sprawę, że taki proceder istnieje, tylko nigdy nie przyszło mu do głowy, że to dzieje się każdego wieczoru w całym kraju i na taką skalę. Sonny był kiedyś taki sam jak chłopiec siedzący obok niego, sprzedawał się obcym za kilka funtów.

To było odrażające i zawstydzające, a przede wszystkim brudne i demoralizujące. Tyrell miał wątpliwości, czy Louis Clarke słusznie twierdził, że niewiedza może być błogosławień-

---

* *Willy* to slangowe określenie męskiego członka

stwem. Gdy pomyślał, że chłopiec, którego kochał i pielęgnował, został zredukowany do czegoś takiego, a czasem pewnie jeszcze gorszego, a on, jego ojciec, nie miał o tym najmniejszego pojęcia, zdumiewało go to i łamało mu serce.

— Słuchaj pan, nie mam całej nocy. Jak chciałeś pan zwalić konia, to mogliśmy zostać w domku.

Tyrell ponownie spojrzał na potarganego chłopaka.

— W domku?

Chłopiec się uśmiechnął.

— W kiblach... ubikacjach. Tam, skąd mnie zabrałeś.

Zaśmiał się głośno.

— To twój pierwszy raz?

— Nie chcę od ciebie seksu — oznajmił Tyrell głosem drżącym z emocji.

Chłopiec źle go zrozumiał. Zakładał, że ma do czynienia z nowicjuszem. Położył brudną rękę na udzie Tyrella i powiedział chrapliwym głosem:

— No, nie wygłupiaj się. Wszystko będzie w porządku.

Tyrell przyglądał mu się. Chłopiec zobaczył, że mężczyzna lustruje go wzrokiem. Dzięki doświadczeniu i długiej praktyce wiedział, że powinien się uśmiechnąć i pieścić krocze rozmówcy. Po namyśle sięgnął do jego rozporka.

Dostał w rękę tak mocno, że go to zaskoczyło. W jego oczach pokazały się łzy i Tyrell poczuł zawstydzenie, że odreagowuje swoje uczucia na tym chłopcu.

— Słuchaj, kolego, to mnie nie kręci. Sadomaso to nie moja działka.

Chłopiec wyciągnął rękę do klamki i chciał wysiąść.

Tyrell złapał go delikatnie za łokieć i powiedział:

— Nie chcę seksu, synku, chcę tylko dowiedzieć się czegoś o Sonnym Hatcherze.

Te słowa sprawiły, że chłopiec znieruchomiał. Jego rude włosy były obcięte nad uszami; Tyrell przypuszczał, że jest przystojny, lecz w jego szarych oczach było już to spojrzenie kogoś, kto zobaczył i przeszedł za dużo. Atmosfera w samochodzie zgęstniała. Poczuł strach chłopca.

— Zapłacę za każdą informację, którą mi podasz — obiecał najłagodniejszym głosem, na jaki mógł się zdobyć. — Dobrze zapłacę.

Chłopiec rozluźnił się i osunął na fotel. Wyjął z kieszeni małą paczkę bensonów, zapalił jednego i zaciągnąwszy się głęboko, niedbale, odparł:

— Zwyczajny koleś, to wszystko. Co chcesz pan wiedzieć?

Wypuścił głośno dym; Tyrell się odprężył.

— Jak długo go znałeś?

Lomax wzruszył ramionami.

— Rok albo coś koło tego. Po jakimś czasie rzadko pojawiał się w pobliżu domku, chyba wiedział, kogo podrywać. Znałeś go pan?

Tyrell skinął głową.

— Miły chłopak był z niego, miał ciężkie życie.

Chłopiec znów się zaciągnął.

— Ile mi zapłacisz?

— Zależy, ile mi powiesz.

— Co chce pan wiedzieć?

Tyrell wyciągnął z kieszeni dwa banknoty pięćdziesięciofuntowe i rzekł cicho:

— W zasadzie wszystko, co o nim wiesz.

— Tam za rogiem jest kawiarnia. Dorzuć pan śniadanie z obiadem i kolacją i układ stoi.

Nagle Lomax wyglądał tak, jak powinien wyglądać: na miłego młodego chłopaka. Tyrell uruchomił silnik, rad, że może uciec od cieni wślizgujących się w mrok z młodymi chłopcami, od mężczyzn wmawiających sobie, że nie robią nic złego.

Jude była naćpana.

Leżąc na kanapie i czując, że odpływa, położyła zapalonego papierosa w popielniczce; oddała się śledzeniu tego, co dzieje się w jej głowie i w ciele. W końcu udało jej się zarobić dość forsy dla dealera, robiąc trzy laski jedna po drugiej. Ani razu nie użyła prezerwatywy.

Po wypiciu pół butelki wódki wciąż czuła słoną gorycz w ustach. Ale dostała to, czego chciała, a teraz pragnęła tylko się odprężyć i oddać przyjemności.

Z głośników płynął właśnie *Albatros* grupy Fleetwood Mac. Dźwięki gitary zawsze pomagały Jude się rozluźnić. Leżała na wznak i nawet otaczający ją smród stopniowo odchodził w dal, ustępując miejsca narkotycznemu uniesieniu. Tylko w takim stanie mogła myśleć o Sonnym bez gniewu. Jednak bez względu na wszystko zdobędzie pełną rekompensatę za śmierć syna.

Nick Leary był znanym gangsterem wbrew temu, co plótł w telewizji i gazetach. Jest coś winien Jude, a ona postara się, żeby wyrównał dług. Wiedziała na przykład, że to jego kumpel Gary Proctor napuścił jej syna na ten dom. Wiedziała także, że Nick Leary dobrze zapłaci za zachowanie tej informacji w tajemnicy, bo Gary Proctor zginął. Sonny lubił Proctora, mówił, że to równy gość. Może faktycznie tak było? Cóż, teraz już za późno, żeby to roztrząsać.

Jude się bała; wiedziała, jak wykorzystać informację uzyskaną od syna, lecz strach przed konfrontacją z Nickiem Learym był silniejszy od wszystkiego. Proctor nie żyje, a ona musi stanąć przeciwko Leary'emu, który jest bohaterem dnia i będzie musiał za to zapłacić.

Rozpływając się w nieświadomości, Jude usłyszała hałas i otworzyła oczy. Gino stał obok jej łóżka. Był już wciągnięty na dobre; uśmiechnęła się do niego sennie. Nic nie powiedziała, patrząc, jak wyciąga z jej torebki heroinę i zaczyna sobie podgrzewać działkę. Wrócił, tylko to ją w tej chwili obchodziło.

Nie będzie już sama, nie będzie musiała wychodzić po pieniądze, od tej pory zajmie się tym Gino. Jeśli chodzi o jego matkę, Jude pokona także ten most, kiedy przed nim stanie.

Kawiarnia była czynna całą dobę, toteż panował w niej spory ruch, ale Tyrell znalazł wolny stolik i zamówił chłopcu duże śniadanie, a do tego frytki, chleb i masło. Wziął również dwa kubki herbaty i dwie puszki napoju pomarańczowego z lodówki, odebrał resztę z dwudziestofuntowego banknotu, który podał właścicielowi.

— Nie chcę, żeby tu długo siedział, okay?

Tyrell spojrzał z zaskoczeniem na mężczyznę.

— Co chce pan przez to powiedzieć?

Właściciel kafejki, rosły tęgi Turek z krzywymi białymi zębami, ubrany w biały fartuch, odparł:

— Ja ich tutaj nie spraszam, przeważnie korzystają z furgonetki przy głównej ulicy, kupują tam hamburgery. Tym razem to przełknę, bo jest z panem, ale powiedz mu pan, żeby się tu więcej nie plątał. Tacy jak on nie są tu mile widziani. I muszę pana ostrzec: wszyscy oni są złodziejami. Jeśli jesteś pan w tym nowy, to niech pan o tym pamięta na przyszłość.

Tyrell nie wiedział, jak zareagować. Dopiero gdy uświadomił sobie, że tamten uważa go za alfonsa młodego chłopaka, zrozumiał, co do niego powiedziano.

— Pomyliłeś się, kolego. Funduję mu coś do jedzenia, bo on ma coś, czego chcę.

W tej samej chwili pożałował tego sformułowania.

Właściciel kawiarni uniósł brwi i zmierzył Tyrella takim wzrokiem, jakby był kupą brudu, która rozniesie się po jego lokalu.

— Sam się tego domyśliłem, kolego! Każdy bierze to, co lubi.

Tyrell był już zły.

— Czy wyglądam na pedała? — spytał gniewnym szeptem.

Mężczyzna wyszczerzył zęby.

— Skąd mam wiedzieć, kolego? Bo jak oni właściwie wyglądają?

Turek zniknął na zapleczu kafejki, a Tyrell zastanawiał się, co, do jasnej cholery, skłoniło go do powiedzenia czegoś takiego. Postanowił się wycofać, zanim sytuacja wymknie się spod kontroli. W każdej chwili mógł wybuchnąć.

Zakłopotany, usiadł i zapalił papierosa. Pierwszy raz przyjrzał się dobrze chłopcu w blasku kawiarnianych świetlówek i zaszokowało go to, co zobaczył.

Jego skóra była szara, brudna i pokryta plamami, pod paznokciami zagnieździł się brud. W cieple kawiarni ubranie już zaczynało wydzielać kwaśny odór. Czy mężczyźni pożądali tych chłopców tylko dlatego, że ci lepili się od brudu? Tyrell zauważył, że ludzie mu się przyglądają i zgromił ich wzrokiem. W głębi serca czuł się nieswojo, że widzą go z takim chłopcem, i wstydził się swojego zażenowania. Wszak jego syn zarabiał na życie w taki sam sposób i wyglądało na to, że ten biedny gnojek, który właśnie z nim siedzi, nie ma żadnego innego wyboru.

Przycupnięty na plastikowym krzesełku, wyglądał na jeszcze bardziej zaniedbanego i wątłego. Uśmiechając się niepewnie, powiedział do Tyrella:

— On nas zwykle nie wpuszcza, ale miałem przeczucie, że wejdę, jeśli będę z panem.

Tyrell skinął głową.

— Tak właśnie powiedział. Dodał, że zwykle jadacie w furgonetce przy głównej ulicy.

Chłopiec znów się uśmiechnął. Miał żółte zęby pokryte grubą warstwą brudu, podobnie jak język.

— Dzisiaj jest zimno, chciałem się trochę ogrzać.

— Całą noc spędzisz na dworze?

Willy skinął głową i odparł szczerze:

— Większość nocy. Jest piątek, więc łapiemy sporo facetów wracających do domu z pubów. Ci, którzy udają hetero, są łatwi. Chcą zrobić to jak najszybciej, a potem wskoczyć do taksówki i wrócić do chaty.

Tyrell nie wiedział, co powiedzieć.

— Co chcesz wiedzieć o Sonnym?

Tyrell w milczeniu zapalił drugiego papierosa; chłopiec wziął paczkę i przytrzymał ją w górze, jakby pytając o zgodę.

Tyrell skinął głową i przypalił mu papierosa, rad, że może coś zrobić z rękami. Nie podobało mu się, że chłopiec pali w tak młodym wieku, lecz zważywszy na okoliczności, nie uważał, by miał prawo moralizować na ten temat.

W kawiarni zrobiło się cieplej; Tyrell zdjął skórzaną kurtkę i położył ją na oparciu krzesła.

Willy palił papierosa i hałaśliwie siorbał tango.

— Jesteś tatą Sonny'ego?

Na dźwięk słowa „tata" Tyrellowi zachciało się płakać. Skinął głową.

— Tak myślałem. Nie zalatujesz pan Starym Billem. On dużo o panu opowiadał, o domu i braciach. Jakiś czas temu był pan na wakacjach, tak? Powiedział, że następnym razem zabierze go pan na Jamajkę.

— Ty chyba sporo o nim wiesz.

Willy wzruszył ramionami jak arogancki młodzik.

— Był moim kumplem, poratował mnie parę razy, kiedy znalazłem się w dołku. Raz spędziłem noc u jego mamy, ale po prawdzie to wolę ulicę.

— A to dlaczego?

Willy znów wzruszył ramionami i posmutniał.

— Tak szczerze mówiąc, to ona była za bardzo podobna do mojej. Lubię mieć przestrzeń, a tam było za dużo kłapania jadaczką, wie pan?

Tyrell dobrze wiedział, znał ten nieustający monolog narkomanki usprawiedliwiającej samą siebie; poczuł podziw dla chłopaka, który miał dość rozumu, by trzymać się z daleka od Jude, mimo iż mieszkał na ulicy i sprzedawał swoje ciało. Cuda wciąż się zdarzają, pomyślał.

— Nie boisz się, Will? Nie chciałbyś lepszego życia?

Willy Lomax spojrzał nań oczami trzynastoletniego emeryta i odparł szczerze:

— Pewnie, że chcę, ale hera i tym podobne to nie moja specjalność. Szykuję sobie gniazdko na ulicy i tam śpię. Nie jestem pedziem, robię to tylko dla forsy, żeby mieć co zjeść i czego się napić od czasu do czasu. Kiedyś wąchałem klej, ale to dla głupich, no nie?

Tyrell nie musiał odpowiadać, bo podano jedzenie i herbatę.

Willy Lomax rzucił się na jedzenie i żłopał napój, mimo że parzył go w usta. Odstawił kubek i wsypał do herbaty pięć czubatych łyżeczek cukru. Zrobiwszy sobie wielką kanapkę z frytkami i pochłonąwszy ją, odprężył się nieco.

Tyrell obserwował go w zdumieniu.

— Zajebiste żarcie.

Tyrell uśmiechnął się i odparł:

— Na to wygląda.

Willy zamknął usta i spróbował jeść z gracją. Polubił tego rosłego rastafarianina o łagodnym obejściu, z białymi zębami. Sonny mówił prawdę o ojcu, powiedział, że równy z niego gość, i miał rację.

— Jak się dowiedziałeś? Wszyscy spodziewaliśmy się, że będą z nami gadać po jego śmierci, ale nikt nie przyszedł. Pomyśleliśmy, że nikt nie wie.

Teraz Tyrell wzruszył ramionami.

To dziwne, że policja nie poszła tym tropem, lecz w pewnym sensie był to także prezent od Boga. Wystarczyło, że syn Tyrella został pokazany światu jako złoczyńca. Przynajmniej nie okazało się, że do tego wszystkiego był jeszcze chłopcem do wynajęcia.

Tyrell znów się zawstydził z powodu swoich myśli. Martwił się, w jakim świetle by go to pokazało, i przyznał w duchu, że to podłe. Biedny Sonny nie miał żadnej szansy. Musi o tym pamiętać i nie może pozwolić, by cokolwiek wpłynęło na jego miłość do syna. Jednak poczucie winy nie opuści go do dnia śmierci. Teraz przede wszystkim należy się dowiedzieć, co się naprawdę zdarzyło. To była ostatnia rzecz, którą może zrobić dla syna i być może dzięki temu też odnajdzie spokój. Chciał wiedzieć, że nie tylko on zawinił.

— Słyszałem, że miewał stałych klientów.

Willy skinął głową, usta miał pełne jedzenia. Przełknął głośno, a potem odparł, starannie dobierając słowa:

— Miał chłopak szczęście. Utrzymywał się w idealnej czystości, wie pan, zawsze używał gumy i zainwestował w komórkę z myślą o klientach. Dał ogłoszenie w lokalnej gazecie.

Tyrell był przekonany, że źle zrozumiał.

— Co takiego?

Powiedział to głośniej, niż chciał, ludzie znów zaczęli na nich spoglądać. Wysoki mężczyzna ze źle uczesanymi włosami i niechlujną brodą, w grubych jak dno butelki okularach przyglądał się Willy'emu. Tyrell widział głód w jego oczach.

— Napatrzyłeś się, koleś?

Mężczyzna odwrócił się pospiesznie.

Willy parsknął śmiechem.

— Ten gość zawsze kręci się koło domku, w pobliżu apartamentu nowożeńców, wie pan. Lubi pełną penetrację. Ale ja jestem już dla niego trochę za stary.

— Ty jesteś za stary? — spytał zaszokowany Tyrell.

Willy westchnął.

— Nie robię już apartamentu nowożeńców. Można się nieźle obłowić, ale w środku ma się później straszny bajzel.

Tyrell kręcił głową z niedowierzaniem.

— Apartament nowożeńców? Co to, kurwa, znaczy?

Willy Lomax znów się roześmiał.

— Musisz się pan wiele nauczyć. Apartament nowożeńców to toaleta dla niepełnosprawnych. Tam jest więcej miejsca, można lepiej manewrować, rozumiesz?

Do kawiarni wpadł podmuch chłodnego powietrza; Tyrell odwrócił głowę i zobaczył mężczyznę opatulonego płaszczem przechodzącego ze spuszczoną głową obok zaparowanego okna.

Willy położył brudną dłoń na ramieniu Tyrella.

— Są gorsi niż on, wierz mi.

— Dokończ jedzenie. Chcesz jeszcze herbaty?

Chłopiec skinął głową i Tyrell dał ręką znak, że prosi jeszcze dwie herbaty. Właściciel kawiarni przyniósł je niemal natychmiast; zanim Tyrell się uspokoił, a Willy skończył jeść, kafejka prawie opustoszała. Mały przenośny telewizor był włączony; mężczyzna stojący za ladą oglądał z zainteresowaniem walkę bokserską Audleya Harrisona. W normalnych okolicznościach Tyrell by się przyłączył, wypiłby kilka piw i kibicował zawodnikowi, który był dobrym pięściarzem i porządnym człowiekiem. Tylko że dzisiaj boks w ogóle go nie interesował. Jednak głos komentatorów w tle dawał jakieś poczucie komfortu.

Wciąż nie mógł się otrząsnąć po tym, jak usłyszał, że jego syn ogłaszał się w gazecie. Trudno mu było w to uwierzyć, mimo iż wiedział, że chłopiec mówi prawdę, bo nie ma powodu kłamać.

Willy zdawał się rozumieć stan jego ducha.

— Co jeszcze chcesz wiedzieć? — spytał mimochodem.

Tyrell spojrzał na niego.

— Nie wiem, synku. Pewnie chcę wiedzieć, dlaczego to zrobił. Co pchnęło go do takiego życia? To, co zwykle rodzice chcą wiedzieć o swoich dzieciach. Jak i dlaczego.

Westchnął ciężko.

— Szczerze mówiąc, to sam już nie wiem, czego chcę się dowiedzieć. Boję się tego.

— Chcesz wiedzieć, czy miał alfonsa, prawda?

Tyrell skinął głową, bojąc się odpowiedzi.

— Nie miał. Dobrze sobie radził na własną rękę, ale kolegował się z jednym czarnym chłopakiem, Justinem. On pokazał Sonny'emu co i jak, ale jakiś czas temu zaginął.

— Jak to zaginął?

Willy wzruszył ramionami.

— Po prostu zniknął. W naszym światku to się często zdarza. Ludzie przychodzą, wynika awantura. On był uciekinierem tak jak ja, ale był już dobrze oblatany, wiesz, od małego. Kumplował się z Sonnym. Właściwie kumplował się z nami wszystkimi, ale szczególnie blisko z Sonnym. To on powiedział mu, żeby kupił sobie komórkę i dał ogłoszenie w gazecie. W ten sposób czasem chodzi się do czyjegoś domu i to jest o wiele wygodniejsze. No i stoi się trochę wyżej na drabinie.

Willy się uśmiechnął.

— Nawet teraz mnie zapraszają, zwłaszcza ci starzy. Lubią patrzeć, jak się kąpiesz i w ogóle. Ja to uwielbiam, bo można się wypluskać i oczyścić. To i tak jest gówniane życie, ale Justin i Sonny nieźle sobie radzili. Trzymali się razem.

— Gdzie mieszkał ten chłopak?

— Mogę ci powiedzieć, bo czasem pozwalał mi się tam zamelinować.

Tyrell czekał, aż chłopiec poda adres. On tymczasem się uśmiechnął.

— Chcesz więcej forsy?

Willy skinął głową.

— Dam ci, ale nie tutaj, nie przy nim, dobrze?

Tyrell skinieniem głowy wskazał właściciela kawiarni.

Willy znów kiwnął głową.

— Zaufam ci, bo jesteś tatą Sonny'ego.

Tyrell miał ochotę się roześmiać, bo chłopiec przemawiał jak dorosły. Musiał się tego nauczyć, uczestnicząc w tej grze.

— Mieszkał nad piekarnią na głównej ulicy. To szczurza nora, ale on miał tam własny pokój.

Tyrell był zdezorientowany.

— Co to znaczy szczurza nora?

Willy wyszczerzył zęby.

— Przepraszam. W ulicznej mowie to coś w rodzaju legalnego squatu. Ktoś wynajmuje mieszkanie, a później wypuszcza je rozmaitym innym ludziom. Niektórzy biorą pokoje tylko na parę godzin dziennie albo od czasu do czasu na noc. Chyba nie muszę ci rysować planu, co? Poza tym lokalu już nie ma, tak samo jak Justina.

Tyrell znów pokręcił głową. Tam za oknami był cały świat, a on szczerze wierzył, że wie o nim wszystko. A teraz zaczynał rozumieć, że nie zobaczył nawet wierzchołka góry lodowej.

Policzki Willy'ego się zaróżowiły; chłopiec wyglądał niemal zdrowo. Tyrell domyślił się, że to skutek ciepła i pełnego brzucha. Chłopiec ziewnął głośno. Temperatura robiła swoje; Tyrellowi przyszło na myśl, że siedzący przed nim dzieciak musi być potwornie zmęczony.

— Chcesz się dzisiaj u mnie przespać?

Willy spojrzał na niego zaskoczony.

— Poważnie?

Tyrell nie był pewny, czy postępuje słusznie, lecz nie mógł zostawić chłopaka, a poza tym pragnął dowiedzieć się o wiele więcej. Chciał jednak, by wiedza napływała stopniowo, by miał czas na przyswojenie tych informacji. Wyczuwał, że łatwiej będzie rozmawiać z chłopcem w neutralnym otoczeniu. Za każdym razem, gdy otwierały się drzwi, Willy wlepiał w nie wzrok; Tyrell podejrzewał, że spodziewa się pracowników opieki społecznej lub policji.

— Ale tylko przez jedną noc. Mam tam trochę rzeczy Sonny'ego, które kupiłem mu na Jamajce. On nie będzie ich już potrzebował, więc możesz je sobie wziąć. Ale chcę, żebyś przypomniał sobie o każdym, który mógł coś wiedzieć o Sonnym i o tym, w jaki sposób dostał się do tego domu, dobrze?

— Jasne. Mogę się wypluskać?

— Rób, kurwa, co chcesz, synku, tylko niech ci nie przychodzą żadne głupstwa do łba, bo rozstaniemy się z hukiem. I nawet nie próbuj mnie skroić, bo się wkurzę, jasne?

Willy Lomax roześmiał się głośno.

— Seks mnie nie kręci. To tylko moja robota, nie? A jeśli chodzi o kradzież, to nie jestem taki głupi.

Powiedział to obrażonym tonem i Tyrell nie wiedział, jak zareagować, lecz kiedy wyszli z kawiarni, atmosfera między nimi była swobodna. Nie był pewien, czy postępuje słusznie, zabierając chłopca do mieszkania, lecz tłumaczył sobie, że przynajmniej będzie mógł z nim porozmawiać jak należy, a Willy się wykąpie, tak jak zapowiedział, i wyśpi w przyzwoitym miejscu.

Tyrell w jakiś osobliwy sposób polubił tego dziwnego chłopaka o wyblakłych szarych oczach, tak kochającego życie.

W samochodzie włączył ogrzewanie, bo chłopiec się trząsł.

— Widzę, że się przeziębiłeś, synku, kupić ci coś w aptece?

Willy potrząsnął głową i oznajmił głośno:

— Będzie lepiej, jak powiem to od razu. Mam HIV-a.

Tyrell milczał przez dłuższą chwilę, a potem pociągnął dźwignię hamulca ręcznego i pojechał w stronę swojego mieszkania.

Tammy leżała nieprzytomna w łóżku, a Nick znów jechał do wschodniego Londynu. Parkując samochód, wiedział, że to, co robi, jest złe, ale nie potrafił się powstrzymać. Póki trzymał się od tego z dala, jego życie było łatwiejsze, lecz teraz wsiąkał na nowo. To miało coś wspólnego z brudem i ryzykiem, że zostanie nakryty. Było takie niebezpieczne, że nie mógł się powstrzymać.

Wszedł do bloku i jak zwykle wjechał windą na dziesiąte piętro. Piskliwy chrobot stalowych lin brzmiał w jego uszach jak pieśń miłosna, nawet fetor go podniecał. Wszystko to stanowiło jedną całość.

Drzwi mieszkania otworzył wysoki mężczyzna w obcisłych skórzanych spodniach, bez koszuli. Jego brzuch wylewał się nad paskiem, ramiona i klatkę piersiową pokrywały tatuaże.

— Gdzie jest Frankie?

Mężczyzna odkaszlnął i zapytał wojowniczo:

— A kto chce wiedzieć?

Nick spojrzał na niego ostrzegawczo, a potem chwycił go za gardło, wciągnął przez wąski korytarz do pokoju i rzucił na załamane łóżko.

— Zbieraj łachy i wypierdalaj.

Frajerowi nie trzeba było dwa razy powtarzać. Schylił się po swoje rzeczy i czmychnął z mieszkania przerażony. Frankie patrzyła na to, siedząc w za mocno wypchanym fotelu, i chichotała.

Nick uśmiechnął się do niej. Z kieszeni eleganckiego płaszcza wyjął paczkę kondomów Durex i butelkę czerwonego wina.

— Myślisz o wszystkim, prawda? — zauważyła gardłowym głosem Frankie.

Nick cisnął na stół paczkę kokainy i odparł wesoło:

— Zróbmy sobie ucztę, co ty na to?

Rozdział 18

Willy leżał w wannie, zastanawiając się, czy umarł i poszedł do nieba. Mieszkanie Tyrella było ciepłe, ładnie umeblowane i pachniało trawką. Z odtwarzacza kompaktowego dobiegały przyjemne dźwięki, a w popielniczce leżał niedopałek długiego skręta. Willy zobaczył też pilota od telewizora. Jeśli to jest niebo, to dobrze, że umarł tak szybko.

Obejrzał się dokładnie i był już całkowicie pewny, że Tyrell nie będzie się do niego dobierał. Mimo iż wyglądał na stuprocentowego hetero, Willy wiedział, że mężczyźni wyglądający niegroźnie są bardziej niebezpieczni od tych, którzy na swoje nieszczęście wyglądają jak stereotyp pedała.

Początkowo Willy leżał w wodzie i czekał na podchody: potrzebę skorzystania z toalety, chęć porozmawiania z nim, przyniesienie piwa. Wszystkie te preteksty służą temu, żeby zobaczyć chłopaka nago, a później się do niego dobrać.

Lecz nic takiego nie nastąpiło. Tyrell nie wszedł do łazienki ani nawet się do niej nie zbliżył. Gdyby to zrobił, Willy by oczywiście nie protestował. Czy miał jakiś wybór? Przeczuwał, że facet jest w porządku, ale nigdy nie wiadomo. Gdyby lubił przemoc, to tłumaczyłoby, dlaczego Sonny wylądował koło domku. Willy w bardzo młodym wieku nauczył się, że nie wolno oceniać książki po okładce. Niektórzy lśnią czystością tak, że mogliby wystąpić w telewizyjnej reklamie płatków, a w rzeczywistości zasługują na miejsce na liście gończym.

Z tego, co wiedział, to tata Sonny'ego pchnął go na wyboistą drogę. Może Tyrell Hatcher jest w istocie pedałem, lecz wykrywacz kitu mówił Willy'emu, że może się czuć bezpieczny. Ten mężczyzna nie miał ukrytego motywu, tak jak wielu innych, o czym Willy przekonał się na własnej skórze.

W jego przypadku byli to kochankowie matki. Upijanie się stanowiło jej główne zajęcie, a on miał więcej wujków niż zwycięzca loterii narodowej. Wcześnie nauczył się, co robić, by nie wyrządzali mu krzywdy, jak im się przymilić, żeby dostać parę funtów i wyjść z konfrontacji z korzyścią, a nie ze zbolałym tyłkiem i tlącym się w głębi duszy gniewem, którym pewnego dnia by eksplodował, wszystkich zaskakując.

Sęk w tym, że wielu z nich sprawiało wrażenie normalnych. Nie wyglądali na pedałów i nie mówili jak pedały, co oczywiście było ich orężem. Gdyby Willy ich o coś oskarżył, nikt nie dałby mu wiary, a na pewno nie matka. Powiedzieliby, że chłopak chce po prostu znaleźć się w centrum uwagi albo kłamie, bo wujek chciał go oskarżyć o drobną kradzież. A Willy mówi te wszystkie brzydkie rzeczy, żeby wpędzić wujka w kłopoty, a nawet odstraszyć od mamy. A przerażona kobieta uwierzyłaby im, bo było jej to na rękę.

Wujkowie mogli obsypywać ją forsą, zapewniać alkohol i rozrywkę. Willy nie mógł jej tego wszystkiego dać.

A później wujkowie poczekali trochę i zaczynali od nowa, wiedząc, iż są bezpieczni, że matka nie uwierzy małemu chłopcu, bo nie chce. Wolała bezpieczne życie z mężczyzną i jego pieniędzmi, więc przymykała na wszystko oko. A właściwie samo jej się zamykało pod wpływem alkoholu.

Willy nigdy nie czuł się bezpiecznie, dopóki nie poszedł na ulicę. Och, znał już do tej pory wszystkie wybiegi stosowane przez pedałów, nauczenie się ich było bolesne. Właśnie dzięki temu przetrwał. Wolał przycupnąć w zimnej bramie koło sklepu, niż znaleźć się w pobliżu domu matki. Na ulicy przynajmniej do pewnego stopnia kontrolował sytuację.

Wszystko to jednak odcisnęło na nim swoje piętno i w pewnym sensie Willy był rad, że jest nosicielem HIV. Dzięki temu wiedział przynajmniej, że niebawem wszystko się skończy i nigdy więcej nic nie będzie go dręczyć. Miał czternaście lat, a już skończył z życiem i wszystkimi ludźmi, których poznał. Lecz dziś wieczorem czuł się jak na wakacjach. Miał pełny brzuch i parę funtów, i nie musiał używać ust do niczego oprócz mówienia.

Ale fart!

Słyszał, jak Tyrell chodzi po mieszkaniu, i znów zaczął się oglądać. Ostatnio na całym ciele miał wysypkę i rany. Powinien pójść do szpitala i to szybko, ale bał się, że w ten sposób wpadnie na opiekę społeczną. Ta myśl go przerażała. Znając swój niefart, podejrzewał, że znów odeślą go do domu. Szpital Terrence Higgins Trust podobno jest dobry, więc Willy wkrótce się tam wybierze. Ale przedtem wyjdzie z wanny, napije się dobrego zimnego piwa i pooglądа telewizję.

Czuł się normalnie, i to właśnie było dziwne.

Normalnie.

Właśnie do tego przez całe życie tęsknił Sonny, a Willy wiedział o tym i mu współczuł. Wiedział też jednak, że żona Tyrella nie była mu najprzychylniejsza. Lecz dzisiaj nie było jej nigdzie widać, więc Willy zrobi to, co zawsze, wykorzysta okazję do maksimum.

Owinął się ciepłym ręcznikiem, usiadł na sedesie i rozpłakał się. Płakał tylko dlatego, że go bolało i że kiepsko się czuł, a ciągłe spanie na zimnie mu nie pomagało. Nie płakał dlatego, że było mu smutno albo coś w tym rodzaju. Powtarzał to sobie raz po raz.

Nick Leary wyszedł od Frankie i pojechał z powrotem do Essex. Ciągle szumiało mu w głowie, dlatego postanowił zajrzeć do pubu. Lokal jak zwykle był już oficjalnie zamknięty, a stali bywalcy tak się rozochocili, że urządzali sobie wyścigi na barana.

Pojawienie się Nicka w pierwszej chwili sprawiło, że wszyscy przycichli. Śmierć Gary'ego zgodnie z jego oczekiwaniami wywołała poruszenie i dotąd nikt nie odważył się zapytać go o nią wprost. Wiedział, że nikt tego nie zrobi, chyba że sam poruszy ten temat.

Wszyscy się go bali. Kiedyś dawało to Nickowi poczucie komfortu: wiedział, że wystarczy podnieść głos, żeby po szeregach jego tak zwanych przyjaciół przebiegło drżenie. Teraz tylko go to przygnębiało. Wreszcie nauczył się, że nie ma prawdziwych przyjaciół. Przy jego stylu życia stanowili luksus, na który nie mógł sobie pozwolić.

Jednak Nick rozpuścił już oddolną plotkę, która zostałaby z miejsca zignorowana, gdyby pochodziła od kogokolwiek innego.

Tak więc mógł się czuć jak pączek w maśle.

Samotny pączek, należy dodać. Ale taka jest cena, jaką się płaci za życie, które prowadził. Wiedział, że nikt z otaczających go ludzi nie zrozumie, dlaczego chodzi do Frankie, to był sekret, który musiał zachować dla siebie. Był gotów zabić, aby go zachować. W tym świecie wizerunek jest wszystkim, a jeśli się przybrudzi, należy przestać balować i wrócić do domu w samotności.

Nick zdecydowanym krokiem podszedł do baru, na którym leżały narkotyki. Drinki nalewano aż nadto hojną ręką. Napawał się lękiem nie tylko personelu, lecz także klienteli.

Wszyscy słyszeli o wyczynach Tammy; wiedział, że będą o tym gadać przez lata. Tammy, niech ją Bóg błogosławi, była legendą na miarę swoich słynnych lunchów. I tak właśnie powinno być: przesadzała ze wszystkim tak bardzo, że nikt by się nie zdziwił, gdyby okazała się transwestytą.

Ale przynajmniej zapewniała wszystkim temat do rozmów. O upadku Gary'ego będzie się mówiło ponownie tylko przy okazji pogrzebu. Nick się na niego nie wybierał i zamierzał o tym wszystkim uprzedzić. Kabli nie żegna się jak zwykłych ludzi. Zakopuje się ich w ziemi bez fanfar i bez zainteresowania.

Nick ściągnął brwi, rozejrzawszy się po barze pełnym tych

samych co zwykle podejrzanych typów. Odwracając się do starego kumpla Joeya, rzekł głośno:

— Czyżby odnaleziono cię w biurze rzeczy zaginionych, Joey? Bo o ile mi wiadomo, nie pokazałeś się w chacie od miesięcy.

Uśmiechnął się i głośno pociągnął nosem; wszyscy odetchnęli z ulgą. Jeśli Nick wciągał, to im też było wolno. Jak gdyby czytając w ich myślach, wciągnął szybko działkę przygotowaną na barze. To określiło nastrój wieczoru.

Joey otarł ręką twarz.

— No to mnie podsumowałeś, Nick — odparł żartobliwie, mimo że wciąż był zdenerwowany.

Lecz spojrzawszy w oczy starego przyjaciela, zobaczył, że Nick jest nie tylko pijany i naćpany, ale także niebezpieczny. Znów szukał okazji do zwady i z całą pewnością ją znajdzie.

Joey nie widział go w takim stanie od lat. Zachowywał się jak nastoletni Nick, który bił się i ciskał, żeby dostać się na szczyt. Ale teraz jest na szczycie, dlaczego zatem to wszystko niszczy?

I o co chodzi z tą kokainą? Nick nigdy tak naprawdę za nią nie przepadał, właściwie jej nienawidził, bo nie cierpiał tracić kontroli nad sobą. Lecz ostatnio najczęściej był nabuzowany koką już przed południem.

Zawsze mawiał: „Jeśli sprzedajesz towar, to go nie tykaj". Zbyt wielu kolegów poszło na dno, bo handlowali i sami brali. Koka ogłupia albo wpędza człowieka w paranoję, albo czyni go zbyt hojnym. Sprawia, że zapomina się o priorytetach; widział to u swoich kumpli niejeden raz.

Joey wziął głęboki oddech i rzekł takim lekkim tonem, na jaki mógł się zdobyć:

— Sid Haulfryn tu jest, Nick. Wpadł, żeby się z tobą zobaczyć. Chciał numer twojej nowej komórki, ale mu nie dałem.

Joey uznał, że powinien o tym powiedzieć Nickowi, zanim zrobi to ktoś inny. Sid i Nick kiedyś przez lata, choć z przerwami, toczyli ze sobą wojnę. To byli najbliższymi kumplami, to znów rozpoczynali zimną wojnę z powodu jakiejś wyimaginowanej urazy. Kolegowali się w młodości i wciąż pozostał między nimi pewien rodzaj żartobliwej rywalizacji. Jeśli nie przybierała gwałtownych form, zabawnie było ją obserwować.

Obaj byli potężnie zbudowani i obaj zajmowali się dokładnie tym samym.

Obaj byli również aroganccy i niezdolni do przyznania się do błędu.

Nick się uśmiechnął.

— To gdzie się chowa?

Rozejrzał się po barze i widząc Sida, zawołał:

— Kto wpuścił tutaj tę cipę?

Zostało to powiedziane przyjaznym głosem, choć nie bez ostrzegawczej nutki; Sid przyjął słowa Nicka w odpowiedni sposób. Podszedł do niego.

Sidney Haulfryn był rosłym mężczyzną. Miał długie ciemne włosy związane w koński ogon i przyjemny głęboki głos, który nie zdradzał, że Sid umie się bić niczym Muhammad Ali na spidzie.

— Cześć, kolego — rzekł, rozkładając ręce, jakby chciał powiedzieć: I co teraz zrobisz? Miał zamiłowanie do krzykliwej biżuterii, jego dłonie były zawsze ciężkie od złotych sygnetów. Wkurzało to Nicka, który uważał, że ostentacyjne demonstrowanie bogactwa bez powodu jest jak pisanie na siebie donosu do stróżów prawa i sprawiedliwości. Mimo to był niezmiernie rad, że widzi Sida. Stary Sid umiał żartować, więc Nick postanowił zapomnieć o niesnaskach.

Śmiech był mu bardzo potrzebny tego wieczoru, a Sid, jaki był, taki był, ale dowcipu mu nie brakowało. Jego matka mawiała, że rozśmieszyłby nawet kota.

Nick tak się ucieszył na widok Sida, że go uścisnął, sprawiając mu niekłamaną radość, podobnie jak większości klientów w barze. Jeśli Nick nie darzył kogoś sympatią, to i on go nie lubił. Właśnie tak to wyglądało w ich świecie, a Sidney Haulfryn wiedział o tym jak nikt inny.

Miał ukryty powód do odwiedzin, rzecz jasna, i wiedział, że Nick jest dość bystry, by się tego domyślić.

Nick machnął na barmankę.

— Podaj wszystkim drinki.

Wyszczerzył zęby w szerokim uśmiechu.

— Wszystkim w całej knajpie. Bawmy się!

Szafa grająca została podkręcona na cały regulator, wszyscy się rozluźnili; szykowała się wspaniała noc. Nikt z obecnych nie musiał jutro iść do zwyczajnej pracy, a ciemniejsze interesy można było załatwić o każdej porze dnia i nocy, tak więc nie było przeciwwskazań do całonocnej zabawy. Chodziło o to, żeby ze sobą pogadać i pokazać się w towarzystwie. Poza tym w ciągu tej nocy zostanie ubitych więcej interesów niż jutro w City. To był ich świat i wszyscy go kochali w takiej postaci. Oprócz Nicka, który zaczynał patrzeć na wszystko z innej perspektywy.

Sidney Haulfryn ucieszył się z ciepłego przyjęcia. Od jakiegoś czasu chciał porozmawiać z Nickiem i wyglądało na to, że nadarza się świetna okazja.

— Gadałem o tobie parę dni temu. Cholernie zabawny z ciebie gość, Sid — zagaił ze śmiechem Nick.

— Chcesz usłyszeć coś zabawnego? Więc posłuchaj. Przychodzi facet do seks-shopu w Soho i mówi, że chce kupić nadmuchiwaną lalkę. Facet za ladą pyta: „Chce pan chrześcijańską czy muzułmańską?". Klient na to: „A jaka jest różnica?". Sprzedawca mówi: „Muzułmańskie czasem eksplodują przy dmuchaniu!".

Nick zaczął się śmiać i nie mógł przestać. Dosłownie zataczał się ze śmiechu, a Sid, który wiedział, że dowcip był śmieszny, wiedział również, że nie był aż tak śmieszny. Patrzył z niedowierzaniem, jak Nickowi zaczynają płynąć łzy z oczu.

Śmiał się coraz głośniej. Wreszcie Sid powiedział:

— Przestań, ty ochlapusie, to nie było aż tak śmieszne!

Nick ocierał oczy. Sid i Joey zauważyli, że łzy były prawdziwe. Joey spojrzał na Sida i prawie niepostrzeżenie pokręcił głową.

— Wszystko w porządku, Nick?

Nick wiedział, że Sid jest naprawdę zatroskany. Poczuł się jeszcze gorzej.

— Nie, wcale nie w porządku. Ostatnio nie mogę dojść ze sobą do ładu, wiesz? — Otarł oczy, a potem wciągnął następną działkę koki. — Wszystko to gówno, rozumiesz? Pieprzone gówno.

Tyrell pochował wszystko, co można było ukraść. Miał wyrzuty sumienia, robiąc to, lecz wiedział, że nie można ufać ludziom, którzy nie mają nic i są amoralni. Nauczył się tego dzięki synowi. Musiał pamiętać, z kim ma do czynienia. Życie osób takich jak Willy to ciąg dramatów i tragedii; wiedział o tym lepiej niż ktokolwiek inny, bo żył z Jude. Polubił jednak chłopca i zdawał sobie sprawę, iż polubił go dlatego, że ten wyrażał się życzliwie o Sonnym; widział w nim przyjaciela, co teraz było cenne samo w sobie. Wszyscy inni mówili o Sonnym jak o śmieciu.

Willy wszedł do pokoju. Przebrał się w koszulkę z Bobem Marleyem i stare dżinsy Sonny'ego. Tyrell zapakował je razem ze swoimi rzeczami, kiedy wyprowadzał się od Sally. Sonny trzymał swoje najlepsze rzeczy u nich, bo inaczej Jude by je sprzedała przy najbliższej okazji.

Chłopiec wyglądał teraz niemal schludnie i był tego świadom. Poczucie, że ma czystą skórę pod czystym ubraniem, dziwnie go zasmuciło. Od tak dawna nie miał pełnego brzucha i czasu na wyluzowanie, że nie był całkiem pewny, czy to wszystko mu się nie śni.

— Teraz wyglądasz o wiele lepiej.

Willy wzruszył ramionami. To był jego charakterystyczny gest, oznaczający „Jestem sam przeciwko całemu światu". Udoskonalał go od czasu, gdy skończył dziewięć lat.

— Mały twardziel z ciebie, co?

Willy uznał to za komplement i Tyrellowi z jakiegoś powodu zachciało się śmiać.

— Siadaj, kolego, i posłuchaj mnie. Jeśli spróbujesz mnie wykiwać, mocno się wkurzę, kumasz?

Willy spojrzał mu w oczy i dostrzegł zagrożenie. Wyczuł także łagodność i wielkoduszność.

— Nigdy w życiu — odparł ze swobodnym uśmiechem. — Równy z ciebie gość, a ja nigdy nie czułem się lepiej.

Tyrell wiedział, że mówi z głębi serca, i wiedział też, iż wydobędzie z dzieciaka prawdę bez względu na to, jaka jest straszna.

Miał przeczucie, że będzie okropna i przygotował się na to. Teraz musi ją tylko usłyszeć.

Nick i Sid pogrążyli się w rozmowie i Sid słuchał ze zdziwieniem. Słyszał o kłopotach Nicka i domyślał się, że stary druh o tym wie. Jednak Nick mówił o nich tak szczerze i otwarcie, że słuchanie sprawiało ból. To nie był ten Nick, którego znał i wbrew wszystkim pogłoskom lubił. Ten mężczyzna był przestraszony, załamany i słaby. Sid gotów był iść o zakład, że to trafna diagnoza.

Kokaina rozwiązała Nickowi język. I nie było to zwykłe ględzenie, wywołane dużą ilością narkotyku zmieszanego z alkoholem, lecz prawdziwe i autentyczne przedstawianie dręczących go demonów. Nie była to też typowa gadka znanego twardziela.

— Słuchaj, stary, musisz dać sobie z tym spokój. Ten chłopak nie żyje i bez względu na to, co się zdarzy albo co powiesz, nic nie przywróci mu życia.

Nick skinął głową.

— Wiem o tym, Siddy, nikt nie wie lepiej. Ale czuję, że od tego czasu moje życie się zmieniło, rozumiesz? Czuję się, jakby prześladował mnie pech.

Sid parsknął śmiechem.

— Coś takiego! Ja też się tak czuję, od kiedy ożeniłem się z Carol. To pinda jakich mało.

Nick nie roześmiał się, choć w normalnej sytuacji na pewno by tak zareagował. Był śmiertelnie poważny. Sid zerknął na Joeya, który uśmiechnął się do niego półgębkiem, jakby chciał powiedzieć: A nie mówiłem? Nie ulegało wątpliwości, że Nick Leary jest na najlepszej drodze do wariatkowa, jeśli szybko się nie pozbiera.

— Wciągnijmy jeszcze po działce. Joey, przynieś parę torebek z sejfu w piwnicy, dobrze?

Joey uśmiechnął się pojednawczo.

— Przed chwilą wciągnąłeś działkę, Nick. Daj sobie pięć minut wytchnienia. Pozwól nosowi trochę odsapnąć.

Powiedział to żartem, lecz Nick przysunął twarz do jego twarzy i warknął:

— Nie pouczaj mnie! Rusz się i przynieś tę pieprzoną kokę.

Wszyscy obserwowali tę drobną zwadę, a zaczerwieniony Joey podniósł się niezręcznie i poszedł spełnić polecenie. Sidney prawie czuł jego zakłopotanie.

— To było trochę szorstkie, co, Nick?

Powiedział to cicho, żeby nikt nie zauważył, iż okazuje Nickowi brak szacunku. Ten zaś rozejrzał się, marszcząc groźnie czoło.

— Popatrz tylko na te ścierwa! A Joey? On jest najgorszy. Trzyma się mnie za portki, a ja załatwiam mu wódę, robotę i towar...

Sid nie mógł słuchać, jak Nick miesza przyjaciela z błotem.

— Joey jest twoim dobrym kumplem. Jest lojalny i kocha cię jak brata. Nie powinieneś nim tak pomiatać przy ludziach.

Gdzieś w rozpalonym narkotykiem mózgu Nicka błysnęła myśl, że Sidney Haulfryn mówi prawdę. Zalała go fala wstydu. Po śmierci Gary'ego Joey dbał o firmę budowlaną i kluby. Pomagał Nickowi we wszystkim, a on naprawdę zachował się wobec niego podle.

Pierdnął głośno i przyznał pijackim głosem:

— Masz rację, cholerną rację. — Bełkotał, więc Sid wziął go pod rękę i wyprowadził z pubu na parking.

— Chodź, przyda ci się trochę świeżego powietrza.

Nick usiadł na murku otaczającym parking i oddychał głęboko, próbując uspokoić bijące w obłąkańczym rytmie serce.

— Potrzebny ci jest urlop, Nick, przynajmniej miesiąc. Nie mógłbyś wsiąść w samolot, polecieć do Hiszpanii i zaszyć się w swojej willi, żeby pozbierać myśli? Zostawiłbyś za sobą tych parę trudnych miesięcy, hm?

Sid wypowiedział tę propozycję łagodnym, życzliwym tonem i właśnie to sprawiło, że Nick się rozkleił.

— Ja zabiłem tego chłopaka, Siddy! Zabiłem go i wiedziałem, co robię, pojmujesz? Rąbnąłem go z całej siły i nie przestawałem...

— Oczywiście, że tak. Każdy by się tak zachował.

Sid znów uspokajał Nicka i nie mógł się nadziwić, że zdarzenie tak pospolite w ich świecie tak bardzo przybiło Nicka Leary'ego. Przecież oni miażdżyli ludzi, żeby zarabiać forsę. On i Nick wielokrotnie na siebie warczeli. Po co więc teraz dramatyzować? Chłopak był złodziejem, padliną, teraz pewnie okradałby staruszki, gdyby Nick nie wykluczył go z gry.

On tymczasem z tego powodu znajdował się na krawędzi załamania, to nie ulegało najmniejszej wątpliwości.

— Może byś poszedł do domu, Nick? Prześpij się, spróbuj wziąć się w garść.

Nick spoglądał przez chwilę na starego kumpla.

— Co cię tu dzisiaj sprowadziło? — zapytał nagle.

Sid wzruszył ramionami. Jego czarne włosy lśniły w świetle padającym z pubu, potężne ramiona nadawały mu przerażający wygląd. Przez chwilę Nick się go bał. To była kokainowa paranoja. Nick o tym wiedział, a mimo to poczuł całą moc swojego lęku.

— Chcę mojej kasy, Nick. Proctor był mi winien za proszek, który dostarczyłem. Dziesięć kawałków. I nie zamierzam tego przełknąć. Proctor wziął towar na was obu, a wiemy, że wykorzystałeś drania, żeby się zabezpieczyć. Nie chciałeś, żeby coś wróciło do ciebie rykoszetem, gdyby doszło do jakiejś obsuwy. Ale teraz sprawa wraca.

Nick skinął głową.

— Prawdę mówiąc, całkiem o tym zapomniałem. Dostaniesz tę kasę.

Powiedział to z całą pogardą, którą czuł. Dziesięć tysięcy to było dla niego nic. Sid powinien to wiedzieć i uszanować ten fakt.

I uszanował.

To był Nick, którego znał, arogancki i skory do urazy. Jednak była dla niego jakaś nadzieja. Sid uśmiechnął się w ciemności, szybko i zręcznie wbijając szpilę staremu kumplowi.

— Słyszałem, że Proctor posuwał młodych chłopaków, prawda to?

Nick był już czujny, wszystkie troski poszły w niepamięć.

— Kto ci o tym powiedział?

— Jeden mały ptaszek. A właściwie jeden mały chłopaczek.

Nick słyszał oskarżycielski ton w głosie kumpla i wiedział, że Sid go bada, próbuje wyciągnąć od niego całą historię. Właśnie tego się obawiał, że ktoś dowie się o tym całym bagnie, doda dwa do dwóch i skojarzy fakty.

Zakaszlał głośno. Myślał błyskawicznie, gdyż wiedział, że jeśli ten gość zechce pójść śladem swoich podejrzeń, prawdopodobnie dowie się więcej, niż przypuszczał.

Ich światek był zbyt mały, aby Nick pozwolił na coś takiego. Musi zdusić sprawę w zarodku, póki ma taką szansę.

— Dowiedziałem się, że próbował to robić z chłopakami, których zatrudniamy w klubach. To ja go załatwiłem w tym garażu. Ale to zostaje między nami, dobra? Nikt inny o niczym nie wie.

Sid uśmiechnął się, słysząc groźbę w głosie starego przyjaciela.

— Ale ludzie o tym wiedzą, Nick, i pochwalają to, co zrobiłeś. Stevie nie potrafił utrzymać języka za zębami. W zaufaniu powiedział o sprawie ojcu chłopaka, a znasz starego Mackiego: Stevie równie dobrze mógłby dać ogłoszenie w gazecie. Nikt inny nie rozgłaszałby, że jego syn został zmasakrowany przez tego śmierdziela Proctora, ale Mackie nie umiał zatrzymać informacji dla siebie. Ten facet to pizda. Pomyślałem, że dam ci o tym znać, bo w którymś momencie ktoś może zacząć węszyć koło ciebie. Podejrzewam, że już zdystansowałeś się od sprawy? Masz oswojonego psa, tego Rudde'a, zdaje się... Słyszałem, że kumplujecie się, jakbyście grzali tyłki przy tym samym piecyku.

Sid parsknął śmiechem ze swojego żartu.

Nick się rozluźnił. Jednak będzie musiał odwiedzić Mackiego, który tę wizytę popamięta.

— Chodzi ci o wymianę, zgadłem? Mogłem się domyślić. Będę mógł zatrzymać dziesięć kawałków, a ty nie puścisz pary, jeśli namówię Rudde'a, żeby wyświadczył ci przysługę, zgadza się?

— Zawsze byłeś domyślny, Nick.

— Więc czego chcesz?

— Potrzebuję kilku nazwisk, to wszystko.

— Lubisz kopać leżącego, co?

Sid wyszczerzył zęby.

— To samo mógłbym powiedzieć o tobie i biednym starym Proctorze.

Tyrell przyniósł wiaderko lodu i włożył do niego kilka puszek red stripe'a. Na popielatoczarnym stoliku do kawy położył chipsy i orzeszki, a sobie skręcił dużego jointa. Miał przeczucie, że będzie go potrzebował, kiedy chłopiec zacznie snuć opowieść.

Otworzyli po puszce piwa; Tyrell patrzył, jak chłopak popija napój i kątem oka zerka na telewizję.

— Dlaczego nie jesteś w domu? Sonny mówił, że masz dużą chatę i dwoje dzieci.

Willy zadał to pytanie całkowicie niewinnie, lecz mimo to przygnębiło Tyrella.

— Nieważne. Chcę poznać odpowiedzi na kilka pytań. Ja dotrzymałem swojej części umowy, teraz twoja kolej.

Chłopiec wziął miskę z chipsami Doritos i zaczął chrupać.

— Powinieneś pogadać z Justinem, ale on zniknął z powierzchni ziemi. Trzymał z jednym chłopakiem, Kerrem, tak w każdym razie słyszałem. Kerr pracuje na Cross i w pewnej szczurzej norze we wschodnim Londynie. Jeden facet zgarnia ich parę razy w tygodniu z dworca, a oni wynajmują od niego pokoje. Gość załatwia klientów, oni nie mają nic do gadania.

Tyrell odgadł trafnie, że Willy był tam częstym gościem, zanim dopadł go HIV.

— Ten facet to kawał gnoja. Ostry drań i nigdy nie wiadomo, co ci spadnie na tyłek, kiedy już się tam znajdziesz.

— Co to znaczy?

Chłopiec ułożył się wygodnie.

— Hm, jak ci to powiedzieć? Zdarza się, że dobiera się do ciebie dwóch albo trzech naraz. Ale przynajmniej dobrze płacą.

Willy dostrzegł przerażenie na twarzy Tyrella, więc dodał szybko:

— Sonny nigdy tam nie chodził. Ja w każdym razie nic o tym nie wiem.

Wiedział, że właśnie to Tyrell chce usłyszeć. Tyrell zaś wiedział, że chłopak kłamie.

— Kim był ten facet, których ich zabierał? Znasz jego nazwisko?

— Mówiło się o nim pan P. Ale to twardy skurwiel. Wszyscy się go baliśmy, bo się nie patyczkował, tylko walił w mordę, i to mocno. Zmuszał nas, żebyśmy robili, co chciał, ale nie dawał za to forsy ani nic. Tak jakby zapewniał nam robotę, a my musieliśmy dawać mu za friko to, na co miał ochotę.

— Skąd dokładnie was zabierał, w które dni i o której godzinie? Zapisz mi nazwiska wszystkich swoich znajomych, którzy mogą coś wiedzieć o Sonnym i jego innych poczynaniach. O wszystkich, nawet tych najdrobniejszych. To może być ważne, rozumiesz?

Tyrell chciał osobiście spotkać się z tym mężczyzną. Wiedział, że jeśli to zrobi, narazi się na nowe straszliwe cierpienia. Lecz skoro zaszedł tak daleko, musi podążyć tym szlakiem do gorzkiego końca.

Rozdział 19

Tyrell okrył chłopca kołdrą. Przez chwilę obserwował, jak śpi, i zastanawiał się, jak to jest, że dziecko w tym wieku ma dwoje rodziców, a nikogo nie może nazwać swoim bliskim. Jak ludzie mogą wydać dziecko na świat, a potem całkowicie o nim zapomnieć? To przekraczało jego zdolność pojmowania.

Ten chłopak miał poczucie humoru i uliczny spryt, które zadawały kłam jego wiekowi. Tyrell dziwił się, że po tym, co przeżył, wciąż jeszcze została w nim iskierka przyzwoitości.

Willy troszczył się o Sonny'ego w sposób, którego nikt inny by nie zrozumiał. Starał się, aby historia, którą opowiedział Tyrellowi, nie raniła jego uczuć i nie zaszkodziła opinii Sonny'ego. Tyrell czuł się strasznie, słuchając jej, a teraz myślał o tym wszystkim, kiedy Willi Lomax zasnął. To było wstrząsające i przerażające.

Prawdziwe życie nie jest takie, jak się wszystkim zdaje. Przynajmniej tyle wiedział teraz Tyrell. Wymknął się z pokoju, zostawiając chłopca ze snami lub koszmarami, które przychodzą do niego w nocy.

Obwiniał o wszystko siebie, ale także Jude. Musiała się orientować, co jest grane. Nie, ona po prostu wiedziała, poprawił się w myślach. Nawet teraz, po tym wszystkim, co się zdarzyło, wciąż chciał wierzyć, że jest lepsza, niż naprawdę była. Trudno przyznać, że to matka popchnęła Sonny'ego do tego wszystkiego.

Dlaczego nie widział jej takiej, jaką widzieli wszyscy inni ludzie? Dlaczego przez cały czas zaliczał wątpliwości na jej korzyść? Dlaczego nie pójdzie tam i nie złamie jej karku?

Wiedział jedno. Kiedy następnym razem zobaczy małego ulicznika, nie spisze go tak szybko na straty. To była lekcja, która dała mu wiele do myślenia.

Spojrzał na to, co napisał Willy. Chłopiec miał ładny charakter pisma, co zaskoczyło Tyrella; pewnie radził sobie w szkole nie najgorzej, kiedy chciało mu się do niej chodzić. Od chwili gdy złapał HIV, zaczął czytać, kiedy nie mógł pracować ze względu na przemęczenie.

Jakże inne mogło być jego życie, gdyby miał innych rodziców, inny dom, inny system wartości.

Willy w pewnym momencie wyjął z plecaka latarkę do czytania i pokazał ją z dumą Tyrellowi, jakby to był cenny dar. I latarka naprawdę nim była. Należała do chłopca, który miał niewiele. Była to duża, żółta latarka robocza, prawdopodobnie ukradziona. Jednak baterie do niej musiały sporo go kosztować.

Synowie Tyrella bawili się latarkami, straszyli się nimi nawzajem, podstawiając je sobie pod brodę w ciemności i robiąc miny. Nigdy nie postrzegali ich jako ważnego elementu życia, nie dawały im światła i pocieszenia, gdyż nie spali w bramach. Willy powiedział, że dzięki latarce mógł przenosić się do światów Joan Rowling i Terry'ego Pratchetta. Lubił zatracać się w fantazjach, w których ludzie zawsze umieli rozwiązać swoje problemy, pilnowali, by sprawiedliwości stało się zadość, a zło zostało odrzucone.

Gdyby życie było takie proste.

Dziecko w Willym wciąż było najważniejszą częścią jego istoty, mimo że tylu ludzi deptało tę niewinność, starając się mu ją wydrzeć.

Jak to możliwe, że Sonny także tkwił w tym wszystkim, a jego ojciec o niczym nie wiedział?

Tak wielu mężczyzn jest ojcami, sprowadza dzieci na świat, a tak nieliczni zasługują na miano prawdziwego taty, który zawsze stoi obok dziecka bez względu na wszystko. Tyrell długo wierzył, że stał przy wszystkich trzech swoich synach, ale się mylił.

Bardzo się mylił.

Gdyby był pełniejszym człowiekiem, nie musiałby pochować najstarszego syna, a później odkrywać, że chłopiec należał do społeczności, którą większość ludzi omija z daleka. Także on sam, Tyrell.

Jego matka mawiała zawsze: „Wszyscy jesteśmy czemuś winni, nawet jeśli jest to tylko lenistwo lub ignorancja". Nigdy nie rozumiał, co miała na myśli, aż do tej pory.

Ale wiedział jedno. Dojdzie tą drogą do samego gorzkiego końca i wydobędzie prawdę z Jude, bez względu na to, co będzie musiał uczynić. Jeśli trzeba będzie rozwalić jej łeb, zrobi to.

Jude będzie miała doskonałe usprawiedliwienie. Zawsze je miała. Ludzie tacy jak ona przeżywają właśnie dzięki temu.

Gino słuchał chciwie Jude, chłonąc każde słowo. Wiedział, że próbuje pomóc przebyć mu tę drogę i był jej za to wdzięczny. Jej głos brzmiał chrapliwie, wypaliła zbyt wiele papierosów i wypiła za dużo alkoholu. Przyszedł z butelką taniej wódki, a zdaniem Jude wódka im tańsza, tym lepsza. Nie szukała gładkiego smaku czy aromatu, chodziło jej tylko o to, żeby jak najdalej odlecieć. Mieszanka wódki i heroiny zwykle pomagała jej odpłynąć. Dziś jednak było inaczej.

Wiedziała, że musi złapać Gina jak najprędzej, zdominować, zanim chłopak zacznie myśleć samodzielnie. Do tego nie mogła dopuścić. Sonny'ego łączyły z nią więzy krwi, było więc łatwiej.

Jego śmierć była prawdziwą przeszkodą i nikt tego nie dostrzegał oprócz niej. Tyrellowi nie robiło to różnicy, podobnie jak wszystkim innym; ich życie było uporządkowane. Tak im się przynajmniej zdawało. Nie dbali o Jude i jej potrzeby.

Uśmiechnęła się, patrząc, jak Gino szykuje przybory. Wzięła komórkę, o której istnieniu policja nawet się nie dowiedziała, i wybrała numer.

Tym razem połączenie zostało odebrane.

Jude się rozłączyła. To, co nieoczekiwane, zawsze jest gorsze od tego, czego się spodziewamy. Nikt nie wiedział tego lepiej od niej.

Pink Floydzi grali *Shine on you crazy diamond*. Nick siedział w range roverze i słuchał. Był sam, za towarzystwo miał tylko paczkę koki i butelkę whisky. Nie mógł wyjść ze zdumienia, że jego życie przybrało taki obrót.

Uruchomił silnik. Było zimno, a Nick już za długo obserwował dom. Tammy o tym nie wiedziała. Kiedy znikał, nawet po odwiedzinach u Frankie, często parkował samochód i patrzył na swój dom. Komórka dzwoniła przez całą noc, lecz Nick ją ignorował. Dźwięk melodii *Dam Busters* przyprawiał go o mdłości.

Kiedyś to było zabawne, nawet śmieszne, ale teraz tylko go przygnębiało.

Podjechał do bramy posesji. Wszystkie światła były zapalone. Dom jak zwykle wyglądał niczym elektrownia Battersea. Nick wyłączył telefon i spojrzał na psy, które wyszły go przywitać, machając krótko obciętymi ogonami. Wysiadając z samochodu, potknął się i zaczął przeklinać siebie w duchu za prowadzenie po takiej ilości wódy i narkotyków.

Otworzyły się drzwi frontowe i stanęła w nich Tammy w całej swej chwale, ze zmarszczonym czołem. Jej usta już się poruszały w przyspieszonym tempie. Nick pomyślał, że może jednak powinien był kupić psy bojowe, które mu proponowano. To byłoby spełnienie największego marzenia, gdyby zobaczył, jak rozrywają jego żonę na kawałki. Lecz tak jak ze wszystkim w życiu: im bardziej się czegoś pragnie, tym odleglejsze to się staje.

Wszedł do domu na spotkanie losu.

Przynajmniej podjął decyzję. Załatwi to wszystko raz na zawsze. Bał się tego, ale musi to zrobić. Może wtedy będzie mógł dalej żyć i zostawić to wydarzenie za sobą, w przeszłości, gdzie jest jego miejsce.

Willy obudził się i poczuł zapach jajek i bekonu. Przeciągając się leniwie na tapczanie, zobaczył, że telewizor jest nastawiony na poranną audycję BBC, a na stoliku stoi filiżanka parującej herbaty.

Dopiero po kilku minutach uprzytomnił sobie, gdzie jest.

Usiadł z potarganymi włosami i zaspanymi oczyma. Zobaczył uśmiechniętą twarz Tyrella i pozazdrościł zmarłemu przyjacielowi bliskości z tym człowiekiem.

— W porządku, synku?

Willy uśmiechnął się przyjaźnie.

— Nigdy nie było lepiej. Śniadanie pachnie zajebiście.

Tyrell wrócił do kuchni. Śniadanie na ciepło nie było mu wcale potrzebne, ale wiedział, że chłopiec będzie miał na nie ochotę — a co więcej, będzie go potrzebował — więc wyszedł wcześnie do sklepu i kupił coś do jedzenia.

Teraz jednak aromatyczna woń zaczynała na niego działać i Tyrell nabrał ochoty na posiłek. Jego pierwotny zamysł był taki, żeby zabrać chłopca do kafejki, lecz po doświadczeniach wczorajszego wieczoru zrezygnował z tego. Czuł się zakłopotany, przebywając z tym chłopcem w publicznym miejscu. Wiedział, że to niskie, lecz był na tyle mężczyzną, żeby przyznać się do tego przed sobą.

Kiedyś jednak będzie musiał z nim wyjść, bez względu na to, co czuje, bo musi zabrać go do Cross i poprosić, żeby odszukał Justina. Będzie również musiał postarać się o pomoc Clarke'ów w znalezieniu pana P., bo bez nich nie da sobie rady.

Tyrell po raz kolejny zadał sobie pytanie, czy chce wiedzieć o wszystkim, co działo się w życiu jego syna, i odpowiedź znów brzmiała „tak". Był to winien zmarłemu synowi, nie mógł odwrócić się plecami do żadnego, choćby najbardziej bolesnego faktu, tak jak to czynił za życia Sonny'ego.

Billy Clarke nie widział się z Nickiem Learym od bardzo dawna i cieszył się, że będzie mógł go zobaczyć. Z jakiegoś powodu zawsze lubił Nicka. Miał świadomość, że Nick jest trochę kanciasty i że doszedł do fortuny po trupach, lecz dla Billy'ego to była nieodłączna część życia, które prowadzili tacy jak on i Nick. Zdawał sobie sprawę, że pewnego dnia ktoś spróbuje dobrać się także do niego, dlatego zawsze był gotów i czekał na chętnych.

Ten delikwent będzie musiał nieźle zapracować na swoją nagrodę; Billy miał przeczucie, że Nick czeka dokładnie na to samo i jest równie dobrze przygotowany na tę ewentualność. Taka była natura gry, którą uprawiali, życia, które wiedli. Zabiera się tym, którzy mają to, czego chcesz, a później broni tego, co uważasz za swoje.

W Nicku był jednak pewien chłód, który zawsze niepokoił Billy'ego i wielu spośród jego znajomych, jakiś wewnętrzny dystans, który ostrzegał, że ten człowiek nie cofnie się przed niczym, żeby dostać to, czego pragnie. Billy słyszał, że dzięki temu Nick ma wielki dom na wsi z ośmioma sypialniami, basenem i stajniami. Nie zapewniło mu to jednak spokoju ducha ani szczęścia. Z drugiej strony istnieją luksusy, na które ludzi takich jak oni nigdy nie będzie stać.

Jadąc przez Essex, Billy rozglądał się i dziwił, jak bardzo ta okolica się zmieniła od czasu, gdy regularnie tam bywał. Te czasy należały już do przeszłości, dzięki Bogu, lecz Billy stoczył w Southend kilka pamiętnych walk — a także zaliczył kilka lasek — zanim się ożenił i spłodził statystycznych dwoje przecinek cztery dziesiąte dziecka. Wiedział, że to wszystko już minęło. Przyjemnie jednak było spojrzeć z nostalgią wstecz, a ponieważ znali się z Nickiem od tak dawna, wizyta powinna upłynąć w sympatycznej atmosferze.

W każdym razie taką miał nadzieję.

Nick Leary będzie musiał rozmówić się z Tyrellem, wszyscy się co do tego zgadzali. To ułatwi Tyrellowi zamknięcie sprawy, którego tak rozpaczliwie pragnął, ale trzeba rzetelnie uprzedzić Nicka, co go czeka, gdyż Tyrell był kumplem Louisa, bliskim kumplem, i kochał go jak brata.

Billy musiał przemówić do Nicka ostro, a nie miał na to ochoty. Liczył na to, że Nick go posłucha, bo w przeciwnym razie będzie musiał sprowadzić braci. „Ciężką brygadę", jak ich nazywano w okolicy.

Ciekawe, jak się miewa Tammy. Przeleciał ją przed wielu laty i żywił nadzieję, że nigdy nie odczuła potrzeby zwierzenia się z tego mężowi. Lubił starą Tammy i wyczuwał, że miała z Nickiem niełatwe życie, choć po prawdzie nigdy nie mówiono, że Nick kręcił z innymi kobietami. To jeszcze jeden powód, dla którego ludzie nie całkiem mu ufali. Pieniądze dają swobodę, a Billy uważał, że swoboda w Essex jest jak nigdzie indziej. Miał jednak przeczucie, że chłód, który dostrzegł przed laty u Nicka, nie ominął też jego małżeńskiego łoża.

Tammy potrzebowała miłości, rozkwitała w niej jak większość kobiet.

Billy nie był pewny, czy Nick w ogóle jest zdolny do tego uczucia.

— Musisz to robić, prawda?

Tammy się roześmiała.

— Co robić?

Nick odwrócił się od niej i przeszedł do kuchni. Tak jak zawsze w ciągu ostatnich kilku dni matka opuściła pomieszczenie, gdy tylko do niego wkroczył. Wyszedł za nią do holu i krzyknął:

— Co się z tobą dzieje, do jasnej cholery?

Angela odwróciła się na podeście schodów i przez długą chwilę patrzyła na syna.

— Hester przyjedzie tu po mnie. Zostanę u niej przez jakiś czas.

Wzmianka o siostrze na kilka sekund odebrała Nickowi mowę.

— Co? Chcesz zostać u Hester?

Zapytał tak, jakby nie dosłyszał. Angela uśmiechnęła się i skinęła głową. Nick zaniemówił, stał tylko i patrzył, jak matka wspina się po schodach. Potem ryknął ze złością na cały głos:

— A zostań tam, do kurwy nędzy, i nigdy nie wracaj!

Odwrócił się na pięcie i poszedł do kuchni. Naszykował sobie kilka działek na granitowym blacie i wciągnął dwie, jedna po drugiej, żeby powstrzymać drżenie, które go ogarniało. Czuł, że za parę sekund zaszumi mu w głowie. Potem zszedł do piwnicy i schylił się po skrzynkę wódki Smirnoff Black Label, która spadła z ciężarówki i w której jakimś cudem nie stłukła się ani jedna butelka.

Podnosząc skrzynkę, zauważył, że znów ktoś grzebał w jego papierach. Wiedział, że Tammy wtykała nos w jego sprawy, lecz mimo wszystko był z tego powodu wkurzony. A już wcześniej się wściekł, bo matka wybierała się do Hester. Nick rzadko widywał siostrę, bo matka prawie się do niej nie odzywała od czasu, gdy Hester wyszła za Dixona. Rosły Murzyn wyzwolił w Angeli coś, co ciągnęło się przez długie lata. A teraz ta żałosna stara miotła chciała tam jechać, mimo że atmosfera w czasie spotkań świątecznych i noworocznych była nieznośnie napięta. Dwulicowa stara krowa.

Wróciwszy do kuchni, Nick zobaczył, że żona wciąga jedną porcję, a następnie wyjmuje z wielkiej amerykańskiej lodówki miskę lodu.

— Jeśli nie możesz ich pokonać... — rzuciła wesoło Tammy.

Nick ją przytulił.

— Kłótliwa z ciebie wiedźma, Tams.

Uśmiechnęła się szeroko.

— Wiem, to nieodłączna część mojego uroku.

Nick nalał dwie duże porcje wódki.

— Dzięki, że odebrałeś mnie wczoraj.

Nick wzruszył ramionami.

— O co w ogóle poszło?

Wiedział, a Tammy wiedziała, że wie; to była gra, którą od dawna uprawiali.

— O to i owo. Za dużo towaru, za dużo gorzały, a ta wywłoka ma jadaczkę jak ciotka dokera.

— Ale umie się bić.

Tammy znów wyszczerzyła zęby, a Nick starł kokainę spod jej nosa.

— Chwilowo nie może.

Nick się roześmiał. Tammy miała doskonały zmysł komiczny i w innym życiu mogłaby zarobić fortunę w filmie albo na scenie. W każdym razie całe jej życie było jednym wielkim spektaklem. Już nie umiała odróżnić fantazji od rzeczywistości. Nick musiał jednak przyznać, że ostatnio można to powiedzieć także o nim.

— Czy mam porozmawiać ostro z jej starym?

Pytanie było naładowane ukrytą treścią.

— Ależ skąd. Nick, przestań być dupkiem chociaż na pięć minut. Daj sobie luzu, co?

Nick musiał podziwiać jej pozę. Tylko Tammy potrafiła robić to, co robi, i udawać ofiarę.

— Nie wiesz przypadkiem, co się dzieje z moją staruszką? Tak się ostatnio ze sobą zakumplowałyście i w ogóle... — Tammy wyczuła sarkazm. Wiedząc, że musi boksować mądrze, uśmiechnęła się słodko.

— Musiałeś jej mocno zaleźć za skórę, pewnie narkotykami i wódą, ale nawet ja byłam zaskoczona, kiedy usłyszałam, że biedny stary Dixon jest lepszym towarzystwem od naszego duetu! Ona prawie nie odzywała się do ich dzieci, prawda?

Nick skinął głową, robiąc mądrą minę.

— Ona całkowicie ignoruje Dixona. Nawet ja o nich nie wspominam, żeby ktoś nie palnął gafy i nie zaczął o nich wypytywać. Tego jednego nigdy nie mogłem u niej zrozumieć, Tammy. Dlaczego ona jest taką rasistką?

Tammy wzruszyła ramionami.

— Wydaje mi się, że to ma coś wspólnego z wiekiem. A w ogóle czy to teraz ważne? Jeśli wyjedzie na jakiś czas, będzie mogła się wyciszyć. Każdym z nas w jakiś sposób wstrząsnęło to, co się tutaj stało.

Nick skinął głową, rozumiejąc jej punkt widzenia.

— Wyjazd dobrze jej zrobi. Myślę, że ona czuje się tutaj osamotniona, tęskni do dawnych koleżanek.

Ich rozmowę przerwał dzwonek oznajmiający, że ktoś jest przed główną bramą. Na ekranie z kamery Nick zobaczył uśmiechniętą twarz Billy'ego Clarke'a.

— Okay, Billy! Nie ruszaj się z auta, póki nie wyjdę na podjazd, bo psy są spuszczone!

— Po prostu mnie wpuść, krętaczu.

Nick zaśmiał się i nacisnął guzik otwierający bramę.

— Czego on chce? — zapytała ostrożnie Tammy. Nick wiedział, dlaczego czuje się nieswojo, lecz jak zwykle się nie zdradził. Pewnego dnia postara się znaleźć mężczyznę przed siedemdziesiątką, z którym Tammy nie spała.

— Niedługo się tego dowiemy, będzie tu za parę minut. Przygotuj parę działek, a ja wyjdę przywitać gościa.

Tammy uśmiechnęła się i sięgnęła po torebkę z narkotykiem, by spełnić polecenie męża.

Dworzec King's Cross tętnił życiem jak zwykle w piątkowe popołudnie. Wokół Tyrella kłębili się przyjezdni. Każdy chciał jak najprędzej rozpocząć weekend, można było zobaczyć najrozmaitsze ludzkie typy. Zapach dań z KFC i McDonalda mieszał się z wonią wilgotnych kurtek i śmieci ciskanych beztrosko pod nogi.

Czuć też było zapach męskich i żeńskich prostytutek. Jednych i drugich było bez liku. Zaszokowany Tyrell słuchał monologu stojącego obok chłopca.

— Widzisz tego chłopaka w zielonej koszulce i czarnych dżinsach? Ma na imię Thomas i pracuje dla starszych chłopaków. Zaprzyjaźnia się z młodym i przedstawia go któremuś z większych za parę działek towaru. Jest uzależniony od heroiny, tak jak wielu z nich. Też ma HIV-a. To on jakiś czas temu powiedział mi, co ze mną jest. Myślałem, że się po prostu przeziębiłem czy coś i nie chce mi przejść.

Willy wysmarkał nos.

— Ten, z którym rozmawia, nazywa się Kerr i jest dealerem. On będzie wiedział, gdzie znaleźć Justina, są dobrymi kumplami.

Tyrell spojrzał na rosłego czarnego chłopca z krótkimi dredami i przebiegłą miną młodocianego handlarza narkotyków. Bez przerwy się rozglądał, kontrolując, kto pojawia się na horyzoncie. Tyrell wychował się wśród takich jak Kerr, kombinatorów, którzy sprzedaliby babcię, żeby mieć co wstrzyknąć sobie w żyłę. Czuł się, jakby patrzył na negatyw Jude.

Dealerzy, którzy sami są uzależnieni, to niebezpieczny gatunek. Wyciskają ze wszystkiego maksymalny zysk, bez względu na to, kogo mogą skrzywdzić po drodze. Największą część zatrzymują dla siebie, przyspieszając w ten sposób proces zsuwania się po równi pochyłej. W końcu zagarniają cały towar dla siebie, wpadają w ogromny dług, a później kręcą i kombinują, dopóki główny dostawca ich nie dopadnie.

A oni zawsze ich dopadają, muszą to robić, by chronić swoje źródła dochodu. Blizna na twarzy i potężne glanowanie to najmniejsza kara, jakiej dealer może się spodziewać, jeśli nie zapłaci w porę rachunku.

Tyrell poczuł się nagle przygnębiony. To było jak oglądanie przez okno swojego życia, tylko że on obserwował codzienne środowisko zmarłego syna.

— Idź do auta, tam będzie ci cieplej. — Podał Willy'emu kluczyki. — Ja zamienię parę słów z małym Kerrem. Dasz sobie radę?

Willy skinął ochoczo głową. Jeśli Tyrell każe mu wsiąść do samochodu, to znaczy, że będzie mógł spędzić jeszcze jedną noc w jego mieszkaniu.

Miał taką nadzieję, bo tam było super.

Tammy zostawiła mężczyzn sam na sam. Billy kręcił głową, widząc, jak przyjaciel swobodnie poczyna sobie z kokainą.

— Mógłbyś wreszcie, kurwa, dorosnąć, Nick, chyba już najwyższy czas. Jeśli handlujesz tą zasraną tabaką, to jej nie wąchaj! Gdzie tu zysk, ja się pytam?

Nick parsknął śmiechem.

— Tylko mi nie mów, że sporządniałeś, Billy! Czy to ten sam Billy Clarke, który za młodu wciągał tyle amfy, że cena na rynku podskoczyła, bo zabrakło towaru? Zasrany Billy Dyson Clarke!

— Jak sam powiedziałeś, to było kiedyś. Te czasy dawno minęły. Spójrz w lustro, stary, wyglądasz jak szmata. Gdybym cię nie znał, pomyślałbym, że masz na karku pięćdziesiątkę, a nie czterdziestkę.

Nick zerknął w lustro nad kominkiem i wyszczerzył zęby w uśmiechu, mimo iż wiedział, że przyjaciel powiedział prawdę. Wyglądał koszmarnie. Jego niebieskie oczy miały czerwone obwódki za sprawą koki i braku snu, skóra na szczękach zwisała jak u basseta i miała kolor ciasta. Wyglądał tak samo jak mężczyźni, którymi zawsze pogardzał. Mimo to obrócił jego słowa w żart, bo tego właśnie Billy oczekiwał.

— A co cię to, kurwa, obchodzi, chcesz zostać moją sympatią? Przestań zrzędzić, stary pryku, i gadaj, co cię do mnie sprowadza.

Billy westchnął ciężko.

— Nic dobrego, przyjechałem jako emisariusz czy coś w tym rodzaju.

Nick przewrócił oczami, słysząc to wyrażenie, i spojrzał z rezygnacją w sufit.

— Kto cię przysyła?

— Nikt. Ja i moi bracia mamy problem i liczymy, że pomożesz nam go rozwiązać.

Wzmianka o braciach zrobiła swoje, zgodnie z przewidywaniami Billy'ego. Wkurzało go, że musi uciekać się do takiego nacisku w rozmowie ze starym druhem, lecz Nick był w takim stanie, że trzeba mu było wyłożyć bardzo wyraźnie, jak ważna jest to misja. A sądząc po zachowaniu Nicka, trzeba mu będzie jeszcze o tym przypomnieć. Bogu dzięki, że Billy przyszedł sam. Terry już by darł koty z Nickiem i skończyłoby się poważną awanturą. Albo jeszcze czymś gorszym w związku z obecnością wiecznie apetycznej Tammy.

Billy przebywał w domu od pięciu minut, a ona już prawie podtykała mu pod nos swoje wdzięki. Stara Tammy nigdy się nie zmieni. Billy musiał jednak przyznać, że wciąż świetnie wygląda. Nick szybko trzeźwiał, a dzięki kokainie wpadał również w paranoję.

Zanim zdążył odpowiedzieć Billy'emu, zjawiła się jego siostra Hester. Nick pospiesznie uprzątnął wszelkie ślady kokainy i dopiero ją wpuścił. Hester nie była u niego od lat. Zerwanie przez nią stosunków z matką doprowadziło do powstania w rodzinie gigantycznej przepaści.

Angela nigdy nie pogodziła się z faktem, że jej córka kocha rosłego czarnoskórego mężczyznę, który znał ją od czasów szkolnych. Nie była w istocie rasistką, lecz nie wierzyła w powodzenie mieszanych małżeństw, tak w każdym razie to sobie tłumaczyła.

Matka Dixona, szczupła Jamajka z przedwcześnie posiwiałymi włosami, poważnie podchodząca do obowiązków zawodowych, czuła dokładnie to samo. Tak więc Hester wyszła za Dixona i oboje żyli, nie kontaktując się ze swoimi rodzinami. To było niezwykłe, że obie matki nawet nie zdawały sobie sprawy, iż myślą tak podobnie.

Hester kochała matkę. Angela przez całe życie dla dobra rodziny zmagała się z zapijaczonym Irlandczykiem, za którego wyszła. A później złamała córce serce, odwracając się bez zastanowienia od niej i jej dzieci.

Nick wiedział, że przyjazd do jego domu musiał Hester wiele kosztować. Wiedział również, że w głębi duszy będzie uradowana, iż matka wreszcie zechciała się z nią zobaczyć. Fakt, że zjawiła się z mężem, Dixonem, był niesłychanie wymowny. Nick i Dixon bardzo się lubili.

— Cześć, stary, wejdź, wejdź! — zawołał, podając mu dłoń. — Znasz Billy'ego Clarke'a?

Billy z przyjemnością uścisnął rękę wysokiego, czarnoskórego mężczyzny. Wiele razy ze sobą współpracowali i przyjaźnili się w dzieciństwie; dorastali w sąsiednich osiedlach.

— Jak leci, Bill?

Było to zwykłe pozdrowienie, a nie pytanie.

Hester, wysoka, naturalna blondynka, była pulchniejsza niż w młodości, lecz dobrze z tym wyglądała. Dawniej mówiło się o takich kobietach, że mają bujne kształty. Zdaniem Dixona była uosobieniem seksu.

— Więc bierzecie na parę tygodni starego smoka?

Dixon wyszczerzył zęby.

— Na to wygląda.

Hester pocałowała Billy'ego w policzek, a Billy, jak to Billy, nie mógł odmówić sobie przyciągnięcia jej do siebie.

— Pójdę po rzeczy mamy, ale zanim to zrobię, powiedz mi, co się stało?

— Nie wiem, Hes, ale coś ci powiem. Cieszę się, że na jakiś czas pozbędę się widoku jej żałosnej facjaty.

W tej samej chwili matka weszła do pokoju w kapeluszu i płaszczu, upudrowana i mocno umalowana.

— Ładnie się wyrażasz o matce, Nicholasie Leary.

Nick się zmieszał, a Billy i Dixon ze zdumieniem skonstatowali, jak wielka jest siła macierzyństwa. Najtwardsi mężczyźni na świecie czasem trzęsą się ze strachu przed swoimi matkami.

— Skoro nie chcesz mi powiedzieć, o co się wściekasz, do ciężkiej cholery, to co mam robić?

— Powiem ci, co masz robić, Nicholasie Leary. Odprowadź biedną matkę do samochodu.

Nick przewrócił oczami i wyszedł za nią z domu. Wszyscy mieli ochotę się roześmiać, lecz nikt tego nie zrobił. Angela doszła do samochodu i poczekała, aż Nick otworzy jej drzwi i pomoże wsiąść.

— Chcesz wiedzieć, o co jestem zła? — zapytała cicho.

Nick skinął głową, powstrzymując się, żeby na nią nie wrzasnąć.

— Zajrzyj do mojego sejfu. Jest tam coś twojego, a kiedy to

zobaczysz, zrozumiesz, dlaczego nigdy więcej nie chcę cię widzieć na oczy. Nigdy, słyszysz? — Angela odepchnęła go od siebie, jakby czuła do niego obrzydzenie. — Przyślę po moje rzeczy, kiedy zdecyduję, co dalej robić.

Zatrzasnęła drzwi, a Nick stał na podjeździe w otoczeniu psów, zachodząc w głowę, co skłoniło matkę do takiego zachowania. Angela siedziała i patrzyła przed siebie. Kręcąc głową, Nick wrócił do domu. W końcu jej odbiło. Tylko w ten sposób mógł wytłumaczyć jej postępowanie.

Tyrell przechadzał się z wolna po dworcu, obserwując Kerra. Widział, jak ten wciska paczuszki w brudne dłonie chłopców i rozmawia z nimi. Czekając na swoją szansę, trzymał się z daleka. Wreszcie chłopak wyszedł ze stacji i skręcił za róg.

W chwili gdy Kerr się rozglądał, Tyrell złapał go za ramię. Ścisnął wystarczająco mocno, żeby zabolało, lecz nie tak mocno, by zostawić ślady.

— Idziesz ze mną, Kerr, a jeśli spróbujesz jakiejś sztuczki, przywalę ci tak, że zobaczysz gwiazdy. Słyszysz, co mówię, chłopcze?

Kerr spojrzał w twarz nieznajomego mężczyzny. Bał się i było to po nim widać. Dopiero z tej odległości Tyrell zobaczył, jaki jest młody. Dystans sprawiał, że przedtem wyglądał znacznie starzej.

— Kim jesteś, facet? Czego ode mnie chcesz?

— Jestem ojcem Sonny'ego Hatchera i chcę z tobą pogadać.

Chłopak przestał się szarpać i poszedł spokojnie do miejsca, w którym stał zaparkowany samochód. Jednak Tyrell wciąż trzymał go mocno za rękę, bo już wiedział, że nikomu nie wolno ufać.

Absolutnie nikomu, nawet najbliższym.

Rozdział 20

Tammy nawet nie wiedziała, że teściowa opuściła dom, była za bardzo zaaferowana przygotowaniami do wyjścia. W głębi duszy czuła zakłopotanie z powodu wczorajszych wydarzeń, toteż swoim zwyczajem postanowiła zebrać wszystkie koleżanki i załagodzić sprawę.

Ilekroć pomyślała o bójce, czerwieniła się ze wstydu. Takie rzeczy zdarzały jej się już wiele razy. Budziła się nazajutrz po wielkiej awanturze, myślała o tym, co się zdarzyło, i chciała natychmiast umrzeć, nie wychodząc z łóżka. Zawsze przysięgała sobie wtedy, że nigdy więcej się nie upije i nie naćpa.

Teraz będzie musiała pójść do winiarni i przeprosić, zamawiając najdroższe wina i wydając odgłosy skruchy. Później wszystko pójdzie w zapomnienie i sytuacja wróci do normy.

Zamknięcie przed nią knajpy nie wchodziło w grę, nie ośmieliliby się, lecz Tammy musiała wykonać wszystkie odpowiednie posunięcia dla utrzymania pozorów. To była dobra strona bycia żoną Nicka: bez względu na to, co powiedziała albo zrobiła, szybko puszczano to w niepamięć. Nazwisko Leary pozwalało jej sięgać po wszystko, czego zapragnęła, a bardzo często i po każdego, którego zapragnęła.

Pójdzie tam i będzie wyglądała, jakby była zbyt droga dla wszystkich, co w istocie nie mijało się z prawdą. Biżuteria także stanowiła część zbroi chroniącej ją przed resztą świata, podobnie jak samochody oraz dom.

Otworzyła szkatułkę z biżuterią i spojrzała na bogaty zestaw pierścionków z diamentami, bransoletek i zegarków. Nie istniała ani jedna słynna marka, której wyrobów nie miała w swojej kolekcji. A jednak nic to dla niej nie znaczyło. Pamiętała, jak było na początku z Nickiem, kiedy wciąż ją kochał i pragnął. Pamiętała mały pierścionek z diamentem, który kupił jej za pieniądze zarobione na rynku w Romford.

W gruncie rzeczy był to diamentowy odprysk, lecz oznaczał, że byli zaręczeni.

Jej matka dla żartu wyjęła szkło powiększające, żeby spojrzeć na prezent, lecz nie było to zabawne. Tammy nigdy nie zapomni wyrazu twarzy Nicka w tamtej chwili. Był zły i zażenowany, bo wtedy pierścionek kosztował i znaczył tak dużo, że nie wolno było z niego kpić. Dzisiaj „tak dużo" znaczyło coś zupełnie innego. Tammy miała wszystko, czego mogła zapragnąć kobieta, przynajmniej w sensie materialnym. A mimo to nie była szczęśliwa i w głębi serca wiedziała, że nigdy nie będzie. Nie tak jak inni ludzie. Doszła do etapu, na którym przedmioty nie mogły już jej uszczęśliwić.

A w każdym razie nie na długo.

Następny pierścionek, który dostała, był wielki jak polny kamień i Tammy wciąż go miała, a nawet nosiła, choć nigdy nie mogła go ubezpieczyć, bo został kupiony za czek bez pokrycia. Wtedy Tammy z satysfakcją ujrzała zazdrość w oczach matki, która widziała, jakie wspaniałe życie ma córka. Matka nie cierpiała jej domów, aut i stylu życia, a jej niechęć w jakiś sposób nadawała temu wszystkiemu wartość.

To dlaczego po tylu latach Tammy zazdrości matce, która prowadzi ze swoim chłoptasiem zapyziały bar w Marbelli? Matka przynajmniej może liczyć na regularne obracanie. Tammy też mogła na to liczyć, tylko że nie robił tego mężczyzna, który powinien. I którego kochała. Za którego wyszła. W rzeczy samej często pragnęła, żeby Nick był kobieciarzem tak jak mężowie jej koleżanek. To byłoby normalne zmartwienie, coś, z czym mogłaby sobie poradzić.

Włączyła telewizor, by obejrzeć nagrany na wideo odcinek serialu *Will and Grace*, który uwielbiała. Lubiła poczucie humoru bohaterów, ich nieskomplikowany świat. Mogła oglądać ten sam odcinek bez końca, a Nick, chociaż marudził, też lubił ten serial.

Często wyobrażała sobie, że żyje tak jak oni w amerykańskiej telewizji, gdzie wszystko zawsze się ładnie rozwiązuje i jest zabawne, wszyscy fantastycznie się ubierają, mają wspaniałe mieszkania i cieszą się życiem. Przy tym bardzo dużo jedli i nigdy nie przybierali na wadze. Jej zdaniem na tym właśnie polegał biznes.

Gdyby tylko można było rozwiązać jej problemy w ciągu pół godziny za pomocą żartu i śmiechu, życie byłoby o wiele łatwiejsze.

Tammy też umiała żartować, ale niestety lepiej wychodziło jej to po prochach.

Uśmiechnęła się, słysząc niski głos męża rozmawiającego na parterze. Billy był w porządku, lubiła go. I chyba nieźle radził sobie w łóżku, jeśli dobrze pamiętała. To wspomnienie też wywołało jej uśmiech. Lubił seks oralny. Tak się składało, że ona też. Pamiętne doświadczenie na swój sposób.

Zabrała się do robienia makijażu. Nakładała go za grubo, wciągając przy tym zbyt dużo kokainy. Spojrzawszy w lustro bez uśmiechu, który zwykle pokazywała światu, dostrzegła oznaki starzenia się: głębokie linie koło ust, efekt jej ciągłego złego humoru, oraz kurze łapki, które w tej chwili miały dla niej rozmiar szponów sępa. Zmusiła się do uśmiechu, który zniweluje nieprzyjemne wrażenie i może jeszcze przez jakiś czas przekona ją i jej otoczenie, że jest szczęśliwa.

Podeszła do lodówki wbudowanej w szafę i nalała sobie kieliszek wódki. Wychyliła go szybko i nalała drugi.

Zastanawiała się, czy jej życie zawsze już takie będzie. Nagle się roześmiała. Koka zaczynała działać, Tammy czuła jej szum, a wraz z nim przyszedł pomysł, by wyjechać na długie wakacje. Miała przeczucie, że wyjedzie na nie sama.

Nagle nie chciała, by Nick ograniczał ją i przygnębiał. Ich willa w Marbelli stała pusta. Już prawie do niej nie jeździli. Kiedyś była kryjówką dla Tammy i dzieci, lecz synowie działali jej na nerwy, kiedy Nicka nie było w pobliżu, bo to on zawsze ich zabawiał. Tak jakoś się stało, że miała ich powyżej uszu. Chcieli więcej, niż była gotowa im dać, a jeśli Angela rzeczywiście się wyniosła, to co ona zrobi, kiedy znów nadejdą wakacje? Niania była do niczego w większości spraw. Zwłaszcza James właził jej na głowę. Ale przecież nie mogą mieszkać w internacie przez cały czas, prawda? Będzie musiała to sprawdzić. Wydawało się, że jest im tam dobrze, a ona nie miała już do nich siły.

Wykorzysta pretekst, że jej nerwy są wciąż w strzępach po tym strasznym zdarzeniu, choć w rzeczywistości tylko przelotnie pomyślała o zabitym chłopcu. Naprawdę przyszedł czas na zmianę otoczenia.

Tammy zawsze uciekała od swoich problemów, a były to problemy, które sama sobie stwarzała. A jak Nick próbował jej wykazać, nie miało znaczenia, jak daleko ucieka, bo i tak nie ucieknie przed samą sobą.

Lecz teraz nauczy się bardziej dbać o siebie. To jest jej problem, zawsze zajmowała się wszystkimi wokół. Najwyższy czas zacząć być egoistką, czas zająć się numerem jeden.

Podjąwszy tę decyzję, Tammy poczuła się lepiej. Najwyższy czas postawić siebie na pierwszym miejscu.

Zadowolona, zaczęła planować wakacje, wygodnie zapomniawszy o synach i życiu w Anglii. A najgorsze, że naprawdę zaczynała wierzyć w to, co sobie wmówiła. Nawet w narkotycznych zwidach nigdy nie posunęła się tak daleko.

Kerr był w mieszkaniu Tyrella. Tak się ucieszył, że zobaczył Willy'ego na King's Cross, że jakoś ulotnił się strach.

Kiedy wychodzili z dworca, podszedł do nich jakiś mężczyzna, a Tyrell warknął i odpędził go niczym rottweiler. Wyglądał wtedy inaczej niż w tej chwili. Kerr zazdrościł Sonny'emu, że miał takiego ojca jak z filmu, choć w końcu go to nie uratowało.

Tyrell Hatcher wydawał się porządnym facetem. Dał obu chłopcom po piwie i uśmiechnął się, szczerząc sztuczne białe zęby. Kerr się rozluźnił.

Wciąż był jednak na haju, Tyrell się tego domyślił.

Chłopiec miał zapadnięte oczy i był uzależniony. Wydawały się głębokie i piękne, a naprawdę wyglądały tak z powodu heroiny, którą zażył. Te oczy sprawiały, iż inni ufali takim ludziom, dopóki ich dobrze nie poznali i nie uświadomili sobie, że to narkotyk nadaje im taki wygląd, że nie mają nic wspólnego z ich osobowością.

— Zjeżdżasz już?

Chłopiec skinął głową, ze wstydem przyznając się do uzależnienia.

— Masz więcej towaru?

Kerr znów skinął głową i spojrzał na Willy'ego, który pokręcił głową, dając mu do zrozumienia, że Tyrell nie pyta w złych zamiarach.

Gdyby nagle rozległ się alarm uprzedzający o ataku atomowym mającym nastąpić za cztery minuty, on i jemu podobni wzięliby działkę na wypadek, gdyby go przeżyli. W pewnym sensie Tyrell im zazdrościł. Codzienne troski nie mąciły im życia tak jak innym ludziom.

— Jeśli chcesz sobie strzelić, to raz-dwa, tylko nie uwal się tak, żebyś nie mógł ze mną gadać, jasne? — rzekł surowym tonem, kierując palec na Kerra. Ostrzegał go, że zna wszystkie numery. Przerabiał to z Jude. Znał ten przypadek i chciał, żeby chłopak miał tego świadomość. Ćpuny to urodzeni kłamcy, łżą na każdy temat, taka jest ich druga natura.

— A jeśli spróbujesz mi wciskać kit, przyłożę ci tak, że się nie pozbierasz, jasne? — Zbliżył twarz do twarzy Kerra. — To naprawdę zaboli, rozumiemy się?

Chłopiec znów skinął głową. Wierzył Tyrellowi, a jemu tylko o to chodziło. W kontakcie z narkomanem trzeba stanowić większą siłę niż narkotyk; jeśli udaje się to osiągnąć, to jest połowa sukcesu.

Willy klepnął kanapę obok siebie i Kerr usiadł delikatnie,

jakby bał się wydać głośniejszy dźwięk. Willy to rozumiał. Wiedział, że chłopak od dawna nie był w normalnym domu, w którym jest jedzenie w lodówce i działający telewizor. W którym nie drży się ze strachu, słysząc pukanie do drzwi lub widząc nową twarz. On sam czuł to samo.

Chciał powiedzieć Kerrowi, żeby się wyluzował, a wszystko będzie w porządku; nie mógł jednak tego zrobić, bo Tyrell nałożył maskę tego, który tu rządzi. I słusznie, w końcu to była jego chata. Willy nie zamierzał mu podpaść. Miał nadzieję spędzić jeszcze kilka nocy w miejscu, w którym mógł spokojnie czytać, a mężczyzna niczego od niego nie chciał.

Kerr sączył red stripe'a. Ucieszył się, że mężczyzna dał mu piwo, to był bez wątpienia przyjazny gest. Jednak zdawał sobie sprawę, że Tyrell jest przyzwyczajony do stawiania na swoim. Sonny dużo opowiadał o ojcu i Kerr widział, iż nie przedstawiał w pełni jego zalet w odróżnieniu od innych znajomych, którzy bez końca przechwalali się swoim pochodzeniem, dobrym lub złym. Kerr lubił Sonny'ego. Nikt nie przypuszczał, że kumpel skończy w taki sposób. Ale jak ma to wyjaśnić jego ojcu?

Uznał, iż powinien pokazać, że nie jest całkiem bierny w tej sytuacji.

— Więc o co chodzi? — spytał nerwowym tonem.

Tyrell wciąż nie mógł wyjść ze zdumienia z powodu młodego wieku chłopaka. Kerr był wyrośnięty i z daleka wyglądał na starszego, mógł nawet przestraszyć. Wystarczyło jednak podejść bliżej i widziało się młodość, która wyzierała z wnętrza. Mimo to chłopak wyglądał na ćpuna, miał w sobie tę charakterystyczną nerwowość.

Tyrell wiedział również, że Kerr z nawyku wycenił już każdą rzecz w jego mieszkaniu i zapisywał to sobie w pamięci na przyszłość, bo tak postępują narkomani. Ich umysł jest zawsze skierowany w przyszłość, a przyszłość to dla nich zdobywanie forsy w każdy możliwy sposób. Nie dbają o to, kogo mogą przy tym zadeptać.

Czy właśnie dlatego biedny Sonny wylądował w domu Nicka Leary'ego?

Tyrell pociągnął długi łyk piwa z puszki i zapytał zimno:

— No to gdzie jest ten Justin?

Nie zamierzał wygłaszać mowy wstępnej, rozwodzić się nad śmiercią Sonny'ego. Wiedział, że najlepszą metodą postępowania z Kerrem będzie zarzucenie go pytaniami, by chłopak nie miał czasu na zastanawianie się nad odpowiedziami.

— A kto chce wiedzieć? — spytał Kerr z butą w głosie.

Zanim Tyrell zdążył się odezwać, Willy rzekł po prostu:

— Powiedz mu, Kerr. Choć raz zrób coś dobrego.

Te słowa miały większą wagę niż wszystkie ciosy i groźby; zarówno Kerr, jak i Tyrell byli tego świadomi. Kerr jednak wzruszył ramionami, jakby nie miał pojęcia, o czym Willy mówi.

— Od dawna nikt go nie widział.

Kerr mówił z akcentem angielskiego Murzyna. Ten akcent irytował Tyrella, który był prawdziwym jamajskim Anglikiem. Nie był pewien, czy chłopcy tacy jak ten wiedzą chociaż, że Jamajka należy do brytyjskiej Wspólnoty Narodów. Bardzo w to wątpił. Ten chłopak nie miał paszportu ani brytyjskiego, ani europejskiego, ani żadnego innego. Czy on wie, do jasnej cholery, jak jego rodzina w ogóle się tutaj dostała? Tyrell wiedział, że to nie w porządku złościć się na Kerra, lecz nie mógł się opanować.

Willy kiwał głową, słuchając odpowiedzi Kerra.

— Co to znaczy, że nikt go nie widział? Wyniósł się stąd? Odszedł, przymknęli go, przedawkował? No co?

Tyrell znał wszystkie przypadki, które mogą spotkać ćpuna.

— Ostatni raz widziałem Justina z Sonnym, to było parę dni przed jego śmiercią.

— Myślisz, że wiedział, co Sonny zamierza zrobić?

Chłopiec wzruszył ramionami. Był ubrany w workowate spodnie biodrówki, tak ostatnio popularne. Tyrell zadał sobie pytanie, czy noszący je chłopcy wiedzą, że moda przyszła z pewnego amerykańskiego więzienia, w którym większość pensjonariuszy stanowią czarni czekający na śmierć; nie pozwala się im nosić pasków, żeby zapobiec samobójstwom, więc spodnie wiszą im na tyłkach.

Takie rzeczy wkurzały go u Sonny'ego. Ale nie tym powinien zaprzątać sobie teraz głowę, więc odepchnął te myśli i zapalił następnego skręta.

— No co jest, ty głupi szczeniaku w kretyńskich gaciach? Odpowiadaj, do kurwy nędzy, myślisz, że mam całą noc?

Kerr nie odpowiedział; siedział na kanapie i gapił się na puszkę piwa.

— Odpowiadaj, jesteś niedorozwinięty czy co?

Tyrell zaczynał mieć dość cackania się ze wszystkimi wokół, zwłaszcza z tymi gnojkami. Są wystarczająco dorośli, żeby marnować sobie życie, dlaczego więc nie umieją odpowiedzieć na pytanie?

Willy odpowiedział za Kerra.

— On się boi, spójrz na niego — rzekł po prostu. — Jest przerażony.

Dopiero wtedy Tyrell zauważył łzy spływające z brody chłopca na dłonie, którymi ściskał puszkę, jakby od niej zależało jego życie.

Billy spojrzał na Tammy, która wpadła do pokoju, gotowa do eskapady. Szła z telefonem przyklejonym do ucha i była obwieszona biżuterią, która stanowiła tutejszy odpowiednik kolekcji klejnotów koronnych. Wysadzany diamentami rolex, diamentowe kolczyki od Gucciego, a na szyi obroża kosztująca więcej niż przeciętny domek jednorodzinny. Była ubrana w prostą czarną sukienkę i szpilki od Jimmy'ego Choosa, a na jej palcach lśniły pierścionki.

Nie miała świadomości, jak oszałamiająco się prezentuje. Nadmiar biżuterii przyćmił urodę pięknie skrojonej sukienki, lecz obaj mężczyźni wiedzieli, że nie ma sensu jej tego mówić. Nick podszedł do marynarki leżącej na krześle, założył ciemne okulary i podniósł ręce, jakby osłaniał oczy przed blaskiem.

— O, kurwa, Tammy, gdzie ty się wybierasz. Na rozdanie Oscarów?

Wiedział, że to jest zbroja, chroniąca ją przed światem. Zapłacił za nią kupę forsy, lecz była to niewielka cena za uszczęśliwienie żony, nawet jeśli szczęście trwało tylko przez chwilę, dopóki Tammy nie oswoiła się z kolejną zabawką.

Tammy była zachwycona jego reakcją, to nie ulegało wątpliwości.

Billy patrzył ze zdumieniem na ich zachowanie. Tammy pocałowała męża na pożegnanie; robiła to długo, nie mogła się od niego oderwać, a on cmoknął ją, jakby była jego ciotką, starą panną. Nagle Billy'emu przyszło na myśl, że Nick jest prawie aseksualny. Przygadywał sobie kociaki, flirtował z nimi, mówił to, co należy mówić, lecz nikt nigdy nie widział, jak robi prawdziwy skok w bok. Tammy była całkiem niezła, pod warunkiem że zamknęłaby buzię; Billy przelatywał już gorsze. Obijał się szerokimi biodrami o prawdziwe weteranki, a teraz patrzył, jak Tammy wyrusza na wieczorny ubaw — a właściwie dzienno-wieczorny — obwieszona tyloma błyskotkami, że można by sfinansować za nią całą gospodarkę Kuby. Tymczasem Nick nawet nie mrugnął okiem.

Do tego jest narąbana i naćpana, a on pozwoli jej usiąść za kierownicą.

— Dasz sobie radę za kółkiem, Tammy? — spytał Billy.

Uśmiechnęła się do niego i odparła wesoło:

— Prowadziłam już w gorszym stanie, kolego, ale wrócę taksówką.

Brała sportowego mercedesa. Zajedzie nim pod winiarnię i wkroczy do środka z całą pompą.

Billy milczał, bo nie wiedział, co powiedzieć. Nie lubił kobiet za kierownicą, nawet jeśli były w najlepszej formie. Myśl o tym, że może zderzyć się czołowo z Tammy Leary, wcale go nie zachwycała.

Wyszła w obłoku perfum, rozdając uśmiechy, a Nick przewrócił oczami.

— Tammy to koszmar w najczystszej postaci — wyznał szczerze. — Jedzie do winiarni, w której ją wczoraj aresztowano za rozróbę. Te błyskotki to jej kostium sceniczny.

Obaj wiedzieli, że Nick się tłumaczy.

— No dobrze, na czym to stanęliśmy?

Nick nalewał nowe drinki, chociaż Billy wciąż nie wypił poprzedniego.

— Mnie nie lej, jeszcze nie skończyłem.

Powiedział to krytycznym, lecz przyjaznym tonem. Nickowi jeszcze szumiało w głowie po kokainie, słyszał bicie własnego serca. Starał się zachowywać normalnie, mimo że trzęsły mu się ręce. Chciał, żeby Billy już sobie poszedł. Wtedy mógłby się pozbierać i zobaczyć, o czym do jasnej cholery ględziła matka.

Raz po raz zerkał na zegarek. Był umówiony na spotkanie i zamierzał na nie iść bez względu na to, co sobie pomyśli Billy Clarke.

Hester i jej mąż Dixon martwili się o Angelę. Uśmiechała się do dzieci, którym bardzo się to podobało. A przez tyle lat unikała ich przy każdej okazji. Nie była rasistką, lecz nie należała też do zwolenników mieszania ras; nie dało się jej przekonać, że Dixon jest takim samym Anglikiem jak ona.

A dzisiaj po raz pierwszy rozpływała się nad ich dziećmi.

I było to zaskakujące, co do tego nikt nie miał wątpliwości.

Nick uwielbiał dzieci Hester, zwłaszcza Rię, swoją siostrzenicę. Wciąż powtarzał jej, że jest piękna i mądra. Cała trójka dzieci go ubóstwiała, i to z wzajemnością. Przyjaźnił się także z Dixonem i pomagał jemu oraz swojej siostrze, choć Angela nic o tym nie wiedziała.

Dixon otworzył butelkę brandy i nalał teściowej trunek do małej szklanki. Angela potrzebowała drinka i przyjęła go z wdzięcznością. Później Dixon taktownie zostawił kobiety, zabierając dzieci do pobliskiego parku.

Po jego wyjściu Angela powiedziała:

— Masz śliczny dom i uroczą rodzinę.

Hester wiedziała, ile matkę kosztowało wypowiedzenie tych słów, i uszanowała jej poświęcenie.

— Dlaczego tu przyjechałaś, mamo? Co zaszło między tobą a Nickiem?

— Nic nie zaszło, po prostu chciałam was wszystkich zobaczyć. Nie mogę zobaczyć wnuków, nie narażając się na przesłuchanie?

Powiedziała to żartem, lecz obie wiedziały, że wcale jej nie do śmiechu.

— Mamo, szanuję cię, ale przez szesnaście lat widziałaś moje dzieci z dziesięć razy, a i to tylko dlatego, że Nick ci je wepchnął.

Patrzyły na siebie przez dłuższą chwilę.

— Kochasz Nicka, prawda?

Hester uśmiechnęła się szeroko. Tak bardzo przypominała ojca, że patrzenie na nią sprawiało Angeli ból.

— Oczywiście, że tak. Zawsze był dla nas dobry. Pomagał Dixonowi i mnie się urządzić, kocha dzieci, jest naprawdę dobrym człowiekiem.

Angela znów się uśmiechnęła. Chciała zapytać córkę, z jakiego powodu nigdy nie zaprosił ich na przyjęcie do swojego domu i do willi w Hiszpanii, lecz tego nie zrobiła.

Po co pytać o drogę, którą znasz?

To ona była tym powodem i w tej chwili świadomość tego wywołała w niej wstyd. Błagała Nicka, żeby nie wprowadzał ich w jej życie, a on tak ją kochał, że się zgodził. Pozwolił, by siostra pozostawała w tle, żeby byli rozdzieleni. Co gorsza, Angela miała nieprzyjemne uczucie, że córka o tym wszystkim wie, ale ponieważ jest zacną kobietą, zachowuje to dla siebie z obawy przed ostatecznym zerwaniem wątłej nici, która ich łączy.

— Pytam jeszcze raz, mamo. Dlaczego tu przyjechałaś? Co zaszło między tobą a Nickiem?

Hester wiedziała, że wydarzenie to musiało mieć wymiar katastrofy, bo nic innego nie ściągnęłoby do niej matki. Nie naciskała jednak zbyt mocno. Matka powie jej, kiedy uzna to za stosowne.

Nick był złotym dzieckiem, oczkiem w głowie matki. Hester przeżyła z tą świadomością całe życie i już jej to tak bardzo nie smuciło. Zawsze kochała Nicka i zawsze będzie go kochać.

Wiedziała, ile wycierpiał z rąk ojca, a nawet tej kobiety, która teraz przed nią siedziała i wyglądała jak najzwyklejsza w świecie matka.

Zamęczała syna swoją nadopiekuńczością, a kiedy jeszcze nałogowo piła, zmuszała go, żeby bez względu na wszystko zawsze stawał po jej stronie. To było straszne i Hester podziwiała Nicka, że tak wiele osiągnął wbrew wszystkiemu. A najdziwniejsze było to, że ta oto kobieta była przyczyną większości kłopotów i cierpień, ale nikt nie mówił tego głośno.

To głównie przez nią ich ojciec wpadał w gniew, dostawał wręcz furii. Mówiła lub robiła rzeczy, które doprowadzały go do szału.

A mimo to Nick wciąż postrzegał ją jako świętą. Hester zaś chciała tylko, żeby matka ją akceptowała ni mniej, ni więcej.

— Pokłóciłaś się z Nickiem czy z Tammy?

Angela wzruszyła ramionami.

— Nic podobnego, po prostu zapragnęłam odmiany, to wszystko. A teraz przestań wreszcie męczyć mnie pytaniami i powiedz, co się u was działo? Carl mówił, że zdał egzaminy końcowe z dziesięciu przedmiotów. Mądry chłopiec, tak jak jego ojciec. — Angela się uśmiechnęła.

— Dixon spędza z nimi mnóstwo czasu. Carl nie jest oczywiście supergwiazdą, musiał ciężko pracować. Jeśli uzyska dobre wyniki, kupimy mu motor. Albo motorynkę.

Angela skinęła głową.

— Nie zapominaj, że Ria przystępuje niedługo do komunii. Jak zwykle wydamy z tej okazji przyjęcie.

Dixon przeszedł na katolicyzm, żeby mogli wziąć ślub kościelny. Angela nie mogła wyjść ze zdumienia, że ta rodzina jest ze sobą tak mocno związana, mimo iż Hester i Dixon zawsze mieli problemy finansowe. Dlaczego człowiek nie potrafi docenić najlepszego dziecka? Dlaczego większość kobiet zawsze postrzega swoje dzieci w odmienny sposób niż wszyscy inni?

Hester widziała, że matka jest myślami daleko stąd; pokręciła smutno głową. Nie doczeka się dzisiaj odpowiedzi na swoje pytania.

— Zaparzę herbaty, dobrze? Zjesz kanapkę przed kolacją?

Angela się uśmiechnęła, tym razem naprawdę.

— Pomogę ci przy kolacji, kochanie, lubię gotować. W domu Nicka bardzo się to przydawało, bo Tammy nie potrafi ugotować jajka, żeby go nie zepsuć.

Teraz obie kobiety się uśmiechnęły. Prawda była taka, że Tammy umiała gotować, jeśli jej się chciało, tylko że już jej się nie chciało. Jeśli matka pokłóciła się z Nickiem, musiało to być coś poważnego. Trwała przy nim niezłomnie w każdych okolicznościach, Nick zawsze był niewinny.

Angela we właściwym czasie powie, co się wydarzyło. Hester tak długo czekała na wizytę matki, że nie zamierzała teraz tego zepsuć.

— Więc nigdy nie miałeś do czynienia z Tyrellem Hatcherem?

Nick pokręcił głową.

— Nie kojarzę tego nazwiska.

Billy zapalił następnego papierosa, zastanawiając się, co Nick naprawdę chce powiedzieć.

— On jest najlepszym kumplem mojego małego braciszka Louisa. Pamiętasz go?

Nick skinął głową, przypominając sobie wysokiego chłopca o miłym uśmiechu.

— Taak. I co?

Nick był w coraz bardziej wojowniczym nastroju. Nalał sobie kolejnego drinka i wycedził przez zaciśnięte zęby:

— Nie będę przepraszał za to, co zrobiłem. Chcesz mi powiedzieć, że gdybyś ty wstał w nocy z łóżka i zobaczył w swoim domu takiego małego gnojka, to zapytałbyś go o drzewo genealogiczne, a dopiero później byś go załatwił? Tak mam to rozumieć? Nigdy nie uważałem cię za pracownika opieki społecznej.

Billy się zezłościł.

— Nie chrzań, wiesz, że nie to miałem na myśli.

Nick parsknął śmiechem.

— Czyżby? Kim ja jestem, jasnowidzem, który czyta w twoich myślach?

Billy miał tego dość. Podszedł do Nicka i powiedział z namysłem:

— Powinieneś odstawić ten zasrany towar, stary. Wielu moich kumpli stoczyło się w ten sposób. Wpadasz w paranoję, zachowujesz się jak pizda, ale mnie nie będziesz tak traktował, słyszysz? Przyjechałem tu jako przyjaciel, chcę załatwić tę sprawę. Tyrell chce wiedzieć, co ściągnęło jego syna do twojego domu, to wszystko. Nie ma nic przeciwko tobie osobiście.

— Tak, Billy? Wielki z niego łaskawca.

Billy zamknął oczy i przełknął gniew.

— Posłuchaj samego siebie. Rozejrzyj się. Masz więcej, niż większość ludzi może sobie wymarzyć, i rozpieprzasz to, wciągając proszek. To jest dla ciebie najważniejsze, tak? Ale powinieneś spotkać się z Tyrellem, bo ten biedny złamas musiał poradzić sobie nie tylko ze śmiercią syna, ale też ze świadomością, że chłopak był skazany na życie z matką narkomanką.

— Z Ćpunką Jude?

Nick powiedział to z taką nienawiścią, że Billy zapytał cicho:

— Skąd ją znasz?

Nick przełknął głośno ślinę.

— Czytam gazety, stary, miejscowe gazety, a jej styl życia słynie na całą okolicę. To nie moja wina, że Hatcher zostawił syna z taką szmatą, prawda? Może powinien trochę bardziej o niego zadbać, co? Zamiast teraz dowiadywać się, dlaczego chłopak się stoczył, powinien był rozwiązać sprawę, zanim rozwaliłem jego synowi łeb.

— Posłuchaj siebie, Nick. To nie jest wina Tyrella. I spójrz, jak my wszyscy wylądowaliśmy. Popatrz na moją matkę, prawie wpędziliśmy ją do grobu. Nie można zawsze obwiniać rodziców. Nie wiesz jeszcze, jacy okażą się twoi synowie. Są różne rodzaje ćpunów, a ty też nieźle sobie folgujesz. Jestem tu dopiero od dwóch godzin, a ty wciągnąłeś już koki za tyle kasy, ile Pablo Escobar przeznaczył na swoją emeryturę, więc co mi tu chrzanisz?

Billy zapędził się za daleko i wiedział o tym, lecz gniew wziął górę nad wszystkim innym.

Nick spojrzał w oczy starego przyjaciela i złość nagle go opuściła. Rozpłakał się. Widząc to, Billy poczuł się zakłopotany, a jednocześnie zrozumiał, jak ciężko jego przyjaciel przeżył tę noc, w którą zginął Sonny Hatcher.

— Nie chciałem go zabić, rozumiesz? Nie pragnąłem jego śmierci, naprawdę. Bałem się, po prostu się bałem.

Nick Leary osunął się na kanapę, oparł głowę na dłoniach i zapłakał głośno. Jego szloch rozniósł się echem po ogromnym, przytłaczającym domu.

Billy Clarke spodziewał się różnych rzeczy, ale na pewno nie tego.

— Dlaczego płaczesz, synku? — spytał Tyrell cichszym, łagodniejszym głosem. Chłopiec nie szlochał i właśnie to najbardziej przeraziło Tyrella. Siedział i płakał w całkowitej ciszy.

Willy klepnął Tyrella w ramię i ruchem głowy dał mu znać, żeby wyszedł do kuchni.

— Ja z nim porozmawiam. Podgrzeję mu działkę, może to go wyprostuje. Pomieszało mu się we łbie. Proszę pozwolić mi z nim pogadać. Wystraszyłeś go, myślę, że on nie chce powiedzieć, co się stało.

Tyrell wyszedł, wdzięczny chłopcu za radę. W kuchni zapalił ponownie skręta i mocno się zaciągnął. Zastanawiał się, jakim cudem jego życie przybrało taki obrót.

Powinien siedzieć spokojnie w swoim ładnym domu, a on tymczasem tkwił w mieszkaniu z dwoma uciekinierami, chłopcami do wynajęcia. Wiedział jednak, że nie będzie już siedział w tamtym domu. Nigdy do niego nie wróci. Pod tym mostem przepłynęło zbyt dużo wody.

Mimo to wciąż go zdumiewało, że w ciągu kilku krótkich miesięcy wszystko w jego życiu zmieniło się na gorsze. Jego najstarszy syn nie żył. Tyrell doskonale wiedział, że nic nie przywróci mu życia, lecz musi znać prawdę, dowiedzieć się, co jego syn robił tamtej nocy w domu Leary'ego. Gdyby tylko mógł poznać odpowiedź na to pytanie, zdołałby zacząć życie od nowa. Na pewno stało się tak za sprawą kogoś innego. Ktoś musiał posłać jego syna na śmierć, a kiedy Tyrell dowie się, kto to zrobił...

Nie dokończył tej myśli. Spojrzał na skręta. Ciekawe, ile czasu upłynie, nim Willy uspokoi kolegę? Postanowił, że ustali, co robić dalej, kiedy dowie się, co tu jest grane, nie wcześniej.

Tak jak w tej starej zagadce: Jak mężczyzna wydostał się z pomieszczenia, w którym nie było okien ani drzwi? Odpowiedź brzmi: Tak samo jak się do niego dostał.

Rozdział 21

Billy jechał z powrotem do Londynu i myślał o dwóch mężczyznach nierozumiejących świata, w którym żyją. I zastanawiał się, jak to jest, że Nick Leary, uosobienie łotrostwa, załamał się z powodu śmierci włamywacza. Badziewiarz, w ich świecie najgorszy z najgorszych, drobny złodziejaszek, cienias — jakkolwiek go nazwać, chłopak był po prostu złodziejem. A Leary się złamał, przy życiu trzymały go tylko kokaina i wódka. Nick Leary, który według krążących po mieście pogłosek zabił już nieraz. Lecz w ich świecie te zabójstwa były usprawiedliwione, podobnie jak zabójstwo Sonny'ego Hatchera. Cholera, nawet psy stwierdziły, że tym razem miał prawo, a jak często się to zdarza?

Billy słyszał także plotkę, że to właśnie Nick załatwił ostatnio Gary'ego Proctora, swoją prawą rękę; w tej sprawie kryło się coś więcej. W Proctorze było coś, czego Billy nigdy nie lubił, coś śliskiego. Za bardzo się przechwalał, stwarzał pozory poważnego gościa, lecz za nim stał zwykle Nick Leary.

Należało przypuszczać, że Leary ściął się w interesach ze swoim numerem jeden i skończyło się to eliminacją Proctora. I słusznie. W ich świecie nie można było pozwolić żyć komuś, kto wie za dużo o szefie oraz jego ciemnych interesach i zdradza oznaki niepewności. To było niepisane prawo. Billy uważał, że Nick stuknął Proctora słusznie i zgodnie z zasadami.

To dlaczego śmierć zwykłego włamywacza wyniszczała Leary'ego?

Billy mógł zrozumieć punkt widzenia Tyrella. Wiedział, że Tyrell nie znajdzie niczego, co mogłoby wytłumaczyć postępek syna — chciał się tylko dowiedzieć, dlaczego chłopak się tam znalazł.

I nie można było odmówić mu racji.

Skąd Sonny wziął gnata? Czy tej nocy w domu były psy? Jak chłopak ominął kamery i inne zabezpieczenia?

Billy głęboko by się zastanowił, zanim podjąłby próbę podejścia Nicka Leary'ego, a miał wiele lat doświadczenia, którego brakowało młodemu Hatcherowi. To byłoby jak operacja wojskowa na dużą skalę, a z tego, co Billy słyszał o synu Tyrella, wynikało, że nie był on tytanem intelektu. Mówiono nawet, że był trochę tępawy. Szedł za przywódcą.

Średni syn Billy'ego, Jason, był taki sam. Miły chłopak i w ogóle, ale rachunki szły mu nie najlepiej, a lektury ograniczały się do komiksów i magazynów porno. W końcu trzeba to było zaakceptować. Każdy chce mieć syna, który będzie drugim Einsteinem. Niestety, często zdarza się tak, że ma się drugiego Borisa Johnsona. Gdyby któryś z chłopców kazał Jasonowi skoczyć z mostu, toby skoczył. Mimo to kocha się takie dzieciaki, po prostu trzeba poświęcać im więcej troski. Jason będzie pracował z ojcem, to już zostało ustalone. Będzie z niego kawał chłopa, więc Billy zamierzał wykorzystać jego mocne strony. Zrobi z niego mięśniaka, w ich świecie nie był to żaden powód do wstydu.

Najstarszy syn Billy'ego, Damien, miał mózg dyktatora i ojciec dopilnuje, żeby został prawnikiem. Chłopak się do tego nadawał. Umiał się wyłgać ze wszystkiego i sprawiało mu to frajdę. Zgodzi się na to i cóż, trzeba mu życzyć szczęścia. Najwięcej kasy można nakraść, kiedy ma się aktówkę pod pachą i miły uśmiech na twarzy, każdy to wie.

Po wizycie w domu Nicka Billy doszedł do wniosku, że Tyrell ma rację, pytając, jak Sonny się tam dostał. Wbrew sobie też chciał wiedzieć, co tak naprawdę było tam grane. Ta sprawa śmierdziała na kilometr Garym Proctorem, ale czy Nick o tym wie? Bo Proctor potrzebował kogoś, kto pójdzie za nim. Na przykład kogoś takiego jak biedny Sonny Hatcher, który nigdy nie wykombinowałby sam takiego numeru.

Tak, w tym kryło się coś więcej i Billy był zaintrygowany. Dopilnuje, żeby — kiedy już dojdzie do spotkania — byli na nim wszyscy chłopcy. Miał przeczucie, że popaprana osobowość Terry'ego bardzo się przyda na tym spotkaniu, bo jeśli istnieje dwóch mężczyzn całkowicie się różniących, a jednocześnie bliźniaczo do siebie podobnych, to są nimi Nick Leary i Tyrell Hatcher.

To niesamowite, jak ci dwaj są do siebie wewnętrznie podobni, a pod innymi względami należą do całkiem innych parafii. Śmierć Sonny'ego namieszała w zbyt wielu głowach. Im prędzej zamknie się tę sprawę, tym lepiej.

Jude była w swoim żywiole. Gino okazał się zdolny do wykonania tego, czego od niego oczekiwała. Nawet się popisywał. Uśmiechała się, leżąc na kanapie i czekając na odlot, który miał za chwilę nastąpić.

Gino wyszedł, zdobył kasę na prowiant i wrócił jak bohater. Jednoznacznie dała mu do zrozumienia, jaki jest mądry, jak bardzo na niego liczy. Chłopiec aż się napuszył z radości.

Teraz przypalał heroinę. Trzymał w dłoni starą łyżkę pełną narkotyku, delikatnie dolewał wody i podgrzewał od spodu. Narkotyk bulgotał, Jude widziała w oczach Gina błysk wywołany myślą o tym, co za chwilę nastąpi.

Nie ulegało wątpliwości, że ma odpowiednią osobowość.

Sonny natomiast nienawidził tego wszystkiego, a mimo to gotów był poruszyć niebo i ziemię, żeby zdobyć towar dla matki. Gino uwielbia herę i będzie ją zdobywał dla nich obojga.

Jude miała włączoną płytę Pink Floydów *Animals*, właśnie leciała piosenka *Pigs on the wing*. Uwielbiała ten utwór, mogła go słuchać bez końca. Mieszkanie przypominało wysypisko na śmieci, ale tym się nie przejmowała. Dla niej wszystko to stanowiło część gry. Kto powiedział, że życie jest zbyt krótkie, by schylać się po grzyba? Ktokolwiek to był, miał sporo racji. Życie jest również zbyt krótkie na to, by sprzątać i dzień po dniu chodzić do tej samej monotonnej pracy.

Zdaniem Jude to było dla idiotów.

Głośne pukanie w drzwi przeraziło ich oboje; Jude z trudem podniosła się z kanapy.

— Nie zwracaj na to uwagi, Gino, zaraz sobie pójdą.

Lecz po kilku sekundach pukanie się powtórzyło.

Gino był za bardzo pochłonięty tym, co robił, żeby zwracać uwagę na cokolwiek innego. Delikatnie zassał płyn do strzykawki, lecz w tej samej chwili drzwi zostały wyłamane. Rozległ się trzask pękającego drewna, Jude i Gino podskoczyli z przerażenia.

Jude pobladła. Myśląc, że to Stary Bill, odruchowo odsunęła się od chłopca i napełnionej strzykawki.

— Wyrzuć to wszystko przez okno, ty cholerny kretynie! — wrzasnęła wysokim głosem, a Gino, przykuty do miejsca ze strachu, patrzył ze zdumieniem, jak do mieszkania wpada jego matka i trzech wujków.

Pokoje matki były pełne uroku. Dotąd Nick tego nie zauważał, ale też rzadko do nich zaglądał. Lecz musiał przyznać Tammy, że były nie z tej ziemi; matka nigdy w życiu takich nie miała. Oczywiście nie powiedziałaby tego głośno, choć teraz, kiedy zakolegowała się z Tammy, może i w tej kwestii Nick się mylił.

Aneks był cały w kremowych i rdzawych kolorach, a ogromne okno zasłaniały ciężkie brokatowe kotary, które nie raziłyby nawet w pałacu Buckingham. Stara dobra Tammy postarała się dla mamuśki, a nie było to wówczas łatwe, gdyż Angela Leary jeździła na niej jak na łysej kobyle od pierwszego dnia. Przez tyle lat Nick marzył o zawieszeniu broni między nimi, a teraz, gdy to nastąpiło, chciał, żeby było jak dawniej. Zajrzał do szaf i zobaczył z ulgą, że część rzeczy matki została, więc Angela pewnie myśli o powrocie. Był na nią zły, lecz nie umiał sobie wyobrazić życia bez niej.

Prawda była bowiem taka, że Nick uwielbiał matkę. Zawsze tak było i zawsze będzie. Bronił jej przed ojcem, a w końcu wziął na siebie opiekę nad całą rodziną, więc w pewnym sensie na wczesnym etapie życia wszedł w rolę męża.

Ale czy miał wybór? Czy miał się wycofać i patrzeć, jak jest maltretowana? Pozwolić ojcu demoralizować i terroryzować siebie i siostrę?

Miał siedem lat, kiedy ojciec pierwszy raz wykorzystał go seksualnie, rujnując między nimi fizyczną więź. Teraz mógł znaleźć pocieszenie tylko w obojętnych ludziach bez twarzy, którzy go wykorzystywali, tak jak on wykorzystywał ich. Pożądał nienawiści do siebie i poczucia winy, tylko to go naprawdę podniecało.

Z biegiem lat znalazł spokój, podnosząc swoją pozycję społeczną, kupując coraz większe domy i samochody; kiedyś pieniądze były wybawieniem. Dawały mu pewność, że jest kimś bez względu na to, co czuje wewnątrz. Jego umysł usiłował wszystko zrujnować, lecz ilekroć Nick rozejrzał się wokół, wiedział, że coś w życiu osiągnął. Pamięć o tym, jakie piekło stworzył im ojciec, była wciąż bolesna niczym otwarta rana, z którą żył każdego dnia. Jednak im więcej zdobywał, tym gorzej się czuł. Jak do tego doszło?

Chciałby wiedzieć, co dzieje się w jego głowie. W ciągu długich lat harówki nauczył się zadawać ludziom rany, okaleczać ich i usprawiedliwiać się przed samym sobą. Lecz Sonny Hatcher okazał się jego piętą achillesową.

Cała obojętność, którą okrucieństwo ojca w nim zasiało, nie mogła zniwelować poczucia winy dręczącego go z powodu tego chłopca.

Ilekroć ojciec go dotykał, wzbierała w nim żółć, chciał zwymiotować ją raz na zawsze. Jednak zdołał ocalić Hester. Musi o tym pamiętać, cieszyć się tym, bo jeśli nie, to jaki jest sens tego wszystkiego? Jak przetrwa dni, nie mówiąc o nocach, jeśli to wszystko poszło na marne?

Matka nie była sobą od dnia, w którym Nick policzył się z Garym Proctorem, zachodził więc w głowę, co ją ugryzło. Kiedy Angela się uspokoi, a on wszystko jej wytłumaczy, sytuacja wróci do normy. Znała go lepiej niż wszyscy i zawsze przy nim stała, bez względu na to, w jakie wpadł tarapaty. Oczywiście, nigdy niczego mu nie udowodniono. Nick Leary był czysty jak łza i postara się, żeby tak zostało.

Lecz matka nie była głupia, orientowała się, co jest grane, i postanowiła nie zagłębiać się zbytnio w sprawy syna. Kluby były legalne, podobnie jak firma budowlana, tak więc Nick miał wszelkie prawo mieszkać w tym sakramenckim pałacu, zapłacił za wszystko ciężką forsę. Nie bał się ciemnych interesów i przyciskania ludzi, i matka o tym wiedziała. Zachęcała go do tego przez całe życie.

Nick nie zamierzał żyć tak jak ojciec, ledwo wiążąc koniec z końcem i kombinując, skąd weźmie forsę na następną butelkę. Do diabła z tym! Zapewnił im wszystkim dostatnie życie i matka miała tego świadomość. Smakowały jej owoce jego harówki, więc teraz jest trochę za późno na fochy.

Nick uniósł dywan i podwinął go nieco. Sejf Angeli znajdował się pod podłogą i jeśli nie znało się dokładnie jego położenia, można było go szukać w nieskończoność. Nick wynajął do założenia sejfów małą firmę z Belfastu; chodziło o to, by mieściła się zbyt daleko, żeby można było przyjechać stamtąd i okraść dom.

Teraz jednak Nick otwierał sejf matki z drżeniem serca.

W środku znajdowało się kilka zdjęć oraz telefon komórkowy.

Nickiem wstrząsnął widok telefonu.

Aparat został niedawno naładowany, było na nim zapisanych jedenaście nieodebranych połączeń. Podniósł zdjęcia i serce skoczyło mu do gardła. Widział siebie uśmiechniętego, pamiętał, gdzie zdjęcia zostały zrobione. Tego dnia był bardzo szczęśliwy.

Frankie też wyglądała na szczęśliwą, podobnie jak wszyscy. To było dobre zdjęcie, lecz gdyby Nick nie był taki nawalony, fotka nigdy by nie powstała.

Jednak powstała i Nick dopilnował, żeby Gary trzymał

wszystkie odbitki i negatywy; Gary wykonał polecenie, bo też był na zdjęciach, a żaden z nich nie chciał, by taki dowód leżał byle gdzie. Nick o nich zapomniał, nigdy nie przyszłoby mu na myśl, że ktokolwiek na świecie je zobaczy, a już na pewno nie jego matka.

Miała również jego stary telefon, z którego dzwonił do Frankie i innych swoich ukochanych. Telefon będący kiedyś ogniwem łączącym go z jego drugim życiem, którego Tammy i matka nigdy by nie zrozumiały. Dlaczego właściwie miałyby je zrozumieć, skoro on sam najczęściej go nie rozumiał?

Lecz pragnienie zawsze w nim było niczym wrzód, rosło bezgłośnie i tylko czekało, by wybuchnąć, a gdy wybuchło, nie umiał oprzeć się temu, co podsuwało.

Nick spojrzał na nieodebrane połączenia i westchnął. Zdjęcia oznaczały co najmniej rozwód. Jedno było pewne: Angela nie pokazała ich Tammy. Gdyby to zrobiła, cały świat Nicka należałby już do przeszłości.

Willy krzyknął na Tyrella, a ten wrócił do pokoju, pełen niepewności. Kerr najwyraźniej się pozbierał. Wyglądał na odprężonego, a Tyrell dzięki Jude znał wszystkie objawy dobrego strzału. Nie robił jednak wyrzutów Kerrowi, bo wiedział, jak mocno potrafi naciskać ten demon. Jego gniew odpłynął i Tyrell nie czuł teraz nic oprócz smutku.

Cóż za marnotrawienie życia.

Nie było jednak sensu mówić tego chłopcu, bo i tak by nie słuchał. Tak czy inaczej Kerr nie był jego problemem, lecz kogoś innego. Tyrell chciał od niego tylko informacji związanych z synem. I zdobędzie te informacje, nawet jeśli będzie musiał wydobyć je kopniakami.

Kerr jednak milczał, więc Willy powiedział Tyrellowi to, czego ten chciał się dowiedzieć.

— Boi się, bo Justin miał tamtej nocy iść z Sonnym, ale facet, który miał po niego przyjechać, nie zjawił się. Justin pomyślał, że wszystko zostało odwołane, więc możesz sobie wyobrazić, jak się czuł, kiedy usłyszał, co się stało.

— Dlaczego nikomu nie powiedział? Dlaczego żaden z nich nikomu o tym nie powiedział?

Zadając to pytanie, Tyrell już znał odpowiedź.

Willy po raz pierwszy się zezłościł i odparł ostrym tonem:

— On śpi w bramach albo gdzie popadnie. Wiesz, że jak ktoś nie ma w domu elektryczności, to sprzedaje telewizor. Gazet nie bierzemy do ręki, chyba żeby wsadzić je pod ubranie w zimową noc. A może dlatego, że to są rzeczy dla ludzi, którzy mają przed sobą życie. Więc niestety nie dla nas, panie Hatcher. Przetrwanie dnia to wystarczający problem.

Willy otworzył z trzaskiem następną puszkę piwa.

Powiedział „panie Hatcher" i to wystarczyło Tyrellowi.

— A poza tym komu miał, kurwa, powiedzieć? Staremu Billowi? Żeby wpakować się w coś, czego nie zrobił? Myśl realnie!

Tyrell usiadł na kanapie, prawie zawstydzony. Spojrzał na Kerra i westchnął.

— Kto miał zabrać Justina samochodem?

Kerr wzruszył ramionami.

— Ten pierdziel ze szczurzej nory.

— Jak on się nazywa?

— Nie wiem. Pan P.

— Jak wygląda?

— Jest stary.

— Gdzie się kręci?

— Wszędzie.

Tyrell z trudem trzymał nerwy na wodzy. Prowadził dłuższe rozmowy z automatycznymi sekretarkami.

— Gdzie jest teraz ten Justin?

Chłopiec znów wzruszył ramionami i Tyrell zacisnął pięści.

Willy wyczuł jego zniecierpliwienie.

— Daj papier i ołówek, to jakoś do tego dojdziemy — rzekł cicho.

Dawał Tyrellowi znaki, żeby wyszedł do kuchni. Kiedy obaj się tam znaleźli, powiedział do niego ze smutkiem:

— Nie widzisz, że on jest trochę opóźniony?

Cierpliwość Tyrella była na wyczerpaniu. Spojrzał na tego chłopaka, który spał w jego mieszkaniu, jadł jego jedzenie i pił jego drinki, a teraz usiłował być pośrednikiem między nim i Kerrem, zbłąkaną duszą. Nagle przyszło mu na myśl, że mogą go nabierać.

— Tylko się nie spiesz. On się boi, że może coś poplątać, to wszystko. Wydaje mi się, że mówi o tym facecie, który zbiera chłopaków i dostarcza ich pedałom. Ale musisz pamiętać, że Kerr ma dopiero trzynaście lat i od dłuższego czasu obija się po ulicach, więc nie rozmawiamy z mistrzem intelektu, rozumiesz?

Tyrell skinął głową.

— Chodźmy tam, Willy, i zobaczmy, co uda się z niego wydobyć. Dowiedz się, czy jest jeszcze ktoś, kto może nam coś powiedzieć.

Willy się uśmiechnął.

— Wyjąłeś mi to z ust. Może powinniśmy się wybrać do szczurzej nory i w końcu to załatwić?

— Więc już się tego nie boisz?

Willy pokręcił głową. Wcześniej zdecydowanie odmówił. Tyrell chciał to zrobić od początku, lecz chłopiec się upierał, mówił, że trzeba bardzo uważać. Musiał żyć na ulicy, a nawet jeśli ta sprawa się zakończy, fakt, że brał w niej udział, mógł doprowadzić do jego „zaginięcia". Czy ktoś by je zauważył? Kogo obchodzą dzieci ulicy?

Tyrell szanował jego przemyślenia na ten temat, bo nie chciał narażać życia chłopca na niebezpieczeństwo, tak jak nie naraziłby życia żadnego ze swoich synów.

— Byłeś dla mnie dobry przez tych kilka dni, Tyrell, i chcę ci się odpłacić. Ale chcę też sprawiedliwości dla Sonny'ego. On był dobrym kumplem.

Tyrell nie wiedział, co zrobić, więc zmierzwił lekko jego włosy.

— Dobry z ciebie dzieciak, Willy.

Zadzwoniła komórka Tyrella; spojrzał na wyświetlacz, żeby zobaczyć, kto dzwoni; odrzucił połączenie.

— Słuchaj, mogę zostawić cię z nim tutaj na parę godzin?

Willy skinął głową; Tyrell zauważył ulgę w jego spojrzeniu.

— Pogadam z nim, dobra?

Tyrell wziął marynarkę i ruszył do drzwi. Nagle przypomniał sobie, że nie ma portfela. Z sypialni usłyszał słowa Willy'ego. Uśmiechnął się smutno.

— To nie jest zły gość, Kerr, więc przypomnij sobie, co ci powiedzieli, okay?

Willy usiłował wydobyć od kolegi jak najwięcej informacji.

— Przynieść wam coś do jedzenia z baru?

Willy z radością skinął głową.

— Dla mnie hamburgera z frytkami.

Tyrell już wyszedł, lecz Willy wiedział, że go usłyszał i przyniesie coś dobrego. Tata Sonny'ego był w porządku, ale Willy miał nieprzyjemne przeczucie, że kiedy dotrze do samego sedna tej sprawy i pozna przyczynę śmierci syna, ta wiedza mu nie ulży, tylko przysporzy kolejnych koszmarów.

Nie powiedział o tym jednak Tyrellowi, bo ten nie chciał tego słyszeć.

Nick patrzył na numery zapisane w pamięci telefonu i wpadał w coraz większy popłoch. Po włamaniu ukrył ten aparat wraz z wieloma innymi rzeczami. To oczywiście była ciemniejsza strona jego interesów. Stary Bill był ostatnią osobą, którą zaprosiłby do grzebania w swoich osobistych przedmiotach.

Mimo iż prawo stało wówczas po jego stronie, Nick nie dałby głowy, że gliny nie wykorzystają okazji do przetrząśnięcia jego domu. A tamtej nocy nakaz rewizji doprowadziłby go do katastrofy. Nie byłby pierwszym, który stracił w ten sposób wolność, ani ostatnim.

Zerknął jeszcze raz na zdjęcia i spróbował sobie wyobrazić, jak czuła się jego matka, patrząc na nie. Było jasne, że wszyscy wykonywali wcześniej jakieś czynności seksualne, bo byli w mniejszym lub większym stopniu roznegliżowani. Czemu, do kurwy nędzy, w ogóle pozwolił na zrobienie tych zdjęć? Wyglądali tak dziecinnie, byli tacy młodzi, tacy bezbronni.

Ale nie znaczy to, że on i Frankie byli ze sobą, prawda? Albo inne pary na zdjęciu. Prawdę mówiąc, Nick miałby kłopot z przypomnieniem sobie ich nazwisk. Jednak na zdjęciu była jedna osoba, na której Angela skupiła uwagę, i Nick wiedział, że dobrze ją skojarzyła. Dlatego teraz będzie musiał zrobić wszystko, żeby ją udobruchać, gdyż Angela jest osobą, która ujawni absolutnie wszystko, jeśli się dostatecznie rozgniewa.

Nick bardzo ją kochał, lecz pod pewnymi względami była diabelnie uciążliwa. Podobnie jak Tammy, węszyła jak opętana. Nick wiedział, że żona, mimo iż odgrywa głupią, zna jego stan posiadania do ostatniego pensa. Przeliczyła też w mgnieniu oka wartość w euro jego działalności w Hiszpanii i mogła prowadzić wszystkie jego interesy, nie wychodząc z winiarni i restauracji.

Udawała przed wszystkimi, że nie ma głowy do interesów, ale to ona wpadła na pomysł, żeby Nick zajął się dealerką. Pieniądze z narkotyków ustawiły ich na całe życie. Matka wiedziała o wszystkim, jakżeby inaczej, skoro węszyła dokładnie tak samo jak synowa. Ale to małe znalezisko rozsadziłoby życie ich wszystkich niczym wybuch bomby. Zwłaszcza życie Tammy. Jak Nick zdołałby wytłumaczyć się z Frankie i innych? Frankie miała przynajmniej dość rozsądku, żeby nie domagać się od Nicka więcej, żeby się w nim nie zakochiwać, i Nick był z tego bardzo rad. Mimo wszystkich przywar Tammy i mimo wszystkich ich kłótni za nic nie pozwoliłby, żeby została zraniona. Nie prosiła go o nic więcej oprócz miłości i miała ją, mimo iż teraz w to nie wierzy.

Skoro matka i Tammy zostały serdecznymi kumpelkami, a Angela wyjechała do Hester — do biednej Hester, która zhańbiła rodzinę, wychodząc za Murzyna — czy znaczy to, że sypnie?

Nick spojrzał jeszcze raz na zdjęcia i ogarnęły go mdłości.

Matka stała przy nim w doli i niedoli. Czy to, co zobaczyła, okazało się dla niej nie do przełknięcia?

To była wina Gary'ego, jak zwykle. Nigdy nie umiał zostawić niczego w spokoju. A teraz dzięki niemu Nick będzie musiał pojechać do Mackiego i zrobić z nim porządek. Miał tylko nadzieję, że dotrze tam na czas, by zamknąć skurwielowi gębę. Na dobre.

Cały ten bajzel wynikł z winy Proctora, wszędzie roiło się od odcisków jego tłustych paluchów. Nick powinien rozprawić się z nim rok temu, kiedy uświadomił sobie, jak nisko ten drań upadł. Jeśli teraz to wyjdzie na jaw, rozpęta się piekło.

Nick wstał, stwierdziwszy, że jeśli coś trzeba robić, to od razu. Pojedzie do Mackiego i osobiście powie mu parę bolesnych słów.

Louis Clarke i Tyrell siedzieli w Beehive w Brixton. Było głośno, musieli więc mówić sobie prosto w ucho, żeby się słyszeć. To jednak im pasowało, bo trudno jest podsłuchać rozmowę w zatłoczonym pubie.

— Billy pojechał odwiedzić Leary'ego.

Tyrell skinął powoli głową.

— I co?

— Pogadaj z nim, on jest rozbity. Billy mówi, że przez to wszystko wziął się do wódy i proszku. A z tego, co słyszałem, przedtem podobno był czysty. W każdym razie Billy umówi spotkanie.

Tyrell znów skinął głową i napił się piwa.

— Wiem, jak on się czuje. Sam później przez to przechodziłem.

Louis nie wiedział, co na to odpowiedzieć.

— Wygląda na to, że męczy go diabelne poczucie winy. Myślał, że ma do czynienia z dorosłym. Maska na łbie i gnat w łapie, rozumiesz. Każdy by tak pomyślał.

Tyrell wiedział, że przyjaciel stara się załagodzić jego gniew i żal, lecz robił to nieskutecznie. W gruncie rzeczy osiągał przeciwny skutek.

— Chcę tylko usłyszeć z jego ust, co dokładnie zaszło tej nocy, tylko tyle. Nie zamierzam się z nim awanturować.

Louis omal nie palnął, że to bez znaczenia. Nick bardziej martwił się braćmi Clarke niż Tyrellem Hatcherem. Louisowi chodziło o to, żeby przyjaciel zostawił wreszcie tę sprawę za sobą, wtedy może będzie mógł wrócić do normalnego życia. A właściwie do tego, co mu z niego zostało.

— Ten chłopak nadal u ciebie jest?

Tyrell się uśmiechnął.

— Teraz mam dwóch zasrańców. Ten młodszy, Kerr, to prawdziwy mały kutas, ale nie gada wszystkiego, co wie. Zostawiłem z nim tego drugiego. Myślę, że wyciągnie od niego więcej niż ja. Zdaje mi się, że go wystraszyłem.

Louis parsknął śmiechem.

— To przez te dredy, każdego mogą wystraszyć. Dopij piwo, przyniosę jeszcze po jednym.

Mackie mieszkał w Basildon i nie cieszył się powszechną sympatią.

Był zapijaczonym, kłótliwym bykiem, którego opuściła żona, interesującym się wyłącznie piłką, „upuszczaniem płynów", jak wdzięcznie nazywał swoje życie seksualne z łańcuszkiem kochanek, oraz upijaniem się do nieprzytomności.

Syn Jerome interesował go wyłącznie jako temat do rozmów w pubie. Mackie systematycznie od lat straszył wszystkich sąsiadów i z przyjemnością patrzył na ich lęk, kiedy wpadał na nich w drodze do pobliskiego pubu lub gdy z niego wracał.

W ten piękny piątkowy wieczór nie sprawił zawodu. Córka sąsiada wzięła po południu ślub w urzędzie w Basildon. Dziewczyna, ładna blondynka w dość zaawansowanej ciąży, wysiadała z samochodu razem z mężem, pracownikiem poczty. Mackie stał w swoim ogródku i gapił się na nich, w widoczny sposób napawając się zakłopotaniem, w które ich wprawiał.

Wszystkie okoliczne domki były ładne i zadbane. Jego dom natomiast wyglądał tak, jakby Luftwaffe bombardowała go regularnie od czasów drugiej wojny światowej.

— Na co się, kurwa, gapisz?

Było to skierowane do mężczyzny wracającego wieczorem z pracy. Przechodzień nie odpowiedział na obelgę i pospieszył dalej.

Kiedy jednak Nick Leary kilka minut później podjechał swoim range roverem, Mackie cały rozpłynął się w uśmiechach. Był rozrabiaką, lecz zaczepiał tylko tych, którzy się go bali. Nick Leary do tej kategorii nie należał, a poza tym pomógł synowi Mackiego i ten musiał to przyznać, choć czynił to ze złością. Nie było ważne, że syn nie miał dla niego czasu, nie było istotne, że kiedy Stevie wyszedł z więzienia, siostra nie powiedziała mu nawet połowy o tym, jak Mackie ją traktował. Jego zdaniem winę zawsze ponosił ktoś inny.

Mackie miał jednak dość rozsądku, by wiedzieć, że Nick Leary jest grubą rybą, a on zaliczał się do drobnicy. A niewyparzona gęba zawsze wpędzała go w tarapaty.

Nick stanął przed bramą i z nieukrywaną pogardą spojrzał na jego dom.

— O kurwa, Mackie, to jest gorsza srajdziura, niż myślałem.

Goście zjeżdżali się na przyjęcie, samochody parkowały po obu stronach ulicy. Nick uśmiechnął się do gości, a ci z ulgą odpowiedzieli tym samym. Cieszyli się, że gość Mackiego, kimkolwiek jest, nie zaczepia ich. Niektórzy z jego grubiańskich kolegów co jakiś czas wszczynali burdy między sobą lub zaczepiali niewinnych przechodniów.

Nick stał i wlepiał wzrok w Mackiego, wiedząc, że go tym zdenerwuje. Nikt nie potrafił rozgrywać tego tak jak Nick Leary. Przez kilka minut dobrze się bawił.

— Wchodzisz, Nick?

— Odpierdol się. Jeśli w środku jest tak samo jak na zewnątrz, to musiałbym się najpierw zaszczepić przeciwko tyfusowi i czerwonce.

Mackie musiał się roześmiać, chociaż przyszło mu to z trudem.

— Co cię sprowadza?

Wiedział dokładnie, jaką Nick Leary ma sprawę, lecz musiał to usłyszeć z jego ust. Mackie rozumiał, że otworzył gębę za szeroko, i miał nieprzyjemne uczucie, że Nick przyjechał, by mu ją zamknąć. Stevie ostrzegał go, żeby milczał, ale on nie potrafił się powstrzymać.

Mackie naprawdę nazywał się Fergus McDermot; nie było to dobre nazwisko, jeśli nie mieszkało się w Glasgow, dlatego od lat musiał znosić ciągłe przytyki.

Teraz wszyscy nazywali go Mackie. Kumpel idący na wesele zawołał:

— Jak leci, Mackie?

Matka panny młodej omal nie zemdlała ze strachu, że Mackie uzna to za zaproszenie na przyjęcie.

Nick rozejrzał się, popatrzył na odświętnie ubranych gości i rzekł cicho:

— Namyśliłem się, Mackie. Chyba jednak wejdziemy do środka.

Znaleźli się w domu, Nick kopnął frontowe drzwi od wewnątrz, nie zamykając ich. Stojąc w zagraconym holu, powiedział głośno:

— Ile razy cię ostrzegano, żebyś trzymał swoją pieprzoną gębę na kłódkę?

Mackie nie odpowiedział. Jego wzrok nie mógł się oderwać od młotka z pazurem, który Nick trzymał w dłoni. Wcześniej narzędzie było schowane w rękawie, teraz jednak spoczywało w jego prawej ręce.

Mackiemu zakręciło się w głowie i pomyślał, że nemezis w końcu go dopadła.

Rozdział 22

Jude zerkała na policjanta zmęczonymi, podkrążonymi oczyma. Widziała, jak na nią patrzy, i domyślała się, że nie może się doczekać, kiedy będzie mógł zostawić ją w policyjnej kostnicy i zapomnieć. Dostała lanie, lecz tak jak wszystko w jej życiu była to sprawa drugorzędna. Myślała tylko o tym, że wyjdzie ze szpitala, wróci do domu i sprawdzi, czy nie zostało tam trochę brązowego proszku.

Gina, jego matki i wujów dawno już nie było, kiedy zjawiła się policja, a Jude nie powiedziała, dlaczego jest w takim stanie. Zastanawiała się nawet, czy to nie White'owie zadzwonili na policję. Dla Starego Billa to była po prostu rutyna. Z takimi sytuacjami policjanci mieli do czynienia codziennie. Ćpuny ciągle biją się między sobą z powodu wyimaginowanych zatargów lub podkradania sobie towaru.

Młody posterunkowy patrzył na nią przez kilka minut, po czym spytał:

— Jest pani pewna, że nic pani nie będzie?

Jude nawet się nie pofatygowała, żeby mu odpowiedzieć. Zamierzała wziąć ze szpitala trochę metadonu jako środek zapobiegawczy, a następnie wrócić do domu. Zdołała ukryć sprzęt, zanim przyjechały psy i karetka; teraz marzyła tylko o tym, by znów mieć go w rękach i robić swoje. Potrzebowała też jedzenia. Jeśli coś zje, pozbędzie się nieprzyjemnego ssania w żołądku. Miała nadzieję, że szybko dostanie receptę, bo metadon można opylić i w razie potrzeby kupić proszek.

Ciekawe, czy ktoś próbował to znaleźć. Drzwi frontowe zostały wyłamane, a na osiedlu to oznacza, że ktoś może skorzystać z okazji i splądrować mieszkanie. Ale tylko straci czas. Wszystko, co nadawało się do sprzedania, już dawno zostało sprzedane.

— Na co ci to, Nick?

Ślepia Mackiego zrobiły się jak latające talerze, gdy gapił się na młotek. Nick uśmiechnął się leniwie, napawając się jego lękiem.

— Jak to, nie słyszałeś? To najnowszy krzyk mody w Basildon, taki dodatek do garnituru. Służy do rozwalania ludziom łbów. Jest mniejszy niż młot kowalski, ale równie zabójczy.

Nick bawił się młotkiem, przerzucając go z ręki do ręki.

— To niezła broń, nawiasem mówiąc. Jeśli cię z nią łapią, mówisz, że właśnie ją kupiłeś, bo chcesz pomajstrować trochę w domu. A ja chcę pomajstrować, zgadza się?

Znów się uśmiechnął, a Mackie poczuł, że ze strachu traci oddech.

Nick pokręcił głową z dezaprobatą.

— Nawet nie potrafiłeś dać swojemu synowi spokoju po tym, co przeżył. Gdyby komuś innemu się to przytrafiło, przełknąłby to i zachował w rodzinie, ale nie ty. Wykorzystywałeś tę historię, żeby kumple stawiali ci drinki w pubie! Czy przy okazji wymieniłeś moje nazwisko? Dopiero co usłyszałem o tym od Sida Haulfryna.

Twarz Mackiego wyglądała teraz jak świeżo zarobione ciasto. Nick wiedział, że jego nazwisko być może nie padło, lecz Mackie nie pozostawił nikomu wątpliwości co do tego, kto uratował honor rodziny McDermotów.

Mackie był piekielnie niebezpiecznym skurwielem.

— Nie zrobiłbym tego, Nick, znam zasady...

Mackie podniósł błagalnie ręce.

— Nick, proszę cię, dostałem swoją lekcję. Po co to wszystko, stary?

Wpadł w panikę, czym jeszcze bardziej rozwścieczył Nicka.

— Właź na górę.

— Po co?

Mackie był zaskoczony.

Nick westchnął dramatycznie.

— Właź na te pieprzone schody i nawet nie myśl o tym, że się wyłgasz, bo jeśli spróbujesz, będzie jeszcze gorzej, jasne?

Zrobił krok w stronę Mackiego, który szybko ruszył do góry. Nick wolno za nim podążył.

— W tej pieprzonej norze śmierdzi!

Mackie nie odpowiedział; patrzył na Nicka, który zaglądał do wszystkich pokoi.

— To jest twoja sypialnia, jak rozumiem?

Pokój był brudny, na łóżku leżała szara poplamiona pościel, a w powietrzu unosił się smród starych skarpet i jedzenia z barów, zmieszany z odorem piwa. Jednak zaletą pomieszczenia było duże okno wychodzące na ogródek przed domem. Nick zamierzał dokonać wymownej zemsty i to okno doskonale nadawało się do tego celu.

— Do środka.

Mackie wszedł powoli do sypialni. Pocił się obficie, a Nick rozmyślnie przedłużał sprawę. Mackie wyżywał się na innych, nadszedł czas, żeby posmakował własnego lekarstwa. Poza tym był takim tchórzem, że nawet nie spróbował uciekać, tak jak zrobiłby każdy normalny człowiek.

— Daj spokój, Nick, to zaszło za daleko. Już nigdy więcej nie pisnę ani słowa, dałem plamę...

Nick uciszył go spojrzeniem.

— To fakt, że dałeś plamę. Twój chłopak został zgwałcony przez Proctora, a ty roztrąbiłeś o tym całemu światu! Jak to na niego wpłynie, co? A później, jakby tego było mało, wciągasz w to mnie i paplasz, że wyświadczyłem ci zasraną przysługę.

— Nie wymieniłem twojego nazwiska, Nick, przysięgam.

— Może nie wymieniłeś go na głos, ale założę się, że wszyscy między jednym a drugim łykiem piwa domyślili się, o kogo chodzi, nie?

Pokręcił głową z niedowierzaniem.

— Jesteś szmatą, Mackie. Śmieciem. Robakiem. Stań przy oknie.

Mackie trząsł się, lecz po raz pierwszy nie dlatego, że potrzebował się napić.

— Masz fajkę?

Mackie skinął głową i spojrzał w dół. Kiedy sięgnął do kieszeni spodni po paczkę tytoniu Samson, Nick wykorzystał okazję i rąbnął go trzy razy młotkiem w głowę. Mackie runął na ziemię, lecz trzeba mu przyznać, że momentalnie stanął na nogi.

Wówczas Nick podniósł go i bezceremonialnie wyrzucił przez okno sypialni. Mackie ryknął jak zwierz, wypadając przez szybę.

Nick wyszedł spokojnym krokiem z domu, nie zamykając za sobą drzwi. Nie dotknął ani jednej rzeczy w domu Mackiego.

Mackie leżał na przerośniętej trawie nieruchomo, lecz w pełni świadomy.

— Trzeba cię trochę odświeżyć, kolego — mruknął ze śmiechem Nick.

Rąbnął Mackiego dwa razy młotkiem w twarz, a następnie wyjął z kieszeni wełnianej marynarki torebkę z grubej folii i ostrożnie umieścił w niej młotek. Wsiadł do samochodu i spojrzał na siebie w lusterku. Przygotowanymi wcześniej chusteczkami starł z dłoni i twarzy krew, która go popryskała. A potem odjechał.

Zaparkuje przed swoim domem, przebierze się, a następnie pozbędzie się wszystkiego łącznie z młotkiem. Tego wieczoru musi podsmażyć jeszcze inne ryby.

Nie obawiał się zemsty Mackiego, jego kumpli ani interwencji policji. Sąsiedzi powiedzą, że niczego nie widzieli, tak to było w tym światku. Poza tym wreszcie zamknął Mackiemu gębę, dał mu klapsa, a to sprawi, że sąsiedzi opowiedzą się po jego stronie. Mackiego czekało co najmniej kilka miesięcy w szpitalu, a jeśli będzie chodził, to może się uważać za szczęściarza. Nick pomyślał, że za parę lat Mackie postawi mu drinka, żeby uczcić załatwienie renty inwalidzkiej. Taki już był.

Nick dobrze znał swoich wrogów, to właśnie dzięki temu tak długo utrzymywał się na szczycie.

Tyrell wziął pojemnik z kurczakiem oraz trochę frytek i poszedł do domu. Wrócił później, niż zamierzał; Willy siedział i oglądał filmy rysunkowe na kanale Sky Kids. Wszystkie światła były zgaszone i nigdzie nie było widać Kerra.

— Gdzie on jest?

Willy uciszył go ruchem ręki i dopiero wtedy Tyrell zobaczył, że Kerr śpi na kanapie w postrzępionym starym śpiworze. Tyrell uświadomił sobie, że to śpiwór Willy'ego, ten sam, który nosił ze sobą związany przez cały dzień.

— Powiedział coś?

Willy się uśmiechnął.

— Większość tego, co powiedział, jest tam — odparł, wskazując stos kartek wyrwanych z notatnika.

Spoglądając na nie, Tyrell znów się zdziwił, że Willy ma takie ładne pismo. To był bystry dzieciak, który nie z własnej winy został pozbawiony wszelkiej przyszłości.

Zapach kurczaka obudził Kerra. Tyrell uśmiechnął się do niego i zachęcił:

— Wsuwaj, kolego. Przyniosę talerze z kuchni.

Po chwili wrócił z talerzami i sosem. Obaj chłopcy siedzieli na swoich miejscach.

— Co się stało? — spytał.

Willy spojrzał na Kerra i wyszczerzył zęby w uśmiechu.

— Czekaliśmy, aż weźmiesz swoją działkę.

Takie było prawo ulicy: kto załatwia jedzenie, bierze największą część.

— Dzięki, ale nie jestem głodny.

Tyrell faktycznie nie czuł już głodu.

Po zapaleniu światła spojrzał na kędzierzawe włosy Kerra. Chłopak nosił na sobie wszystkie możliwe rodzaje robactwa; Tyrell zanotował sobie w pamięci, żeby przy najbliższej okazji pozbyć się wykładzin.

Zauważył jednak również, że chłopak podjął próbę doprowadzenia się do porządku, prawdopodobnie za sprawą Willy'ego, który był na swój sposób pedantyczny. Tyrell dał im po puszce dietetycznej coli, wiedząc, że woleliby piwo; sobie nalał bacardi z colą, wypił szybko i naszykował następnego drinka.

Miał wrażenie, że musi się znieczulić przed przeczytaniem notatek. To było dziwne, lecz im bardziej zbliżał się do rozwiązania zagadki śmierci Sonny'ego, tym mniejszą miał ochotę na poznawanie kolejnych informacji.

Pewnie taka jest ludzka natura.

Kerr jadł, jakby od tego zależało jego życie; połykał wielkie kęsy i popijał je potężnymi łykami coli. Tyrell zauważył jednak, że położył sobie na kolanach kilka papierowych serwetek. Nie po to, żeby osłonić ubranie, lecz by ochronić wykładzinę. Z chciwym zainteresowaniem patrzył na głupią kreskówkę o bliźniakach Cramp. Tyrell znów zadumał się nad tym, że przed trzynastu laty jakaś kobieta wydała to dziecko na świat, a teraz ono tak wyobraża sobie święto. Gdzie miłość, gdzie opieka, a co najważniejsze, gdzie rodzice tych dzieciaków? Czy mają gdzieś to, co dzieje się z ich potomstwem? I czy system opieki społecznej w kraju jest tak zły, że dzieci wolą ryzykować życie i biedować na ulicy, niż mu się poddać?

Zerknął spod oka na Willy'ego. Chłopiec był nosicielem wirusa HIV. Powoli, lecz nieuchronnie umierał, a jeszcze nawet nie zdążył pożyć. Jego życie skończyło się, zanim się zaczęło, tak jak życie Sonny'ego.

Ten margines społeczeństwa przerażał Tyrella, tak jak przeraża większość ludzi. Ale jeśli się o nim nie wie, nie trzeba się nim zajmować. Tyrell zastanawiał się, jak będzie patrzył na świat po tym, gdy sprawa zostanie doprowadzona do końca i zamknięta.

Nie umiał jeszcze odpowiedzieć na to pytanie, usiadł więc w fotelu i zaczął przeglądać notatki sporządzone przez Willy'ego. To dziwne, lecz obecność chłopców mu nie przeszkadzała. Zachowywali się tak spokojnie i z takim szacunkiem, że po chwili zapomniał o nich i pogrążył się w przerażającej historii zapisanej schludnym pismem Willy'ego.

Angela nie mogła zasnąć. Nie miało to nic wspólnego z łóżkiem czy faktem, że czuła się źle w domu córki.

Przyczyną jej bezsenności był Nick.

Pokój, w którym się znajdowała, był uroczy, cały w pastelowych kolorach, obwieszony ładnymi obrazkami. Jednak serce Angeli biło szybko ze strachu, gdyż jej syn zrobił coś potwornego, a ona o tym wiedziała.

Kolacja była wyśmienita. Angela siedziała i obserwowała radosną rodzinę. Carl miał wspaniałe poczucie humoru, a mała Ria była urocza. Wszyscy byli uroczy na swój sposób. Lecz to Dixon zaskoczył ją najbardziej. Po kolacji nalał jej lampkę wina, sprzątnął z żoną ze stołu i włożył naczynia do zmywarki, przez cały czas rozmawiając z dziećmi, i widać było, że naprawdę się nimi interesuje.

Kiedy synowie Nicka i Tammy przyjeżdżali ze szkoły, rodzice prawie się z nimi nie widywali. Tak jakby byli zbyt zajęci swoimi sprawami, żeby znaleźć czas dla dzieci lub kogokolwiek innego. A tymczasem żadne z nich nic tak naprawdę nie robiło. Biedna Tammy wypełniała dni ćwiczeniami w sali gimnastycznej i lunchami, bo nie mogła znieść swojego domu.

Domu, za którego posiadanie większość kobiet byłaby gotowa zabić.

Co innego Hester. Była naprawdę szczęśliwą kobietą. Wieczorem, gdy dzieci poszły do łóżek, Angela zaskoczyła ją w kuchni z Dixonem na obściskiwaniu się. Jak bardzo ten dom różnił się od domu jej syna oraz tego, w którym się wychowała.

A mimo to jej serce wciąż należało do Nicka. Nawet teraz, co właśnie sobie uświadomiła. Hester była dobrą dziewczyną, trudno o lepszą, lecz od chwili gdy Angela urodziła syna, to on zawładnął jej sercem i umysłem. Nawet po tym, co odkryła, wciąż się o niego troszczyła i wiedziała w głębi serca, że zawsze będzie się o niego troszczyła bardziej niż o kogokolwiek innego, nawet o siebie samą.

Frankie zobaczyła Nicka w drzwiach i wyszczerzyła zęby w uśmiechu.

— Nie możesz wytrzymać, co?

— Nie mogę. Gdzie możemy pójść?

— Do sypialni, właśnie się tam wybierałam.

Nick wszedł i zobaczył, że pokój jest, o dziwo, posprzątany.

— Wynajęłaś sprzątaczkę?

Frankie się uśmiechnęła.

— Chyba cię pogięło. Nie miałam nic do roboty, i tyle. Co mogę dla ciebie zrobić?

Zostało to powiedziane z lekkim podtekstem, lecz Nick nie słuchał, bo już szykował działki na toaletce. Wiedział, iż nie powinien tam być, że znów bardzo ryzykuje, ale nie umiał się powstrzymać. Frankie była dla niego jak narkotyk i oboje zdawali sobie z tego sprawę.

Zwłaszcza Frankie, która miała świadomość, że ten mężczyzna jest jej książeczką czekową i jeśli będzie go odpowiednio traktować, zapewni im wszystkim utrzymanie przez lata.

— Wyskakuj z ciuchów, spieszę się.

— To chyba nic nowego, co?

Nick się nie roześmiał, był zbyt pochłonięty wciąganiem koki.

Kerr rozmawiał z Tyrellem, odpowiadał na jego pytania dotyczące notatek sporządzonych przez Willy'ego. Willy przyniósł wszystkim coś do picia, a Tyrell znów się zdziwił, kiedy chłopcy powiedzieli, że chcą gorącej czekolady. Myślał, że będą się domagać bacardi.

Tyrellowi Willy nalał bacardi z colą; drink był mocny, Tyrell sączył go powoli. W tej chwili potrzebował alkoholu. Włączyli płytę zespołu Kiss, która grała w tle. Tyrell zerknął na ekran telewizora i zobaczył, że 50 Cent „Pimp" podśpiewuje jeden ze swoich numerów. Pewnego dnia trzeba będzie puścić tym chłopakom Boba Marleya albo Eddiego Granta.

— Więc Justin mógł być wtedy w szczurzej norze?

Kerr skinął głową.

— Mógł być, ale tak jak ci powiedziałem, nikt go od tej pory nie widział...

Chłopiec zamilkł w pół słowa.

— Kerr, powiedz mi po prostu, co wiesz — zachęcił łagodnie Tyrell. — Nie bój się, dobrze? Nie będę cię obwiniał, cokolwiek od ciebie usłyszę, przysięgam na grób Sonny'ego.

Kerr spojrzał na Willy'ego, a ten skinął głową z powagą.

— Czy Sonny bywał z Justinem w szczurzej norze?

Kerr potwierdził.

— W ciągu ostatnich miesięcy przed śmiercią chodził tam o wiele częściej.

Głowa Tyrella opadła na piersi. To, co słyszał, było takie bolesne.

— A ty byłeś tam kiedyś?

Kerr znów skinął głową, zawstydzony, że się do tego przyznaje.

— Ale nie podobałem im się. Widzieli, że tego nie znoszę, więc przestali mnie brać. Ten duży facet stwierdził, że jestem do niczego, i mnie wyśmiał.

Kerr powiedział to z całą powagą. Tyrell wziął głęboki oddech.

— Pewnie, że ci się to nie podobało. Nikomu by się nie podobało.

Willy i Kerr dziwnie na siebie spojrzeli; nie uszło to uwagi Tyrella.

— Co jest grane?

— Powiedz mu, Kerr.

Rosły chłopak zamachał rękami, jakby odpędzał diabła.

— Ty musisz mu powiedzieć, Willy, obiecałeś.

Willy wziął głęboki oddech, po czym spytał:

— Jesteś pewny, że chcesz poznać prawdę?

Tyrell skinął głową, zastanawiając się, co mu powiedzą.

Willy otarł nos wierzchem dłoni, a potem rzekł głośno:

— Sonny często chodził do szczurzej nory, bo lubili się z tym facetem, który go tam zabierał.

Tyrell przyglądał się badawczo Willy'emu.

— Co takiego? Co chcesz przez to powiedzieć?

Willy oblizał nerwowo wargi.

— Ten facet, z którym się spotykał... Nie znamy jego nazwiska, ale Sonny tak jakby z nim chodził... Kerr mówi, że spędzali razem dużo czasu. Sonny mu o tym opowiedział. Mówił, że znajdzie sobie chatę i zdobędzie forsę na utrzymanie.

Tyrell przyglądał się chłopcom ze zdumieniem.

— Co wy chrzanicie? Mam uwierzyć, że Sonny był z jakimś starszym facetem z własnej nieprzymuszonej woli?

Willy skinął głową.

— Tak, poznał go, kiedy był jeszcze nowy. Ci starzy goście lubią nowych. Kerr mówi, że Sonny i ten facet przypadli sobie do gustu. Sonny powiedział, że się zakochał, że ten facet kocha jego i obiecał, że zawsze będzie się nim opiekował.

Do Tyrella docierały słowa wyraźnie, lecz był przekonany, że ulega omamom słuchowym. To nie mogła być prawda, niemożliwe, żeby jego syn był taki. Chłopcy musieli wszystko pomieszać. Straszne jest dowiedzieć się, że jego syn dawał tyłka, a co dopiero usłyszeć, że naprawdę to lubił.

Był gotów przyjmować pieniądze. Zostać utrzymankiem.

Tyrell spojrzał na Kerra. Chłopak nie umiałby sam czegoś takiego wymyślić; rozsądek podpowiadał Tyrellowi, że Kerr mówi prawdę. Jeśli jednak była to prawda, to nie znał chłopca, którego nazywał swoim synem. Nie mógł go naprawdę poznać.

Tylko zdawało mu się, że go zna.

— Tyrell?

Oczy Tyrella wypełniały piekące łzy. Wyglądał tak, jakby po raz drugi miał umrzeć z żalu.

— Kerr mówi, że widział Sonny'ego z tym facetem wiele razy. Nie widział ich w zbliżeniu ani nic, ale wiedział, że się nie kryją. W każdym razie Sonny tego nie ukrywał.

Willy obserwował zmiany na twarzy Tyrella, a potem bez słowa zaczął mu robić skręta.

Tammy spędziła przyjemny wieczór. Teraz jednak była z powrotem w domu, który wydawał się kompletnie pusty. Angela przez lata była niczym cierń w jej boku, lecz Tammy nigdy nie czuła się tak jak teraz, kiedy wróciła do olbrzymiej willi i była całkiem sama.

Jak Angela to znosiła?

Spędziła tu połowę życia sama ze sobą, to musiało być okropne.

Tammy weszła do kuchni. Sama wielkość tego pomieszczenia wywoływała w niej niepokój. Zamknęła na skobel drzwi do piwnicy. Było wpół do trzeciej, wcześnie jak na zwyczaje Tammy. Wróciła taksówką do domu, bo nie miała towarzystwa. Koleżanki były podekscytowane tym, co Tammy zrobiła przedwczoraj i w odpowiedni sposób wyrażały aprobatę. W końcu zanudziły ją na śmierć.

Ruszyła na górę, włączając system alarmowy na parterze. Miała nadzieję, że Nick nie uruchomi go jak zwykle, kiedy wtaczał się do domu. W sypialni rozebrała się i zostawiła rzeczy na krześle, a biżuterię rzuciła na toaletkę, między innymi obrączkę i pierścionek zaręczynowy. Włożywszy jedwabny szlafrok-kimono, nalała sobie wódki z lodem i włączyła telewizor. Weszła na ogromne komfortowe łoże i otworzyła nocną szafkę, w której była butelka lekarstwa Night Nurse. Nic tak nie usypia, kiedy uwalisz się koką. Tammy nie mogła zdjąć nakrętki i w bardzo dosadnych słowach wyrażała niedowierzanie, że starszym osobom udaje się dobrać do zawartości. Pociągnęła gorzkiego zielonkawego płynu prosto z butelki; smak był wstrętny i rozchodził się w ustach jak oliwa. Tammy opadła na poduszkę i zaczęła oglądać telewizję.

Jak zwykle pochłonęły ją seriale *Will and Grace* i *Golden Girls*. Chyba nie dałaby sobie rady bez kanału Sky Plus. Nagrywała na wideo wszystkie seriale, lecz właśnie te komedie lubiła najbardziej. Odpływała w sen, gdy poczuła, że Nick wsuwa się do łóżka obok niej.

Odwróciła się do niego, wyczuwając dobrze znane potężne ciało. Chciała się do niego przytulić, lecz nagle zdrętwiała i wyprostowała się.

— Z kim byłeś? — wrzasnęła.

Nick leżał i patrzył na nią jak na obłąkaną. Tammy widziała, że jest naprany i z jakiegoś powodu jeszcze bardziej ją to rozwścieczyło.

— Czuję ten zapach, Nick. Byłeś z którąś ze swoich pieprzonych kurew!

Wyskoczyła z łóżka; Nick wiedział, że jeśli nie będzie uważał, czeka go całonocna awantura. Ale miała rację, on też poczuł teraz zapach. Był mocny. Nick nie wiedział, czemu nie wyczuł go wcześniej.

Tammy wrzeszczała na niego i płakała.

— Kim ona jest? Znam ją? Czy to jedna z moich koleżanek?

— Nie wariuj, Tammy. Przysięgam na Boga, że nie ma drugiej kobiety, przysięgam na życie mojej matki.

— Co jest ze mną nie tak, dlaczego nie umiesz już się ze mną kochać?

Zawsze wyrażała się w taki dramatyczny sposób. Nick zastanawiał się, z jakiego filmu wzięła tę kwestię. Wyskoczył z łóżka i poszedł do łazienki. Odkręcając prysznic, powiedział złośliwym tonem:

— Mam na sobie to ubranie od rana, nosiłem towar z Billym Clarkiem. To, co bierzesz za zapach innej kobiety, to pot, skarbie. Wezmę teraz prysznic, wrócę do łóżka i będę chciał spać, okay? Jeszcze jedno słowo i ci przyłożę.

— Ty pieprzony, zakłamany gnoju!

Tammy wpadła do łazienki, była rozbudzona mimo wypicia ogromnej porcji lekarstwa. Niosła ją adrenalina.

— Gdzie byłeś? Chcę się dowiedzieć raz na zawsze.

Nick wyszedł spod prysznica. Namydlił się szybko i teraz, czując się czysty i mniej winny, wrócił do sypialni i nalał drinki dla siebie i żony.

— Jeśli powiem ci, gdzie byłem, musisz przysiąc, że nie powtórzysz koleżankom, zgoda?

Tammy skinęła głową, lecz Nick widział cynizm wypisany na jej twarzy.

— Więc słucham. To musi być coś śmierdzącego, jeśli potrzebujesz jeszcze jednego drinka, żeby mi powiedzieć.

— Załatwiłem dzisiaj Mackiego młotkiem.

Te słowa osadziły Tammy w miejscu. Nick właśnie tego się spodziewał.

— Co takiego?

— Pamiętasz, jak Stevie przyjechał tu jakiś czas temu?

Tammy skinęła głową, bojąc się tego, co za chwilę usłyszy.

— Wiesz, że jego siostra jest żoną Mackiego?

Tammy potwierdziła.

— Gary Proctor próbował przelecieć ich syna, właśnie w tej sprawie Stevie do mnie przyszedł. Załatwiliśmy to, ale Mackie, zamiast trzymać gębę na kłódkę, paplał na wszystkie strony, że jego chłopak omal nie padł ofiarą gwałtu. Więc dzisiaj zamknąłem skurwielowi gębę raz na zawsze, bo to my załatwiliśmy Gary'ego, rozumiesz? Właśnie dlatego zginął.

Tammy spodziewała się usłyszeć coś szokującego, ale nie aż tak. I wiedziała, że to prawda. Nick znowu mówił jej prawdę.

— Gary zgwałcił chłopaka? — zapytała głosem pełnym przerażenia i odrazy.

Nick skinął głową ze zmęczeniem.

— Prawie. Nie wiedział, kim ten szczeniak jest. A on nie powiedział mu, że Stevie jest jego wujkiem, bo chciał zdobyć pracę didżeja dzięki swoim umiejętnościom, a nie dlatego, iż wujek jest uznanym specem od obrabiania banków. Więc teraz wiesz, skąd się wziął ten zapach. To pot i dym z ogniska. Załatwiłem Mackiego młotkiem i byłem cały usmarowany krwią, więc spaliłem ubranie na podwórzu. Wyrzuciłem go przez okno sypialni. Prawdopodobnie zostanie kaleką. W każdym razie mam taką nadzieję.

Nick się uśmiechnął.

— Nie wiem, wśród jakich lasek się kręcisz, Tammy, ale jeśli tak pachną, to im nie zazdroszczę.

Tammy nie odpowiedziała uśmiechem.

— Więc naprawdę załatwiłeś Proctora?

— Wiesz, że tak. Ale miałem powód, który ci właśnie przedstawiłem. Czy teraz możemy się położyć do tego pieprzonego łóżka i zasnąć, bo jestem wykończony?

Nick nie był w żaden sposób wzburzony tym, co powiedział. Stał nieruchomo. Tammy przyszło na myśl, że naprawdę jest niebezpieczny. Miał taką reputację, lecz aż do dzisiaj był także jej mężem, jej drugą połową. Teraz wyglądał przerażająco. Tammy nie wiedziała, czy jest tak dlatego, że po raz pierwszy od lat są w domu sami. Ich kłótnie były uciszane lub nawet przerywane przez matkę Nicka. Teraz Angeli nie było i to, czego Tammy zawsze pragnęła, wcale nie uszczęśliwiło jej tak, jak sobie wyobrażała. W rzeczy samej przestraszyło ją, bo wreszcie dotarło do niej, że Nick wcale jej nie kocha. On nie kocha nikogo.

Nie wie, co to znaczy kochać.

Weszła do łóżka, lecz tym razem nie próbowała się do niego przytulić, mimo iż wiedziała, że by jej pozwolił. Nick lubił się przytulać. Przed laty, gdy prowadzili jeszcze życie seksualne, przytulał się do niej bez końca i dopiero po dłuższym czasie uświadomiła sobie, że stracił wzwód, toteż rozmawia i ją rozśmiesza, żeby odwrócić od tego jej uwagę.

A teraz Tammy wiedziała, że odepchnęłaby go, gdyby spróbował się do niej zbliżyć.

Rozdział 23

Tyrell siedział w kuchni po nieprzespanej nocy. Chłopcy ciągle spali jak zabici. Co jakiś czas wsuwał głowę do pokoju i zerkał na nich. Kerr sapał przez sen, podobnie jak Sonny, który też lekko chrapał.

To myśli o Sonnym nie pozwoliły mu zasnąć. Zerknął na zegarek. Dochodziła szósta. Zamierzał wymknąć się za jakiś czas i dowiedzieć się czegoś na własną rękę. Z ulicy coraz częściej dobiegał szum przejeżdżających samochodów. Dla wielu ludzi zaczynał się dzień. Wszyscy będą zajmować się swoimi sprawami, niedręczeni taką wiedzą o najbliższych, jaką posiadł Tyrell. Ilekroć zamknął oczy, w jego głowie pojawiały się obrazy syna z nieznanym mężczyzną. Jaki potwór mógł kupić sobie młodego chłopca? Jaki człowiek wciąga młodego chłopca do rynsztoka?

Albo inaczej: jaki chłopiec chce, żeby tak było?

Tyrell nalał sobie kawy i popijał ją leniwie, zaciągając się papierosem. Zwykle lubił tę godzinę, lubił świadomość, że zaczyna się nowy dzień. Jednak dzisiaj wolałby leżeć i nigdy więcej nie wstać.

Próbował wyobrazić sobie dwóch pozostałych synów, ich małe główki leżące na poduszkach i poruszające się spokojnie klatki piersiowe. Ci malcy śnili wyłącznie o dobrych rzeczach. Dlaczego niektórzy ludzie wydają się błogosławieni, a innym przeznaczone jest na tej ziemi tylko cierpieć i zadawać cierpienie?

Matka Tyrella wierzyła niezachwianie w Boga. Kobieta, która od lat nie opuściła czterech ścian. Nawet pogrzeb ukochanego wnuczka nie zmusił jej do wyjścia z domu. Była zacnym człowiekiem, miała dobre intencje, potrzebowała obecności rodziny. Tyrell nie chciał, żeby dowiedziała się tego, co usłyszał o małym Sonnym, bez wątpienia przeżyłaby wstrząs. Zrozumienie tego przyszłoby jej trudniej niż Tyrellowi, a przecież on bardzo się starał.

Gdyby Sonny związał się z chłopakiem w swoim wieku, Tyrell mógłby się z tym pogodzić, nie przytłoczyłoby go to. Lecz świadomość, że do tego romansu doszło przy okazji uprawiania chłopięcej prostytucji, to już za wiele. Przeczuwał, że kryje się za tym więcej, niż wiedzą Kerr i biedny Willy Lomax.

— Dobrze się czujesz? — spytał Willy, stając w drzwiach.

Tyrell skinął głową. W tej chwili pragnął, żeby ten chłopiec zniknął z jego życia, mimo iż czuł się za niego odpowiedzialny.

— Chcesz kawy?

Willy pokręcił głową. Wziął papierosa z paczki Tyrella i zapalił.

— Rano wolę herbatę — odparł i zaśmiał się. — Patrzcie, patrzcie! Ktoś by pomyślał, że mogę wybierać.

— Dzisiaj możesz.

Tyrell wstawił wodę i zajrzał do szafki, szukając herbaty w saszetkach. Jednocześnie zastanawiał się, kiedy ten chłopak odejdzie i zostawi go w spokoju.

Willy odgadł jego myśli i rzekł łagodnie:

— Po południu sobie pójdziemy.

Tyrell zacisnął mocno oczy, a potem odwrócił się i odparł lekkim tonem:

— Jesteście w porządku.

Willy uniósł sceptycznie brwi.

— Mówię szczerze. Poza tym chcę, żebyś pojechał ze mną do szczurzej nory. Muszę się dowiedzieć, kto tam przychodzi.

Willy wzruszył ramionami i zaciągnął się marlboro.
— W porządku.
Tyrell widział, że chłopiec usilnie stara się udawać, że nie obchodzi go, co się z nim dalej stanie; ale zobaczył także ulgę w jego oczach, gdy pojawiła się szansa, że może spędzić w cieple jeszcze jedną lub dwie noce.
— Chcesz śniadanie?
Willy skinął ochoczo głową.
— Więc zrób sobie coś. Ja muszę na chwilę wyjść.
Tyrell wziął swoją kawę. Wychodząc z kuchni, rzucił:
— I posprzątaj po sobie, dobra?
— Jasne. Mogę coś naszykować Kerrowi?
Tyrell spojrzał w sufit. Willy zachowywał się tak, jakby mógł usłyszeć odmowę. Czy on musi o wszystko pytać?
— Oczywiście, że możesz, nie bądź głuptasem — skarcił go. — Przecież nie myślisz, że ci odmówię, prawda?
Willy znów wzruszył ramionami. To był jego charakterystyczny gest twardziela.
— Zdziwiłbyś się — odparł.
Tyrell wyszedł, żeby nie stracić cierpliwości.
W głębi serca wiedział jednak, co go gryzie. Nie podobało mu się to, że ten chłopiec wrzucił go do worka razem ze wszystkimi innymi ludźmi, którzy go wykorzystali.

Nick czuł się dobrze. Nie wiedział, dlaczego dobrze się czuje i jak to możliwe, bo w ciągu ostatnich kilku dni wypił ogromną ilość wódki i wciągnął masę koki. Był na naturalnym haju, zerwał się z łóżka i ruszył na dół do kuchni, żeby poszukać czegoś do zjedzenia na śniadanie. Tammy też już była na nogach i to go zaskoczyło. Siedziała w kuchni, czytając „Daily Mail” i pijąc kawę. Nick otworzył lodówkę i zobaczył, że prawie nic w niej nie ma oprócz piwa i soku pomarańczowego.
— Nie ma nic do żarcia?
Był zirytowany. Sam naszykowałby sobie śniadanie, nie spodziewał się, że Tammy to zrobi, ale nawet nie było z czego.

Tammy pokręciła głową.

— Twoja mama zwykle robi zakupy w piątek, a już jej tutaj nie ma, choć może tego nie zauważyłeś.

Nick przełknął gniewną ripostę, która cisnęła mu się na usta, i nalał sobie livenera.

— Trochę wcześnie, co?

Nick wypił wódkę szybko i bez wysiłku. Z jakiegoś powodu zaniepokoiło to Tammy. To ona była w ich związku tą, która popełniała szaleństwa, nie Nick. On stanowił rozsądną połowę, a jeśli przestanie być rozsądny, wszystko może się zdarzyć. Rozejrzała się po kuchni. Było brudno, tak jak w całym domu. No cóż, ona nie będzie sprzątać, nie wiedziałaby, od czego zacząć. Nikt by nie pomyślał, że na początku ich małżeństwa szorowała podłogi, gotowała i robiła to z radością. Ale wtedy była szczęśliwa, bardzo szczęśliwa.

Tammy popatrzyła na męża i uświadomiła sobie, że wciąż się go boi. Odbiło mu, a ona nie od razu to zauważyła. Ostatnio zamienił się w jej męską wersję. W nocy zobaczyła, jak bardzo się od siebie oddalili. Takiego Nicka nawet nie lubiła.

Przedwczoraj było jej wystarczająco ciężko. Nagle nie chciała siedzieć w winiarni i słuchać czczej paplaniny koleżanek; nawet koka nie poprawiła jej nastroju. Wypiła tyle, że narkotyk przestał działać, a słuchanie tych głupich suk, rozpływających się w zachwytach nad nią, znudziło ją po dwóch godzinach. To zabawne, lecz najlepiej poczuła się wtedy, gdy Janine Aldridge ośmieliła się twierdzić, że Tammy zbyt często odbija i powinna wziąć się w karby, zanim będzie za późno.

Janine też musiała kiedyś wziąć się porządnie w karby i dokonała tego. W swoim czasie zajmowała pozycję Tammy, lecz ten czas się skończył. Jej mąż był graczem, a ona była żoną gracza. Został zamordowany w pewne piękne niedzielne popołudnie. Właśnie zamierzał odwieźć synów na trening piłkarski, lecz dwa strzały w głowę mu to uniemożliwiły.

Kiedy minął szok, Janine zmieniła się nie do poznania. Z królowej przeistoczyła się w królową matkę i odkryła, że jej się to podoba. Powiedziała, że gdy minęła presja, potrzeba nieustannego spychania na bok własnego życia, z wdziękiem usunęła się w cień, by wychowywać dzieci i żyć z podejrzanie zarobionych pieniędzy męża. Wczoraj wieczorem powiedziała Tammy, że sygnałem, iż w czymś się dało dupy, jest poczucie, że nie sprawia to już przyjemności — czy to miłość, czy to narkotyki, czy małżeństwo. Teraz Tammy wiedziała, co Janine miała na myśli.

Dała dupy we wszystkim i nic nie sprawiało jej już przyjemności. W tej chwili nawet nie pragnęła męża, choć wiedziała z doświadczenia, że to może się zmienić.

Obserwowała Nicka i uznała, że dzisiaj nie chce wiedzieć, co on myśli. Miała przeczucie, że tak będzie lepiej. Zwykle pragnęła, żeby Japończycy zbudowali komputer czytający w ludzkich umysłach. Teraz nawet gdyby był dostępny na wyprzedaży w sklepie Argos, nie chciałaby go. Janine otworzyła oczy Tammy na to, co się wokół niej dzieje. Nie spodobało jej się to, co zobaczyła, ale wiedziała, że tylko ona może to zmienić. Janine pokazała jej przyszłość i w tej chwili Tammy oceniała swoje położenie. Na razie nic nie zrobi. Postąpi tak jak zawsze, zda się na okoliczności i popłynie z falą. Miała jednak dziwne wrażenie, że okoliczności w życiu Nicka zmieniają się w szalonym tempie, a to, co miało wpływ na niego, miało też wpływ na nią.

Mogła tylko czekać i patrzeć, jak sytuacja rozwinie się dla nich obojga.

Nick wyszedł godzinę później, a Tammy wciąż siedziała w kuchni. Po raz kolejny oglądała *Golden Girls* i myślała, co zrobić z resztą dnia. Mogła skorzystać z zaproszenia na lunch złożonego przez Janine. To zabawne, lecz Tammy naprawdę ją lubiła. Czego nie mogła powiedzieć o większości koleżanek.

Sally spojrzała na zegarek i zacisnęła zęby. Chłopcy byli w swoich pokojach, z góry dobiegały typowe odgłosy sobotniego poranka: muzyka, śmiechy, co jakiś czas okrzyk radości. Sally już czuła zbliżający się ból głowy. Przed odejściem Tyrella nigdy nie uświadamiała sobie, jak dużo czasu im poświęcał. To znaczy, jak często zabierał chłopców z domu, a ona zostawała, by niestrudzenie oddawać się sprzątaniu.

Jeszcze raz zerknęła na zegarek. Minęła już jedenasta, Tyrell spóźniał się godzinę. Nie zadzwonił, nie dał żadnego znaku, a ona nie mogła się dodzwonić na jego komórkę. Telefon dzwonił, lecz nikt nie odbierał połączenia.

Zastanawiała się, czy to dlatego, że Tyrell jest z inną kobietą. Nie dawała jej spokoju myśl, że to może być Jude. Nienawidziła jej zajadle, tak samo jak nienawidziła Sonny'ego, choć dopiero teraz potrafiła się do tego przed sobą przyznać.

Znów wybrała numer komórki Tyrella, lecz połączenie zostało odrzucone po drugim dzwonku. Gniew Sally kipiał. Kiedy Tyrell w końcu się zjawi, będzie żałował do końca swoich dni. Grupa Black-Eyed Peas po raz kolejny wywrzaskiwała piosenkę *Shut Up*, a chłopcy śpiewali tekst na cały głos, śmiechem zagłuszając lęk przed matką. Sally już zaplanowała przyjemne popołudnie ze sprzątaniem, prasowaniem i oglądaniem *Coronation Street*. To była jej sobotnia uczta, gdyż żadna z jej koleżanek nawet nie wiedziała, że Sally ogląda ten serial.

Muzyka wciąż dudniła, a mężczyzna, którego Sally kochała, ciągle nie odbierał telefonu. Wreszcie zapomniała o swojej nieodłącznej godności i rezerwie, wybiegła do holu i wrzasnęła:

— Ściszcie tę pieprzoną muzykę!

Spostrzegła stojący na stoliku niebieski wazon z żółtymi różami, który Sonny kupił im kiedyś w prezencie na Gwiazdkę, chwyciła go i cisnęła nim z całej siły w drzwi kuchni. Słysząc brzęk pękającego szkła, prawie doznała katharsis.

Zza balustrady schodów wyjrzały dwie ładne buzie otoczone ciemnymi włosami. Sally zobaczyła szok na twarzach synów. Wlepiali w nią wzrok, jakby nigdy wcześniej nie widzieli matki.

Louis Clarke ze swoim bratem Terrym byli w drodze na spotkanie z Tyrellem, mieli wspólnie obejrzeć tę tak zwaną szczurzą norę. Najpierw chcieli wejść na drinka do pubu „Prospect of Whitby" przy Wapping Wall. Tyrell przedstawi im sytuację, a oni spróbują namówić go na spotkanie z Nickiem Learym. Billy uważał, że to może im wszystkim ułatwić życie. Chciał, żeby ustalono czas i miejsce, i pragnął mieć to z głowy; ta sprawa zaczynała mu działać na nerwy.

Wchodząc do pubu, Terry rozejrzał się z przyzwyczajenia. Przeżył tyle starć, że istniała szansa, iż wpadnie na kogoś, kogo zna, dlatego w każdym nowym lokalu musiał uważać na tyły. Nie zawiódł się. Rosły mężczyzna z rudą czupryną i swobodnym uśmiechem powiedział do niego:

— W porządku, Terry? Jak tam numerki?

— Rabuję banki, kolego, nie należę do kółka iluzjonistów! — warknął zirytowany Terry. — Odepchnął rudzielca i zdecydowanym krokiem ruszył do baru. Nie cierpiał nadmiernej poufałości, ten fagas zdecydowanie przeholował.

Terry nawet go w gruncie rzeczy nie znał, dlaczego miałby z nim gadać?

Bezczelność niektórych ludzi zawsze go zdumiewała.

Louis puścił do rudego oko.

— Nie zwracaj na niego uwagi, odbija mu dzisiaj.

Jednak tamten był z paroma kumplami i nie dał się tak łatwo udobruchać.

— Niech on lepiej uważa, bo pewnego dnia bracia nie zabezpieczą mu tyłów — rzucił donośnie.

Louis spojrzał na Terry'ego, który na szczęście zaglądał już w dekolt jakiejś brunetki i nie usłyszał. Podszedł do rudzielca.

— Szukasz śmierci, koleś? Coś mi się zdaje, że twoi kumple nie mają na nią ochoty, więc będziesz sam.

Mężczyzna rozejrzał się i zobaczył, że to prawda.

— A teraz dokończ drinka i odchrzań się od nas, co?

Louis westchnął. Miał przeczucie, że to był przedsmak całego dnia. Terry był gotów na wszystko, a kłopot z nim polegał na tym, że zwykle dostawał to, o co mu chodziło.

Jude była całkiem sama i nie czuła się z tym dobrze. Gino siedział zamknięty w domu matki i wiedziała, że go stamtąd nie wyciągnie. Żaden z chłopców też się ostatnio nie zjawił i Jude miała wrażenie, że w końcu nieodwołalnie jest zdana na siebie.

Nawet sąsiedzi ją ignorowali i była to pierwsza oznaka zmiany, bo przeważnie rozmawiali z nią choćby po to, by wybadać, co się stało poprzedniego dnia. A teraz Jude mogła liczyć tylko na siebie i miała tego świadomość. Siedząc na kanapie z papierosem w drżącej dłoni, dolała wódki do szklanki z sokiem pomarańczowym.

Mieszkanie wciąż było przewrócone do góry nogami po wczorajszej awanturze, lecz Jude tego nie zauważała. Metadon już zaczynał działać.

Wzięła do ręki komórkę Sonny'ego i patrzyła na nią przez kilka sekund. Następnie starannie wybrała numer, który dostała od Dużej Ellie.

Połączenie zostało odebrane po pierwszym dzwonku, co zaskoczyło Jude. Nie spodziewała się tego.

— Halo!

Słysząc znany głos, spociła się ze strachu.

— Kto to?

— To ja, mama Sonny'ego.

Powiedziała to mocnym głosem, który ją samą zdziwił. Jej ręce drżały, a nerwy zrujnowane heroiną trzymały się na ostatnich strzępach.

— Czego chcesz?

Głos był zimniejszy niż arktyczny wiatr. Jude przełknęła ślinę, po czym odparła:

— Forsy.

Połączenie zostało przerwane, Jude opadła na kanapę, przerażona tym, co zrobiła. Ale nie da za wygraną. Sonny powiedział jej wszystko, a to był pierwszy numer na długiej liście nazwisk mężczyzn, których zamierzała oskubać. Zaczęła od płotki i stopniowo będzie się posuwać w górę. To okazało się łatwiejsze, niż przypuszczała. Teraz, kiedy minął pierwszy strach, Jude była z siebie całkiem zadowolona.

Po kilku tygodniach zamartwiania prawie śmiała się z faktu,

że tak się lękała wysadzić w powietrze świat, który jej syn nie tylko poznał, ale także polubił. Mężczyźni, którzy cieszyli się nim wraz z Sonnym, byli Jude coś winni, a ona dopilnuje, żeby to do nich dotarło. Jeśli zacznie od drobnicy, może wspiąć się powoli po łańcuszku aż do wielkiego sejfu.

Taki właśnie był zamysł, kiedy Sonny poszedł okraść dom tego drania. Cóż, Proctor nie żyje, ale inni chodzą po tej ziemi i Jude wiedziała, że nadszedł czas, by wyłożyć na stół najsilniejszą kartę.

Mały Sonny zawsze o wszystkim jej mówił, a ona zapamiętywała informacje, by później móc je wykorzystać. Większość ludzi uznałaby, że postępowanie Sonny'ego było złe, lecz ona przejrzała go na długo przedtem, nim on poznał siebie. Jej punkt widzenia był taki, że jeśli Sonny może zamienić swoje małe hobby w sposób zarobkowania, to tym lepiej. Ona sprzedawała swoje ciało, a czasem, gdy było to konieczne, obciągała jednemu czy drugiemu, żeby trochę dorobić. Lecz Sonny'emu sprawiało to frajdę, a jej nie. Jak kiedyś powiedział, satysfakcja to połowa przyjemności z dobrze wykonanej pracy.

Jude nie pisnęła słówka Staremu Billowi, spodziewając się rekompensaty na długo przedtem, zanim musiała uciec się do tej gry.

Psy z przyjemnością usłyszałyby jej wersję historii, ale wolnego, myślała. Trzeba poczekać, aż wszystko trochę przyschnie. Życie jest za krótkie, a jej potrzeby zbyt naglące, żeby utrzymywać dłużej ten syf pod kloszem.

Głuche telefony powinny dać im wszystkim do zrozumienia, że ktoś się do nich dobiera. One same powinny przynieść Jude parę funtów, a tu gówno. Od żadnego, choć wszyscy ci goście byli solidnie nadziani. Do diabła z nimi, Jude sięgnie po forsę z ubezpieczenia swojego syna, i to skutecznie.

— Wyglądasz zajebiście strasznie, Tyrell.

Terry roześmiał się jowialnie.

— To się prawie rymuje, nie? Straszny Tyrell. Brzmi jak

imię rumuńskiego despoty. — Terry zrobił minę i udał, że podkręca wąsy. Tyrell się uśmiechnął. Kiedy Terry wpadał nagle w taki nastrój, potrafił być śmieszny. A Tyrell potrzebował śmiechu.

Ciemnowłosa babka z imponującym biustem wciąż stała przy barze, a Terry negocjował z nią następnego drinka. Tyrell i Louis wiedzieli, że teraz żadna siła nie wyciągnie go z pubu.

— Jeszcze jednego, skarbie?

Terry odwrócił się do barmanki i poprosił słodkim głosem:

— Wzmocnij ten port poczwórną brandy, co?

Kobieta roześmiała się dobrodusznie.

— Wystarczy port, dziękuję.

Terry podniósł wzrok na sufit. Tyrell i Louis wiedzieli, że to może potrwać. Terry potrafił godzinami przygadywać laskę, zabrać ją gdzieś, przelecieć, a kilka godzin później nie pamiętał nawet jej imienia. Dla Terry'ego najważniejszy był dreszczyk pogoni. Gonił za tą dziewczyną mocno i trzeba przyznać, że była tego warta. W innym życiu Tyrell sam by się nią zajął. Przyjemnie było patrzeć na Terry'ego w akcji, był z niego prawdziwy mistrz.

— Tyrell, słuchaj! Ta oto Leonie jest Kubusią Spruwaczką! Czemu mnie to nie dziwi?

Terry był podekscytowany, podobnie jak dziewczyna. Terry uważał, że jest o krok od seksualnego nieba. Striptizerka była kobietą z jego snów.

— Wypij jeszcze jednego drinka, skarbie. Mam wrażenie, że możemy spędzić kilka przyjemnych godzin, co wy na to?

Louis się roześmiał. Terry uganiający się za laską stanowił pierwszorzędny widok, a on uganiał się za nimi bez przerwy.

— Jesteśmy uziemieni, stary — rzekł do Tyrella. — On się stąd nie ruszy, dopóki jej nie wyrwie.

W pewnym sensie Tyrell się z tego cieszył. Musiał się podgrzać przed tym, co będzie się działo wieczorem. Miał przeczucie, że sprawy potoczą się jak po równi pochyłej. Lepiej, żeby pozostały pod osłoną ciemności. Willy twierdził, że w sobotnie wieczory w szczurzych norach panuje duży ruch.

Tyrell wysłał SMS-a do synów, wyjaśniając, że nie będzie mógł ich dzisiaj zabrać, a oni odpisali, że nie szkodzi. I tak nie mógł się dzisiaj z nimi zobaczyć. Trudno byłoby mu zachowywać się normalnie, ignorując to, co dzieje się w jego głowie. Miał przed sobą długie popołudnie, a ponieważ Terry prowadził, Tyrell mógł pozwolić sobie na wypicie paru drinków. Może skorzysta z pretekstu, by wyjść i zająć się inną sprawą, którą musiał załatwić.

Kiedy ją znów zobaczy, Jude przeżyje szok. W pewnym sensie bał się ją zobaczyć, bał się, że jego uczucia wezmą górę i całkowicie mu odbije. Nienawiść, którą teraz do niej czuł, zaciemniała wszystko dobre, co kiedykolwiek między nimi było. Podała syna na talerzu, Tyrell był o tym święcie przekonany. Wyrzuciła na śmietnik życie ich syna, by móc karmić swoje uzależnienie, a on jej na to pozwolił. Wycofał się i pozwolił jej, bo dzięki temu jego życie z Sally stało się łatwiejsze. Dwie kobiety, tak różne, a zarazem tak podobne. Dwie kobiety, które zawsze zdobywały to, czego pragnęły.

Ale to się już skończyło.

Wypije jeszcze parę drinków i zobaczy, jak się będzie czuł. Ten nowy styl życia był bardzo atrakcyjny. Tyrell bardzo łatwo mógł wpaść w rutynę gangstera. Wystarczy zajmować się swoimi interesami, a później rozkoszować owocami pracy. I zdaniem Tyrella nadszedł już na to czas.

Jude była w dobrym nastroju. Znalazła pod kanapą torebkę heroiny. Musiała zostać zrzucona przypadkowo ze stołu w czasie rozróby. Uznała to za dobry znak świadczący, że sytuacja się poprawia, że sprawy idą ku lepszemu. Taką przynajmniej miała nadzieję.

Miała smykałkę do obracania spraw na swoją korzyść. Umiejętność ta dobrze jej się przysłużyła. Kiedy znalazła się na dnie, zawsze zdołała wywalczyć sobie drogę na szczyt. A dla niej oznaczało to zdobycie towaru i zapomnienie o tym, co przez ten czas uczyniła innym.

Sonny uwielbiał, kiedy była na szczycie. Siedział i godzinami czesał jej włosy, mówiąc, jak bardzo ją kocha i lubi słuchać opowieści matki o czasach młodości i jej pierwszych miłostkach. To było bardzo przyjemne. Sonny był jedynym człowiekiem, który wciąż chciał rozmawiać z Jude i z nią przebywać. Wszyscy jej przyjaciele wkrótce zniknęli ze względu na jej nałóg. Pożyczała od nich pieniądze, wykorzystywała w każdy możliwy sposób i w końcu ich okradała. Nikt nie mógł tego długo znosić. Sonny natomiast bez słowa skargi dawał jej to, czego pragnęła. Nawet pieniądze, które dostawał na urodziny, nie były święte i nigdy o nich nie wspominał, jeśli je ukradła.

Teraz czuła smutek z powodu swojej straty. Nikt nie rozumiał, ile dla siebie wzajemnie robili. Już go nie ma i nie wróci, dlatego ci mężczyźni są jej coś winni.

Kiedy Sonny złapał swoją grubą rybę, była z niego nieprzyzwoicie dumna. Chłopiec tak naturalnie wrażliwy i dobry musiał mieć skłonności homoseksualne, to zrozumiałe. Więc Jude tylko lekko go pchnęła. W każdym razie tak sobie powtarzała raz po raz.

Jednak był taki przystojny, taki uroczy. Dlaczego miałby się sprzedawać tanio? Jude znała ulicę lepiej niż ktokolwiek inny, więc wskazała mu właściwy kierunek. A Sonny potrzebował, żeby nim ktoś pokierował.

Jude usprawiedliwiała przed sobą to, co zrobiła, i w głębi serca zdawała sobie z tego sprawę. Wierzchem dłoni otarła łzy z oczu, przypominając sobie, jak siedzieli razem i oglądali serial *EastEnders*, dyskutując o fabule i postaciach, jakby to byli prawdziwi ludzie, których znali. Było im ze sobą tak dobrze, czemu nikt tego nie dostrzegał oprócz niej? Sonny był szczęśliwy z mamą, szczęśliwy, że może coś dla niej robić. Jej życie zostało okaleczone po śmierci syna. Czemu nikt tego nie widzi? Dlaczego ludzie nie rozumieją, że więź łącząca ją z Sonnym była szczególnego rodzaju, wykraczała poza ramy zwykłych relacji między matką i synem?

Sonny zabiłby dla niej, tak bardzo ją kochał. Ile kobiet może to powiedzieć o swoich dzieciach?

Jude odwróciła się, słysząc, że ktoś wchodzi przez drzwi frontowe. Zostawiła je szeroko otwarte, na wypadek gdyby Gino zdołał wymknąć się oprawcom. Odwróciła się z szerokim uśmiechem i rzuciła wesoło:

— W samą porę!

Lecz uśmiech znikł momentalnie z jej twarzy, gdy zobaczyła przybysza. Serce stanęło jej w piersi ze strachu.

— Cześć, Jude, kopę lat.

Głos był dokładnie taki, jaki zapamiętała, lecz teraz mężczyzna, od którego przez tyle lat zdobywała narkotyki, wydawał się groźny.

Przypomniała sobie, ile razy brała od niego heroinę. Spodziewała się, że będzie zirytowany, lecz nawet w najczarniejszych snach nie wyobrażała sobie, że poczuje taki strach. Mierzył ją wzrokiem, jakby była kupą brudu, i marszczył nos, okazując skrajną odrazę dla niej i jej stylu życia.

W porównaniu z tą norą jego dom był jak sala operacyjna, nawet nie usiadłby tutaj z obawy, że pobrudzi sobie drogi garnitur.

Mimo to Jude wciąż myślała, że przyszedł ją jakoś zabezpieczyć, w pieniądze albo w heroinę.

Tylko że nie spodziewała się go tak szybko.

Żaden z pozostałych, do których dzwoniła, nie odpowiedział na jej telefon; może to znak na przyszłość. Jude, tak jak wszystkie ćpuny, żyła w świecie nadziei.

Lenny wpatrywał się w jej twarz, próbując ją nastraszyć. I czynił to skutecznie.

— Myślisz, że wykonasz parę telefonów i wszyscy przybiegną, tak? Przyszedłem ci powiedzieć, Jude, że się mylisz. — Spojrzała w jego oczy, zobaczyła nienawiść i odrazę. To kazało jej zapomnieć, z kim ma do czynienia. Skierowała na niego brudny palec, jej gniew był silniejszy od lęku.

— Jesteś mi coś, kurwa, winien, tyle co inni, albo i więcej. To ty wciągnąłeś mojego Sonny'ego w świat młodych chłopców. Miał dwanaście lat, kiedy pchnąłeś go na tę drogę, przedstawiając swoim tak zwanym kolegom. Chciałbyś, żeby ludzie się o tym dowiedzieli? Może i jesteś szanowanym dealerem, ale pedzie to inny gatunek i wszyscy to wiedzą. A ty, Lenny, jesteś pedziem.

Jude wypowiedziała te słowa z całą zjadliwością, na jaką mogła się zdobyć i trzeba przyznać, że trafiła w czuły punkt. Lenny Bagshots uważał siebie za człowieka zamożnego, wschodzącą gwiazdę półświatka i dobrą głowę rodziny. Jego aberracja, jak to nazywał, nie stanowiła powodu do zmartwienia. Dopóty, dopóki pozostawała tajemnicą, nie mogła zaszkodzić jego drugiemu życiu. Znał innych, podobnie myślących mężczyzn, którzy czuli dokładnie to samo. Jednak kłopot z Sonnym polegał na tym, że był jak strzelba wypuszczona z ręki i po jakimś czasie zbyt otwarcie zaczął radować się swoim stylem życia.

A teraz ta śmierdząca szmata próbuje orżnąć Lenny'ego.

Próbowali tego lepsi od niej. Jej syn był najlepszym przykładem; usiłował naciągnąć zbyt wielu ludzi, a Lenny wiedział w głębi serca, że to ona stała za tymi numerami. Ćpuny zawsze potrzebują forsy. Nawet gdyby któryś wygrał na loterii krajowej, wciąż uważałby, że nie ma dość. Ich spojrzenia zawsze kierowały się na działkę, na którą nie było ich stać, a nigdy nie na tę, którą właśnie wstrzykiwali sobie w żyłę.

Właśnie to doprowadziło jej syna do upadku, a gdyby Jude zasługiwała na miano matki, wstydziłaby się tego, co mu uczyniła. Podała tego chłopca Lenny'emu tak szybko, jak on dostarczał jej heroinę. W gruncie rzeczy kupił go od niej, od kobiety, która nie wiedziała, co to jest miłość macierzyńska.

Lenny zbliżył się do niej błyskawicznie; Jude się cofnęła. Roześmiał się i rzucił z sarkazmem:

— Przestraszyłem cię, co, Jude?

Skinęła głową; jej oczy były powiększone do granic możliwości i przez ułamek sekundy Lenny zobaczył dziewczynkę, którą kiedyś była, dawno temu, kiedy heroina majaczyła dopiero w jej przyszłości.

— To dobrze, że się boisz. Posłuchaj, co ci powiem, okay?

Jude skinęła głową, uspokajając się nieco.

Jednak Lenny rzucił się na nią w tej samej chwili i poczuła siłę jego gniewu. Padając pod uderzeniami, słyszała słowa wypowiadane cichym, kontrolowanym głosem:

— Myślisz, że możesz mnie nastraszyć, co? Myślisz, że masz do czynienia z jakimś frajerem, tak, Jude?

Trzymał ją za włosy i rzucał słowa prosto w jej twarz. Jude zwisała bezwładnie jak lalka.

— Śmierć Sonny'ego niczego cię nie nauczyła?

Jude spoglądała mu w oczy.

— Wystawiono go! — wydyszała z cichą nienawiścią.

Lenny znów się roześmiał, rzucając ją na ziemię. Dał jej wycisk, na który zasłużyła, i Jude zdawała sobie z tego sprawę. Wreszcie się zmęczył.

— Wszyscy wiemy, kto go wystawił, nie? — zapytał. — Pchnęłaś go do tego wszystkiego i dobrze o tym wiedziałaś. Kazałaś mu prosić o forsę ludzi, których nie widział od lat. Jak zawsze chodziło o ciebie, prawda? O ciebie i o ten szajs, który wpompowujesz sobie w żyły.

Jude leżała na podłodze jak zwinięta ścierka, lecz w jej oczach wciąż nie było widać łez ani prawdziwego strachu.

— Jesteś śmieciem, Jude, niczym więcej, a twój synalek był dokładnie tym samym. Może miałby szansę, gdybyś nie wisiała na nim jak pijawka. Może skończyłby inaczej, kto wie. Ale jest tak, że on nie żyje, a jeśli nie będziesz uważać, możesz dołączyć do niego szybciej, niż się spodziewasz.

Jude pozbierała się z podłogi i mimo gniewu Lenny podziwiał ją, że przyjęła jego razy bez słowa skargi.

— Jesteś mi coś winny, Lenny, nieważne, co myślisz. Jesteś mi winny, i to dużo.

Lenny podszedł do niej i złapał ją za brodę.

— Nic nie jestem ci winny, moja droga pani.

Uśmiechnął się, widząc jej przerażenie.

— Tak jak w piosence: „Nic a nic".

Pchnął ją. Jude przeleciała przez szerokość pokoju i wylądowała na kanapie. Lenny Bagshots podszedł do niej i rzucił na jej trzęsące się ciało torebkę heroiny.

— To jest twoja rekompensata. Cała. Nie miałem nic wspólnego z tym, co się stało z twoim synem, ale znam kogoś, kto miał.

Na odchodnym kopnął Jude w żebra.

— A tak przy okazji, Jude, na przyszłość zamykaj drzwi, bo nigdy nie wiadomo, kto przyjdzie złożyć ci wizytę.

To była groźba i Jude ją zrozumiała, lecz po wyjściu Lenny'ego mogła się odprężyć. On był pierwszy na jej liście. Teraz stopniowo zacznie się wspinać ku górze. Dostanie to, czego chce, bez względu na to, co oni sobie myślą.

Uśmiechając się, podniosła torebkę heroiny. Dawno nie była taka zadowolona. Wstała z podłogi i nalała sobie drinka.

Uczci to dużą dawką dożylnego szczęścia.

Rozdział 24

— Niezła, co? Duże porządne cycki w starym stylu.

Tyrell i Louis roześmiali się, słysząc sprośną odzywkę Terry'ego. On naprawdę umiał być zabawny, kiedy chciał. W innym życiu, inaczej wychowany, mógłby trafić na scenę i zostać komikiem. Lecz Terry miał cechę nieznaną innym komikom estradowym: był zdolny zabić widza, jeśli ten jego zdaniem nie śmiał się wystarczająco głośno lub inaczej zdradzał, że nie podoba mu się występ. Nie byłoby obijania się, kiedy Terry jest na scenie. A jego błyskawicznie zmieniający się nastrój nie pozwoliłby mu utrzymać się w żadnej normalnej pracy.

Billy mawiał, że Terry powinien był urodzić się w Ameryce i pracować na tamtejszej poczcie. Po jakimś czasie powystrzelałby ze sztucera wszystkich kolegów z pracy. Wszyscy się śmiali, ilekroć to mówił, zwłaszcza Terry, który uznawał te słowa za komplement.

Minęła już dziesiąta i w końcu postanowili wybrać się po Willy'ego. Terry był tak bezczelny, że zabrał laskę na zewnątrz i przyszpilił ją w samochodzie, jak to ładnie ujął. Leonie, która liczyła na podryw, uważała, że rozbiła bank; przez kilka miesięcy będzie się znajdować na liście Terry'ego. Dostał od niej numer telefonu. Uważała, że jest dziewczyną w sam raz dla niego. Dopiero po jakimś czasie zacznie się bać jego nieobliczalności i zazdrości. Co pięć minut Terry będzie ją wypytywał, gdzie była i z kim rozmawiała. Z początku będzie się cieszyć z ciągłej uwagi, jego małostkowa zazdrość będzie jej sprawiać przyjemność. Dopiero później zrozumie, jaki Terry jest zaborczy. Potem pójdzie w ślady innych, spróbuje przestać się z nim spotykać, spierać się z nim, przytaczając różne argumenty.

Lecz do takich jak Terry Clarke argumenty nie trafiają. Należała do niego, dopóki mu się nie znudzi. Jeśli znajdzie sobie innego mężczyznę, Terry przyjdzie i go nastraszy, przywali mu, postara się, żeby tamten zrozumiał, co jest grane. Będzie widywał się, z kim zechce i kiedy zechce, a ona będzie musiała czekać cierpliwie, aż on przyjdzie. Z przyjemnością będzie terroryzował ją i każdego nowego mężczyznę, który odważy się wkroczyć w jej życie. Potem pewnego dnia inna kobieta przykuje jego uwagę i Leonie pójdzie w zapomnienie z dnia na dzień. Dopiero wtedy łaskawie odejdzie z jej życia.

Teraz jednak Terry był zadowolony i gotowy do nocnej pracy. Tyrell denerwował się, że Willy znajdzie się z nimi w samochodzie. Terry zmieniał się jak pogoda, śmiał się jak szalony, by w następnej sekundzie wpaść w skrajną depresję. Nikt, kto nie potrafił zatroszczyć się o swoje tyły, nie mógł iść z nim na robotę. Dotyczyło to także jego braci.

Jednak zdawało się, że polubił chłopca. Kiedy Willy wsiadał do samochodu, Terry uśmiechnął się do niego przyjaźnie i rzucił:

— Jak leci, stary?

Powiedział to w sposób, który sprawił, że Willy się uśmiechnął. Biedny Willy Lomax polubił Terry'ego tak jak większość ludzi, którzy go poznawali. Tyrell modlił się żarliwie, żeby tej nocy nie stało się nic, co zmieni tę sytuację.

Chłopiec znał tylko położenie, a nie adres, więc jechali do Plaistow. Willy, cwaniak na swój sposób, kierował ich najlepiej jak umiał. Wreszcie o wpół do dwunastej znaleźli się przed wieżowcem mieszkalnym i zaparkowali samochód.

Terry odwrócił się na fotelu i spojrzał na Willy'ego.

— Myślisz, że to tutaj, tak?

Chłopiec skinął głową.

— Wygląda tak samo.

— On idzie z nami dla pewności?

Louis spojrzał na Tyrella, a ten skinął głową.

— Ale kiedy tam wejdziemy, wracasz do auta, dobrze?

Willy ochoczo skinął głową.

— To jeden z klientów, widzicie? — Willy wskazał ręką. — Rozpoznaję ich na kilometr.

Wszyscy spojrzeli w tamtą stronę i zobaczyli wysokiego łysego mężczyznę wysiadającego z lexusa. W tej okolicy taki samochód wydawał się nie na miejscu. Mężczyzna zamknął drzwiczki, rozejrzał się ukradkiem i ruszył w stronę wejścia. Był dobrze ubrany, wyglądał na cwaniaka i kombinatora. Auto i ciuchy na to wskazywały.

— Co? — zdziwił się głośno Terry. — Chcesz mi powiedzieć, że ten gość posuwa dzieciaki?

Louis i Tyrell zamknęli oczy, wiedząc, że zaraz mu odbije. Terry był zaszokowany i zdegustowany. Ale jego mięśnie na pewno przydadzą się tego wieczoru.

Willy się roześmiał.

— Zdziwiłbyś się, kim są ci ludzie, kolego.

Terry spojrzał na chłopca z zaciekawieniem.

— Poważnie, oni tak wyglądają?

Willy powstrzymał się, by nie powiedzieć: I tak jak ty, Tyrell i wszyscy inni, z którymi pijesz drinki w pubie. Odgadł trafnie, że nie jest to właściwy moment na dawanie temu twardzielowi wykładu o ciemniejszej stronie życia, dlatego tylko skinął głową.

— Wyglądają jak tajniacy przebrani za prawdziwych ludzi?

Willy parsknął śmiechem, a Terry zaśmiał się razem z nim.

— Wyglądają jak normalni ludzie, bo właśnie dzięki temu tak długo wszystkim uchodzi to na sucho. Ale niektórzy z chłopaków na górze mają powyżej szesnastu lat, tylko wyglądają młodziej, więc to nie jest łamanie prawa.

Terry przez kilka sekund przyswajał tę informację. Nagle jego nastrój znów się zmienił. Raptem ogarnęła go wściekłość.

— Nie wiem, co jest gorsze. Trzeba być, kurwa, chorym na głowę! Idziemy na górę zrobić porządek z tymi pedałami czy jak?

Terry był w tej chwili naprawdę wkurzony. Zobaczył to na własne oczy. Aż do tej pory nie wierzył, że to możliwe. Nigdy nie wierzył, że normalnie wyglądający ludzie, tacy jak on, mogą być homoseksualistami.

Być może pił kiedyś piwo w pubie z tym gościem.

Wpuściłby go do domu.

Myślał, że oni wszyscy wyglądają jak... jak pedały. Staruchy w podartych jesionkach, z brudnymi paluchami i tłustymi włosami.

A ten typek wyglądał jak jeden z jego kumpli!

Terry'emu nie przyszło do głowy, że jego apetyt seksualny trzymał w pubie całą trójkę przez większą część wieczoru, bo jego apetyt był normalny. Lubił kociaki. Który facet ich nie lubi? Uważał, iż to, że bez przerwy ugania się za babkami, czyni go bardziej męskim. Jego zdaniem w tym wszystkim chodziło o granice.

O jego granice, rzecz jasna.

Według niego każdy, kto lubi młodych chłopców, musi być zboczonym świrem i jako taki powinien zostać usunięty z gry i rozrzucony po całej powierzchni ziemi, najlepiej w łatwych do zakopania kawałeczkach. Nie należało wsadzać ich za kratki, pedałów trzeba było usunąć z planety. Zrzucić na nich atomówkę i zlikwidować ich tak jak każdego raka, a jeśli wrócą, to potraktować skurwieli bombą jeszcze raz.

— No dobra. Ruszmy się i chodźmy na górę.

Terry był już gotów, zbulwersowany, a jednocześnie dziwnie smutny. Polubił tego małego jasnowłosego chłopaka, który siedział w samochodzie. Dlaczego ktoś miałby chcieć zadawać mu ból? To był mały koleś, miły koleś, którego kilka razy podle potraktowano. Gdyby Terry zobaczył go żebrzącego, dałby mu parę funciaków, taki był. Pieprzyć starych włóczęgów z puszkami po piwie, mogą sobie znaleźć zasraną robotę. Lecz dzieciaki zawsze coś od niego dostawały, w końcu są przecież dzieciakami.

Wysiadł szybko z samochodu i wyciągnął z bagażnika potężny młot z krótką rączką. Terry często posługiwał się tym narzędziem i zawsze okazywało się skuteczne. Louis i Tyrell wysiedli razem z nim; Willy został w aucie, obserwując ich i słuchając.

— Uspokój się, dobrze?

Terry odepchnął brata.

— Jestem spokojny. Tak spokojny, jak to możliwe mimo tego wszystkiego, co się dzieje dokoła.

Był mocno wkurzony i obaj towarzyszący mu mężczyźni wiedzieli, że nie jest to dobry znak. Terry mógł eksplodować z najdrobniejszego powodu.

— Co zamierzasz z tym zrobić? — spytał Louis, wskazując narzędzie w rękach brata.

Terry westchnął ciężko i odparł z nieukrywanym sarkazmem:

— Chciałem sforsować drzwi frontowe. A wy jak to sobie wyobrażaliście? Chcieliście zawołać: „Proszę nas wpuścić, jesteśmy bandą pedałów, przyszliśmy się zabawić, dawajcie tych małych chłoptasiów"?

Tyrell musiał przyznać mu rację.

Jednak Terry zaśmiał się i dodał:

— To, koledzy, nazywa się element zaskoczenia. — Zważył broń w dłoniach, demonstrując, co ma na myśli. — Przyda się do rozwalenia drzwi wejściowych, a później kilku łbów, jeśli zajdzie taka potrzeba.

Spojrzał na Tyrella.

— Chcesz się dowiedzieć, kto rządzi tym burdelem, tak?

Tyrell skinął głową.

— To daje gwarancję, że się dowiemy. Ci dranie nie usiądą przy herbatce i ciasteczkach, kumasz, o co mi chodzi?

Willy wychylił się z okna samochodu.

— On ma rację. Na waszym miejscu bym go posłuchał.

Terry uśmiechnął się do niego szeroko.

— Chodź, synu, zacznijmy wreszcie ten pieprzony występ.

Willy ruszył za nimi wesoło. Czuł się bezpieczny obok olbrzyma z młotem; już wykombinował, że Terry jako jedyny ma pojęcie, z czym będą mieli do czynienia.

Jude wstrzyknęła sobie porządną dawkę i ułożyła się na kanapie, słuchając muzyki. W tle przygrywał Genesis. *Trick of the Tail* to był kawałek ze szczęśliwszych dla niej czasów. Zanim heroina całkowicie zawładnęła jej życiem. Jej oczy się szkliły, a ciało rozluźniało niemal jak w śpiączce.

Niedługo odpłynie.

Najbardziej lubiła odpływać. Pragnęła tego bardziej niż czegokolwiek lub kogokolwiek na świecie. Muzyka przeniknęła do jej ciała, gdy heroina wtargnęła do krwiobiegu. Jude zamknęła oczy i syciła się kolorami. Pulsujące zielenie i róże, które zmieniały się w kremowe biele i elektryczne błękity. Właśnie o to w tym wszystkim chodziło, to był jej wymarzony stan.

Gdy zaczęła odpływać, ujrzała Sonny'ego, który biegł do niej z szeroko rozłożonymi ramionami. Uśmiechnęła się. Uśmiechnięta, próbowała unieść ręce, żeby go objąć. Były jednak ciężkie jak ołów i Jude wiedziała, że upłynie sporo czasu, nim zdoła się poruszyć, nim będzie chciała się poruszyć.

Odpłynęła i leżała tak z zamkniętymi oczami i całkowicie rozluźnionym ciałem. Nie ruszyłaby się nawet wtedy, gdyby oddział antyterrorystyczny postanowił urządzić sobie przyjęcie w jej dużym pokoju.

Tammy dawno nie była taka pijana i po raz pierwszy od lat nie wyszła nigdzie w sobotni wieczór. W domu wciąż nie było nic do jedzenia, brakowało też męża, z którym mogłaby porozmawiać. Co nie znaczy, że paliła się do dyskusji z Nickiem. Ale gdy wypłoszył z domu matkę, mogła gadać tylko z nim.

Plan spotkania się z Janine na lunchu umarł śmiercią naturalną, kiedy Tammy w porze lunchu wzięła do ręki butelkę. Z jednego drinka zrobiła się cała flaszka, a teraz Tammy była już pijana prawie do nieprzytomności. Była też gotowa do awantury, a jeśli się nie uda jej wywołać, to zrekompensuje to sobie jakimś podłym psikusem.

Roześmiała się do swoich myśli.

Wtaczając się do pokojów teściowej, postanowiła zajrzeć do lodowki i sprawdzić, czy Angela nie zostawiła tam przypadkiem czegoś jadalnego. Nie zawiodła się. Znalazła kilka bułek z kiełbaską i jaj po szkocku. Angela lubiła coś przekąsić podczas oglądania telewizji; w lodówce było też sporo czekolady.

Tammy chciwie wsunęła bułkę do ust. Jutro pożałuje, że je zjadła, lecz teraz bułki wydawały się manną z nieba. Piła na pusty żołądek i teraz czuła głód.

Usiadła na podłodze, nie przejmując się, że rozsiewa wokół siebie okruchy i nie myśląc o tym, że jest za bardzo pijana, by później wstać. Beknęła głośno i rozejrzała się po pokoju. Wszędzie stały zdjęcia Nicka i chłopców. Zauważyła, że jej nie ma na żadnym, podobnie jak biednej Hester z rodziną.

— Nick, złoty chłopiec.

Usłyszała echo swojego głosu odbijające się od ścian pokoju. Nie wiedzieć czemu, rozśmieszyło ją to. Wstając, oparła się o toaletkę, żeby zachować równowagę. Zobaczyła, że sejf Angeli był otwierany, więc podeszła do niego.

Odsunęła dywan, który nie został równo ułożony, i z łatwością otworzyła sejf. Wszystkie sejfy w domu miały ten sam kod. Mimo swojej tak zwanej klasy w niektórych sprawach Nick był sknerusem.

Tammy pomyślała ze zmartwieniem, że jeśli teściowa uprzątnęła sejf, to już nie wróci. A ona pragnęła jej powrotu, i to jak najszybszego. Wzięła do ręki zdjęcia leżące w stalowej skrzynce. Na widok twarzy Gary'ego Proctora zastanowiła się, co u licha robi jego zdjęcie w sejfie teściowej. Kiedy spojrzała dokładniej, doznała szoku.

Przyglądała się długo każdej fotografii, oglądała każdy szczegół i nie mogła uwierzyć w to, co widzi. Potem wszystko, co zjadła, zwymiotowała na drogi dywan. Wciąż wymiotowała, nawet kiedy miała już pusty żołądek.

I tak zastała ją Angela.

Terry i jego towarzysze patrzyli, jak Willy idzie do windy. Kiedy zniknął im z pola widzenia, skinęli sobie głowami na znak, że czas rozpocząć zabawę.

Drzwi wejściowe były zrobione z drewna i szkła, lecz było to wzmocnione szkło. Powstrzymałyby przeciętnego włamywacza, ale nie potężnego mężczyznę z młotem. Terry zamachnął się z całej siły i rąbnął w zamek. Drzwi pękły na zawiasach i cała trójka wtargnęła do środka, delikatnie zamykając je za sobą. Stąd nikt nie zadzwoni po Starego Billa.

W mieszkaniu rozpętał się obłęd. Terry patrzył z niedowierzaniem, jak porozbierani nastoletni chłopcy i dziewczęta wybiegają z pokoi do holu. Ich wychudzone ciała błyskały w mdłym blasku gołych żarówek.

Lecz najbardziej uderzał fetor. Był to kwaśny odór starych wykładzin i koszy na śmieci. Nic dziwnego, że takie miejsca nazywa się szczurzymi norami.

Z jednego z pokoi, wciągając spodnie, wychynął postawny mężczyzna, który przyjechał lexusem. Na widok trzech facetów zareagował prawie z ulgą. Najbardziej bał się tego, że to może być policja. Pomyślał, że zdoła się wykaraskać z trudnej sytuacji za pomocą słów lub forsy.

Terry złapał go za gardło i jego ciałem rozwalił drzwi dużego pokoju. W środku zagraconego pomieszczenia siedzieli trzej mężczyźni w sportowych ubraniach, dobrze po pięćdziesiątce. Tyrell i Louis domyślili się, że niedawno przyszli i czekają na następnego chłopca, który będzie wolny.

— Kto rządzi tą meliną? — zapytał spokojnym głosem Terry. Jednak właściciel lexusa nie odpowiedział, był za bardzo przestraszony. Terry ponownie trzasnął jego głową o framugę, która pękła. Rozejrzał się i zawołał:

— Jeśli za chwilę nie usłyszę odpowiedzi, wszyscy wylecicie przez pieprzony balkon, jeden po drugim! A więc... kto rządzi tą zasraną meliną?

Drzwi balkonowe były otwarte, Tyrell widział stojących tam kilku chłopców. Domyślił się, że umierają z zimna. Łysy dryblas skinął głową na jednego z mężczyzn siedzących na kanapie.

— To on tu rządzi! Gordon Winters.

Mężczyzna próbował wstać, lecz Louis i Tyrell dopadli go w jednej chwili.

— No widzisz, masz trochę rozumu we łbie — warknął Terry. Odepchnął mężczyznę i wyprostował się. Jego głos brzmiał teraz niemal łagodnie.

— Niech żaden z was nie próbuje stąd prysnąć, jasne?

Rozejrzał się po twarzach chłopców i zaszokowanych mężczyzn.

— Jestem trochę napakowany, a jak będę musiał któregoś z was szukać...

Nie dokończył zdania, tylko skinął na Tyrella i Louisa.

— Dawajcie go tutaj.

Terry chwycił Wintersa i bezceremonialnie wywlókł go na balkon. Mężczyzna był przerażony i myśląc, że za chwilę zginie, stawiał zażarty opór. Dwaj młodzi chłopcy, którzy się tam kryli, przykucnęli na posadzce.

— Właźcie do środka, zasrańcy.

Chłopcy wbiegli do mieszkania, zastanawiając się, co spadło na nich tego wieczoru.

— Spuśćmy go trochę z balkonu. Zobaczymy, czy pamięta tyle, żebyśmy mogli ruszyć w swoją drogę.

Terry świetnie się bawił, to było widać. Szczególnie dobrze widział to Gordon Winters, próbujący wyrwać się z rąk oprawców.

W trójkę bez trudu przytrzymali go za balustradą. Winters przestał się szarpać i zaczął błagać o darowanie życia.

— Powiem wam wszystko! Ale nie róbcie tego, proszę... Ja tu tylko pracuję, to moja praca...

Terry się zaśmiał.

— Ty to nazywasz pracą? Jaja sobie, kurwa, robisz?

Potrząsnął Wintersem, wzbudzając w nim jeszcze większe przerażenie. Do ziemi było bardzo daleko.

— Zamknij mordę, pieprzony pedale, moi koledzy chcą z tobą pogadać. — Spojrzał na Tyrella i Louisa i zawołał: — Pytajcie, chłopcy! Tylko spieszcie się, bo ręce mi drętwieją, a nie chcemy przecież upuścić Gordona na chodnik, prawda?

Mężczyzna przestał skomleć. Załamał się, wszyscy to widzieli.

Tyrell zauważył, że jeden z mężczyzn siedzących w mieszkaniu wyciąga komórkę. Szturchnął Louisa w bok, wszedł do środka i zarekwirował tamtemu telefon.

— Spróbujcie jeszcze raz takiej sztuczki i czeka was to samo co jego. — Rozejrzał się groźnie. — Jak zobaczę, że któremuś drga choćby jeden mięsień, będzie tego żałował do końca swoich dni.

Nikt się nie poruszył.

— Za drzwiami czeka jeszcze paru moich kolegów i wierzcie mi, nie chcielibyście się z nimi spotkać.

Podziałało.

Tyrell wrócił na balkon. Zimne powietrze przynosiło ulgę po zaduchu panującym w melinie. Terry wciągnął Wintersa na balkon i upuścił na posadzkę. Zęby biedaka szczękały z zimna i strachu.

— Nie wkurwiaj mnie, Gordon, bo znów się tam znajdziesz i tym razem cię nie wciągniemy, jasne?

Mężczyzna skinął szybko głową; jego oczy były wytrzeszczone z przerażenia. Tyrell zaczął go wypytywać i w pierwszej chwili Winters był uszczęśliwiony, mogąc odpowiadać na zadane pytania.

Lenny Bagshots po cichu wśliznął się do mieszkania Jude. Zobaczył, że kobieta leży na boku na kanapie i podkradł się do niej od tyłu.

Z Jude nigdy nie wiadomo, mogła udawać, że śpi. Jednak Lenny widział, że Jude nie wie, co się wokół niej dzieje. Zdawał sobie sprawę, że dzięki heroinie, którą jej zostawił, nigdy więcej nie będzie niczego wiedziała. Tym razem wyjątkowo wstrzyknęła sobie czystą heroinę, a on był pewny, że jej organizm tego nie przetrzyma.

Gdyby dostawał funta za każdym razem, gdy w lokalnych wiadomościach ukazywały się ostrzeżenia dla ćpunów o pojawieniu się czystej heroiny, byłby milionerem. Nowi dealerzy często mylili się przy chrzczeniu towaru i w ten sposób nieświadomie skazywali wielu klientów na śmierć.

Większość ćpunów dostawała szajs. Lenny rozcieńczał towar wszystkim, od chininy do strychniny. Jeśli dostawali to, o czym marzyli, zabijało ich.

Uśmiechnął się, spoglądając na martwe ciało. Biedna stara Jude, wreszcie dostała to, o czym marzyła. Dotknął jej twarzy. Skóra wciąż była ciepła, lecz szybko się ochładzała. Wyglądała na spokojną, pewnie pierwszy raz w życiu. Lenny był rad, że okazała się pazerna, dzięki temu nie musi jej dobijać. Chciał, żeby uznano Jude za jeszcze jedną ofiarę przedawkowania.

Wszedł do sypialni i zaczął wszystko przeszukiwać. Wiedział, czego szuka, i był zdeterminowany, by to znaleźć. Chciał mieć wszystko, co mogłoby wskazać policji, że utrzymywał z tą rodziną bliskie kontakty i starannie to ukrywał.

Rozejrzał się po brudzie, który wypełniał życie Jude. Chaos, w którym żyła, zdumiewał go. Lenny był dealerem, lecz dla niego był to tylko szczebel drabiny. Nie dbał nawet o to, że skasował jedną ze swoich najlepszych klientek, bo w okolicy było ćpunów pod dostatkiem.

Między innymi Gino.

Wyszedł z mieszkania po kwadransie, lecz teraz niósł na ramieniu torbę z dwoma telefonami komórkowymi, Jude i Sonny'ego, a także parę skórzanych rękawiczek, których użył, żeby nie zostawić śladów. Ostrożnie zamknął za sobą drzwi. Nie mógł ich zamknąć na klucz, ale i tak przez jakiś czas nikt tam nie wejdzie.

Pogwizdując, ruszył w stronę domu. Jego dziewczyna chciała obejrzeć *To właśnie miłość*. Zdobyli piracką kopię, a Lenny słyszał, że to dobry film.

Wyrzucił Jude ze swoich myśli.

Nie ma się czym przejmować, doszedł później do wniosku.

Angela długo siedziała z Tammy na podłodze sypialni. Wróciła, bo nie wiedziała, co dalej robić. Gdyby została u Hester, wygadałaby się, a ona mimo wszystko wciąż chciała chronić syna.

Wiedziała jednak, że nie może go dłużej chronić przed Tammy. Jego żona miała prawo wiedzieć, co się dzieje.

Tuląc mocno do piersi zdruzgotaną synową, Angela szeptała jej do ucha kojące słowa.

— Chodźmy do kuchni, skarbie, tam się tobą zajmiemy, dobrze?

Tammy wstała niepewnie. Szły, wzajemnie się o siebie opierając. Tammy drżała, szlochając głośno i nie próbując powstrzymać płaczu.

Angela zaprowadziła ją powoli do kuchni. Kiedy przechodziły przez hol, rozejrzała się. Dom, który kiedyś kochała, który wybrała na swoje więzienie, teraz napawał ją lękiem i niepewnością.

Posadziła Tammy na skórzanym fotelu koło ogromnego kominka. Tammy zwinęła się na nim i niczym dziecko przycisnęła do brzucha obszywaną poduszkę. Angela nastawiła wodę, żeby zrobić herbatę, którą mogła pić bez końca. Nie wiedziała, co innego zrobić.

— To dlatego odeszłaś, tak?

Tammy wyprostowała się na fotelu i rzuciła zdjęcia na stół.

Angela ledwo skinęła głową. Nie mogła patrzeć na biedaczkę, której życie właśnie legło w gruzach.

— Gdzie je znalazłaś?

Angela prychnęła pogardliwie.

— Zostawił je w jednej z kurtek. Znalazłam je w piwnicy... wiesz, jak wygląda jego gruba, brązowa skórzana marynarka? Ta, której do włamania w zasadzie z siebie nie zdejmował?

Angela zalała wrzątkiem saszetki herbaty.

— Chciałam ją odwiesić, to wszystko. — Oczywiście, jak zwykle przetrząsała rzeczy Nicka. — Były w wewnętrznej kieszeni...

Odwróciła się do Tammy.

— Wypadły, wcale nie węszyłam.

To było dla niej ważne, żeby Tammy zrozumiała, iż znalazła zdjęcia przypadkowo. Dla nich to był koniec drogi, tyle wiedziała na pewno.

— Właśnie przez to nigdy nie miał dla mnie czasu, prawda?

Angela milczała, nie wiedząc, co powiedzieć.

— Wiedziałaś o tym?

Angela popatrzyła na nią. W tej chwili Tammy znów była dziewczynką, taką jak ona sama przed laty.

Zastanawiała się, czy Tammy walczyłaby o synów tak, jak ona walczyła o Nicka. Spoglądając jej w oczy i przypominając sobie zdjęcia, podjęła decyzję i wbrew wszystkiemu miała nadzieję, że nie będzie jej kiedyś żałować.

— To nie jest jego wina, Tammy, naprawdę.

Tammy mocno pociągnęła nosem, ocierając go wierzchem dłoni niczym dziecko płaczące bez powodu. Ten prosty gest sprawił, że Angela cofnęła się w czasie i zobaczyła widok, który bardzo dawno temu wyparła ze świadomości.

— Co to znaczy nie jego wina? Moja na pewno nie. Na tych zdjęciach są dzieci, mali chłopcy...

Tammy podniosła głos, dało się w nim słyszeć głęboką pogardę, która była jak cios pięścią dla starej kobiety próbującej znaleźć słowa odpowiednie do wyjaśnienia skłonności seksualnych syna.

Nagle pomyślała o swoich dzieciach i zapytała szeptem:

— A co z moimi chłopcami? Czy on się do nich zbliżał?

Macierzyńska troska, która tak długo była jej obca, nagle napłynęła wielką falą. Ze strachu prawie uniosła się z fotela.

Angela pchnęła ją niemal szorstko.

— Spokojnie, nie daj się ponieść wyobraźni.

Tammy patrzyła poważnie na twarz teściowej i nagle wszystko jej się ułożyło.

— To dlatego z nami mieszkałaś, prawda? Chroniłaś jego, a jednocześnie nas.

Angela podeszła do blatu i nalała dwie duże porcje brandy. Wsunęła szklankę w dłoń synowej, usiadła ciężko i zaczęła:

— Nickowi odbijało już w dzieciństwie. Miał jedenaście lat, kiedy sąsiadka oskarżyła go po raz pierwszy. Rzecz jasna nie uwierzyłam jej. Mój rosły przystojny Nick miałby robić coś takiego jej małemu synowi? A to był naprawdę mały chłopiec, miał najwyżej siedem lat. Zrzuciłam to na karb chłopięcych wybryków, rozumiesz?

Pociągnęła długi łyk trunku.

— Co on zrobił?

Angela pokręciła głową.

— Naprawdę wolałabyś tego nie słyszeć. Ale powinnaś wiedzieć, co zrobił mój mąż i jego koledzy.

Szybko dopiła brandy, otarła oczy chusteczką i mówiła dalej:

— Nie mogłam temu zapobiec. W tych czasach ojciec Nicka ciągle pił, nienawidził nas wszystkich, właśnie dlatego rzadko widuję się z córką. Ona mi wybaczyła, ale ja nie mogłam wybaczyć sobie.

Angela odetchnęła głęboko.

— To były dzieci, moje dzieci, a ja nie mogłam im pomóc.

Wspomnienia tłumione przez tyle lat stanęły jej przed oczyma, historia, którą napisała od nowa i w którą prawie uwierzyła, kruszyła się w obecności synowej.

Dolała sobie brandy, a potem rzekła do osłupiałej Tammy:

— Byli wobec niego okrutni, strasznie się nad nim znęcali, a kiedy próbowałam interweniować, zwracali się przeciwko mnie. Teraz wiele się mówi o dominacji, ale to była brutalność, i ona właśnie sprawiała im przyjemność. A Nick, cóż, nigdy nie poznał niczego innego, prawda? Biedny Nick. Z jakiegoś powodu zaczął tego pragnąć, lubił pieniądze, lubił czułość, po raz pierwszy w życiu robił coś, co podobało się ojcu. Starał się być grzeczny.

Angela zaśmiała się smutno.

— Możesz sobie wyobrazić, jak się z tym czułam?

Znów wytarła oczy, lecz łzy przestały już płynąć.

— Ten drań zniszczył wszystkie naturalne uczucia Nicka, a kiedy Nick podrósł i zaczął mu oddawać, myślałam, że to już koniec zła. Pobił ojca prawie na śmierć i wszystko się skończyło. Znikło.

Angela wpatrywała się w synową zmęczonym wzrokiem.

— Musisz mi uwierzyć. Nie wiedziałam, że poszedł w ślady ojca. Widzisz, Nick zawsze był tym, kim chciał być, zawsze miał dość siły, by przekonać cię, że jest tą osobą, którą widzisz. Ale to też się wyczerpało, on już nie wie, kim jest.

Tammy usiłowała przyswoić to, co mówiła do niej teściowa.

— To jakiś obłęd. Chcesz mi powiedzieć, że Nick jest pieprzonym pedofilem, który lubi zabawiać się z dziećmi, a nie zwykłym pedałem?

Angela skinęła głową.

— To Gary lubił starszych chłopców, nastolatków. Nick lubił o wiele młodszych. Posługiwał się starszymi do tego, by zapewnili mu dostęp do młodszych, delikatniejszych. Przyjrzyj się dokładnie tym zdjęciom.

Tammy wzięła zdjęcia i wlepiła w nie wzrok. Dopiero wtedy stopniowo zaczęła sobie uświadamiać, że nie powinna patrzeć na uśmiechniętą twarz męża, tylko na coś innego. To było jak uderzenie młotem. W pomieszczeniu widocznym na zdjęciach ściany pokryte były podartą i brudną tapetą, tak zniszczoną, że na pierwszy rzut oka trudno było ją dostrzec. Na małym pojedynczym łóżeczku, na którym wesoło pozowali Nick i Gary, leżało mnóstwo dziecinnych zabawek.

— Teraz już wiesz, dlaczego przez te wszystkie lata bał się panicznie, że zostanie zdemaskowany. Teraz wiesz, dlaczego pozwolił ci szlajać się z facetami po całym Essex i wschodnim Londynie i nawet nie mruknął.

Tammy usilnie starała się to wszystko przyswoić, w głębi serca wiedziała, że to prawda. Nagle uświadomiła sobie, że w pewnym sensie domyśliła się tego bardzo dawno temu.

— Dlaczego mówisz mi o tym wszystkim dopiero teraz, Angelo? Mogłaś oszczędzić nam wielu lat cierpień i nieszczęść, gdybyś powiedziała mi wcześniej albo kazała mu zwrócić się do kogoś o pomoc. On cię słucha, nikogo nie słucha oprócz ciebie.

Angela znów dolała sobie brandy, lecz alkohol nie pomagał żadnej z nich. Chciała po prostu zająć czymś ręce.

— Przeciwko Nickowi padało wiele oskarżeń. W głębi serca wiedziałam, że są prawdziwe, ale nie chciałam w nie wierzyć, rozumiesz? Żadna matka nie wierzy. Więc zrobiłam to, co zawsze.

— Co mianowicie?

— Przyłączyłam się do tej gry. Grałam w nią aż do teraz.

Tammy gapiła się w podłogę, pierwszy instynktowny impuls, by chronić dzieci, dawno minął. Teraz chodziło jej o ograniczenie szkód. Znów zaczęła płakać, lecz tym razem był to cichy, kontrolowany szloch.

Trzymając ją mocno w ramionach, Angela spojrzała w stronę holu i powiedziała donośnie:

— Wiem, że tam jesteś, Nick. Wejdź i porozmawiaj z matką swoich dzieci. Przynajmniej tyle jesteś jej winien.

Rozdział 25

Gordon Winters leżał na balkonie i wiedział, że dostanie wycisk od olbrzyma z obłędem w oczach i z zaciśniętymi pięściami. Wygląd ciemnoskórego faceta też nie wróżył nic dobrego. Terry'emu zupełnie odbiło. Ta dziura sprawiała, że mąciło mu się w głowie, i bardzo dobitnie dawał temu wyraz. Przerażone dzieci słuchały jego wrzasków i zastanawiały się, kiedy to się skończy.

Winters obserwował Terry'ego, który stał w dużym pokoju i ryczał na wszystkich. Czasem zdarzało się, zwłaszcza w świecie Wintersa, że człowiek trafiał na siłę, której nikt i nic nie może okiełznać. Wiedział, że o wiele łatwiej byłoby napisać wzór matematyczny fuzji jądrowej, niż uspokoić tego mężczyznę, który wtargnął do jego domu.

A to naprawdę był jego dom, podnajmował go tylko po to, żeby płacić rachunki. Wiedział jednak, że tych trzech narwańców tego nie zrozumie, bo żaden z nich nie miał upodobań seksualnych takich jak on i jego przyjaciele.

Tyrell i Louis zostali z nim na balkonie.

— Znałeś Sonny'ego Hatchera?

Winters się uśmiechnął; był to nikły uśmiech, lecz Tyrell i tak go zauważył. Był to uśmiech mówiący, że znał chłopca aż za dobrze. Tyrell znów musiał się opanować. Będzie mnóstwo czasu na zemstę, kiedy dowie się wszystkiego, co chciał wiedzieć. Pokiwał powoli głową, spoglądając na Wintersa.

— Przychodził tutaj, tak?

Gordon Winters przypomniał sobie, w jakiej jest sytuacji, zaczął się rozpaczliwie tłumaczyć. Żółtym od nikotyny palcem wskazał okno.

— Żaden z nich nie ma mniej niż szesnaście lat, możecie to sprawdzić. Może wyglądają na małolatów, ale nimi nie są.

Tyrell kopnął go mocno w nogę, z trudem powstrzymując gniew. W przeciwieństwie do Terry'ego umiał się kontrolować i teraz z tego faktu cieszył się bardziej niż kiedykolwiek przedtem. To był powód, dla którego nigdy nie spróbował tego życia na serio: by żyć w tym świecie, trzeba zawsze być nakręconym. A właściwie po to, by w nim przeżyć.

— Czy mój Sonny przychodził tutaj, czy nie?

Dopiero słowo „mój" uświadomiło Wintersowi, co na niego spadło.

Skinął głową.

— Słuchaj, kolego, na pewno nie chcesz tego słyszeć, ale on lubił ten lokal, ciągle tu przesiadywał. Nawet dla nas pracował, jego specjalnością byli mali uciekinierzy.

Louis odwrócił się, wszedł do mieszkania i zamknął drzwi, zostawiając Tyrella z Wintersem na zimnie. Coś mu mówiło, że Tyrell nie chce, by ktoś słyszał to, czego się za chwilę dowie, a on, prawdę mówiąc, też nie miał na to ochoty.

Terry dzwonił do Billy'ego; Louis domyślił się, że brat zamierza do nich dołączyć.

Tyrell słyszał w uszach bicie swojego serca. Przypomniał sobie, jak matka mówiła, że właśnie tego doświadczała, kiedy próbowała wyjść z domu.

— Kto go tu przyprowadził?

Mężczyzna wzruszył ramionami.

— Nie pamiętam, szczerze mówiąc.

Kłamał i Tyrell o tym wiedział.

— Chcesz, żebym zawołał kolegę? On może ci zadać te pytania zamiast mnie.

Miał przeczucie, że Gordon Winters, jak każdy półmózg, najbardziej na świecie będzie się bał Terry'ego Clarke'a.

I bardzo słusznie.

Winters westchnął, próbując się postawić.

— Wołaj, kogo chcesz. On nie jest jedynym człowiekiem, którego się boję.

Tyrell zrozumiał, co tamten chce powiedzieć.

Wiedział już, że ten, który stoi za tym wszystkim, jest bez wątpienia ważną postacią podziemia. Kimś, z kim należało się liczyć. Terry potraktował Wintersa należycie, co oznaczało, że tamten musi być bardzo niebezpieczny.

Tyrell nie zamierzał odpuścić. Nie miał nic do stracenia, a dużo do zyskania.

— Cóż, jestem ojcem Sonny'ego i nigdzie się nie wybieram.

Powiedział to spokojnym głosem, w którym jednak kryła się groźba. Próbował przemówić do lepszej strony natury Wintersa. Zakładając, że taka istnieje. Jeśli Winters nie zacznie mówić, będą musieli go nastraszyć. A jeśli nie zacznie mówić prędko, Tyrell z przyjemnością wydobędzie z niego informacje kopniakami.

Mężczyzna leżał przez dłuższą chwilę, jak gdyby oceniał przeciwnika. Potem podniósł się na kolana, krzywiąc się z bólu. Nogi bolały go w miejscu, w którym je Terry ściskał, trzymając go za barierką.

— Słuchaj, kolego, nikt go nie zmuszał, żeby tutaj przychodził, on sam chciał tu być. Kiedy go znalazłem, pałętał się po ulicy, sprzedając swój mały tyłek koło zasranych domków. Czy ci się to podoba, czy nie, na dłuższą metę tutaj był bezpieczniejszy.

Tyrell zrozumiał, że Winters wypowiada swoją kwestię, zanim pęknie.

— Kim był ten starszy mężczyzna, z którym się spotykał?

— Nie mogę ci tego powiedzieć. Chciałbym, ale nie poznałem go osobiście. To nie jest miejsce, w którym człowiek pyta o nazwiska. Wiesz, o czym mówię?

Tyrell chwycił Gordona za koszulę i walnął pięścią w twarz. Poczuł pękanie skóry i kości.

— Odpowiedz na moje pytanie, Gordon!

Mężczyzna krwawił obficie. Jego nos był spłaszczony, z oczu płynęły łzy.

Mimo to pokręcił głową.
— Proszę cię, to więcej, niż warte jest moje życie...
Czasem ludzie zdumiewali Tyrella. Ten tutaj spodziewał się, że Tyrell zagra biały charakter i go puści.
Jak to się teraz mówi: Wczuj się w jego ból i zdobądź się na reakcję.
Właśnie to jest obecnie największy feler tego świata, państwa-niańki się o to postarały. Ten facet nie miał najmniejszego pojęcia, co uczynił Tyrellowi i jego rodzinie. Nawet nie dostrzegał, że zrobił coś złego.
Tak to się teraz toczyło i Tyrell był tym przerażony. Można złapać za nóżkę dziecko swojej dziewczyny i zakręcić nim w powietrzu, a jeśli powiedziałeś, że cierpisz z powodu stresu, puszczano cię wolno. Można skopać żonę na śmierć i powiedzieć, że zrzędziła — kto się tym teraz przejmie? Możesz być dwunastoletnim awanturnikiem dręczącym starych sąsiadów, a kiedy wreszcie się odwinęli i zwrócili przeciwko tobie — przyłożyli laską albo chwycili nóż do chleba — to oni stawali się winowajcami, którzy złamali prawo.
Nikt nie odpowiada już za swoje złe czyny.
Jeszcze bardziej przerażający był fakt, iż ci kretyni wierzyli, że to nie ich wina, że są ofiarami. Później wypuszczano takich na udrękę społeczeństwa, nie dawszy im nawet po łapach.
Nikt nie bierze odpowiedzialności za krzywdy, które zadaje niewinnym.
To była całkiem nowa gra.
Tymczasem złoczyńca taki jak Terry, pod innymi względami niemal obłąkany, nie skrzywdziłby dziecka czy emeryta, tak samo jak nie odciąłby sobie ręki. Bo chodzi o to, by mieć jakiś kodeks moralny. Bez względu na to, jaki był słaby, dawał mu pewne pojęcie, jak postępować. To samo odnosiło się do jego braci i Tyrella. Oraz do większości ludzi, wśród których Terry się wychował, mimo iż bez wątpienia nie zasługiwali na miano wzorowych obywateli.
Sonny szukał jednak łatwego wyjścia. Należał do tych, o których marzyli tacy jak Gordon Winters. Był słaby. Jude

wychowała go po to, by zdobywał forsę w każdy możliwy sposób. Nie zarabiał tak jak wszyscy inni, o nie. A ludzie pokroju Wintersa żerowali na takich dzieciakach jak lwy na padlinie, a gdy się nasycili, wyrzucali je, by sięgnąć po nowe, świeższe.

Jeśli obrabujesz bank, idziesz na dwadzieścia lat za kratki, lecz jeśli pobijesz osiemdziesięcioletnią staruszkę, psycholodzy i pracownicy opieki społecznej zaczynają wynajdywać wymówki, a kiedy skończą, starszej pani już nie ma na świecie. Nie obowiązuje już zasada przyczynowości.

Nikt nie dostrzega już konsekwencji swoich czynów, nie czuje żalu z powodu krzywdy, którą wyrządza zupełnie obcym ludziom. Bo najważniejszy jest on sam, jego potrzeby i pragnienia. Ten oto mężczyzna wprowadził syna Tyrella do tego mieszkania, w to życie, i uważa, że wyświadczył mu wielką przysługę. Uratował przed brudem publicznych szaletów.

Tyrell rozejrzał się po wąskim balkonie i zobaczył kawałek drewna wyglądający jak noga krzesła. Podniósł go i dźgnął nim mocno Wintersa w twarz, nie zostawiając mu wątpliwości, do czego jest zdolny.

— Twoje życie jest dla mnie gówno warte, rozumiesz? A w tej chwili to przede mną odpowiadasz. Jeśli twoja pamięć jest tak krótka, że już zapomniałeś, jak to jest wisieć nad balkonem, to zasługujesz na to, co dostajesz. Bo zrzucę cię z tego pieprzonego balkonu osobiście i bez zastanowienia.

Tyrell rąbnął Wintersa w plecy nogą od krzesła. Gniew dodał mu siły.

— Lepiej zacznij gadać, piździelcu, bo jestem w takim stanie, że mój kumpel nie będzie potrzebny, jak już zacznę, słyszysz?

Gordon Winters był zaskoczony. Zrozumiał, że ma do czynienia z człowiekiem, który jest na krawędzi. Wiedział, że musi postanowić, kogo chronić. I tak jak większość ludzi, postanowił chronić siebie.

— Puścisz mnie? Jeśli ci powiem, będę mógł odejść wolno?

Tyrell wyszczerzył zęby.

— O tym postanowimy, kiedy zaczniesz mówić. I ostrzegam cię, mam wbudowany detektor kitu, słyszysz?

Gordon Winters wiedział, że zostanie pobity. Rozwścieczony czarnooki mężczyzna z dredami nagle wzbudził w nim strach.

— Nie miałem nic wspólnego z tym, co się z nim stało, musisz mi uwierzyć. — Tym razem noga od krzesła wylądowała na jego twarzy.

— Z czym? Masz na myśli włam?

Winters chciał, żeby to się jak najprędzej skończyło.

— Jeśli ty za tym nie stałeś, musisz wiedzieć, kto to był?

Mężczyzna skinął głową i Tyrell nieco się uspokoił.

— Więc rzeczywiście ktoś posłał go do tego domu?

Winters znów skinął głową. Jego zakrwawiona twarz wyglądała jak obraz udręki i tłumionego gniewu.

— Facet nazywał się Gary Proctor.

Tyrell znieruchomiał na kilka sekund, lecz szybko się otrząsnął. Sprawy przybierały lepszy obrót, niż się spodziewał. Wiedział, że coś musiało się kryć za tragedią jego syna i wreszcie dowie się co.

Nick wszedł do kuchni. Jego matka widziała, że jest pijany. Pijany i wystraszony.

Podszedł do żony i wyciągnął do niej rękę. Tammy zamachnęła się i rąbnęła go z taką siłą, że omal nie zwalił się z nóg.

— Ty draniu!

W tych słowach było tyle nienawiści, że Nick nie wiedział, jak zareagować.

Wlepiała wzrok w męża. Nagle odchrząknęła głęboko i splunęła na niego.

— Nic dziwnego, że nigdy mnie nie chciałeś.

Zawsze liczyła się tylko ona, nikt inny. Nick poczuł, że narasta w nim dawna wrogość, mimo iż świadomość, że Tammy wie, budziła w nim przerażenie.

Wskazała zdjęcia leżące na stole.

— Byłam dla ciebie trochę za stara, co?

Tammy rozklejała się na jego oczach i gdzieś tam w głębi było mu jej naprawdę żal.

— Pieprzony pedofil. Miałam pedofila pod dachem i nawet o tym nie wiedziałam.

Tammy mówiła teraz do siebie.

— Nie jesteś lepsza od niego, kłamałaś dla niego, pozwalałaś mu myśleć, że to jest normalne. A ty nienawidziłeś swojego ojca, a sam gwałciłeś małe dzieci. Nic dziwnego, że zostałeś twardzielem, kto by w to uwierzył? Nick Leary, zasrany gwałciciel dzieci. Ty pieprzony, brudny śmieciu.

Tammy zerwała się z fotela i rzuciła na Nicka, który pchnął ją mocno w powiększony za ciężkie pieniądze biust. Uderzyła twarzą w kuchenkę i osunęła się niezgrabnie na kamienną posadzkę.

Nick ruszył w jej stronę, lecz Angela stanęła między nimi.

— Dość!

Nick roześmiał się chrapliwym, sarkastycznym śmiechem.

— Zejdź mi z drogi, kobieto. Ty też jesteś pieprzoną pijawką, która wisi na mnie przez całe życie.

Odepchnął Angelę, podszedł do Tammy i podniósł ją z podłogi. Tammy spojrzała na mężczyznę, którego kochała przez całe dorosłe życie. Lecz teraz go znała, naprawdę znała, i nagle wstrząsnęła nią świadomość, że nic do niego nie czuje. Tak jakby ktoś nacisnął guzik i wyłączył wszystkie uczucia. To było jak wyjście z więzienia. Przez tyle lat go pragnęła, tak bardzo go potrzebowała, i nagle nic już dla niej nie znaczył.

— I co zrobisz, Tams? — spytał cicho Nick.

Wyglądał normalnie. Patrząc na niego, nikt by nie uwierzył w to, co powiedziała wcześniej jego matka. Że jest pedofilem, najobrzydliwszą z istot.

Teraz Tammy widziała go naprawdę, widziała obwisłość ust i obrzmiałość ciała. Zobaczyła, jaki jest naprawdę. Wreszcie opuścił gardę i nigdy więcej nie nabierze jej na swoje gierki. To było wyzwalające doświadczenie, Tammy smakowała je, rozkoszowała się nutką strachu w jego głosie, gdy zadawał to pytanie. Zamiast mu odpowiedzieć, zapytała:

— Co Sonny Hatcher robi na tych zdjęciach? Jest o wiele młodszy, ale widzę, że to on.

W pomieszczeniu jakby wybuchła bomba.

— Czy on był jednym z twoich małych przyjaciół i w ogóle?
Nick gapił się na nią.

— Układasz kolejną bajeczkę, co? Ale ja nie jestem twoją cholerną matką, więc nie zamkniesz mi ust paroma dobrze dobranymi frazesami, kolego.

Gniew brał w niej górę i dla całej trójki było jasne, że jej lęk przed Nickiem prysł.

Wtedy Nick się uśmiechnął. Ten uśmiech podkreślał regularność rysów jego twarzy. Nadawał jej prawie łagodny wyraz. Odwrócił się, wziął butelkę brandy, przyłożył do ust i kilkoma łykami opróżnił do połowy.

— Zabiłeś tego chłopaka, prawda? On miał tu przyjść tej nocy, zgadza się? Sądząc po tych zdjęciach, znałeś go dobrze, nawet bardzo dobrze.

Tammy starła ręką krew z kącika oka.

— Pozbyłem się go tak samo, jak pozbywam się każdego, kto stanie mi na drodze.

To była groźba.

— Więc lepiej ruszcie głowami, obie. Bo zaczynacie mnie wkurzać.

Nick znów drażnił żonę. Chłód jego głosu zaszokował obie kobiety.

— Jak zamierzałeś się z tego wszystkiego wywinąć?

Nick znów pociągnął łyk z butelki i odparł kpiąco:

— Ale ja już się wywinąłem, nie? — Był śmiertelnie poważny. — Co zrobisz, Tams? Sypniesz mnie? — Znów się uśmiechnął. — Nie sądzę. Znam cię lepiej niż ty sama.

Wziął telefon ze stołu i podsunął jej.

— Proszę bardzo, zadzwoń do gliniarzy. No, dzwoń! Ale pamiętaj, że jeżeli ja pójdę na dno, to pociągnę ze sobą was obie, bo będziecie tutaj skończone. Pamiętajcie o tym. Wszystkie twoje tak zwane przyjaciółki znajdą się w swoim żywiole, gdy zobaczą, jak nisko upadłaś. Jestem nie tylko mordercą, ale także pieprzonym pedofilem. Staniesz się pośmiewiskiem, dziewczyno. — Nick wiedział w głębi serca, że Tammy tego nie zrobi. Ona nie posiadała uczuć wyższych ani żadnych zasad.

Umiała tylko dbać o to, by znajdować się na topie, i była w tym mistrzynią. Musiała być.

Teraz się rozkręcił.

— On był taki jak ty, ten mój mały Sonny. Pieprzona pijawka! Zawsze mnie pragnął, ale ja go nie chciałem, od kiedy przestał być dzieckiem. Wykorzystałem go tak, jak wykorzystywałem ciebie. Dał mi to, czego chciałem i zapłaciłem mu za to tak jak tobie, przeleciałem go z litości i było mu miło. On myślał, że będziemy się bawić w szczęśliwą rodzinkę, a ja pozwalałem mu tak myśleć, tak jak tobie, a potem zmiotłem go z powierzchni ziemi i z tobą zrobię to samo, jeśli mnie do tego zmusisz, rozumiesz?

Nick wyglądał teraz złowrogo, jego twarz wykrzywiła agresja.

— Chroniłem ciebie, Tammy. Ciebie, dzieci, moją matkę. Chroniłem cię przed nim i jego parszywą natarczywością.

Obie kobiety uświadomiły sobie, że Nick naprawdę wierzy w swoje słowa. Próbował usprawiedliwić to, co uczynił, a jego żona i matka wymieniały między sobą spojrzenia. Stał pomiędzy nimi i każdy by pomyślał, że widzi niewinnego człowieka.

— A co z małymi dziećmi, synu? Jak to usprawiedliwisz? — Angela pociągnęła go tak, że stanął przodem do niej, i z całej siły spoliczkowała. — Kogo ja wychowałam? Kiedy cię wtedy słuchałam, byłam gotowa ci wybaczyć, tak jak zawsze ci wybaczałam. Ale teraz wiem, że jesteś niczym. Jesteś śmieciem, synu. Tammy nie musi dzwonić na policję, bo ja to zrobię. I sprawi mi to przyjemność.

Kokaina wzbudziła w Nicku agresję. Uśmiechnął się do matki i odparł łagodnie, lecz złowieszczo:

— Bardziej martwiłem się tym, że ty to odkryjesz, mamo. Wiedziałaś o tym?

Skinął głową na żonę i rzekł głośno:

— Ona gówno mnie obchodziła. Ale ty? Cóż, zawsze byłem synkiem mamusi, prawda? Postarałaś się o to, co? Tammy zawsze była tylko środkiem do osiągnięcia celu. Przez większość życia wisiałyście na mojej szyi jak dwa kamienie młyńskie. Czy można się dziwić, że wolę prosty, niewinny świat dzieci?

Tammy poczuła, że brandy podchodzi jej do gardła. Podbiegła do umywalki i zwymiotowała. Lecz mdłości pozostały.

— Wykorzystywałeś nas wszystkich, to dlatego chciałeś, żebym z wami zamieszkała, prawda? — zapytała głośno Angela. — Wiedziałeś, że Tammy mnie tu nie chce, a mimo to nalegałeś. Mówiłeś, że kupiłeś ten dom specjalnie dla mnie...

— I ściągnąłem cię tutaj, nie? — Nick znów parsknął śmiechem. — Jeśli o ciebie chodzi, to nic mi nie ciąży na sumieniu, matko.

Spojrzał na żonę.

— Ciebie to też dotyczy. Podałem ci świat na talerzu i dobrze o tym wiedziałaś.

— A co powiesz o dzieciach? Też nie masz wyrzutów? — zapytała Tammy niskim, pełnym goryczy tonem. — Z powodu tych małych dzieci, które zniszczyłeś, bo jesteś pieprzonym wykolejeńcem. A Sonny Hatcher? On też nie ciąży ci na sumieniu?

Nick pokręcił smutno głową.

— Tak naprawdę, to go kochałem. Był wszystkim, czym mógł być kochanek.

Tammy się roześmiała.

— Ale później urósł i go zamordowałeś.

Nick zaczął chodzić po kuchni.

— Gary Proctor mącił mu w głowie za moimi plecami, Sonny zawsze chciał ode mnie forsy i jeszcze więcej forsy, w końcu miałem tego dość. W szczurzej norze w Londynie dostawałem to, czego pragnąłem, i mogę wam powiedzieć, że nie wstydzę się swoich preferencji. A wy nie umiecie tego pojąć. Lubię to, co robię, czerpię z tego przyjemność. Kocham moje życie!

— Potrzebujesz pomocy, synu, i policja dopilnuje, żeby ci ją zapewniono.

Nick potrząsnął głową, jakby matka powiedziała coś bardzo śmiesznego.

— Odpieprz się, mamo, i zabierz ze sobą tę chorą pizdę.

— Twój ojciec zawsze mówił, że jesteś zły, zepsuty do szpiku kości, i miał rację, prawda?

Oczy Nicka rozszerzyły się maksymalnie.

— A więc wracamy do niego, tak? Zapytaj biedną Hester, jakie są jej uczucia do niego. Chociaż raz ją o to zapytaj, mamo. Tak samo jak ty, ona nie może znieść myśli, że ktoś mógłby poznać całą prawdę.

To było dziwne, lecz nawet teraz, gdy Nick złamał jej serce, Angela wiedziała, że naprawdę kocha siostrę.

Nalewając sobie brandy, ciągnął:

— Lubiłem moje życie, Tams. Cokolwiek myślisz, trzymałem te brudy z dala od was. Wziąłem wszystko na siebie, Sonny'ego też. Pozwoliłem ci robić, co chciałaś.

— Służyłyśmy ci za parawan i nic więcej.

To była prawda, Nick nie mógł zaprzeczyć. Wiedział, że teraz jego życie jest skończone. W każdym razie to, które znał.

— Sonny chciał załatwić nas wszystkich i dlatego trzeba było zrobić z nim porządek. Z pomocą Gary'ego wystawiłem go. Myślał, że mnie skroi i zgarnie pieniądze od firmy ubezpieczeniowej. To było takie łatwe. Morderstwo jest łatwiejsze, niż ludzie sobie wyobrażają, wiecie?

Nick mówił teraz rzeczowym tonem.

— Nikt nie jest tym, za kogo go uważasz, Tams, moja matka jest tego żywym dowodem. Mam rację? — Spojrzał matce w oczy. — Lepiej dla nas wszystkich, że Sonny zginął. Żałowałem tego, ale tak było lepiej dla wszystkich. Przysięgam wam, że naprawdę nie chciałem tego robić, ale co innego mi pozostało?

Tammy rozejrzała się po pięknym domu, którego nigdy naprawdę nie doceniła, zobaczyła twarz biednej Angeli, dostrzegła na niej odrazę i wiedziała, że jej twarz ma taki sam wyraz.

— Jesteś tylko dręczycielem dzieci i nikim więcej. — Angela powiedziała to cicho i z przekonaniem. — Jesteś nieodrodnym synem swojego ojca.

— Czyżby?

Nick roześmiał się, parskając przez nos.

— Zawsze pragnęłaś go bardziej niż nas, więc nie odgrywaj przede mną zasranej bojowniczki! Dalej pieprzyłabyś się z nim, kiedy by zechciał, i z jego kumplami też.

Nick odwrócił się do Tammy i rzekł głośno:

— Ona za młodu była gorsza od ciebie, stara świętoszka, pieprzyła się z nim i jego koleżkami. Było tak, jakby całe nasze życie składało się z seksu i seksualnych aluzji, a ona była gorsza od niego, bo pozwalała mu robić to nam.

Nick znów się roześmiał, jego wzrok był prawie złowrogi.

— Pamiętasz piątkowe wieczory, mamo?

— Przestań, Nick! Przestań wreszcie!

W przenikliwym krzyku Angeli i jej przerażonym głosie było coś znaczącego. Tammy pokręciła głową; instynktownie wiedziała, że Nick mówi prawdę.

Nick zauważył, że mu uwierzyła i momentalnie uszło z niego powietrze.

— Zapytaj ją, jak mnie pocieszała — rzekł smutno. — No, zapytaj starą świętoszkę, co mi robiła.

Odwrócił się i wbił w nią wzrok.

— Pamiętasz, mamo, prawda?

Patrząc na tych dwoje, Tammy znów poczuła, że ogarniają ją mdłości.

— Jeśli ja jestem zboczeńcem, to jak ty wyglądasz, mamo? Odpowiedz.

Czy Tammy przeczuwała to na głębszym poziomie świadomości? W głębi duszy? Przypomniała sobie, jak w czasie chrzcin ich syna Jamesa Nick przyjmował klepanie po plecach i rubaszne komentarze. Mimo iż wiedział, że większość osób zadaje sobie to samo pytanie: Kto u licha jest prawdziwym ojcem dziecka? Tammy zdążyła już wówczas zaliczyć więcej rund po Essex niż kierowca rajdowy.

A jednak przełknął to, żeby nikt nigdy się nie dowiedział, że lubi małych chłopców. Dzieci. Teraz mówi jej, że matka też go wykorzystywała.

Co tu się, kurwa, dzieje?

— Daj mi to zdjęcie, Tammy. Jeśli ty nie zadzwonisz na policję, ja to zrobię.

Nick podniósł błyskawicznie głowę i spojrzał jej w twarz.

— Nie zrobiłabyś tego, prawda? — zapytał cicho.

Angela roześmiała się nieskończenie smutnym, urywanym śmiechem.

— Przekonaj się, Nick. Sprawdź, do czego naprawdę jestem zdolna.

Nick odsunął od niej telefon.

— Nie rób tego, mamo. Zastanów się, co chcesz uczynić, to jest tylko odruchowa reakcja, nic więcej.

Angela chciała chwycić aparat, lecz Nick podniósł go i stał teraz, trzymając go za plecami.

— Nie zamierzam się nad niczym zastanawiać, wiem, co trzeba zrobić i dopilnuję, żebyś zapłacił za wszystko, co kiedykolwiek zrobiłeś!

— Jestem twoim synem, powinnaś mi pomagać, mamo, chronić mnie tak, jak ja chroniłem ciebie.

Angela pokręciła głową i idąc w jego stronę, rzekła cicho:

— Już nie, Nick, teraz jesteś zdany na siebie. Oddaj mi telefon.

Nick cofał się przed nią w stronę granitowej wysepki, w której mieściła się kuchenka i deska do krojenia. Kiedy oparł się o nią plecami, powiedział słabym, dziecinnym głosem:

— Mamo, proszę, nie rób mi tego... Proszę!

— Spójrz na siebie, zobacz, kim jesteś. Mój syn, zboczeniec.

Nick zamknął oczy, słysząc te zjadliwe słowa.

— Odejdź od niego, Angelo, w tej chwili — rozkazała Tammy donośnym głosem, lecz Nick i Angela ją zignorowali. To była ich prywatna bitwa i oboje zdawali sobie z tego sprawę. Jedno z nich musiało ustąpić.

— Oddaj mi telefon, bo jeśli nie, to wyjdę do holu i stamtąd zadzwonię na policję.

Pokręciła szyderczo głową.

— Bo bez względu na to, co powiesz i zrobisz, synu, powiem im, kim jesteś.

Oznajmiła to tonem niepozostawiającym cienia wątpliwości, po czym się odwróciła. W tej samej chwili Nick chwycił wielki nóż stojący w kosztownym bloku z bukowego drewna i wbił w plecy matki. A potem wyszedł z domu. Krzyki Tammy dźwięczały mu w uszach.

Rozdział 26

Billy Clarke wkroczył do mieszkania i znalazł się w samym środku pandemonium. Wszędzie panował brud. Billy był zdegustowany i zarazem zafascynowany tym, co widział. To było jak teatr telewizji, coś, o czego istnieniu człowiek wiedział, lecz nie wierzył, że ujrzy to na własne oczy.

Teraz jednak widzieli to wszyscy i rzeczywistość okazała się paskudna. Społeczeństwo bezklasowe? Cóż, w tym grajdole nie było żadnej klasy, to nie ulegało wątpliwości. Jednak żona Billy'ego pewnie wiedziała o takim życiu. Caroline interesowała się innymi ludźmi, zwłaszcza tymi, którzy nikogo innego nie obchodzili.

Podklasa, tak ich nazywała.

Pod tym względem była jak drogocenny diament; bardzo dużo go nauczyła i kochał ją za to. I miała absolutną rację, kiedy mówiła, że nikt nie zajmuje się tymi dziećmi, zwłaszcza ten, który twierdzi, że są pod jego opieką.

Terry zabrał się do właściciela lexusa. Z jakiegoś powodu ten gość go wkurzał i Billy wiedział dlaczego. Wyglądał jak jeden z ich kumpli, jak najnormalniejszy w świecie kanciarz, i bez wątpienia wykręcił niejeden numer. Można to było poznać po jego tatuażach i zachowaniu.

Billy wyszedł z pokoju, zostawiając brata przy robocie.

W jednym z pokoi zobaczył dziewczynkę w wieku około

piętnastu lat. Nie była nawet ładna, niech Bóg ma ją w swojej opiece. Oczywiście, nie powinno to robić żadnej różnicy, lecz jemu robiło. Rozumiał uganianie się za młodością i pięknem, większość mężczyzn tego właśnie pożąda. Gdyby nie to, nie powstałoby tyle filmów ze ślicznymi kociakami, które bez żenady pokazują swoje wdzięki. Tak się jakoś dzieje, że młoda dziewczyna to druga młodość dla faceta, który ją obraca. Na szczęście większość mężczyzna zadowala się oglądaniem ich na obrazkach w gazecie albo marzeniem o nich w trakcie obracania starszej babki.

Jednak dla tych ludzi to, co robili, było formą kontroli. Żona Billy'ego też się na tym znała. Wyjaśniła mu, że gwałt nie jest w istocie przestępstwem seksualnym, tylko wykorzystaniem seksu do podporządkowania sobie lub zniszczenia kogoś.

To była broń, której używali z wyboru, jeśli można tak rzec. Najgorsze jest to, że to się może zdarzyć każdemu. Billy w końcu uświadomił sobie, że patrzy na tę biedną dziewczynkę i prawdopodobnie wzbudza w niej strach. Kazał jej się ubrać, a ona tylko się na niego gapiła; zrozumiał, że jest naćpana do nieprzytomności.

Wrócił do dużego pokoju i rzucił gniewnie do Terry'ego:

— Mamy tu śmietankę pieprzonego społeczeństwa, co?

Jego brat pokręcił głową z odrazą:

— Spójrz na tego piździelca. Udaje zasraną personę, kanciarza takiego jak my. Robi u Liama O'Hallorana. Poczekaj tylko, aż opowiem mu tę historyjkę.

O'Halloran, jeszcze jeden miejscowy zakapior, będzie honorowo zobowiązany przeciągnąć tego typa po chodniku, kiedy się dowie.

— Wyobraź sobie, że jesteś na imprezie z tym szmaciarzem, Bill. Toż to jakiś zasrany koszmar, nie?

Terry bez dalszych ceregieli przywalił w mordę człowiekowi O'Hallorana. Nie wiedzieli, jak postąpić w takiej sytuacji. Wszyscy czuli mieszaninę gniewu i niedowierzania.

Louis milczał, obserwując przez brudne okno, jak jego przyjaciel daje wycisk Wintersowi na balkonie.

Obserwował i czekał, gotów przyjść Tyrellowi z pomocą.

Billy kochał swojego brata Louisa. W gruncie rzeczy nie był stworzony do tego wszystkiego, raczej przypominał Tyrella pod tym względem; obaj byli zbyt grzeczni. Trzeba mieć głęboko zakorzeniony gniew wobec świata, żeby odnieść sukces w tym biznesie, albo, tak jak Terry, być po prostu niezłym świrusem. Lecz Louis był kanciarzem, swoimi sposobami osiągał cel. Billy pamiętał jego i Tyrella jako dzieci, jeden miał bardzo jasne włosy, a drugi bardzo ciemne. Kochali się jak bracia. Kiedy zginął syn Tyrella, Louis potraktował jego żałobę jak swoją. Billy to szanował. Rodzina każdemu jest potrzebna, lecz dobry przyjaciel czasem jest równie ważny. Przyjacielowi można powiedzieć rzeczy, których nie można powiedzieć najbliższej osobie z rodziny.

Billy usłyszał klaśnięcie i zobaczył, że Terry znów przyłożył właścicielowi lexusa. Mężczyzna robił w gacie z przerażenia, a Billy spoglądał na niego bez najmniejszych wyrzutów sumienia. Wiedział, że Terry chce naprawdę dołożyć temu fajansiarzowi, i nie miał nic przeciwko temu.

Młody chłopak z długimi rudymi włosami i pomalowanymi rzęsami siedział na kanapie i patrzył na to wszystko.

— Na co się gapisz? — warknął Terry.

Chłopiec odwrócił się błyskawicznie, jego lęk był niemal wyczuwalny.

— Jak ci na imię?

Małolat spojrzał na Terry'ego i wyjąkał:

— F-frankie... Frankie Watts.

Miał dziewczęcy głosik, cichy i afektowany. Billy domyślił się, że musiał go długo ćwiczyć, żeby tak brzmiał.

Nie zrobiło to na nim wrażenia.

— Ile masz lat?

— Siedemnaście.

Wyglądał na dwanaście, miał chude ciało i dziecięcą twarz.

Terry spojrzał na brata i wyciągnął ręce do góry, jakby chciał powiedzieć, Widzisz, co mam na myśli?

— Ten lokal jest totalnie popieprzony, to nie mieści mi się we łbie.

Billy skinął głową, wiedząc dokładnie, co czuje jego brat. To było dla nich zbyt pokręcone, zbyt dziwne.

— Wynośmy się stąd, ciarki mi chodzą po grzbiecie, jak na to wszystko patrzę.

Billy miał dość. Wyszedł na balkon; chciał powiedzieć Tyrellowi, żeby się pospieszył. Naprawdę nie wiedział, jak długo jeszcze może wytrzymać w tym bajzlu. Miał ochotę pójść do domu i sprawdzić, czy z jego dziećmi wszystko w porządku.

Uderzyło go zimno, lecz z przyjemnością wciągnął w płuca chłodne powietrze. W porównaniu z atmosferą mieszkania smakowało jak ambrozja.

— W porządku, Tyrell?

Jego przyjaciel skinął głową.

— Dowiedziałeś się czegoś ciekawego?

Billy zapalił papierosa, robił to tylko wtedy, gdy był zestresowany. Tyrell wyciągnął rękę i Billy z chęcią oddał mu fajkę.

— To jest chore, Billy, nie uwierzysz, mówię ci. — Tyrell spojrzał na mężczyznę kulącego się na posadzce balkonu. Zmarznięty i zakrwawiony, wreszcie pękał. — Powiedz mu! Powtórz mu to, co mi powiedziałeś — rozkazał, kopiąc mężczyznę mocno w żebra.

Tamten podniósł głowę i Billy zobaczył jego połamane zęby. Ręka była wykrzywiona i krwawiła; Billy domyślił się, że w czasie konwersacji z Tyrellem spadł na nią niejeden cios nogą od krzesła.

Stary Tyrell zrobił na Billym wrażenie. Billy myślał, że kiedy dojdzie co do czego, Tyrell może skrewić. Któż by go za to winił? Kto chciałby znać prawdę o swoim dziecku, jeśli była tak parszywa? Spodziewał się, że będzie musiał zastąpić Tyrella i wziąć sprawy w swoje ręce. Zrobiłby to chętnie. Tyrell chciał wiedzieć, że ten, który załatwił jego syna, został zmieciony z powierzchni ziemi.

Winters jąkał się ze strachu. Wiedział, kim jest Billy i znów ogarnęło go przerażenie.

— Powiedz mu!

— To był Proctor... Proctor, Leary i ich kumpel Rudde. To Rudde przyprowadził ich tutaj pierwszy raz.

Billy spojrzał na mężczyznę i zapytał wysokim głosem pełnym niedowierzania:

— Rudde? Peter Rudde, ten pies?

Tyrell skinął głową.

— Powiedz mu wszystko.

Winters mamrotał, chciał to mieć za sobą jak najszybciej.

— To Rudde ich dla nas namierzał. Zaglądał do policyjnych rejestrów, miał oko na uciekinierów i bezdomne dzieciaki, a później Proctor przekazywał mi nazwiska i inne szczegóły.

— A Leary, jaka była jego rola?

Mężczyzna westchnął ciężko.

— Nick zawsze tu był, ciągle przychodzi. On i Sonny... Nie muszę mówić obrazowo, prawda? Nick lubi dzieci, Lenny Bagshots je dostarcza.

Oczy Billy'ego rozszerzyły się maksymalnie. Gdyby ten typ powiedział, że Gandhi przychodził do tej speluny, uwierzyłby łatwiej niż w to, co właśnie usłyszał.

— Nie pierdol! To jakieś jaja...

Rudde'a by zniósł... Ale Nick Leary?

— Nie, Billy. Jeszcze nie usłyszałeś nawet połowy.

Billy nie odpowiedział Tyrellowi. Nie potrafił. Był w domu Nicka, rozmawiał z nim... Nick Leary był jednym z nich. Kanciarzem, gangsterem, równiachą.

Zakręciło mu się w głowie.

Lecz w głębi duszy czuł, że ten szmaciarz Winters mówi prawdę. Nie miał pojęcia, skąd wie, ale wiedział. Kiedy się ostatnio spotkali, Nick zrobił na nim wrażenie zimnego i bezpłciowego. Widział, jak puszcza kantem swoją ponętną żonę. A teraz zobaczył ostatni brakujący kawałek układanki i wiedział, że to prawda.

— Nick Leary zwabił mojego syna do swojego domu tej nocy, żeby go wykończyć, usunąć z pola widzenia.

Tyrell poczekał, aż jego słowa dotrą do Billy'ego. Wiedział, jak tamten się czuje, on też się tak czuł. Lecz Winters nie kłamał.

— To Peter Rudde pilnuje, żeby nikt nie zrobił nalotu na ten lokal. Jest ich spora sieć, rozumiesz? Działają wspólnie. Sonny zagroził, że zdemaskuje Leary'ego.

Billy Clarke wciąż był w szoku, lecz dostrzegał pewną prawidłowość. Rudde był oswojonym psem Nicka, wszyscy o tym wiedzieli. Nawet ich wille w Hiszpanii sąsiadowały ze sobą. Nick zapłacił za obie, rzecz jasna, a Rudde nie pokazywał się w posiadłości Nicka, lecz to wiele wyjaśniało.

Jakże prawdziwe okazało się stare porzekadło: Bądź blisko z przyjaciółmi, lecz z wrogami jeszcze bliżej.

Mężczyzna leżący na posadzce skowyczał. Strach i zimno dały mu się we znaki, marzył tylko o tym, żeby to wszystko się skończyło raz na zawsze.

— Powiedziałem ci, jak jest, a teraz puść mnie, proszę. Powiedziałem ci wszystko, o co pytałeś.

Tyrell długo mu się przyglądał. Ten mężczyzna poznał jego syna w intymny sposób.

Ten mężczyzna rżnął jego syna.

Ten mężczyzna brał opłaty za jego syna i pozwolił, by wykorzystywali go tacy jak Nick Leary, a teraz chciał odejść wolny jakby nigdy nic?

Jeśli go tutaj zostawi, ten gnój zepsuje innych młodych chłopców, będzie ich wykorzystywał, dopóki jakiś nowy dzieciak nie zwróci jego uwagi.

Tyrell zgasił papierosa na jego policzku.

A potem chwycił Wintersa za kark, podniósł go i z całej siły cisnął przez barierkę.

Angela leżała na podłodze. Tammy klęczała obok niej, czując, jak lepka krew płynąca z ciała teściowej niczym rzeka wsiąka w jej jedwabny szlafrok. Nóż sterczał z pleców Angeli, czarna rączka drżała w rytm nierównego oddechu. Z jej gardła wydobywało się chrapliwe gulgotanie. Tammy zbierało się na mdłości, gdy je słyszała. Przycisnęła rękę do ust, by powstrzymać wymioty.

Angela chwytała coś w rękę, jej dłoń zaciskała się w powietrzu.

— Och, Angelo, kochanie, trzymaj się. Musisz wytrzymać.

Tammy wstała, wybiegła do holu i złapała słuchawkę.

Za chwilę znów zwymiotuje.

Naprawdę zwymiotuje.

Najpierw wybrała numer 999. Krzycząc, próbowała wyjaśnić, co się stało, lecz strach ją przemógł i nie zdołała powiedzieć nic sensownego.

W końcu zwymiotowała na podłogę w holu.

Peter Rudde siedział w domu, spożywając posiłek z mikrofalówki. Lubił islandzkie gotowe dania. Były tanie, a poza tym nie zawierały modyfikowanych genetycznie składników. Rudde był dziwny pod tym względem. Lubił zwracać uwagę na drobiazgi i troszczyć się o zdrowie.

Oglądał serial *Świat glin* na Kanale Piątym, swój ulubiony program, i popijał dobre zimne piwo. Miał czterdziestodwucalowy płaski telewizor, który uwielbiał. Lubił również sobotnie programy telewizyjne. Jeśli nikt nie popełni jakiejś ohydnej zbrodni, czeka go spokojny wieczór.

Dopił piwo i w czasie przerwy na reklamę wyszedł do supernowoczesnej kuchni. Włożył talerz do zlewozmywaka i otworzył następnego grolscha. Następnie wrócił do dużego pokoju i usadowił się w fotelu.

Jego telefon zadzwonił akurat wtedy, gdy akcja nabierała tempa. Rudde odebrał bez zainteresowania. Jednak po kilku sekundach ściszył telewizor i zapytał:

— Żartujesz?

Odłożywszy telefon, zaczął chodzić po pokoju i powtarzać w kółko:

— O kurwa! O kurwa!

Ale musi wziąć się w garść. Ubrał się i w ciągu niespełna kwadransa wyszedł z domu. Wiedział, że bez względu na to, co stanie się tej nocy, już nigdy nic nie będzie takie samo.

Willy siedział w samochodzie i czekał cierpliwie, gdy nagle ujrzał ciało, które pojawiło się na ciemnym niebie i spadło z łoskotem na chodnik. Domyślił się, że Tyrell i jego koledzy niedługo wrócą.

Nie pomylił się.

Wsiedli do auta i błyskawicznie odjechali. Willy zobaczył wcześniej, jak do bloku wchodzi jeszcze jeden mężczyzna i widząc, że pojechał za nimi, odgadł, iż należy do grupy.

Terry zaśmiewał się jak szalony. Po wyjściu z meliny zachowywał się tak, jakby był na haju.

— W końcu przekroczyłeś krechę, Tyrell. Zdajesz sobie z tego sprawę, stary?

Louis odpowiedział za przyjaciela.

— Wszyscy zdajemy sobie z tego sprawę, Terry, a teraz daj już temu spokój.

A Terry pierwszy raz w życiu spełnił prośbę, nie wszczynając awantury.

Sanitariusz dał Tammy zastrzyk, żeby ją uspokoić. Trzymała się ręki Petera Rudde'a, jakby od tego zależało jej życie. Wciąż mamrotała nieskładnie, a on ją uspokajał.

— Peter, proszę cię, musisz nam pomóc...

Rudde zobaczył, że policjantka przygląda im się z zaciekawieniem i warknął:

— Może zaparzyłabyś tej pani filiżankę herbaty, skarbie? Mogłabyś dla odmiany zrobić coś pożytecznego.

Kobieta wymknęła się szybko z sypialni. Jej szef nawet w najlepszym humorze nie był miłym człowiekiem, a wszyscy wiedzieli, że po tragicznym włamaniu, które zapoczątkowało taką burzę w mediach, zaprzyjaźnił się z rodziną Learych.

Teraz w tym samym domu kogoś pchnięto nożem, a inspektor uważał, że to czyjaś zemsta. Tak w każdym razie sugerował, kiedy przyjechał na miejsce zdarzenia.

Lecz jeśli tak było, to dlaczego gospodyni domu nie ma

nawet zadrapania? Jednak zadaniem funkcjonariuszki nie było rozwiązywanie zagadek, i doskonale o tym wiedziała. Usłyszała to wystarczająco wiele razy.

— Jesteś pewny, że tak powiedział?

Tyrella zaczynała ogarniać złość.

— Raczej nie mógłbym tego zapomnieć, co? — warknął.

Billy wreszcie się obruszył.

— Dobra, nie szalej! Muszę się upewnić, tak czy nie? — To, co się działo, było dla niego jak koszmar. — Przepraszam, Tyrell, ale od tego wszystkiego mózg mi się lasuje.

Teraz Tyrell się zezłościł.

— Co ty powiesz? — zapytał ze zjadliwym sarkazmem.

Wziął skręta z popielniczki i ponownie go zapalił.

— Dla mnie też to nie jest łatwe, wiesz? Dzisiaj usłyszałem rzeczy, których nikt nie powinien wiedzieć o swoim dziecku. Spojrzał znacząco na Willy'ego Lomaxa i wszyscy zrozumieli, że wyjawia im tylko część przez wzgląd na chłopca. Jednak mówił dalej i w jego głosie słychać było wyraźnie gniew.

— Bardzo mi przykro, jeśli uważacie, że Leary i jego kumple to śmietanka, ale chcę go dostać. Bardzo chcę go dostać, kurwa...

Pochylił się na fotelu i wszyscy zobaczyli nienawiść w jego oczach.

Terry się uśmiechnął.

— I dostaniesz go, słoneczko, niech cię o to głowa nie boli.

— Ale najpierw musimy go znaleźć — zauważył Billy.

Wszyscy bracia wiedzieli, że jest głosem rozsądku. Był człowiekiem, który nigdy nie podejmował żadnego kroku, jeśli go wcześniej gruntownie nie przemyślał. To dzięki jego trzeźwemu myśleniu tak długo unikali kryminału.

Billy wyjął komórkę i zaczął dzwonić. Dwadzieścia minut później wyszli z mieszkania. Willy patrzył na nich, wiedząc, że żaden z nich nie pamięta o jego obecności. Włączył telewizor. Wbrew wszystkiemu miał nadzieję, że rozwiążą tę sprawę szybko. Wziął z popielniczki skręta Tyrella i palił powoli, rozkoszując się smakiem dobrej trawy i śmiejąc się z kreskówek.

Jego krótkie wakacje niebawem definitywnie się skończą. Zanim się obejrzy, znów będzie na ulicy, toteż jeszcze przez chwilę chciał rozkoszować się ciepłem i przyjemnym życiem. To dziwne, lecz gdyby znajdował się w innym mieszkaniu, spojrzałby na to w inny sposób, uświadomiłby sobie, że należy obrobić lokal. Odszedłby o wiele wcześniej, niżby go wyproszono, i wziąłby ze sobą połowę chaty. Kiedy znajdzie się z powrotem na ulicy, przydadzą mu się wszystkie pieniądze, jakie zdoła zdobyć.

Lecz Tyrellowi tego nie zrobi. Za bardzo go polubił, a Tyrell był dla niego zbyt dobry. Mimo to zebrał swój skąpy dobytek i ładnie go spakował, na wypadek gdyby musiał się szybko ewakuować.

Nick chodził po pokoju, mamrocząc do siebie. Młody mężczyzna patrzył na niego z powagą, nie wiedząc, co robić. Nie widział Nicka od dwóch tygodni i zastanawiał się, kiedy będzie musiał się zwijać z mieszkania w Barkingside.

Podobało mu się tam, lubił tę okolicę.

Wiedział jednak, że może tam zostać tylko dopóty, dopóki będzie mile widziany, i doszedł do wniosku, że już nie jest.

W mieszkaniu zjawił się Nick, lecz był teraz innym człowiekiem. Wyglądał przerażająco, jak na wpół obłąkany, więc chłopak pomyślał, że jest na haju. Na pewno był pijany, bo na odległość czuło się od niego alkohol.

— Podać ci coś?

Nick wreszcie na niego spojrzał i chłopak się ucieszył.

— A co masz?

— Zależy, co chcesz, Nick.

Powiedział to lubieżnym tonem i Nick zamknął oczy zirytowany. Chłopak próbował naprawić błąd. Na ulicy trzeba się szybko nauczyć, jak dostosowywać się do zmiennych nastrojów innych ludzi. Zwłaszcza jeśli trzymają w ręku wszystkie atuty, a zawsze tak było.

Nick wyjął z kieszeni małą paczuszkę koki i oczy chłopca rozbłysły.

— Chcesz drinka? Może szkocką?

Nick skinął głową i mruknął, żeby chłopak się pospieszył. Przyniósł drinki akurat w chwili, gdy działki były gotowe. Nick wciągnął dwie jedna po drugiej i szybko wychylił drinka. Justin też jedną wciągnął, lecz najpierw spojrzał pytająco na Nicka, unosząc wydepilowane brwi.

Chłopiec był piękny.

— Już miałem pakować manatki i zwijać się stąd, tak długo cię nie widziałem. — Justin powiedział to z takim uczuciem, na jakie mógł się zdobyć.

Nick spojrzał na niego przelotnie i dostrzegł pazernego na forsę cwaniaczka.

— Nie przeginaj, Justin. Miałem już takiego jak ty i szybko się go pozbyłem.

Chłopiec zamilkł. Wiedział, o czym Nick mówi.

Nick zaczął szykować na stole kolejne działki. Justin usiadł w fotelu i nie po raz pierwszy w swoim krótkim życiu zaczął się zastanawiać, jak skończy się ta noc.

Tymczasem Nick poczuł, że znów jest na fali. Koka była wspaniała pod tym względem, sprawiała, iż człowiek czuł, że może sprostać wszystkiemu.

A Nick potrzebował teraz tego poczucia bardziej niż kiedykolwiek.

Lenny Bagshots robił w portki i wszyscy to widzieli, nawet jego dziewczyna, która wzięła ich córeczkę i wyszła z pokoju. W głównej sypialni włączyła telewizor. Cokolwiek się tam działo, nie chciała mieć z tym nic wspólnego. Pragnęła tylko usunąć się z córką na bezpieczną odległość od mężczyzn, którzy dosłownie przeprowadzili inwazję na jej dom.

Podkręciła głośniej telewizor i tuląc do siebie córkę, oglądała *Kill Bill* przestraszonym, nieobecnym wzrokiem.

Usłyszała, że jej chłopak znów wrzeszczy i podkręciła odbiornik jeszcze bardziej.

— Kto ci to powiedział?

Lenny odgrywał niewinnego tak dobrze, że było to prawie śmieszne.

Tyrell spojrzał na niego i westchnął.

— Gordon Winters. I podobno ma zdjęcia na dowód. A teraz powiedz nam, gdzie może być Leary, bo inaczej za chwilę cię ukatrupię.

Zakomunikował to z takim zimnym przekonaniem, że Lenny mu uwierzył. Spojrzał na braci Clarke, którzy wyglądali, jakby chcieli być gdziekolwiek indziej na świecie. Terry patrzył, jak gdyby tylko czekał na sygnał, by mu przywalić, i na pewno by to zrobił, jak to Terry. Lenny zrozumiał, że to koniec. Wiedział, że siedzą mu na karku, i wiedział też, że kiedy wieść się rozejdzie — a rozejdzie się na pewno — będzie skończony.

Jeśli darują mu życie.

Nick zachowywał się jak kot na gorącym blaszanym dachu, nie mógł usiedzieć w miejscu. Zmienił się w kłębek nerwów i ilekroć pomyślał o matce, ogarniało go dobrze znane przerażenie, tak jak po śmierci małego Sonny'ego.

Jak ona mogła w ogóle pomyśleć o sypnięciu go? Mógłby to przyjąć z rąk Tammy, bo ona miała powód. Lecz Nick wiedział, że tego nie uczyni bez względu na wszystko, bo na pierwszym miejscu stał interes numeru jeden, czyli Tammy. Ale jego mama? Po tym wszystkim, co dla niej zrobił? Mimo iż tak o nią dbał, mimo iż tak ją kochał? A ona była gotowa to wszystko zniszczyć bez zastanowienia. Wiedział, że chciała zrobić to, co zapowiedziała, zobaczył to w jej oczach. I wiedział, że tym razem jej nie przekabaci tak jak zawsze. Już nie uwierzy w to, w co pragnęła wierzyć.

Wtedy zrozumiał, że ten czas już minął i musi zatroszczyć się o siebie. I właśnie to uczynił. Nie zadźgał matki, bo ona już była dla niego martwa, zadźgał pieprzonego kabla. Nie przejmował się Tammy, bo ona będzie wiedziała, że ma trzymać gębę na kłódkę. Postarał się o to wiele lat temu. Nie postawi na szali swojego stylu życia, nawet dla swojej nowej najlepszej przyjaciółki, jego tak zwanej matki.

Peter Rudde to wszystko załatwi, a Nick nie omieszka przypomnieć mu o każdej przysłudze, którą mu wyświadczył. Ci ludzie tworzyli wielką brudną sieć, a on wiedział, kim są. Rudde prowadził rekrutację nawet w prokuraturze generalnej za pośrednictwem pracującego tam kolegi, szukał kandydatów w archiwach więziennych i w aktach sądowych. Namierzał podobnie usposobionych mężczyzn, bo im większa sieć, tym mniejsza szansa, że zostanie wykryta.

Nick szantażował niektórych z nich w celu osiągnięcia swojej obecnej pozycji. Żądał pozwoleń na budowę, zwiększenia limitów kredytowych, a czasem nawet przedłużenia koncesji dla klubów. „Wykorzystuj swoje atuty", zachęcała zawsze jego matka. No cóż, skorzystał z jej rad i patrzcie, gdzie ją to zaprowadziło. Nick lubił swoich małych mężczyzn, czuł się z nimi szczęśliwy. A niektórych z nich kochał, naprawdę kochał.

Zadzwonił telefon Nicka i niespodziewany dźwięk przestraszył jego i Justina.

Nick odpowiedział od razu.

— Otwórz, Nick, to ja, Rudde.

Te słowa zabrzmiały w jego uszach jak muzyka. Wyłączył aparat i uśmiechnął się. To był jego pierwszy prawdziwy uśmiech.

— Zmykaj do sypialni i siedź tam bez względu na to, co będzie się działo, jasne?

Justin bez słowa spełnił polecenie.

Nick podszedł szybko do drzwi, uradowany, że jego przyjaciel wreszcie się zjawił. Jeśli ktoś może mu pomóc, jest to właśnie ten człowiek, nikt inny.

Jednak kiedy otworzył drzwi, nie ujrzał w nich Rudde'a, tylko braci Clarke'ów oraz ojca małego Sonny'ego.

Nick Leary wreszcie wpadł i nikt nie miał co do tego wątpliwości.

Rozdział 27

Tammy siedziała przy szpitalnym łóżku i trzymała teściową za rękę.

Posłuchała rady Rudde'a i wsiadła z Angelą do karetki. Posłuchała również drugiej rady i nie otwierała ust.

Na razie, póki Nick jest na liście zaginionych, poczeka i dopiero gdy dowie się, co jest grane, podejmie decyzję, co dalej robić. Tymczasem chciała wiedzieć, co się stanie z biedną Angelą. Teściowa była w poważnym, lecz stabilnym stanie. Tammy patrzyła na jej pomarszczoną twarz i zastanawiała się. Jej syn oskarżył ją, że wykorzystywała go seksualnie, kiedy był dzieckiem, a ona przez całe życie, rankiem, za dnia i w nocy cytowała swojego drogiego przyjaciela Jezusa.

Matka Tammy zawsze była podejrzliwa wobec świętoszek, mawiała, że zwykle są większymi sukami od całej reszty, Tammy musiała jej przyznać punkty za przenikliwość.

Mimo to nie chciała, by Angela umarła. Siedziała cierpliwie przy łóżku, czekając na następny akt dramatu. Coś jej mówiło, że nie potrwa to długo. Stwierdziła, że Nick dotarł do kresu drogi. Teraz pozostało jej tylko czekać na to, co się wydarzy. Miała jednak nadzieję, że cokolwiek to będzie, nie odbije się na niej.

Jeśli zajdzie taka konieczność, powie prawdę o ranie Angeli. Ale na razie poczeka.

Nick poczuł, że kwas żołądkowy podchodzi mu do gardła i przełknął go z trudem. Uświadomił sobie, że Rudde podał go na talerzu i gdzieś w zakamarkach mózgu kołatała mu myśl, iż nie może go za to winić. Sam zrobiłby to samo.

Nie było przyjemnie zobaczyć Billy'ego Clarke'a, jego starego przyjaciela, lecz prawdziwy strach budził Terry, który cieszył się taką opinią, że nawet zabijaka pokroju Nicka wolał z nim nie zadzierać.

— Ty zboczony piździelcu, byłeś ostatnio na randce z jakimś deskorolkowcem? — zapytał cicho Terry i jego zamiary stały się jasne dla wszystkich, którzy go słyszeli. Tyrell widział, że Nick nawet nie próbuje niczemu zaprzeczać, co bardzo ułatwiało sprawę.

Zauważył, że Nick zerka na bile wiszące w grubej nylonowej skarpecie. Jeśli spadną na jego głowę, ta pęknie jak przedziurawiony balon. Tyrell kopnął go kolanem i jednocześnie uderzył, wpychając go do mieszkania.

Justin słuchał tumultu z rosnącym przestrachem, lecz nie wydał żadnego dźwięku.

Verbena spojrzała zmęczonym wzrokiem na policjanta.

— Jest pan pewien, że to była ona?

Policjant skinął głową.

— Przedawkowała wczoraj, dzisiaj rano znalazł ją kolega jej syna.

— Gino? To pewnie Gino, on był dla niej dobry.

Funkcjonariusz milczał, bo nie wiedział, co ma powiedzieć. Chłopak był tak nieobecny, jak zazwyczaj Jude, lecz policjant nie chciał dokładać staruszce zmartwień. I bez tego miała ich dość.

— Chce pani, żebym do kogoś zadzwonił? Sprowadzić kogoś?

Verbena pokręciła głową.

— Nie trzeba. I tak nikogo to nie obchodzi oprócz mnie.

Powiedziała to prosto i szczerze i policjant nie mógł odmówić jej racji. Sąsiedzi Jude odetchnęli z ulgą, a nieliczne drobiazgi, które miała w mieszkaniu, już znikły.

— W takim razie sobie pójdę.

Verbena skinęła głową, obdarzając policjanta swoim anielskim uśmiechem.

— Dziękuję, że pan mnie zawiadomił.

— W szpitalu ona podała pani nazwisko jako najbliższej krewnej, proszę pani.

Verbena znów się uśmiechnęła. Jude dała dowód, że ją kocha.

Staruszka usiadła w wygodnym fotelu i długo dumała nad losem dziewczyny, która wtargnęła do jej rodziny niczym fajerwerk. Z mnóstwem hałasu i w feerii barw.

Pamiętała ją z czasów, gdy heroina jeszcze nie wzięła jej w niepodzielne władanie. Sięgnęła po notes i powoli zaczęła szukać numeru telefonu matki Jude. Wiedziała, że kobieta nie pofatyguje się na pogrzeb, nawet za niego nie zapłaci, lecz mimo to czuła, iż powinna zawiadomić ją o śmierci córki. Miała prawo wiedzieć, wszak była jej matką.

Jude przynajmniej znajdzie się ze swoim małym Sonnym, będzie szczęśliwa u jego boku. Verbena pocieszyła się tą myślą, lecz w tej samej chwili łzy polały się z jej oczu, a ciałem wstrząsnęła fala niepohamowanego żalu.

Czoło Nicka pękło, krew zalała mu oczy.

Tyrell obserwował go uważnie, dziwnie odseparowany od tego, co się dzieje. Ciężki zapach krwi zawisł w powietrzu, a bracia Clarke grubiańskimi okrzykami zachęcali go do jeszcze większej gwałtowności.

Wykładzina przesiąkła krwią, ściany i sufit też pokryły się zasychającymi brązowymi plamami.

Zgodnie z ich normami Nick musiał dostać, i to tak, żeby poczuł. Tyrell miał tego świadomość i nawet nie budziło to jego sprzeciwu. Śmierć Sonny'ego tego wymagała, a sposób, w jaki przeżył swoje ostatnie lata, wymuszał taką karę.

Przy każdym cięciu myślał o Sonnym, a później wyobrażał sobie Nicka z innymi dziećmi. Dzięki temu było mu łatwiej.

Nie wiedział, skąd wzięła się brzytwa, lecz odgadł trafnie, że pochodziła od Terry'ego. Czuł, jak ostrze przecina skórę i zgrzyta o kości. Wrażenie nie było podobne do niczego, co do tej pory doświadczył. Jednak wezbrała w nim żądza przemocy, pierwszy raz w życiu czerpał radość z zadawania bólu. Każdy cios lub cięcie zbliżało go do spokoju, i choć na pewnym poziomie świadomości wiedział, że to, co czuje, jest złe, rozkoszował się tym.

Każdy cios był zadośćuczynieniem za los jego syna, każdy jęk bólu zapłatą za to, że ten mężczyzna wziął sobie Sonny'ego i wykorzystał go jak zwierzę. Każdy jęk cierpienia był jak balsam na jątrzącej się ranie.

Usta zakleili Nickowi czarną taśmą do owijania przewodów, lecz i tak było słychać jęki i wrzaski.

Nie można było rozpoznać w nim człowieka, a dźwięki, które wydawał, brzmiały jak ryk rannego niedźwiedzia.

Tyrell obserwował to jaśniejącymi oczyma. Uwielbiał zemstę, a słuszna zemsta była najlepsza ze wszystkich. Czuł się prawie jak święty, gdy gorąco pragnął śmierci tego człowieka. To był chwast, a chwasty należy usuwać. Pierwszy raz w życiu oglądał świat oczami Terry'ego Clarke'a. Nie spodziewał się, że coś takiego kiedykolwiek nastąpi.

Billy i Louis zagrzewali obu do dzieła, lecz w ich głowach odzywał się głos mówiący, że to za dużo. Może nie dla Terry'ego, lecz dla Tyrella; w końcu on kiedyś odwrócił się od takich poczynań, a oni uznali je za swój fach.

Tyrell zadał kolejne cięcie, a Nick wydał gulgoczący odgłos; wszyscy wiedzieli, że jego usta napełniły się krwią i wymiocinami. Trwało to długo jak wieczność, a Tyrell w milczeniu, zafascynowany patrzył, jak tamten walczy o życie.

Nick stracił przytomność. Terry wyciągnął z kieszeni elektryczny bat i dźgnął nim zalane krwią ścierwo, które podskoczyło, poderwane siłą prądu.

— Obudź się, ty pieprzony fajansie! — ryknął Tyrell, zanosząc się histerycznym śmiechem. Jednak w głębi serca wiedział, że Nick Leary nigdy więcej się nie obudzi.

Hester weszła na oddział intensywnej opieki medycznej i usiadła obok Tammy. Wzięła bratową za rękę i uśmiechnęła się smutno.

— Czy ona umiera?

Tammy wzruszyła ramionami. Nie wiedziała, co powiedzieć.

— Mam nadzieję, że tak.

Tammy była zaszokowana.

— Przestań, Hess.

Hester uśmiechnęła się lekko.

— Nick to zrobił, prawda?

Tammy skinęła głową, patrząc na nią załzawionymi oczami.

— Więc mam nadzieję, że umrze, bo nie chciałaby żyć ze świadomością, że to on zadał jej taki ból.

Otarła oczy chusteczką, lecz prawie nie było w nich łez.

— Ich związek był dziwny, Tams. Musiałabyś żyć naszym życiem, żeby coś z tego zrozumieć.

Tammy rozumiała o wiele więcej, niż Hester się wydawało, ale nie zamierzała się z tym zdradzać. Zawsze wiedziała, że jest coś nie tak między Angelą i jej córką, lecz tłumaczyła to faktem, że Hester wyszła za czarnoskórego mężczyznę. Teraz wiedziała, że preferencje seksualne Nicka przeniosły się na chłopców pochodzenia karaibskiego. Sonny Hatcher był tego dowodem. Jej córka przez cały czas myślała, że matki nie obchodzi ona ani jej dzieci, a tymczasem Angela ich chroniła, podobnie jak chroniła synów Nicka, bez przerwy pilnując niczym przyzwoitka. Raptem uzmysłowiła sobie, że będzie musiała im wyjaśnić, co się stało z babcią, i ta myśl ją przeraziła.

Bez względu na wszystko nigdy nie szepnie żywej duszy o oskarżeniach, które jej mąż rzucił na matkę. Wiedziała, że jej synowie byli z Angelą bezpieczni. Musiała w to wierzyć, bo inaczej by oszalała, zwłaszcza że sama bez chwili zastanowienia oddała ich w ręce tej kobiety. Teraz zadała sobie pytanie, jak zareagują na to, co się stało w ich rodzinie.

Nagle Hester wyglądała jak stara i zaniedbana kobieta. Czas nie obszedł się z nią łagodnie, lecz Tammy wiedziała, że mąż ją uwielbia. Z jakiegoś niezrozumiałego powodu ta świadomość ją zasmuciła.

Wiedziała, że sama nigdy nie była naprawdę kochana. Nawet dzieci kochały ją tylko wtedy, gdy były małe i bezbronne.

Z biegiem lat zmieniły ją gniew na męża i nuda małżeństwa. Z beztroskiej świeżo poślubionej dziewczyny przeistoczyła się w nieszczęśliwą kobietę goniącą za seksualnymi przygodami pozbawionymi znaczenia i wmawiającą sobie, że to wspaniałe romanse.

Co się stanie, jeśli Nick wpadnie albo, co gorsza, ze wszystkiego się wywinie? Musiała ruszyć głową. Znała wszystkie transakcje, których dokonywał, i wiedziała, gdzie są ulokowane pieniądze. Sprawdziła to wszystko, na wypadek gdyby Nick poślizgnął się przy robieniu któregoś ze swoich ciemnych interesów.

Nick leżał owinięty w brezent na podłodze dużego pokoju, a oni siedzieli w różnych miejscach i w milczeniu palili papierosy.

Gwałtowność napadu wreszcie do nich dotarła, zobaczyli, że całe pomieszczenie jest zbryzgane krwią, podobnie jak oni.

Terry poszedł do kuchni, zajrzał do lodówki, wyjął mleko i zaczął parzyć dla wszystkich kawę. Grube lateksowe rękawiczki, które miał na rękach, łatwo się zmywały. Pochylił się nad zlewozmywakiem pod starym bojlerem gazowym i umył się dokładnie. Reszta zrobiła to samo. Ale mimo to wciąż byli zakrwawieni. Ich ubrania były umazane krwią, zwłaszcza Terry'ego i Tyrella.

Po zagotowaniu wody Terry wymknął się do samochodu i wyjął z bagażnika torbę z koszulkami, którą ze sobą woził.

Zawsze miał przy sobie zapasowe ubrania. Jego temperament był tak nieprzewidywalny, że Terry nigdy nie wiedział, kiedy może ich potrzebować. Napawało go dumą, że zawsze wyprzedza o krok każdą awanturę, która może się przydarzyć w ciągu zwykłego dnia. Z tyłu w samochodzie woził również wyprasowaną koszulę, na wypadek gdyby postanowił odwiedzić którąś ze swoich laleczek. Terry Clarke myślał o wszystkim.

Kiedy wrócił do mieszkania, przywitały go śmiechy i żartobliwe komentarze na temat czarnej torby z garderobą. Terry pławił się w pochwałach jak małe dziecko. Naprawdę dobrze się dzisiaj zabawił, na swój osobliwy sposób; to, co się stało, uświadomiło mu, jakim jest szczęściarzem.

Rudde był sam. Ból w odbycie był tak ostry, że policjant bał się, iż za chwilę straci przytomność. Ci dranie przytrzymali go i zgwałcili kijem od szczotki. Zostawiwszy go przerażonego i krwawiącego, zapowiedzieli, że wrócą po odwiedzinach u Nicka. Później Kerr kazał mu zadzwonić do Leary'ego i wyszedł.

Wiedział, że mówili prawdę. Wrócą, i to bez dwóch zdań. Rudde zobaczył Tyrella Hatchera w nowym świetle.

Teraz leżał na łóżku i czekał na ich powrót. Związali go jak wieprza i zostawili w niewygodnej pozycji. Przerażony policjant mógł się tylko zastanawiać, jaka będzie ich ostateczna zemsta.

Na pewno jednak nie dorówna tej, która spotkała Nicka Leary'ego. Rudde nie miał co do tego wątpliwości.

Tammy weszła do domku z basenem i otworzyła sejf, który kazała zamontować, kiedy Nick w czasie weekendu wyjechał z kolegami do Malagi.

Miała kopie wszystkich jego dokumentów, a także polis ubezpieczeniowych. Jeśli mąż zginie lub zniknie, ona będzie bogatą kobietą. Miała nadzieję, że mężowi zdarzy się to pierwsze.

Nick być może nigdy nie wróci. Lecz Tammy wiedziała, jaki potrafi być podstępny, dlatego niczego nie wolno było jej zaniedbać. Jeśli okaże się to konieczne, wyda go bez wahania.

Zadzwoniła na komórkę Rudde'a, bo policjant mógł mieć informacje o jej mężu, lecz telefon dzwonił, aż w końcu włączyła się poczta głosowa. Nie mogła nagrać wiadomości, to było wykluczone. Korzystała z jednej z komórek Nicka, tak więc nie obawiała się zbytnio, że połączenie zostanie zarejestrowane. Słyszała, że w domu dzwoni telefon stacjonarny, i domyśliła się, że teściowa zmarła.

Usiadła na podłodze i nagle zalała ją fala smutku. W końcu nieodwołalnie została sama.

Potem wstała, przeszła spokojnie do holu i rozejrzała się. Z dreszczykiem podniecenia uświadomiła sobie, że wszystko, co ją otacza, należy do niej.

Verbena siedziała w gęstniejącej ciemności, słuchając radia i myśląc o Jude. To dziwne, lecz od lat nie było jej tak lekko na sercu.

Jude ściągnęła cień na jej rodzinę. Verbena zdawała sobie z tego sprawę, wiedziała, jak bardzo wszyscy nią pogardzali, i wiedziała, że Sonny bardzo ją kochał.

Spojrzała na zdjęcie swojego zmarłego syna i uśmiechnęła się do niego, jak zawsze. Kiedyś skierowała do dziecka prośbę, żeby zaopiekował się Sonnym, a teraz prosiła go, by wziął pod swoją opiekę również Jude. To sprawiło, że poczuła się o wiele lepiej.

Słysząc delikatne pukanie do drzwi, domyśliła się, że to pastor. Na jej twarzy pojawił się szeroki uśmiech, gdy szła go przywitać. Zadzwoniła do niego wcześniej; nie porozmawiała jeszcze z Tyrellem, na razie nie chciała kontaktować się z rodziną, która i tak jej nie zrozumie.

Wielebny, tak jak większość ludzi, nie miał czasu dla Jude, mimo iż była chrześcijańską duszą. Verbena wiedziała jednak, że wypowie wszystkie odpowiednie formułki, nawet jeśli nieszczerze. A ona potrzebowała ich teraz bardziej niż kiedykolwiek przedtem w życiu.

Dla niej Jude zawsze była zagubioną owieczką. Teraz wreszcie się odnalazła i nic ani nikt jej więcej nie skrzywdzi.

Cienie na ścianie sypialni były już długie, gdy Peter Rudde usłyszał chrobot klucza w zamku. Natychmiast poczuł, że jego kiszki się rozluźniają. Ból trochę przygasł, lecz Rudde miał świadomość, że niebawem wróci i będzie o wiele gorszy niż wszystko, czego dotąd zaznał.

Mężczyźni weszli do sypialni i w półmroku Rudde zobaczył ich zmienione ubrania i zachowanie. Wiedział, że już zajęli się Nickiem.

Na myśl o tym, co przeżył Nick, zamknął oczy; wiedział, że czeka go coś podobnego.

Billy i Tyrell ze śmiechem wyciągnęli kawał sznura i kajdanki.

— Zostaniesz słynnym amatorem seksualnych zabaw, Peter, ty stary gnoju, twoi koledzy znajdą wszystkie zdjęcia z małymi chłopcami. Ciekaw jestem, jak zareagują na ich widok?

Zdjęcia z kolekcji Rudde'a przedstawiały sceny dominacji seksualnej. Na wieść, że jego oprawcy je znaleźli, strach inspektora wielokrotnie się spotęgował.

Dwadzieścia minut zajęło im wieszanie go na haku rzeźnickim, który wkręcili w sufit, i jeszcze pięć ciągnięcie za nogi, nim wreszcie nabrali pewności, że nie żyje.

Terry postanowił, że robotę trzeba zakończyć ściągnięciem policjantowi spodni i wbiciem w jego odbyt długiego odłamka szkła. Cofnął się, żeby spojrzeć z podziwem na dzieło swoich rąk, śmiech jak zwykle u niego czaił się pod powierzchnią. Zaczął śpiewać posępną balladę Lou Reeda *Hanging around* i nawet Tyrell się roześmiał.

— Cóż, możemy chyba powiedzieć, że ten piździelec odbył dzisiaj wycieczkę na dziką stronę rzeczywistości, co, chłopcy?

Wyszli z mieszkania, starannie zamykając za sobą drzwi.

Nie chcieli, żeby gliniarz został znaleziony od razu. Wsunęli klucz przez szparę na listy i poszli do furgonetki, którą postanowili komfortowo przetransportować Nicka na jeden z jego placów budów.

Wracając po długiej nieobecności do domu, Tyrell zdołał kupić w barze posiłek dla siebie i Willy'ego Lomaxa. Były to tylko cheeseburgery z frytkami, ale wystarczą. Ich zapach uświadomił Tyrellowi, że umiera z głodu.

Podając prowiant Willy'emu, uśmiechnął się do niego.

— Postaraj się, żeby to wyglądało jak królewska kolacja, synku. Idę pod prysznic.

Strumieniem wody zmył z ciała ślady nocnych wydarzeń. Czysta gorąca woda zmieszała się z jego łzami, które musiał wylać za syna. Za dziecko, którym nigdy się naprawdę nie zaopiekował, nie w odpowiedni sposób, nie tak jak powinien.

Teraz czuł się jak nowo narodzony. Poczuł, że wreszcie dostał zadośćuczynienie za to, co stało się z jego synem.

Ubrany w dżinsy i koszulkę wszedł do pokoju i pochłonął cheeseburgera z frytkami jak człowiek, który nie jadł od tygodni. Otworzył puszkę red stripe'a i w jednej chwili ją opróżnił. Pięć minut później skończył posiłek.

Willy przyglądał mu się ukradkiem, obawiając się tego nowego mężczyzny, którego widział. Gniew wylewał się z niego każdym porem skóry, jego twarz, nawet rozluźniona, miała twardszy wyraz niż przedtem. Willy bał się go, bardzo się bał, i nie wiedział dlaczego. Tyrell zerknął na chłopca, zapalając skręta. Widząc wyraz jego twarzy, odłożył jointa do popielniczki i zapytał cicho:

— Wszystko w porządku?

Willy Lomax ledwie skinął głową. To jest człowiek, którego poznał i pokochał. Nie ten, który wszedł do domu, rozsiewając woń krwi i potu i spoglądając dzikimi, zaczerwienionymi oczami.

— Hej, mały, co się stało?

Tyrell przypomniał sobie, że Willy prawdopodobnie zobaczył mężczyznę spadającego z balkonu i westchnął ciężko. Bez tego chłopca nigdy nie poznałby prawdy o swoim synu. Czy okazał wdzięczność? Nie wiedział. Wiedział jednak, że chłopiec jest bledszy niż kiedykolwiek, że wygląda na chorego. Ale na litość boską, on był chory, miał HIV-a.

— Potrzebujesz lekarza, mały?

Willy znów pokręcił głową.

— Boisz się?

Chłopiec milczał.

— Boisz się mnie?

Willy skinął głową, a jego oczy zrobiły się jak spodki.

— O kurde, Willy, nie musisz się mnie bać, koleżko.

Powiedział to głosem tak łagodnym i pełnym troski, że chłopiec siedzący na kanapie rozkleił się i wybuchnął płaczem. Całe jego życie było przeraźliwą, nieznośną udręką, nie był w stanie dłużej wytrzymywać tego wszystkiego. Robił się miękki, wiedział o tym.

Tyrell podszedł do niego i położył silną rękę na jego ramionach. Bał się bliższego kontaktu z tym chłopcem, lękał się, że zostanie to opacznie zrozumiane. Lecz Willy chwycił jego rękę, jakby to było koło ratunkowe, i rozszlochał się tak, jak jeszcze nigdy w życiu. Płakał nad życiem swoim, Tyrella oraz wszystkich chłopców i dziewcząt, które poznał, dzieci schwytanych w pułapkę świata podobnie jak on. Płakał nad swoją matką, którą tak bardzo kochał, a która nigdy go nie chciała od chwili poczęcia.

Tyrell trzymał go w ramionach i delikatnie gładził po plecach, wydając ciche, uspokajające dźwięki.

Wreszcie Willy się zmęczył i spojrzał Tyrellowi w twarz.

— Dzięki, stary. Dzięki, że się mną zająłeś.

Tyrell przyciągnął do siebie rudą główkę i mocno przytulił, tak jak tulił swoich synów, tak jak niegdyś tulił Sonny'ego.

— Dzięki, mały człowieczku, za to, że mi pomogłeś. A teraz naszykuję ci kubek dobrej gorącej czekolady, co? Wiem, że najbardziej ją lubisz. Nawet obejrzę z tobą bliźniaków Cramp, jeśli to cię rozweseli, zgoda?

Willy uśmiechnął się do niego smutno i ten uśmiech złamał Tyrellowi serce.

— Chciałbym, żebyś był moim tatą.

Tyrell zmierzwił jego czuprynę, nie wiedząc, co powiedzieć. Po brutalności, która wypełniła mu ostatnich kilka godzin, ten chłopiec był jak powiew świeżego powietrza.

— Ja też, synku, ja też.

Zdziwił się, uświadamiając sobie, że naprawdę tak myśli.

Tammy leżała w jacuzzi, popijając dżin z tonikiem.

Zawsze lubiła obsługę hotelową, a mały kelner wyglądał jak spełnienie marzeń. Hotel był drogi, bo taki powinien być. Tammy potrzebowała w tej chwili rozpieszczania. Lecz nawet ona wiedziała, że przez jakiś czas musi być grzeczna jak mała dziewczynka. Znów zastanawiała się, gdzie podziewa się jej mąż i jaki będzie oddźwięk ostatnich wydarzeń.

Biedna Angela, zamordowana przez własnego syna. Co za śmierć.

Tammy spojrzała w dół na swoje ciało i wyjątkowo oszczędziła sobie krytycyzmu. Już się nim nie przejmowała. Miała inne sprawy na głowie.

Jutro odbierze synów ze szkoły. Nie zostanie — bo nie może zostać — w tym ogromnym przytłaczającym pałacu sama jak palec. To wiedziała na pewno. Postanowiła, że być może znajdzie sobie stałą pomoc domową.

Będą mogli się kąpać i odpoczywać. Ona potrafi wszystko zorganizować, przecież nie jest głupia, prawda? Właściwie miała wrażenie, że kiedy to wszystko się skończy, jej życie może się naprawdę zacząć.

Zamknęła oczy i znów próbowała usunąć z pamięci widok męża wbijającego nóż w plecy matki.

To zabawne, że Tammy wiele razy używała tego określenia, a teraz on naprawdę wbił komuś nóż w plecy. Jej mąż był pedofilem, zdeklarowanym, regularnym, pieprzonym dręczycielem dzieci. Co ona zrobi, do jasnej cholery, kiedy to wszystko się wyda?

Czy zadzwoni do swoich tak zwanych koleżanek? Przed chwilą uświadomiła sobie, że koleżanki jej nie obchodzą.

Dzisiejsze wydarzenia sprawiły, że Tammy spojrzała na wszystko inaczej. Najdziwniejsze było to, że czuła się również wyzwolona. Jak gdyby jej zaborcza miłość do męża nigdy nie istniała.

Nick zawsze był twardym chłopakiem i chlubił się tym. Kiedy leżał w wypełnionej wodą dziurze, przygotowanej do zalania cementem, odzyskał przytomność. Podniesienie się na kolana wymagało olbrzymiego wysiłku, lecz zdołał tego dokonać. Ból był niczym biały ogień przenikający każdą część jego ciała, a myśli mieszały się i plątały. Kierował nim instynkt przetrwania, który ma każdy mężczyzna niezależnie od rasy, koloru skóry czy wyznawanej wiary.

To jednak nie wystarczyło. Runął twarzą w błotnistą wodę i tak zginął. Na końcu pomyślał o zdjęciu, na którym w towarzystwie matki odbiera medal za udział w turnieju piłkarskim. Przez lata stało w jej sypialni.

Willy wreszcie zasnął, a Tyrell otulił go szczelnie kołdrą. Potem wszedł do swojej sypialni, usiadł na łóżku i oparł głowę na dłoniach, by opanować drżenie.

Wiedział, że odreaguje szok. Był w szoku z powodu wszystkiego, co się stało, nie tylko dzisiaj, lecz w ciągu ostatnich kilku miesięcy.

Jude nie żyła, Rudde mu to powiedział, spodziewając się, że Tyrell okaże mu wdzięczność. Wiedział, że matka ciężko to przeżyje, ale nic nie mógł na to poradzić. Ona zawsze widziała inną Jude niż wszyscy i Tyrell długo postępował tak samo. Miał szczerą nadzieję, że Jude odnalazła jakiś rodzaj spokoju. Nigdy nie zaznała prawdziwego spokoju tak jak inni ludzie. Jej życie było pasmem dramatów i Tyrell miał nadzieję, że teraz wreszcie może spać naprawdę. Kiedyś była taka piękna, zwłaszcza gdy była w ciąży. Tyrell żałował, że syn i mąż nigdy nie zdołali zaspokoić jej pragnień.

A teraz Tyrell miał za sobą dwa rozbite małżeństwa, gdyż wiedział, że cokolwiek się stanie, nie wróci do Sally.

W jego życiu eksplodowała bomba, której było na imię Jude. Echa tej eksplozji wywoływały wstrząsy wtórne prawie przez dwadzieścia lat. Teraz wszystko dobiegło końca i Tyrell miał nadzieję, że wreszcie wszyscy znajdą spokój. Zwłaszcza biedna Jude i jego przystojny syn, Sonny.

Jeszcze raz zapłakał.

Epilog

Tyrell wyglądał dobrze i Sally nie mogła tego przeoczyć, kiedy siedziała z jego matką. Ostatnio często u niej bywała, ale tylko dlatego, że Tyrell spędzał tam dużo czasu. Zauważyła też, że jest bardzo przywiązany do synów.

Dlaczego przedtem tego nie doceniała? Dlaczego nie umiała zauważyć tej wartości, zamiast bezustannie doszukiwać się w nim wad? Dlaczego obraz Jude i Sonny'ego zajmował w jej życiu o wiele więcej miejsca niż zacny człowiek, za którego wyszła?

Teraz Jude nie żyła tak samo jak Sonny, który padł ofiarą jej chciwości. W końcu wstrzyknęła sobie działkę nieochrzczonego proszku, a ta ją zabiła. Jednak za późno, by Sally mogła odczuć dobre skutki tego wydarzenia. Gdyby wiedziała, co się stanie, mogłaby poczekać, aż oboje znikną, i w tej chwili byłaby jego jedyną miłością. Lecz ona tego nie zrobiła. Zamiast tego zmusiła go do dokonania wyboru, a on w końcu wybrał, lecz nie ją.

Tyrell z premedytacją wyszedł do kuchni. Nawet jego sposób chodzenia się zmienił. Teraz wszystko było w nim inne.

Chłopcy też to zauważyli.

Nie rozmawiali z nią tak jak kiedyś. Wciąż traktowali ją jak matkę, okazywali jej szacunek, wciąż ją kochali. Lecz wszystkie ich sekretne myśli zarezerwowane były dla ojca.

Sally podążyła za mężem do kuchni, ignorując ostrzegawcze

spojrzenie teściowej. Verbena poradziła jej, żeby przestała się narzucać Tyrellowi, twierdziła, że on potrzebuje czasu, by wyleczyć rany. Lecz Sally nie potrafiła tego uczynić, to nie leżało w jej naturze.

Tyrell spodziewał się jej. Wiedziała o tym, bo stał oparty o tani blat kuchenny i uśmiechał się tym dziwnym uśmiechem, który pojawił się na jego ustach w ciągu ostatnich kilku miesięcy.

Wydawało się, że tam jest, a jednocześnie znajduje się bardzo daleko od niej. Tak daleko, jak jeszcze nigdy. Nie mogła się do niego zbliżyć i to ją zasmucało.

— O czym chcesz pomówić tym razem, Sal?

Ton jego głosu był obojętny, a zarazem podszyty aluzjami. Sally miała dość przyzwoitości, żeby poczuć się zakłopotana. Słyszała rozmowę synów dochodzącą z pokoju, wiedziała, że znów rozmawiają o bracie, bo to zdarzało się ostatnio bardzo często. Babcia ożywiała wspomnienia o nim, pilnowała, by Sonny nie został zapomniany. Ten dom był jak sanktuarium jego i Jude.

Sally uśmiechnęła się i podjęła największy wysiłek, by nie wyglądać konfrontacyjnie, cokolwiek to może znaczyć. Przeczytała o tym w magazynie dla kobiet, a ponieważ pragnęła odbudować swoje małżeństwo, próbowała tej metody. Była gotowa chwytać się wszystkiego. Chciała, żeby ten mężczyzna wrócił na swoje miejsce, czyli do jej domu i łóżka. Bez względu na cenę, którą poniesie jej duma, chciała, żeby wszystko było jak przedtem.

Tyrell skrzyżował ręce na piersiach i ponaglił:

— No, Sal, nie mogę tu stać cały dzień.

Sally widziała, że spodziewał się tej rozmowy. Specjalnie wyszedł do kuchni, żeby znów nie musiała polować na pretekst, by znaleźć się w tym samym miejscu co on. A robiła to ostatnio bardzo często. Czyżby była aż tak łatwa do przejrzenia?

— No, mów, chłopcy chcą już iść — naciskał Tyrell.

Sally wyglądała na pokorną, skruszoną. Tyrell widział ból w jej oczach, a i tak go to nie poruszyło.

— Tyrell, proszę cię, wróć do domu.

Sally jeszcze nigdy nie była tak blisko błagania o cokolwiek, oboje zdawali sobie z tego sprawę.

Tyrell spojrzał na nią, lecz nie odpowiedział.

Patrzyła na ciężkie dredy wokół jego twarzy, widziała smutek w brązowych oczach. Zauważyła, że jeszcze wyszczuplał. Wydawał jej się bardziej atrakcyjny i seksowny niż kiedykolwiek.

Czemu nigdy nie wiedziałaś, co masz, dopóki ci tego nie odebrano? Dopóki sama tego nie odepchnęłaś?

Bo w głębi serca wiedziała, że odepchnęła od siebie tego mężczyznę, a kilkoma ciepłymi słowami mogła go zatrzymać u swego boku na resztę życia.

Tyrell zmienił się nie do poznania. Widać to było na jego twarzy. To wciąż był on, Tyrell, lecz inny, twardszy, bardziej skomplikowany. Nagle wiedziała, iż przekonywanie go mija się z celem, że podjął już decyzję i ona jej nie zmieni.

Wciąż ją obserwował, a Sally widziała cynizm w jego oczach, w układzie ust.

W całym jego zachowaniu.

Kiedy nie odpowiedział, zrozumiała, że wszystko skończone. Świadomość ta głęboko zraniła Sally. Miała wrażenie, że ją zabije.

Gino uśmiechnął się do matki, a ona odpowiedziała uśmiechem. Trochę to trwało, lecz wspólnie zdołali przez to przejść. Deborah bez końca powtarzała to synowi. Czuł zapach gotującego się obiadu, mrożonych paluszków rybnych i purée. Zbierało mu się na wymioty, ale się powstrzymał. Kiedy zje, będzie mógł wyjść, a pierwszym miejscem, do którego skieruje kroki, będzie pobliski wieżowiec.

Wysokościowce stały niedaleko od niskich bloków, w których Gino mieszkał z matką, zbudowanych przed drugą wojną światową. Wtedy było jeszcze dużo wolnej przestrzeni i zieleni.

Gino zamierzał zdobyć tam towar i odjechać na całego. Jego dziewczyna Abby posłuży mu jako parawan. Abby lubiła heroinę tak samo jak on.

To był idealny układ.

Gino lubił brązowy proszek, lubił to uczucie po strzale, cieszył się, że może wyrwać się z osiedla bez wsiadania w pieprzony autobus. To był teraz jego świat i Gino odczuwał wdzięczność.

Jude odeszła, lecz jej pamięć wciąż żyła.

On był tego dowodem.

Tammy leżała koło domowego basenu. Rozejrzała się po pięknym pustym domu i policzyła dni, które dzielą ją od chwili, gdy będzie mogła zabrać synów ze szkoły i wyjechać do Hiszpanii. Popijała drinka, który był odpowiednio mocny. Wciąż trzymała się na uboczu po śmierci męża i teściowej. Przyjaciółki okazały się dla niej miłe, skakały nad nią, nawet jeśli chodziło im tylko o to, by wybadać, co jest grane.

Nicka znaleziono leżącego twarzą do ziemi w wykopie na jednej z budów, skatowanego na śmierć. Nikt nie został aresztowany za tę zbrodnię i Tammy wiedziała, że nigdy nie zostanie. Nikt nie wiedział, co się wydarzyło.

Z wyjątkiem Tammy, rzecz jasna, a ona nie miała ochoty z nikim się tym dzielić.

To, czego ludzie się domyślali, było ich sprawą, lecz ona pochowała zmarłych w osobnych grobach. Nawet na różnych cmentarzach. Tylko tyle mogła uczynić dla Angeli.

Tammy zastanawiała się, ile wie Hester i ile się domyśla. Ona jednak nie spierała się o miejsca pochówku.

Nicka nie było, a Tammy wcale za nim nie tęskniła. Dlaczego tak długo spędzała życie w jego cieniu? To było żałosne, jak bardzo się od niego uzależniła. Pragnęła go, potrzebowała.

Tyle lat ciągłego dociekania, gdzie jest mężczyzna, którego, jak jej się zdawało, zna i kocha, a on tymczasem był pustą powłoką niewartą miłości ani jej, ani nikogo innego.

Rudde też zniknął, podobno się powiesił, choć nikt nie wiedział dlaczego. Ale najpierw zniszczył zdjęcia i Tammy rozumiała sens jego działania. Za wiele rzeczy powinna mu podziękować. Co nie znaczyło, że zamierzała go szukać.

Tak więc miała tyle pieniędzy, że nie wiedziała, co z nimi zrobić, oraz szczupłą seksowną figurę dzięki troskom, z którymi musiała się tak długo borykać.

Lecz wszystko już się skończyło i to było najważniejsze.

Wreszcie się skończyło.

Najzabawniejsze, że Tammy nie miała ochoty na mężczyzn. Nie chciała mieć teraz z nimi do czynienia. A spędziwszy nieco czasu z dziećmi, nauczyła się czerpać radość z ich towarzystwa.

Gdyby przed laty zrozumiała, co naprawdę jest istotne w życiu, o ileż byłaby szczęśliwsza. Teraz jednak wiedziała i mocno postanowiła, że nigdy więcej nie zapomni o swoich priorytetach.

Willy Lomax uśmiechał się szeroko. Kiedy Tyrell przyjechał po niego z synami, miał wszystkim do przekazania dobre wiadomości.

Przyznano mu mieszkanie.

Wreszcie miał własny dom, a członkowie tej rodziny, która adoptowała go tak chętnie, będą jego pierwszymi gośćmi.

Wybierali się dzisiaj na kręgle, a on był wdzięczny, że zabierali go ze sobą.

Wiedział, że umiera.

Ale jeszcze nie umarł!

Jak powiedział Tyrell, trzeba korzystać z każdego dnia i Willy właśnie to robił.

Justin uśmiechnął się do klienta, wkładając w ten uśmiech cały swój czar. A miał go naprawdę mnóstwo.

Mężczyzna, przyjezdny w pogniecionym czarnym garniturze i przepoconej szarej koszuli, podszedł do niego z nieśmiałym uśmiechem. Był po pięćdziesiątce, żonaty z pracownicą opieki społecznej, dziwacznie uczesanej, wiecznie pociągającej nosem. Dlatego lubił się zabawić. Zobaczył chłopca i nie wsiadł do pociągu, by sprawdzić, czy jego przypuszczenie jest trafne.

Jak się okazało, miał rację, był więc wniebowzięty. Kilka minut później wyszli razem z dworca. Dawna szczurza nora znikła, lecz tuż za rogiem błyskawicznie powstała nowa.

Justin potrafił znaleźć szczurzą norę, tak jak inni chłopcy znajdowali piłki do krykieta.

Tyrell patrzył, jak trójka chłopców prześciga się w rzucaniu kulami. Obserwował też innych ludzi, czego nigdy wcześniej nie robił. Przez cały czas się rozglądał, szukając wzrokiem samotnych mężczyzn, którzy przyglądają się grającym chłopcom.

Czuł się tak, jakby miał milion lat. Teraz, gdy wiedział tak wiele o świecie, Matuzalem był w porównaniu z nim niemowlęciem w ramionach matki.

Jude odeszła, padła ofiarą samej siebie, a Sonny podążył tą samą drogą. Tyrell pochował ją godnie, wiedząc, że matka tego oczekuje. Lecz odprowadził ją w ostatnią drogę bez cienia emocji. To już miał za sobą. Teraz troszczył się tylko o tych trzech chłopców. Tak będzie, dopóki się nie wyleczy, a nie był pewny, w jaki sposób ma tego dokonać.

Louis powiedział, że po prostu musi być cierpliwy i czekać, aż ból osłabnie. Tyrell czuł, że przyjaciel ma rację. Pewnego dnia będzie gotów, żeby znów się z kimś związać, lecz tą kobietą nie będzie Sally, o tym był przekonany. Pragnął kogoś łagodniejszego, kto nie zechce zawładnąć nim i jego życiem. Sally postarała się, żeby zmarnował cenny czas, który mógł spędzić z najstarszym synem. Cóż, ostatnio pobierał trudne nauki w przyspieszonym tempie i wiele dzięki nim skorzystał.

Wiedział też jednak, że w pewnym sensie mu się poszczęściło.

Tak wielu ludzi nie wie, co się dzieje tuż pod ich nosem, a on już wiedział. W rzeczy samej został ekspertem. Może — ale tylko może — gdyby wiedział to wszystko wcześniej, potrafiłby należycie zaopiekować się małym Sonnym. Tego jednak nigdy się nie dowie.

W kręgielni „Księżniczka w Dagenham" zjawił się Terry Clarke, gość w tym lokalu raczej nieoczekiwany. Willy uśmiechnął się jeszcze szerzej. Terry bardzo polubił chłopca, zanim jeszcze dowiedział się o jego chorobie. Teraz spotykali się raz w tygodniu i wszyscy doskonale się bawili. Tyrell poznał Terry'ego od strony, której istnienia nigdy nie podejrzewał. Wiedział również, że Terry odwiedza Willy'ego regularnie z własnej woli, choć nigdy o tym nie rozmawiali.

Cuda wciąż się zdarzają.

Tyrell uśmiechnął się radośnie do Willy'ego i synów, rad, że może z nimi być i cieszyć się ich obecnością. Rad, że nauczył się chociaż jednego: Nie można chronić odpowiednio swoich dzieci, jeśli nie wie się dokładnie, przed czym należy je chronić.

Wtedy i tylko wtedy można im zapewnić prawdziwe bezpieczeństwo.

Polecamy

HOLLYWOODZKIE ROZWODY

Jackie Collins

Jackie Collins zasłynęła powieściami, których akcja toczy się w świecie ludzi bogatych i sławnych. Przełożone na kilkadziesiąt języków, ukazały się w wielomilionowych nakładach, wiele doczekało się ekranizacji, jak choćby słynne *Żony z Hollywood. Hollywoodzkie rozwody* to jej najnowszy bestseller.
Trzy piękne kobiety. Trzy niezwykle kariery. Trzy zbliżające się rozwody – w stylu hollywoodzkim. Lola Sanchez – seksowna latynoska gwiazda filmowa. Promując swoją karierę, poślubiła słynnego tenisistę. Teraz się z nim rozwodzi. I pragnie zemścić na mężczyźnie, przez którego stała się bezpłodna. Shelby Cheney – utalentowana angielska aktorka, żona największego macho w Hollywood. Cat Harrison – młodziutka ekscentryczna reżyserka, autorka kultowego filmu, silna i niezależna. To, co zaplanowała, wywoła szok wśród hollywoodzkiej elity.